2° Viaje de
Jaime Mercader

ZUELA

Ecuador

BRASIL

LIVIA

0   05   1   1,5   2

Miles de kilómetros

LAS ASOMBROSAS MEMORIAS DE
Jaime Mercader

La piedra inca

CÉSAR MALLORQUÍ

edebé

La piedra inca

CÉSAR MALLORQUÍ

edebé

© César Mallorquí, 1999

© Ed. Cast.: edebé, 2005
Paseo San Juan Bosco, 62
08017 Barcelona
www.edebe.com

Primera edición en este formato: octubre 2005

Directora de la colección: Reina Duarte
Diseño de la colección: César Farrés
Fotografía de cubierta: AGE
Mapas: Jordi Magrià

ISBN 84-236-7336-7
Depósito Legal: B. 34702-2005
Impreso en España
Printed in Spain
EGS - Rosario, 2 - Barcelona

Este libro está dedicado a Reina Duarte;
por numerosos motivos, pero en particular porque
sin su entusiasmo, paciencia y colaboración,
probablemente La piedra inca *jamás hubiese existido.*
Y también por todas las veces que me llamó por teléfono
durante la redacción del texto para saludarme y,
«de paso», preguntarme qué tal iba la novela.
Sin esas llamadas, La piedra inca sí hubiese
existido, pero mucho más tarde.

ÍNDICE

Capítulo Uno

Donde se habla de mí y de mi historia, así como del extraño, insólito y, en última instancia, imprudente negocio de mi padre

Esta vez no tuve yo la culpa; podría jurarlo por mi honor, si tuviera algún honor por el que jurar, cosa que, lamentablemente, no sucede.

Rasul solía decir —cuando se dignaba a hablar, lo que no ocurría con excesiva frecuencia— que soy para los problemas lo que la miel para las moscas, que siempre me estoy metiendo en líos, que todo lo que hago concluye invariablemente en desastre. Y, quién sabe, puede que tuviese algo de razón; poseo un espíritu emprendedor y un ánimo resuelto, cualidades éstas que en más de una ocasión me han conducido a situaciones comprometidas, cuando no abiertamente peligrosas. También es cierto que no pocas veces me he comportado de forma irreflexiva, guiado más por mis impulsos que por el justo dictado de la razón. Sin embargo, en aquella ocasión no fui yo el culpable de la catástrofe, sino una mera víctima inocente arrastrada por el vendaval del destino.

Además, si nos empeñáramos en buscar culpables, bien podríamos señalar como tal a mi padre, pues fue él quien despertó a los demonios de una secta antiquísima por culpa de su engañoso negocio; aunque sería injusto responsabilizarle de ello, pues todo lo que pretendía era ganarse honradamente unos dólares mediante el contrabando. Y ya puestos a culpabilizar a alguien, ¿por qué no hacerlo con Rasul Alí Akbar? A fin de cuentas, si no se hubiera empeñado en comprar una granja, jamás se habría embarcado en aquella aventura. Pero quería una granja —algo del todo impropio en un descendiente de nómadas, si quieren mi opinión—, y cuando a Rasul se le metía algo en la cabeza resultaba del todo imposible hacerle cambiar de idea.

No obstante, siendo ecuánime, tampoco ellos tuvieron la culpa, pues nadie podría imaginar siquiera que una vieja piedra grabada con el relieve de dos hombres montados sobre un caballo pudiera suponer un peligro mortal. Tampoco podía prever nadie que de pronto, como surgidos del infierno, comenzarían a aparecer misteriosos asesinos tatuados con una extraña marca. Por otro lado, nunca hasta entonces habíamos oído hablar de Bosán; ni siquiera sabíamos qué significaba. Y, para serles sincero, si hubiésemos sabido qué demonios era Bosán, jamás habríamos partido en su búsqueda.

Entonces, ¿quién tuvo la culpa? El destino, amigos míos, la única fuerza de la naturaleza que parece disfrutar burlándose de los seres humanos. El destino y, por supuesto, los von Reich, esos locos insensatos, por no hablar, claro, de Oskar Kepler. Aunque, si vamos a ello, el auténtico culpable de todo fue el rey Felipe IV de Francia, que en el año 1307 decidió saldar sus deudas recurriendo a procedimientos que sólo cabe tildar de mafiosos.

Pero ésa es otra historia y una vez más me estoy adelantando a los acontecimientos. Como solía decir mi padre, «los buenos modales abren todas las puertas, incluso las de las cajas de caudales», y lo primero que debe hacer un caballero que se precie de serlo es presentarse.

Me llamo Jaime Mercader, aunque muchos me conocen como *Little Jim* o, traducido al cristiano, *Pequeño Jim*, apodo éste que habría de granjearme en un lugar muy lejano a mi patria. Nací el veintiuno de junio de 1887 en Aranjuez, un pueblo cercano a Madrid, famoso, entre otras cosas, por su palacio real y por los fresones. Mi nacimiento no fue un suceso premeditado, sino algo más parecido a un accidente; no puede decirse, por tanto, que yo fuera un hijo deseado, circunstancia ésta que quedó patente cuando mi madre, Dolores Espina, nos abandonó a mi padre y a mí once meses después de mi llegada al mundo.

De modo que quedé a cargo de mi progenitor, Fernando Mercader, con quien un año más tarde habría de trasladarme a Madrid para que él pudiera ejercer su oficio. Y aquí, me temo, entramos en un terreno pantanoso, pues supongo que debo aclarar ahora en qué consistía dicho oficio. Mi padre era, por no andarme con rodeos, un delincuente. No, no estoy hablando de un asesino o un criminal, ni mucho menos; mi padre era incapaz de matar a una mosca. Fernando Mercader era un estafador, un pícaro, un embaucador, un farsante, un tramposo y un timador, y esto sólo es una muestra de los muchos adjetivos similares que podría emplear para definirle sin faltar a la verdad.

Pero sobre todo mi padre era un jugador. Recuerdo que solía decir: «Los naipes se asemejan a la vida, hijo mío; sólo si eres tú quien reparte las cartas, tienes ciertas garantías de controlar la situación». En efecto, para él la existencia sólo cobraba sentido cuando se circunscribía a las cuatro esquinas de un tapete verde, pues era en ese terreno donde contaba con todas las ventajas. Mi padre era un maestro del juego; dominaba el *black jack,* el *chemin de fer,* el monte, el rami, el tute y el mus, la belote, el *whist* o el ecarté. Era un experto en todos los juegos de cartas, desde el sofisticado *bridge* hasta el humilde giley, pero sin duda su preferido era el póquer.

«El póquer no es un juego», decía, «sino una escuela de carácter». Y, dado que lo consideraba una escuela, no tardó en hacerme ingresar en ella. Estoy convencido de que todos mis lectores, cuando eran pequeños, fueron obsequiados con golosinas por sus padres. El narrador de esta historia también, pero con una diferencia: no me las regalaban; debía ganármelas. Desde que yo apenas contaba siete años, mi padre me sentaba frente a él y repartía cuarenta caramelos, veinte para cada uno;

pero no podíamos comerlos, pues eran las fichas del juego. Acto seguido, mi padre cogía una baraja francesa, repartía las cartas y comenzábamos a jugar al póquer. Apostábamos caramelos y ganaba la partida quien lograra hacerse con las cuarenta golosinas.

Durante cinco largos años no le gané ni una vez. Y no crean que el corazón de mi padre se ablandaba lo suficiente como para regalarme aunque sólo fuera uno de aquellos caramelos. De eso nada; muy al contrario, se los iba comiendo delante de mí, chupándolos ruidosamente y deshaciéndose en exageradas muestras de deleite. Aún puedo verme frente a él, mirándole con patética fijeza mientras la saliva se me deslizaba por el mentón y se precipitaba al suelo hasta formar un charquito. Mas no piensen que mi padre era cruel, pues con su comportamiento únicamente pretendía estimular mi aprendizaje.

Y vaya si lo estimuló. Durante cinco años me esforcé en adquirir todas las mañas del juego, tanto las buenas como las menos buenas; memoricé las tablas de probabilidades de cualquier jugada, aprendí a calibrar al contrincante, ejercité mis dedos hasta que fueron capaces de hacer un falso corte, preparar un paquete de cartas o deslizar inadvertidamente un as por la bocamanga. Hice, en definitiva, todo lo necesario para convertirme en un tahúr.

Finalmente, cuando contaba doce años de edad, conseguí ganarle por primera vez. Hice trampas, por supuesto, pero mi padre no las descubrió, y la escasa honradez de mi victoria no impidió que aquel triunfo me supiera más dulce que la más dulce de las golosinas. Y ya que hablamos de golosinas, recuerdo que nada más concluir la partida me tomé de una sentada los cuarenta caramelos, lo cual, como era de esperar, me puso literalmente enfermo, algo que, al parecer, mi padre había previsto, pues mientras yo sufría violentos retortijones de estómago y él preparaba una cucharada de aceite de ricino, me dijo:

—Hoy has aprendido dos lecciones, hijo mío. La primera, que si te lo propones con el debido empeño, puedes ganar a cualquiera. La segunda, que no siempre la victoria conlleva la felicidad. Como dijo el sabio: ten cuidado con lo que deseas, porque podrías conseguirlo.

Y es que mi padre siempre fue un poco filósofo.

Pero un buen día de finales de 1900, cuando yo tenía trece años y medio, ni la filosofía ni sus muchas habilidades le sirvieron para evitar la catástrofe. Fue descubierto en mitad de una de sus estafas, y el estafado, un aristócrata llamado Bretanville, encomendó a unos matones la misión de darle a mi progenitor un pasaje para el otro mundo. Huelga decir que mi padre y yo pusimos pies en polvorosa; abandonamos Madrid a toda prisa, nos dirigimos a Cádiz y allí adquirimos dos pasajes, no para el más allá, sino para el *Covadonga,* un vapor cuyo destino era América.

Y ahí, amigos míos, comenzaron las aventuras que nunca han dejado de acompañarme durante mi ya larga vida. Poco antes de finalizar el viaje, ya en aguas del Caribe, fuimos sorprendidos por una tormenta y el *Covadonga* naufragó frente a las costas de Colombia. Yo logré salvarme, y no sólo eso, sino que también rescaté a Rasul Alí Akbar, un misterioso pasajero árabe del que hablaré largo y tendido más adelante. Sin embargo, mi padre desapareció en la tormenta, dejándome solo y, según yo creía entonces, huérfano. Posteriormente, me instalé en Barranquilla, donde trabajé como mocero en el establecimiento de doña Caridad Santos, el Salón Bombay, un renombrado, limpio y honesto burdel. Luego sucedieron muchas cosas; hubo una ruleta trucada, y un tiroteo, y un incendio... Y finalmente, tras ser rescatado por Rasul, tuve que salir huyendo de Barranquilla en dirección a Cartagena de Indias.

Allí mi suerte cambió, al menos de momento. Me convertí en el tahúr oficial del Café Boyacá, reputado tugurio propiedad de un grasiento griego llamado Adamantios Zolotas, y también me convertí en *Little Jim*, el jugador profesional más joven del Caribe, una leyenda entre los de mi oficio. Durante un tiempo, todo fue como la seda; Rasul me protegía las espaldas y yo ganaba un buen dinero con los naipes. Pero, como he dicho antes, poseo un espíritu emprendedor, y quiso el destino que en mi camino se cruzara el mapa de un tesoro. Un tesoro, sí, amigos míos, el fabuloso tesoro del conquistador español don Íñigo de Saavedra. ¿Qué podía hacer yo? Partir en su búsqueda, claro, y eso hice en compañía de Rasul y de una tal

Antonia, la más tramposa, taimada y embustera mujer que jamás he conocido. En el transcurso de aquella peripecia me reencontré con mi padre, a quien yo creía muerto, pero que había logrado sobrevivir a la tormenta al ser rescatado por un navío pirata, y luego...

Mas el relato de esa aventura, estimados amigos, ya ha sido narrado en el primer volumen de mis memorias —que lleva por título *La cruz de El Dorado*—, de modo que a cualquier lector interesado en saber si descubrí o no el tesoro de don Íñigo, le recomiendo encarecidamente que corra a la librería más cercana para comprar un ejemplar de la citada obra.

Porque yo, ahora, me propongo hablarles de lo que sucedió después.

* * *

Y lo que sucedió después fue, sencillamente, que nos quedamos sin blanca. Había invertido hasta el último centavo de mis ahorros en la búsqueda del tesoro de Saavedra y estábamos en bancarrota, así que pensé en retomar mi puesto como tahúr del Café Boyacá. Pero mi padre se negó en redondo.

—No dudo, hijo mío, que seas un buen jugador —dijo—, pues a fin de cuentas, he sido yo quien te ha instruido en el arte de los naipes. Pero aún eres muy joven y yo sigo siendo el cabeza de familia, de modo que es a mí a quien le corresponde ocuparse de conseguir los ingresos necesarios para garantizar nuestra debida subsistencia.

En cierto modo, las cosas volvieron a ser muy parecidas a como eran antes. Rasul recuperó su puesto de guardaespaldas en el establecimiento de Zolotas, y de nuevo un Mercader se convirtió en el tahúr del Café Boyacá; la diferencia estaba en que ese Mercader no era yo, sino mi padre. Y, como cabía esperar dado su talento para el póquer, Fernando Mercader no tardó en transformarse en el mejor jugador del Caribe, una figura legendaria a quien pronto apodaron *El Ojo*, en parte porque mi padre era tuerto, pero también porque se decía que su penetrante mirada podía adivinar las jugadas de sus contrincantes, lo cual, reconozcámoslo, era hasta cierto punto verdad.

En cuanto a mí..., bueno, dado que mi padre me había ordenado alejarme de los naipes, no tuve más remedio que buscar algún empleo. A finales de enero de 1904 entré a trabajar en calidad de aprendiz en el taller de cerrajería de don Anastasio Belaunzarán, un guipuzcoano de Andoaín que llevaba casi veinte años afincado en Cartagena de Indias. Soy hábil con las manos y, además, puse gran empeño en aprender el oficio, pues no hay que ser una lumbrera para comprender lo provechosas que pueden resultar las técnicas de cerrajería para alguien como yo, de modo que no tardé en prosperar en el taller y, a los pocos meses, pasé de ser aprendiz a convertirme en rutilante oficial de tercera categoría.

El problema, amigos míos, es que pese a dedicarme a un oficio honesto, yo nunca había dejado de ser *Little Jim,* un jugador de ventaja, un pícaro y un vividor. Además, ya sabía todo lo necesario sobre el arte de la cerrajería; no había cerradura que se me resistiese y podía, no ya abrir una caja fuerte, sino desmontarla y volverla a montar en menos tiempo de lo que lleva contarlo. Además, puede que don Anastasio Belaunzarán fuese un honesto trabajador, un patrón justo e, incluso, bondadoso, no lo niego, pero adolecía de un pequeño defecto: era tartamudo. Con frecuencia, mientras trabajaba en el taller, se acercaba a mí, examinaba lo que estaba haciendo y decía en tono alentador:

—Muy bi-bi-bien, Jaime. Buen tra-tra-tra-tra-tra...

Y podían transcurrir un par de minutos antes de que lograra decir «trabajo». A decir verdad, aquello me atacaba los nervios. Cada vez que don Anastasio se ponía a tartamudear, yo sentía que una intensa ansiedad comenzaba a germinar en mi estómago, y crecía y crecía, como una hiedra venenosa ahogándome entre sus zarcillos. Y entonces, cuando no podía más, completaba yo la palabra que mi patrón estaba intentando pronunciar. Pero resultaba inútil, porque don Anastasio no sólo era tartamudo, sino también muy terco, y se negaba en redondo a dejar palabra alguna sin completar, tardase lo que tardase, armado de una determinación y de una paciencia que no siempre, como ocurría en mi caso, sus interlocutores compartían. Así, por ejemplo, podía empezar a decir:

—Oye, Ja-Ja-Jaime, ¿has engra-gra-grasado el pasador de la ce-ce-ce-ce...?

Al cabo de un repetitivo minuto, yo exclamaba:

—¡La cerradura!

Él asentía con un gesto tranquilo y proseguía:

—Sí, eso, la ce-ce-ce-ce-ce-ce...

Y pasaba un buen rato antes de que la palabra «cerradura» cerrase de una condenada vez sus labios. Aquello me atacaba tanto los nervios que, al cabo de un tiempo, cada vez que don Anastasio se trabucaba me venía un tic y comenzaba a guiñar el ojo izquierdo sin parar. Ahora que lo pienso, debíamos de ofrecer un espectáculo lamentable, él tartamudeando como un disco rayado y yo guiñando un ojo igual que un autómata con un resorte roto.

Pero no sería justo culpar a don Anastasio de mi desazón, pues pese a su enervante defecto era, como ya he dicho, un patrón justo del que jamás tuve queja. Lo que sucedía en realidad, amigos míos, es que me aburría mortalmente. Yo había sido, hasta hacía no mucho, *Little Jim*, el Billy the Kid de las cartas, el mejor jugador de Cartagena de Indias y de todo el Caribe. Y no es que echase de menos los naipes en concreto, ya que para mí el juego nunca ha sido una diversión, sino un medio de sustento; lo que añoraba era la libertad, el no estar sujeto a horarios ni a jefes, depender sólo de mí y de mi habilidad, no tener que rendirle cuentas a nadie. Anhelaba paladear de nuevo el agridulce sabor del riesgo, embriagarme otra vez con el vino del azar y coquetear como un galán osado con la diosa Fortuna. O dicho con palabras llanas: estaba deseando meterme en líos otra vez.

El problema era que mi padre me había prohibido jugar a las cartas, y yo no tenía intención de desobedecerle; pero no son los naipes la única herramienta que el azar utiliza para regir el intercambio de dinero de un bolsillo a otro. También están los gallos.

Conocí a Luis Amaranto Moctezuma Sánchez una tarde de junio, en el puerto de Cartagena, justo cuando él acababa de desembarcar procedente de México. Era un viejo de aspecto tosco y desaseado, y si no empleo el término «anciano» para describirle es porque esa palabra posee una dignidad que él estaba muy lejos de ostentar. Los escasos dientes que le quedaban se hallaban corroídos por las caries, tenía barba de una semana, la ropa mil veces remendada y se cubría con un sombrero de ala ancha que en tiempos lejanos debió de ser blanco. En nada se diferenciaba de los muchos zarrapastrosos que deambulaban por la zona, salvo por un pequeño detalle: mientras caminaba con paso renqueante, Luis Amaranto llevaba en cada mano una jaula, y en cada jaula, un gallo. Bueno, si hubiese llevado un par de gallinas ni siquiera le hubiese dedicado una segunda mirada, pero aquellos gallos eran mucho más robustos y musculosos de lo que cabe esperar en un ave de corral. Parecían forzudos de circo con plumas.

Movido por la curiosidad, entablé conversación con el viejo y descubrí que Luis Amaranto Moctezuma procedía de Cuernavaca, cerca de Ciudad de México, y era un experto gallero, es decir, un criador de gallos de pelea. Averigüé además que los dos pájaros que llevaba aquel hombre se llamaban Jericó y Tirofijo.

—Jericó es Oriental puro —me informó Luis Amaranto—, el mejor luchador que he tenido nunca. Este año ha ganado seis peleas. Tirofijo es Sumatra con un octavo de Trifino, pero no pelea. Es un semental.

Yo no tenía ni idea de qué demonios era eso de «Oriental», «Sumatra» y «Trifino». De hecho, no sabía nada de peleas de gallos, pues hasta entonces los únicos animales que me habían interesado eran los caballos y los galgos de carreras. Sin embargo, sabía, aunque no había asistido nunca, que se celebraban combates de gallos en Cartagena, y sabía también que en el curso de esas veladas se cruzaban elevadas apuestas.

Una campanita hizo tilín-tilín en mi cabeza. Averigüé que el viejo se había visto obligado a abandonar México por motivos no del todo claros y que pretendía proseguir su carrera de gallero en Colombia. Entonces, le propuse que nos asociáramos; a fin de cuentas, yo no sabía nada de gallos, pero conocía Cartagena como la palma de la mano, y él sabía mucho de gallos, pero lo ignoraba todo acerca del país. Estábamos, como quien dice, hechos el uno para el otro. El caso es, amigos, que

Luis Amaranto Moctezuma aceptó mi propuesta y así fue como me convertí en gallero.

No pretendo narrarles ahora cómo fueron los meses que duró mi asociación con el viejo Moctezuma. Para no faltar a la verdad, debo confesar que jamás me agradaron las peleas de gallos, pues resultaban demasiado violentas para mi gusto. Pero me encantaban las apuestas. Jericó demostró ser un gladiador entre los de su especie, el Espartaco de los gallos, y ganó tres peleas consecutivas. Con el dinero conseguido compramos más gallos y unas cuantas gallinas para que Tirofijo, el semental, practicase su particular y placentera forma de pelea. Y mientras Luis Amaranto criaba y entrenaba a sus feroces pájaros, yo negociaba combates, cruzaba apuestas y me ocupaba, en fin, de todo lo relacionado con la parte económica del negocio. Un par de meses después, alquilé un corral, construí un *ring* para aves y me convertí en promotor de peleas. Aquello era perfecto, pues ya no me jugaba mi dinero, sino que, ganase el gallo que ganase, me llevaba un porcentaje sobre las apuestas.

Aunque mi padre no me lo había prohibido expresamente, pues sólo me ordenó que me mantuviera alejado de los naipes, decidí no contarle nada sobre las peleas de gallos, porque como él mismo solía decir: «Jamás podrá causarte problemas aquello que los demás ignoren». Así que durante el día yo era Jaime Mercader, oficial de cerrajería en el taller de don Anastasio Belaunzarán, y por las noches, mientras mi padre se ganaba la vida con el póquer en el Café Boyacá, me convertía de nuevo en *Little Jim*, el jugador, el gallero.

Todo marchaba a las mil maravillas, estimados lectores; el dinero fluía como un manantial de plata, tenía buenos amigos y aún mejores amigas, la vida era plácida en Cartagena... Y entonces sucedió lo imposible.

Mi padre decidió volverse honrado.

* * *

Ocurrió en agosto de 1904, un par de meses después de mi decimoséptimo cumpleaños. Cuando volví a casa después del trabajo, me encontré a mi padre esperándome en la sala de estar.

—Siéntate, Jaime, hijo mío —me dijo con gravedad—, que tenemos que hablar largo y tendido.

Me acomodé en un sillón y le miré con atención. Mi padre tenía muy buen aspecto; llevaba el pelo engominado con raya en medio, el bigote bien recortado e iba vestido con un traje blanco de tres piezas —chaqueta, pantalón y chaleco—, un lazo negro en torno al cuello, botines acharolados y un parche de cuero sobre el ojo izquierdo. Parecía exactamente lo que era: un distinguido jugador profesional.

—Hay ciertas cosas que debes saber, hijo mío —comenzó a decir—, pues se trata de novedades que afectarán a nuestro futuro. En primer lugar, anoche hablé con Adamantios y le comuniqué que no volveré a jugar en su local.

Me quedé de piedra. ¿Fernando Mercader, *El Ojo*, iba a dejar de ser el tahúr del Café Boyacá? Durante unos segundos me sentí desorientado, pero no tardó en ocurrírseme una explicación. Mi padre siempre había acariciado la idea de montar un garito y establecerse por su cuenta; ¿era eso lo que se proponía hacer ahora? Él sacudió la cabeza.

—No, hijo mío; voy a abandonar el juego. A partir de este momento, nuestra vida dará un giro de ciento ochenta grados. Tengo treinta y cuatro años y ya va siendo hora de que siente la cabeza, así que, en efecto, he decidido montar mi propio negocio, pero un negocio honrado. Ésa es la segunda novedad que quería comunicarte: me he asociado con un honorable caballero inglés llamado Nathaniel Byron Smart con el objeto de fundar una pequeña compañía dedicada al comercio de frutas.

—¿Frutas?... —repetí, boquiabierto.

—Sí, frutas. Ya sabes, plátanos, mangos, piñas, papayas...

—¿Papayas?... —volví a repetir, anonadado.

—Papayas —asintió él con un deje de impaciencia—. Y también cacao y café.

—¿Café?... —repetí por tercera vez.

Mi padre exhaló un largo suspiro.

—Mira, Jaime, hijo mío, si sigues repitiendo cada palabra que digo, esta conversación se va a hacer eterna.

Carraspeé vigorosamente y me removí sobre el asiento.

—Perdona, pero es que no lo acabo de entender —dije—. ¿Te has asociado con un inglés para montar una frutería?

—Una empresa de exportación de frutas —me corrigió—. Se llamará Compañía Frutera del Bajo Magdalena y del Caribe. Suena bien, ¿verdad? Nathaniel posee contactos con la United Fruit Company, así como con algunas empresas europeas, de modo que exportaremos frutas a Estados Unidos, a Inglaterra, a Alemania y a Francia.

No podía dar crédito a lo que estaba oyendo. ¿Mi padre convertido en un asentador de productos agrícolas, en una especie de comerciante de nabos? Eso era inverosímil, forzosamente debía de haber algún chanchullo de por medio.

—Así que Compañía Frutera del Bajo Magdalena y del Caribe, ¿eh? —dije, dedicándole un guiño de complicidad—. Ahora cuéntame dónde está el truco.

Mi padre negó solemnemente con la cabeza.

—No hay trampa ni cartón, Jaime. Será un negocio enteramente legal.

—Pe-pe-pe-pero... —me di cuenta de que estaba tartamudeando como don Anastasio, así que cerré la boca, tragué saliva y proseguí—: Pero, papá, tú siempre has dicho que sólo los ricos pueden permitirse el lujo de ser honrados y nosotros no somos ricos.

—Ya lo sé, hijo mío. Pero eso te lo dije en España; aquí las cosas son diferentes. Estamos en América, el continente de las oportunidades, un lugar donde cualquier hombre emprendedor sin miedo al trabajo duro puede hacer fortuna.

Me quedé mudo. Ése no podía ser mi padre; era como si lo hubieran sustituido por un doble, o como si estuviera poseído por un espíritu todo lo contrario que maligno, es decir, insufriblemente virtuoso. Me sentía tan desconcertado que durante unos segundos fui incapaz de articular palabra, circunstancia que mi padre aprovechó para decirme:

—Nathaniel y yo pretendemos poner en marcha la Compañía cuanto antes. Por ello ya hemos alquilado un almacén cerca del puerto y estamos realizando los primeros contactos comerciales. Dentro de poco comenzarán a llegar los cargamentos de fruta, así que necesitaremos ayuda. En concreto, la tuya, hijo mío. A partir de este momento quedas nombrado encargado de almacén de la Compañía Frutera del Bajo Magdalena y del Caribe.

Di un bote sobre el sillón.

—¡¿Cómo?! —exclamé—. Pero..., pero..., pero si ya tengo un empleo...

—Bueno, de momento podrás seguir trabajando en el taller de don Anastasio, aunque sólo a media jornada. El resto del tiempo deberás dedicárselo a la Compañía.

Exhalé una bocanada de aire y perdí la mirada. Si la cerrajería era un auténtico aburrimiento, ¿cómo sería trabajar en un almacén de fruta? Suspiré. Entonces mi padre dejó caer la bomba:

—Hay algo más de lo que quiero hablarte, hijo mío. Como he dicho antes, este negocio es absolutamente legal, lo cual implica que todos los empleados de la Compañía deberán conducirse, en lo sucesivo, de forma intachable. Por eso he dejado los naipes y por eso también tú deberás abandonar ese tinglado de gallos que has organizado.

El corazón me dio un vuelco; ¿mi padre sabía lo de las peleas de gallos? En fin, me había pillado, así que hice lo único que cabía hacer: puse cara de póquer, lo cual, para quien ignore lo que es, consiste básicamente en no mover ni un solo músculo del rostro.

—¿Gallos? —pregunté con calculada indiferencia—. ¿Qué gallos?

Mi padre dejó escapar un suspiro y sacudió la cabeza.

—Mira, Jaime, hijo mío, si crees que puedes montar un corral de peleas de gallos en Cartagena sin que yo me entere, es que tienes una opinión muy pobre de mí. Claro que estoy al tanto, y desde el principio, de ese chanchullo que te traes con el tal Luis Amaranto Moctezuma. ¿Qué clase de padre sería si no me preocupara de saber en qué anda metido mi único hijo? —esbozó una sonrisa—. Tranquilo, no pretendo reprenderte. Está bien, eres emprendedor, posees iniciativa y eso me gusta —su expresión se tornó severa—. Pero ahora te debes en cuerpo y alma a nuestra empresa, así que has de abandonar toda actividad ilegal, incluidas las peleas de gallos. ¿Está claro? —asentí con un vacilante cabeceo y él agregó—: Es de vital importancia que no te metas en líos, Jaime, porque a partir de este momento somos honestos hombres de negocios y como tales deberemos comportarnos. ¿Lo comprendes?

Volví a asentir; claro que lo comprendía. Había comprendido que debía retirarme del lucrativo negocio de las peleas de gallos, y que iba a añadir a un trabajo aburrido otro aún más tedioso, y que de repente no sólo tenía que ser honrado, sino que además debía parecerlo. Había comprendido, en definitiva, que *Little Jim* iba a desvanecerse en la bruma para dar paso a Jaime Mercader, el íntegro y laborioso capataz de la Compañía Frutera del Bajo Magdalena y del Caribe.

Era para morirse de asco.

* * *

Sospeché por primera vez que las cosas no eran exactamente como parecían cuando supe que mi padre había contratado a Rasul Alí Akbar para el puesto de jefe de seguridad de la Compañía.

Vamos a ver, amigos míos, Rasul era, probablemente, el sicario más respetado y temido de toda Cartagena, algo así como un esbirro de lujo, la flor y nata de los guardaespaldas. Permítanme, aun a riesgo de perderme en digresiones, ponerles un ejemplo de cómo se las gastaba mi buen amigo *El Sirio*.

Ocurrió un sábado por la noche en el local de Adamantios. El café, donde se servía cualquier cosa menos café, estaba lleno de parroquianos: marineros, peones, tratantes de cacao, vendedores, artesanos, buscavidas y alguna que otra dama de la noche. El gordo y sudoroso Adamantios Zolotas se hallaba tras la barra, atendiendo a los clientes. Al fondo, sentados en torno a un velador cubierto por un verde tapete, mi padre jugaba al póquer con cuatro incautos. En el otro extremo, acomodado frente a una mesa, estaba Rasul Alí Akbar, el matón oficial del Café Boyacá, dominando el establecimiento con su penetrante mirada mientras bebía pausadamente un té con menta.

Si bien Rasul había nacido en Siria, siempre vestía al modo occidental; en aquel momento, lo recuerdo bien, llevaba un traje negro con chaleco, camisa blanca y lazo. Aunque se hallaban ocultas bajo la chaqueta, todo el mundo sabía que *El Sirio* portaba dos pistolas Mauser del calibre nueve en sendas fundas sobaqueras. Jamás se separaba de sus armas.

Pues bien, el caso es que todo discurría con normalidad aquella noche en el Café Boyacá, incluyendo los habituales incidentes protagonizados por algún que otro borracho, cuando de pronto, a eso de la una de la madrugada, un grupo de marineros yanquis, vestidos con sus resplandecientes uniformes blancos de la armada, irrumpió en el local. Serían once o doce, habían bebido demasiado, eran muy ruidosos y olían a problemas a un kilómetro de distancia, de modo que nadie se extrañó cuando, al cabo de pocos minutos, comenzaron los problemas.

Uno de los marineros, un mastodonte de dos metros de altura y unos ciento treinta kilos de puro músculo, empezó a molestar a una de las chicas. El cliente que estaba con ella intentó defenderla y, en apenas un parpadeo, acabó tumbado en el suelo, abatido por un feroz derechazo del corpulento yanqui. Entonces, los amigos del tipo noqueado se levantaron, dispuestos a defenderle, al tiempo que los marineros se armaban con sillas y botellas con el decidido propósito de romper unas cuantas cabezas. En fin, estaba a punto de estallar una multitudinaria reyerta cuando una voz ordenó:

—¡Basta!

Todo el mundo se quedó inmóvil. Rasul Alí Akbar, puesto en pie, apuntaba con sus Mauser al grupo de marineros.

—Nada de peleas —dijo en tono tranquilo—. Largaos.

—Pero si sólo queremos divertirnos... —protestó uno de los marineros.

—Pues id a divertiros a otra parte —replicó Rasul.

Hubo un tenso silencio. De pronto, el marinero-mastodonte avanzó un par de pasos y dijo:

—Te crees muy macho con esas pistolas, ¿verdad? Pues si eres tan valiente, ¿por qué no peleas conmigo de hombre a hombre?

Durante unos segundos Rasul no dijo nada. Aunque su rostro no mostraba expresión alguna, yo sabía en qué estaba pensando: en su reputación. Verán, estimados lectores, Rasul era el hombre menos hablador que jamás he conocido, podía pasar semanas sin despegar los labios, pero una vez rompió su granítico mutismo para decirme: «Las armas no son peligrosas, Jaime; lo realmente peligroso son los hombres que las empuñan». Pues bien, ahí estaba el quid de la cuestión: mi amigo árabe debía demostrar que lo que le convertía en un hombre peligroso no eran sus Mauser, sino el hecho de ser Rasul Alí Akbar, *El Sirio*. Así que devolvió las pistolas a sus fundas y, como quien habla del tiempo, le dijo al mastodonte:

—De acuerdo. Lucharemos fuera.

Como es natural, nadie quería perderse una buena pelea, así que los parroquianos salieron de estampida del Café Boyacá y, una vez en el exterior, formaron un círculo en torno a los combatientes. Rasul, tan tranquilo como si fuera a darse un paseo por el campo, se quitó la chaqueta y las pistolas, me las entregó y dijo:

—Guárdame esto, Jaime. Acabaré enseguida.

—¿Estás seguro de lo que haces, Rasul? —musité—. Ese tipo es muy grande...

—Pero está borracho —repuso—. Y yo no.

Ambos adversarios se dirigieron al centro del círculo hasta quedar frente a frente, circunstancia ésta que dejó meridianamente clara la diferencia de tamaños. Rasul era alto —alrededor de un metro ochenta y cinco— y muy fuerte, pero el yanqui no sólo le sacaba una cabeza, sino que parecía tener en el cuerpo un doble juego de músculos, algo que todos pudimos comprobar cuando el mastodonte se despojó de la parte superior del uniforme y exhibió un torso tan fornido que hubiera hecho palidecer de envidia a un gorila, en caso de encontrarse un gorila entre los presentes, algo que, dado el aspecto general de aquella chusma, bien podía ocurrir.

La pelea estaba a punto de comenzar y la algarabía de voces era ensordecedora. Los espectadores, como solía suceder en esos casos, apostaban entre sí. El asunto andaba equilibrado, pues si bien a Rasul le precedía su fama de tipo duro, lo cierto es que el yanqui era enorme, así que las apuestas estaban uno a uno. Yo me jugué cien dólares con un tratante de pieles yanqui; aposté por Rasul, claro, aunque debo reconocer que no las tenía todas conmigo, pues el mastodonte parecía un enemigo realmente temible. Y menos claro lo tuve aún cuando uno de los marineros yanquis le gritó a Rasul:

—¿Sabes a quién te enfrentas, moro? ¡Pues nada más ni nada menos que a John Patrick O'Callaghan, campeón de boxeo de la armada norteamericana! ¡Estás muerto!

Fruncí el ceño y advertí de reojo que el tratante de pieles sonreía de oreja a oreja, convencido de que iba a desplumarme. En ese momento, mi padre, que durante su juventud había organizado peleas clandestinas, decidió autoerigirse en árbitro del combate.

—Si están de acuerdo, caballeros —dijo en voz alta—, esta pelea se regirá por las reglas del marqués de Queensberry...

—De eso nada —le interrumpió J. P. O'Callaghan—. Seguiremos las reglas del Tío Sam: vale todo.

Rasul mostró su conformidad con un cabeceo.

—De acuerdo, vale todo —aceptó mi padre con un encogimiento de hombros; y agregó—: En tal caso, caballeros, pueden comenzar cuando deseen.

Durante unos segundos, Rasul y el mastodonte permanecieron inmóviles, escrutándose el uno al otro bajo la vacilante luz de los faroles de queroseno que iluminaban el exterior del Café Boyacá. ¿Les he hablado de la mirada de Rasul? Era dura y fría como la hoja de un estilete, la clase de mirada que penetra en tu interior igual que un berbiquí y hace que el vello se te erice mientras un escalofrío te recorre la espalda. Si quieren mi opinión, los ojos de Rasul daban miedo porque eran los ojos de alguien a quien no le importa matar o morir. Y algo así debió de barruntar J. P. O'Callaghan, porque durante una fracción de segundo su rostro mostró una expresión a medio camino entre la duda y la inquietud. No obstante, estaba demasiado seguro de sí mismo —y demasiado borracho, si vamos a eso—, de manera que encajó la pétrea mandíbula, alzó los descomunales puños, avanzó hacia su contrincante y le lanzó un directo de derecha al mentón.

Rasul esquivó el golpe, retrocedió un par de pasos y comenzó a dar saltitos en torno al yanqui, manteniendo siempre la distancia. O'Callaghan hundió la cabeza entre los hombros e intentó conectar una serie de *crochets* y *uppercuts,* pero Rasul, mucho más ágil que el pesado paquidermo, eludió los golpes con insultante facilidad. O'Callaghan, enfurecido, profirió un bramido y se abalanzó sobre su contrincante al tiempo que le lanzaba una lluvia de golpes que sólo encontraron el aire como blanco.

Y así transcurrió casi todo el combate. Durante unos minutos, Rasul se limitó a bailar en torno al yanqui, con el brazo izquierdo caído y el derecho flexionado, esquivando los golpes sin intentar en ningún momento devolverlos. Los espectadores, hartos de que después de un buen rato de pelea nadie le hubiese propinado a nadie ni siquiera una colleja, comenzaron a protestar ruidosamente.

—¡Pelea de una vez, moro! —gritó uno de los marineros.

—¡Cobarde! —le espetó otro.

—¡Co-co-co-co-co! —cacareó un tercero.

Sin embargo Rasul, ajeno a las burlas y los insultos, siguió danzando en torno a su cada vez más enfadado contrincante. Y es que J. P. O'Callaghan debía de estar hasta las mismísimas narices de dar manotazos al aire, así que empezó a lanzar amplios e impacientes puñetazos, como un molinete, a izquierda y derecha, descubriendo cada vez más su guardia.

Y de pronto, ocurrió. Tras esquivar un directo, Rasul, tenso como el resorte de un cepo, lanzó repentinamente su puño derecho contra el mentón del yanqui y descargó un demoledor golpe. El impacto resonó en la calle igual que un trallazo. O'Callaghan bizqueó un poco y los espectadores contuvieron el aliento.

Entonces sucedió algo muy curioso. ¿Conocen esa teoría que afirma que los dinosaurios eran tan grandes y pesados que su sistema nervioso funcionaba muy lentamente? Por ejemplo, le cortabas la punta de la cola a un diplodocus y la sensación de dolor podía tardar un minuto en llegar a su pequeño cerebro. Bueno, pues algo así le pasó a J. P. O'Callaghan. El puñetazo de Rasul le había dejado fuera de combate, pero su torpe cerebro tardó unos segundos en enterarse; así que, tras encajar el golpe, el mastodóntico yanqui avanzó un paso, le lanzó un *crochet* a Rasul —que falló por casi medio metro— y, acto seguido, se derrumbó como un pino talado sobre el suelo, donde quedó tendido cuan largo era.

Un silencio entre incrédulo y asombrado se abatió sobre los presentes. Me volví hacia el tratante de pieles con una sonrisa que amenazaba con dislocarme la mandíbula y le espeté:

—Me debe cien pavos, amigo.

Entonces, mientras los marineros yanquis intentaban reanimar a su exánime campeón de boxeo, Rasul, inexpresivo y tranquilo, se aproximó a mí para recoger su chaqueta y las pistolas.

—Le has tumbado de un solo puñetazo —dije con sincera admiración—. Y a un tipo tan grande, es increíble...

—Mandíbula de cristal —se limitó a decir Rasul al tiempo que echaba a andar de regreso al Café Boyacá.

Y es que así era Rasul Alí Akbar: tan efusivo como un bloque de cemento y, desde luego, igual de duro.

En fin, pacientes lectores, si me he permitido este largo circunloquio ha sido para establecer con claridad la clase de persona que era Rasul. Pues bien, ¿tiene sentido contratar a alguien así para custodiar un lamentable montón de papayas y plátanos? Por amor de Dios, si lo que más abundaba en Colombia era la fruta; ¿quién iba a querer robarla? Para vigilar el almacén de la Compañía bastaban un par de matones escogidos al azar entre los muchos que merodeaban por el puerto. Pero no, el elegido había sido Rasul, el príncipe de los sicarios, y eso sólo podía significar que mi padre necesitaba para el puesto a alguien de mucha confianza. Pero ¿por qué? Sólo cabía una conclusión: Rasul había sido contratado para proteger algo más valioso que simple fruta. Por desgracia, yo no tenía ni la más remota idea de qué podía ser.

Y ahora llega el momento de hablarles de Nathaniel Byron Smart, el socio de mi padre. Le conocí al día siguiente, cuando acudí por vez primera al almacén de la Compañía. Smart era un inglés de unos cuarenta años de edad, aspecto adusto, rostro alargado, elevada estatura y cuerpo enjuto. Vestía ropas sobrias, pretendidamente elegantes, y solía tocarse con una chistera que a mí siempre se me antojó un tanto ridícula. Tampoco puede decirse que tuviera muy buen carácter. Nada más verme, me llevó a un aparte y dijo:

—Me han hablado mucho de ti, Jaime Mercader, y no precisamente bien. Sé que te llaman *Little Jim* y que eres un tramposo, un buscavidas y un irresponsable. Si por mí fuera, no permitiría que pusieras ni un pie en la Compañía, pero tu padre se ha empeñado en que colabores con nosotros, así que no me queda más remedio que soportar tu presencia. Sin embargo, no pienso quitarte la vista de encima, jovencito; voy a estar vigilándote constantemente y, como se te ocurra jugármela, te vuelo las pelotas de un tiro. ¿Está claro?

Clarísimo. Yo no le caía ni un pelo bien y él, por su parte, me parecía tan digno de confianza como una serpiente de cascabel. Nathaniel Byron Smart, que solía pronunciar sus dos apellidos como si tuvieran un guión entre medias —quizá porque así le sonaba más aristocrático—, se comportaba como si fuese el príncipe de Gales, pero su tosco acento *cockney*, propio de los bajos fondos londinenses, le delataba como la sucia y taimada alimaña que en realidad era. Aunque no debería hablar mal de él, pues no está bien menospreciar a los muertos y, como pronto se ha de ver en el curso de este relato, Mr. Byron-Smart no tardaría en pasar a mejor vida; a pesar de que dudo mucho que su vida en el más allá sea mejor que la que tuvo en el más acá, pues me lo imagino más ardiendo en los infiernos que tocando el arpa sobre una nube.

En cuanto al almacén, era una vieja construcción de madera situada muy cerca del puerto, un cochambroso edificio que a duras penas lograba mantenerse en pie. Cuando hacía viento parecía no tener paredes, pues el aire circulaba por entre las junturas de las tablas con total libertad, y cuando llovía, puedo jurar que se colaba más agua en el interior de la que caía en el exterior. Pese a su ruinoso estado, en la fachada principal, sobre la puerta, un resplandeciente letrero recién pintado anunciaba el nombre de la empresa: *COMPAÑÍA FRUTERA DEL BAJO MAGDALENA Y DEL CARIBE.*

Por dentro, el almacén era totalmente diáfano, con excepción de la oficina de Smart, un cubículo situado al fondo del local que ocupaba, más o menos, un tercio de la superficie disponible. Pues bien, si necesitaba alguna prueba de que algo extraño estaba sucediendo, la encontré en aquella oficina. ¿Por qué? Muy sencillo, amigos míos; como he dicho, el almacén era de madera, pero las paredes de la oficina estaban reforzadas con planchas de acero y la puerta, también blindada, se hallaba permanentemente sellada bajo tres cerraduras.

¿Qué había allí que mereciese tanta protección? Cuando le pregunté a mi padre al respecto, se limitó a contestar que Smart era muy celoso de su intimidad y no quería que nadie enredara en sus cosas, pero yo no me tragué la explicación. Estaba convencido de que algo turbio se ocultaba tras la empresa de mi padre, así que me juré a mí mismo que no descansaría hasta averiguar qué era.

Como pueden comprobar, estimados lectores, nunca mi determinación es tan férrea como cuando la empleo para aquello que no debo hacer.

Capítulo Dos

*Donde se narra mi encuentro con un dragón,
se desvela la auténtica naturaleza de la
Compañía Frutera del Bajo Magdalena y del
Caribe, y aparece en escena el barón Lothar
von Reich con la piedra de los dos jinetes*

Quizá algún impaciente lector se pregunte cuándo van a empezar los disparos, las carreras, los crímenes y los líos. Paciencia, amigos míos, pues no tardará mucho en desencadenarse una aventura en cuyo curso mi vida correrá un grave peligro y que finalmente habrá de conducirme al descubrimiento de un asombroso secreto. Pero antes debemos centrarnos en lo que se ocultaba en el almacén de la Compañía, ya que en ese almacén estuvo la clave de esta historia: la piedra de los dos jinetes.

Acatando las órdenes de mi padre, abandoné el negocio de las peleas de gallos y comencé a trabajar a media jornada en el taller de cerrajería. El resto del tiempo lo dedicaba al almacén, algo que, como ya había supuesto, resultaba de lo más tedioso. Tal y como había anunciado mi padre, pronto comenzaron a llegar los cargamentos, así que me vi obligado a realizar tareas tan estimulantes como pesar la fruta, empacarla, almacenarla y supervisar su posterior transporte a los cargueros que la llevarían a Estados Unidos y Europa. Creo que me hubiera muerto de aburrimiento de no ser por mi propósito de averiguar qué se ocultaba en esa oficina cerrada a cal y canto.

El problema era que Nathaniel Byron Smart, fiel a su promesa, no me quitaba los ojos de encima durante el trabajo. No obstante, pensé, eso tenía fácil solución; en mi poder obraban las llaves del negocio, aunque no las de la oficina —lo que no suponía el menor contratiempo para un cerrajero tan bueno como yo—, así que no tenía más que acudir al almacén cuando estuviese cerrado, forzar la entrada de la oficina y echar un vistazo a lo que había dentro.

Y eso fue lo que hice, amigos míos. Una noche, bien entrada la madrugada, abandoné sigilosamente mi dormitorio, salí de casa sin hacer ruido, me dirigí al puerto y, tras asegurarme de que no se veía a nadie por los alrededores, me aproximé a la entrada del almacén. No había luna, así que la oscuridad apenas quedaba mitigada por el tenue resplandor de las estrellas y la lejana luz de los faroles de queroseno situados cerca del malecón. Amparándome en las sombras, saqué las llaves del bolsillo y me dispuse a abrir la puerta. Entonces, una voz dijo:

—No puedes pasar, Jaime.

Di un brinco tan grande que a punto estuve de echarme a volar. Volví la cabeza y ahí estaba Rasul Alí Akbar, mirándome con aquellos gélidos ojos suyos y fumando pausadamente una pipa de larga boquilla.

—¡Caray, Rasul, casi me matas del susto! —dije, componiendo la más inocente de mis sonrisas—. No sabía que estabas aquí, aunque me alegro de verte, claro. Verás, es que esta tarde me he dejado olvidado un libro en el almacén y venía a recogerlo...

—¿A las tres de la madrugada? —preguntó Rasul, siempre inexpresivo.

—Bueno, es que no podía dormir y he pensado que dar un paseo y luego leer un poco me ayudaría a conciliar el sueño.

—Tu padre ha ordenado que, mientras el almacén esté cerrado, nadie entre salvo él o su socio. Lo siento, Jaime; tendrás que leer otra cosa.

—Venga, hombre, no seas cenizo —supliqué—. Sólo será un momentito.

Rasul, sin dejar de mirarme, se llevó la pipa a los labios, aspiró una bocanada de humo, lo exhaló lentamente y no dijo nada, lo que, en su lacónico lenguaje gestual, venía a significar: «te pongas como te pongas, no vas a entrar». Bueno, amigos míos, conocía lo suficiente a Rasul como para saber que era inútil llevarle la contraria, pues dos no discuten si uno no quiere, y cuando *El Sirio* no quería discutir, sencillamente se callaba como un muerto, así que decidí seguir otra estrategia.

—De acuerdo —acepté, guardándome las llaves en el bolsillo—, ya recogeré el libro mañana —me aproximé a él con aire amistoso, y cuando llegué a su altura, advertí que el humo que brotaba de su pipa no olía a tabaco—. ¿Qué fumas? —pregunté.

—Kif —respondió él.

No tenía ni idea de qué demonios era el «kif», pero olía como un bosque quemado; además, el humo que desprendía era un poco mareante.

—Bueno, bueno, bueno... —dije con aire desenvuelto—. ¿Qué tal te va trabajando para la Compañía?

—Bien.

—¿Esta noche te toca guardia?

—Sí.

—Ya veo... ¿Algún problema hasta ahora?

—No.

Pretender conversar con Rasul, el rey del monosílabo, era a veces una tarea titánica. Mejor ir directo al grano.

—Hay algo que no logro explicarme, Rasul —dije—. Tú no eres un matón de tres al cuarto, así que no entiendo qué haces aquí, vigilando un almacén de fruta. ¿Por qué has aceptado este trabajo?

Tardó tanto en contestar que llegué a temer que se hubiera encerrado en uno de esos reconcentrados silencios que le caracterizaban, pero finalmente dijo:

—Tu padre paga bien y yo necesito dinero.

—¿Para qué?

De nuevo un larguísimo silencio precedió a su respuesta.

—Quiero comprar una granja.

Me quedé boquiabierto.

—¿Y para qué quieres una granja?

—Para trabajar la tierra.

¿El Sirio convertido en granjero? Si me hubiera dicho que quería ir a la Luna no me habría sorprendido más. Sin embargo, no era acerca de su repentino interés por la agricultura sobre lo que yo deseaba hablar, así que pregunté:

—¿Cuánto cuesta una granja?

—Mucho.

—¿Y piensas conseguir el dinero con lo que te paga mi padre?

—En parte.

—Pues no lo entiendo. Yo tengo un sueldo de miseria, y sin embargo mi padre te paga a ti espléndidamente por vigilar un asqueroso montón de papayas. ¿Por qué?

Rasul dio una profunda calada a su pipa.

—Pregúntaselo a él —contestó en medio de una nube de humo.

Dejé escapar un suspiro y adopté exactamente la clase de expresión de franqueza y camaradería que alguien como yo emplea para intentar embaucar a la gente.

—Vamos, Rasul, somos amigos, ¿no?, y entre amigos no debe haber secretos —señalé con un cabeceo el almacén—. Aquí hay algo más que fruta, ¿verdad? Porque esta Compañía sólo es una tapadera, eso salta a la vista. Entonces, ¿de qué va el asunto? ¿Contrabando?... Sí, debe de ser contrabando, seguro. Pero, ¿cuál es la mercancía? ¿Piedras preciosas, oro, armas?...

Rasul me miró durante largo rato, inexpresivo y silencioso. En la lejanía sonó el estruendo de unos disparos, pero no presté atención; en Cartagena, por las noches, los tiros formaban parte del «color local». En fin, de nuevo creía que Rasul había escogido el silencio como respuesta, cuando de pronto comenzó a hablar en voz baja.

—Venden unos terrenos al sur de la laguna de San Lorenzo, a unas treinta y cinco millas de la ciudad. Es una hacienda pequeña, pero la tierra es fértil y tiene buena irrigación. Estoy pensando en comprarla.

Ésa, amigos míos, era su forma de decirme que no iba a soltar prenda. A veces, Rasul lograba sacarme de mis casillas.

—Una granja, una granja, una granja... —dije, malhumorado—. ¿Qué demonios vas a hacer tú con una granja? Eres un hombre de acción, Rasul, un aventurero, y no un destripaterrones.

Rasul golpeó la cazoleta de la pipa contra la palma de la mano para eliminar la ceniza y dijo:

—Un hombre puede ser cualquier cosa que se proponga.

—¿Ah, sí? —repliqué con ironía—. Pues yo quiero ser millonario y aquí me tienes, trabajando por unos miserables pesos en un maldito almacén.

Rasul jamás se reía, era más serio que un sepulturero; sin embargo, en aquella ocasión sus labios se curvaron levemente en lo que parecía el asomo de una sombra de sonrisa.

—Estoy seguro, Jaime —dijo—, de que, si no consigues que te maten antes, llegarás a ser millonario.

La cuestión, queridos lectores, es que a lo largo de mi prolongada existencia he amasado y perdido más de una fortuna, así que Rasul tenía razón. En cualquier caso, mi pretensión de averiguar algo más sobre el negocio de mi padre se había visto frustrada, de modo que me despedí de *El Sirio* y regresé a casa con el rabo entre las piernas. Pero eso no significaba que hubiese desistido, ni mucho menos. Durante unos meses me limité a hacer mi trabajo, esperando el momento adecuado para meter las narices donde no debía. Aunque, eso sí, mantuve los ojos muy abiertos, lo cual me permitió averiguar unas cuantas cosas más.

En primer lugar, descubrí que algo fallaba en la contabilidad de la empresa. Si sumaba lo que nos costaba la fruta a los gastos generales (sueldos, transporte, almacenamiento, etcétera) y se lo restaba a lo que nos pagaban, lo que obtenía era un número negativo. Es decir, los gastos eran mayores que los ingresos; con cada cargamento de fruta que enviábamos perdíamos unos cuantos dólares. No obstante, pese a ser la empresa deficitaria, el dinero parecía fluir en abundancia. La pregunta, por tanto, era: ¿de dónde salía?

El siguiente descubrimiento estaba relacionado con el modo

en que empacábamos los envíos. La fruta más resistente, como los plátanos, las piñas o los mangos, viajaba dentro de enormes redes en forma de saca, pero la fruta delicada —curubas, guanábanas o lulo, por ejemplo— se transportaba en el interior de grandes cajones de madera. Pues bien, a veces algunos de esos cajones pesaban demasiado. Recuerdo que en cierta ocasión, mientras supervisaba la carga de la fruta en las bodegas de un barco mercante, advertí que el brazo de una grúa se arqueaba más de lo debido al levantar un cajón que, supuestamente, sólo contenía cuatrocientos kilos de guanábanas. Sin embargo, a juzgar por el cimbreo de la cabria, aquel cajón debía de pesar una tonelada. Es decir: dentro había algo más que fruta.

Por último, descubrí que Rasul Alí Akbar no siempre vigilaba el almacén de la Compañía. En ocasiones permanecía de guardia unos días, para luego desaparecer durante semanas. A veces estaba y a veces no, y eso no dependía de la cantidad de fruta que hubiese almacenada, sino de otro factor, algo que yo desconocía y quería conocer. Es decir, amigos míos, cuando había algo importante que vigilar, fuera esto lo que fuese, Rasul hacía acto de presencia, y cuando no había nada importante que vigilar, sencillamente se quedaba en el local de Zolotas.

Ahí encontré la clave para poner en marcha el plan que, a la larga, tantos problemas habría de acarrearme. Rasul era una señal humana que indicaba cuándo había algo secreto y valioso en el interior del almacén. Pues bien, los días que Rasul trabajaba para la Compañía, como es lógico, no trabajaba en el Café Boyacá, de modo que todo lo que tenía que hacer yo era sonsacarle a Adamantios Zolotas cuándo Rasul iba a ausentarse del local. Y eso fue lo que hice. Un buen día al anochecer, tras averiguar que Rasul no aparecería por el café, me dirigí al puerto y permanecí oculto tras una casamata situada a unos cien metros del almacén.

Durante un buen rato no sucedió nada. Conforme pasaban las horas, el ajetreo de los muelles fue poco a poco decayendo hasta que, finalmente, la zona quedó desierta. Me aburría como una ostra, pues mi diligente temperamento me hace escasamente proclive a la ociosidad, pero la paciencia es una virtud que mi padre siempre se empeñó en inculcarme y, finalmente, poco después de la medianoche, mi tenacidad se vio recompensada con la repentina aparición de dos carros tirados por mulas en los que viajaban mi padre, Smart, Rasul y cuatro estibadores del puerto.

Dado que había traído conmigo un catalejo, pude observar con detalle lo que sucedió a continuación. Tras detenerse los carros frente al almacén, mi padre prendió las dos linternas de la entrada, abrió el portalón y, acto seguido, comenzaron entre todos a descargar los carros. Me resultó imposible averiguar la naturaleza de la carga, cubierta bajo lonas o embalada en cajones de madera, pero algunos de aquellos bultos eran de considerable tamaño y muy pesados, pues hicieron falta los esfuerzos de los siete para poder moverlos. El caso es que, después de mucho sudar, lograron introducir toda la carga en el almacén, aunque no la dejaron donde estaba la fruta, sino en el interior de la oficina de Smart. Luego cerraron el portón, Rasul se quedó de guardia y los demás se marcharon, ejemplo que yo no tardé en imitar, pues ya nada tenía que hacer allí.

El siguiente paso era entrar en la oficina del almacén, pero eso me planteaba un doble problema. Durante el día no podía hacerlo, porque Smart siempre estaba rondando cerca de mí, sin perderme de vista, y por las noches, cuando el almacén estaba cerrado, tampoco podía, pues Rasul me lo impediría. Mas aquello tenía fácil solución. Mi padre solía decir: «Ante dos alternativas, hijo mío, elige siempre la tercera», y eso fue lo que hice. ¿La respuesta al dilema? Sencillo: no tendría ningún problema para entrar en el almacén por la noche si ya estaba dentro.

Pero debía darme prisa. El próximo envío de fruta iba a realizarse dos días más tarde, y lo más probable es que el misterioso cargamento que estaba oculto en la oficina desapareciese junto con los mangos y las papayas. Así que, al día siguiente, cuando faltaba media hora para cerrar, y aprovechando uno de los escasos momentos en que Smart no estaba cerca de mí, le dije a Pancho, uno de los peones, que tenía que irme a hacer un recado. Pancho no me prestó particular atención y yo simulé alejarme, pero lo que hice fue dar un rodeo y, en cuanto tuve la oportunidad, me colé en el almacén sin que nadie me viese y me oculté tras un montón de plátanos.

Al poco, regresó Smart y le preguntó por mí a Pancho; éste le dijo que me había ido y el socio de mi padre pareció aceptar la respuesta con satisfacción, como si nada pudiera complacerle más que no verme. Al cabo de un rato, Smart cerró el almacén y yo me quedé solo en la oscuridad. Tras aguardar una hora, encendí un quinqué —el almacén no tenía ventanas, de modo que nadie podría ver la luz desde el exterior— y me aproximé a la puerta de la oficina procurando no hacer el menor ruido, pues Rasul estaba fuera, vigilando, y tenía un oído finísimo.

Las tres cerraduras no supusieron el menor problema; con ayuda de un juego de ganzúas apenas tardé un par de minutos en forzarlas. Sin perder un segundo, abrí la puerta, me introduje en la oscura oficina, alcé el quinqué para poder ver lo que allí había...

Y vi a un dragón con las fauces abiertas abalanzándose sobre mí.

Me mordí los labios para no gritar, di un paso atrás y tropecé con algo.

Entonces sucedieron simultáneamente dos cosas: advertí que el dragón no era un dragón, sino la escultura tallada en piedra de una bestia fabulosa, y al tropezar derribé una pieza de cerámica que se hizo añicos contra el suelo con sonoro estruendo, lo cual significaba que Rasul no tardaría en aparecer, así que me puse a examinar a toda prisa lo que había a mi alrededor.

La oficina no era en realidad una oficina, sino un almacén secreto lleno de... Al principio no supe precisar qué era todo aquello. Además de la gran estatua del dragón, allí había un buen montón de figuras talladas en piedra, así como piezas de cerámica y diversos utensilios de extraño aspecto. También había varios cajones pequeños; abrí uno de ellos y descubrí que estaba lleno de joyas de oro y plata. Pero eran unas alhajas extrañas, adornadas con diseños geométricos y figuras de aspecto primitivo. Me acaricié el mentón, pensativo, y llegué a la conclusión de que todos los objetos que me rodeaban eran antigüedades precolombinas... Entonces, una voz bramó a mis espaldas:

—¡Maldita comadreja! ¡Ya sabía que acabarías jugándomela!

Volví la cabeza, sobresaltado, y vi que junto a la entrada se encontraba, como era de esperar, Rasul; pero también Nathaniel Byron Smart, muy enfadado y empuñando un revólver de ominoso aspecto.

* * *

Sin dejar de encañonarme, el socio de mi padre me cubrió de improperios durante un buen rato; luego, con los ojos inyectados en sangre, dijo:

—Te advertí que si me la jugabas iba a volarte las pelotas, y me la has jugado, maldito rufián...

Ciego de ira, Smart amartilló el revólver y me apuntó a la entrepierna. Durante un segundo me vi formando parte de un coro de *castrati*, pero entonces Rasul, que se había mantenido aparte y silencioso, dijo:

—No.

Smart le miró de reojo.

—Es una rata pestilente, un embustero y un entrometido —masculló; se refería a mí, huelga decirlo—. Merece un castigo y alguien debe dárselo.

—Estoy de acuerdo —asintió Rasul, inexpresivo—. Pero aquí nadie va a disparar contra nadie.

No tuvo que sacar sus armas, ni siquiera se enfrentó directamente a Smart. El tono de su voz y la dureza de su mirada bastaron para que el socio de mi padre contara mentalmente hasta diez, se calmara un poco y devolviera el revólver a su funda. Yo, reconozcámoslo, respiré aliviado, pero la furia de Smart aún no se había disipado, ni mucho menos, así que hizo venir a mi padre, le explicó que yo había irrumpido en la oficina forzando las cerraduras y le exigió que me aplicara un severo correctivo. Mi padre, tras reflexionar unos minutos, les pidió a Rasul y a Smart que se fueran, pues quería hablar en privado conmigo. Una vez que nos quedamos solos en la falsa oficina, se volvió hacia mí y me espetó con cansancio:

—Eres un desastre, hijo mío. Un auténtico desastre.

Bueno, me dije, esta vez no pensaba agachar las orejas y disculparme. A fin de cuentas, era yo el engañado.

—¿Qué es esto, papá? —pregunté, señalando los objetos que nos rodeaban.

Mi padre dejó escapar un largo suspiro.

—Antigüedades —respondió—. O restos arqueológicos, si prefieres llamarlos así. Pertenecen a diversas culturas precolombinas: mayas, aztecas, incas, toltecas..., en fin, hay un poco de todo.

—¿Y qué hacen estas antigüedades aquí?

Mi padre se rascó la cabeza, visiblemente incómodo.

—Van a ser exportadas a Estados Unidos y Europa.

—¿Exportadas? —pregunté con un deje de ironía—. Pero ocultas entre la fruta, ¿no?

—Pues..., sí.

—O sea, que es contrabando.

Mi padre se encogió de hombros.

—Bueno, quizá técnicamente pueda considerarse contrabando...

Moví la cabeza de un lado a otro.

—Pero tú me aseguraste que era un negocio legal.

—Y es casi legal —protestó mi padre—. De acuerdo, hay leyes que prohíben sacar estos objetos del país, no voy a negarlo. Pero nadie pone el menor empeño en hacer cumplir esas leyes. Este continente está lleno de restos arqueológicos, ¿a quién le importa si nosotros exportamos unos cuantos?

Mi mirada se tiñó de pesadumbre.

—Me hiciste dejar las peleas de gallos —le reproché—, insististe en que debíamos llevar una vida honrada, me has obligado a trabajar como un esclavo en este asqueroso almacén, y todo el tiempo me has estado engañando. ¿Tan poco confías en mí?

En fin, amigos míos, recité ese parlamento con un patético tono lastimero y el rostro transformado en un ejemplo perfecto de amarga decepción, pero nada de eso engañó a mi padre, que puso los brazos en jarras, frunció el ceño, clavó en mí su único ojo y me dijo:

—Un momento, jovencito, ¿debo recordarte que has sido tú

quien ha desobedecido mis órdenes y ha entrado aquí forzando la cerradura? Y si hablamos de confianza, ¿te parece que repasemos todos los líos en que nos metiste cuando te dio por buscar el tesoro de Saavedra? —hizo una pausa y, tras un carraspeo, prosiguió—: De todas formas, es cierto, te engañé. Lo hice porque Nathaniel insistió en que no te contara nada, pero me equivoqué; debí ponerte al corriente de todo desde el principio. Lo siento, hijo mío. Pero ni se te ocurra hacerte el ofendido, porque tú tampoco tienes la conciencia limpia. ¿De acuerdo?

De acuerdo, claro; tampoco era cuestión de tensar más la cuerda. Bueno, tras descubrir la auténtica naturaleza de la Compañía Frutera del Bajo Magdalena y del Caribe, había llegado el momento de interesarme por el negocio. Contemplé con curiosidad las piezas arqueológicas que se amontonaban a nuestro alrededor y pregunté:

—¿De verdad alguien paga por esto?

—¡Oh sí!, y muy generosamente. Los museos y los coleccionistas privados se disputan cada antigüedad que aparece en el mercado negro. La arqueología se ha puesto de moda.

—¿Y todo procede de aquí, de Colombia?

Mi padre sacudió la cabeza.

—Las piezas vienen de toda América. Verás, tengo contactos en México, en Guatemala, en Ecuador y en Perú. A través de ellos adquiero las mercancías que venden los huaqueros que trabajan en las distintas zonas...

—¿Huaqueros? —pregunté—. ¿Qué es eso?

—Es el nombre que reciben quienes efectúan excavaciones privadas.

«Excavaciones privadas», una forma como otra cualquiera de definir el expolio de restos arqueológicos.

—El caso, hijo mío —prosiguió mi padre—, es que a través de mis contactos les compro a los huaqueros las antigüedades, las hago traer a Cartagena, las almacenamos y luego las exportamos escondidas entre la fruta.

—¿Y qué pinta Smart en todo esto?

—Se ocupa de vender las piezas. Nathaniel tiene contactos en Estados Unidos y Europa.

En fin, estimados lectores, me vi obligado a reconocer que el negocio estaba muy bien pensado, ya que, como me explicó mi padre, se obtenían razonables ganancias con un riesgo mínimo. A las autoridades les importaban un bledo los, por otro lado abundantes, restos arqueológicos precolombinos, y si la Compañía debía llevar sus asuntos tan en secreto, no era por las estatuas o la cerámica, sino por las joyas que también exportaba. Muy pocos valoran las piedras, pero todo el mundo ambiciona el oro y la plata, pues el principal motor del ser humano, como en ocasiones decía mi padre, no es el amor ni el odio, sino la codicia.

Una vez que me hubo puesto al corriente del asunto, mi padre me exigió que le pidiera disculpas a Smart, cosa que hice con escaso entusiasmo y aún menor sinceridad. Aquel inglés me caía fatal y yo a él le revolvía las tripas; era el típico caso de animadversión a primera vista. Pero, amigos míos, dejando aparte el hecho de que nos odiábamos mutuamente, lo cierto es que éramos socios y, como todo el mundo sabe, los intereses comunes unen más que el mayor de los afectos.

Desde aquel momento, sabiendo ya a qué me dedicaba realmente, me puse a trabajar con renovado entusiasmo en el almacén de la Compañía. La verdad es que me sentía aliviado al saber que mi padre no se dedicaba a un negocio honrado. No podía imaginármelo convertido en un simple tratante de frutas, en un hombre honesto y lleno de virtudes, ya que, como él mismo solía decir: «Desconfía de los muy virtuosos, hijo mío, pues la virtud es la máscara que utiliza el demonio cuando viaja de incógnito».

El caso es que los cargamentos de antigüedades llegaban, los cargamentos de frutas partían con las antigüedades dentro, y el dinero no dejaba de fluir. Mi padre me aumentó el salario y yo decidí dedicar todo mi tiempo a la Compañía. Aún recuerdo a don Anastasio Belaunzarán, allí, en el taller, cuando le dije que iba a dejar la cerrajería.

—Adiós, Ja-Ja-Ja-Ja-Jaime. Te vo-vo-voy a echar mu-mu-mu-mu...

Tardó casi diez minutos en completar la frase, pero como era una excelente persona y yo le estaba agradecido por su buen trato, decidí aguantar a pie firme, con una estoica sonrisa en los labios, a que el buen hombre siguiera mugiendo hasta lograr decirme que me iba a echar mucho de menos.

En fin, amigos míos, la vida nos sonreía de nuevo. Teníamos un negocio casi honesto, estábamos bien establecidos en Cartagena, nuestras finanzas marchaban viento en popa y ninguna nube se vislumbraba en el horizonte. Por desgracia, aquello duró sólo ocho meses, pues a comienzos de marzo de 1905 se cruzó en nuestro camino el barón Lothar von Reich.

Y todo se fue al garete.

* * *

Ocurrió un domingo, poco antes del mediodía. Yo estaba dando un paseo por el barrio antiguo de Cartagena, es decir, la vieja ciudadela colonial encerrada entre murallas. Hacía una mañana magnífica: la brisa marina traía aromas de salitre y algas, las muchachas paseaban por las calles protegiéndose del inclemente sol bajo sombrillas de colores adornadas con volantes de muselina, los caballeros, galantes, se quitaban el sombrero al paso de las damas, muchas de las cuales iban acompañadas por sus criadas negras; calesas enjaezadas circulaban por las calzadas en medio del repique de los cascos de las caballerizas, indios *kalamarí* o *turbaco* vendían pieles de caimán, fruta o baratijas en los soportales, bajo balcones rebosantes de flores.

En una esquina, un *culebrero* ofertaba a voz en cuello pócimas, ungüentos y filtros de amor, mientras una serpiente viva se enroscaba en torno a su cuello. Mendigos tirados en los zaguanes mostraban sus llagas suplicando una limosna. Faltaba poco para la misa de doce y las calles eran un hervidero de gente camino de la catedral y de las iglesias de San Pedro Claver o de Santo Domingo.

Yo también recorría aquel dédalo de callejuelas en dirección a la catedral, aunque debo reconocer que mi objetivo distaba de ser piadoso, pues no tenía la menor intención de asistir a misa, sino el firme propósito de hacerme el encontradizo con alguna de mis amigas más íntimas —Rosita, María de la Concepción, Cecilia...— y así poder bendecir el domingo con unos cuantos achuchones bajo la sombra de algún palmeral solitario.

Pues bien, amigos lectores, acababa de distinguir entre la muchedumbre a María de la Concepción Heredia, una muchachita criolla tras cuya recatada apariencia se ocultaba un temperamento ardoroso, cuando alguien me llamó a voz en grito:

—¡Señorito Jaime!

Volví la cabeza y vi a Napoleón aproximándose a la carrera.

No, no me he vuelto loco; no me refiero al emperador de Francia, sino a Napoleón Martínez, un joven mestizo, más o menos de mi edad, que trabajaba para mi padre y para mí. Podría decirse que era nuestro «criado de confianza» de no ser porque Napoleón era tan escasamente digno de confianza que, cada vez que nos cruzábamos, me tentaba los bolsillos para asegurarme de que no me hubiese robado nada.

—Traigo un recado de su padre —dijo, entre jadeos, cuando llegó a mi altura—. El señor Fernando quiere que vaya a casa.

—¿Ahora? —pregunté.

—Sí, patrón. El señor Fernando le espera allí.

—¿Y qué quiere?

Napoleón se encogió de hombros.

—No lo sé, pero también he tenido que avisar al señor Smart y al señor Akbar. A lo mejor es por las visitas...

—¿Qué visitas?

—Hará cosa de hora y media llegaron dos forasteros y hablaron con el señor Fernando. Aún están en la casa.

—¿Y quiénes son?

—Nadie me dijo sus nombres, pero creo que son unos caballeros procedentes de Europa —Napoleón volvió a encogerse de hombros—. Más vale que se apure, patrón, porque su padre ha dicho que debe ir a casa cuanto antes.

Giré la cabeza y vi cómo la preciosa y complaciente María de la Concepción Heredia se alejaba camino de misa. Suspiré, diciéndoles mentalmente adiós a los achuchones en el palmeral, y me dirigí a nuestro hogar. Vivíamos en el centro de la ciudad, en una casa de dos plantas situada cerca del Palacio de la

Inquisición, no muy lejos de la catedral, así que apenas tardé cinco minutos en llegar allí.

Nada más cruzar el umbral me encontré con Yocasta, nuestra criada negra.

—Buenos días, amo Jaime —me saludó—. Espero que la llamada de tu padre no te haya impedido asistir a los servicios religiosos.

No se dejen engañar, amigos míos. Yocasta se las ingeniaba para que la palabra «amo» sonase en sus labios como un sarcasmo. Por otro lado, ella sabía perfectamente que yo no solía frecuentar las iglesias, así que de nuevo sus palabras estaban teñidas de ironía. Yocasta Massemba era una mujer muy gorda, negra como el betún y de una edad indefinida que bien podía oscilar entre los sesenta y los cien años. La verdad es que jamás sintió el menor respeto por mí, aunque no es menos cierto que cocinaba como los ángeles y que era una de las personas más extraordinarias que he conocido. Pero ya hablaremos de ella más adelante.

—¿Quién ha venido? —pregunté.

—Oh, no lo sé, amito Jaime. A una pobre negra nadie le cuenta nunca nada —no hagan caso, perspicaces lectores: Yocasta era la reina del sarcasmo—. Pero al parecer —prosiguió—, se trata de dos honorables caballeros. Uno de ellos es español, y el otro, un aristócrata alemán.

¿Conocen, estimados lectores, esas atracciones de feria que consisten en lanzar, mediante un mazazo, un peso hacia arriba para intentar hacer sonar una campana? Pues bien, mis cejas salieron disparadas de idéntica manera.

—¿Un aristócrata? —pregunté tontamente.

—Sí, amito Jaime; ya sabes, como los condes o los duques —me hablaba como si yo fuera retrasado mental, pero no le di importancia; estaba acostumbrado—. Te esperan en la sala —agregó—. Tienes suerte; por fin vas a poder codearte con gente de alcurnia. Y ahora, perdona que interrumpa tan estimulante conversación, pero tengo que preparar unas bebidas.

Yocasta se alejó tarareando un bambuco y yo, cada vez más intrigado, me dirigí al salón. Allí estaban mi padre, Rasul y Smart, y enfrente, sentados en un sofá, dos hombres a quienes jamás había visto. Uno de ellos tendría treinta y tantos años de edad, el pelo rubio, peinado con raya en medio, los ojos azules, la nariz aguileña y unas facciones que destilaban siglos de rancio abolengo, aunque una cicatriz en el mentón otorgaba a sus rasgos un punto de dureza. El otro andaría por los cuarenta y tantos, era menudo, calvo, y llevaba unas gafas hexagonales de montura metálica cabalgando sobre su ganchuda nariz.

—Te esperábamos, Jaime; siéntate por favor —dijo mi padre al verme entrar; luego, tras un carraspeo, prosiguió—: Ya que estamos todos, comenzaremos con las presentaciones. Los caballeros que me acompañan son el barón Lothar von Reich, de Alemania, y su secretario don Everildo Cartago, de España.

Reich nos saludó con una leve inclinación de cabeza y Cartago se limitó a arrugar un poco la nariz.

—Estos ilustres caballeros —prosiguió mi padre— acaban de llegar de Europa y están interesados en un asunto relacionado con..., digamos que con el coleccionismo de antigüedades. El señor Reich tiene una propuesta que hacernos y, dado que afecta a la Compañía, creo que debemos oírla todos nosotros.

Mi padre se volvió hacia Reich, invitándole a hablar, pero no fue el barón quien tomó la palabra, sino su secretario.

—Me llamo Everildo Cartago y Pumares —dijo con voz aflautada; aquel hombre llevaba el cuello de la camisa tan almidonado y tenía el pescuezo tan flaco que parecía una tortuga—. Pertenezco al ilustre Colegio de Abogados de Madrid —prosiguió— y represento los intereses del barón von Reich. Como letrado que soy, estoy acostumbrado a ir al grano, de modo que pasaré a exponerles sin más dilaciones la cuestión que nos ocupa —carraspeó—. Tras realizar diversas pesquisas, mi representado y yo hemos averiguado que su empresa, la Compañía Frutera del Bajo Magdalena y del Caribe, no se dedica en realidad a la exportación de productos hortofrutícolas, sino al tráfico de restos arqueológicos.

Smart, que ya había fruncido el ceño al enterarse de que aquel tipo era abogado, entrecerró los ojos, sacó un revólver del bolsillo de la chaqueta y encañonó al secretario.

—¿Trabajáis para la policía? —preguntó en un tono de voz

que hasta a mí me dio miedo—. ¿O es que pensáis hacernos chantaje? Da igual, porque sea lo que sea, estáis muertos.

Cartago, que había palidecido hasta adquirir un tono entre cerúleo y verdoso, bizqueaba sin poder apartar la vista del negro cañón que le apuntaba entre ceja y ceja. Mi padre alzó las manos, intentando apaciguar a su socio.

—Tranquilízate, Nathaniel, esto no es lo que parece...

—Y una mierda me voy a tranquilizar —replicó Smart sin dejar de apuntar al hombrecillo—. Estos tipos saben demasiado. Además, son alemanes y odio a los alemanes.

—Yo soy español... —musitó el secretario con un hilo de voz.

—También odio a los españoles —masculló entre dientes Smart.

—Porque tú odias a todo el mundo, Nathaniel —repuso en tono razonable mi padre—, no es una cuestión de nacionalidades. Anda, guarda el arma.

Pero Smart era un hombre muy obcecado y no estaba dispuesto a renunciar al uso de la artillería así como así. Durante unos segundos la escena pareció el daguerrotipo de una especie de tragicomedia, con todo el mundo inmóvil y silencioso a la espera de que Smart se decidiera a volarle los sesos a don Everildo Cartago. Entonces, el barón Lothar von Reich comenzó a hablar en un más que correcto castellano, aunque, eso sí, con mucho acento alemán:

—Permítame aclararle algo, señor Smart —Reich se mostraba incongruentemente tranquilo, como si nadie estuviese a punto de matar a nadie—. Soy coleccionista de antigüedades y, con frecuencia, recurro al mercado negro para incrementar mi colección. Esto implica que, si bien ustedes están al margen de la ley al exportar ilegalmente piezas arqueológicas, yo también lo estoy al adquirirlas. Pero eso, si me permite la observación, ¿a quién le importa? No trabajamos para las autoridades ni pretendemos hacerles chantaje. De hecho, no tenemos el menor interés en entrometernos en sus negocios. Nuestra única intención es plantearles una propuesta que, a buen seguro, encontrarán justa y generosa, así que, tratándose como se trata de un asunto de negocios, ¿tendría la amabilidad de dejar de amenazar a mi secretario y permitirle exponer los argumentos que nos han traído aquí? Luego, si lo desea, puede dispararnos a su antojo.

En fin, dilectos lectores, ante un discurso así de sensato, hasta alguien tan terco como Smart estaba obligado a entrar en razón, de modo que arrugó la nariz, masculló algo y, si bien muy a regañadientes, devolvió el revólver al bolsillo. Unos segundos más tarde, cuando Cartago logró recuperar tanto el normal flujo de la sangre en las mejillas como el habla, exclamó:

—¡Esto es un atropello! ¡Me ha amenazado con un arma, a mí, a un letrado! ¡Recurriré a la ley, le demandaré!...

—Don Everildo —le interrumpió mi padre—, ¿quiere que mi socio le pegue un tiro?

Cartago miró de reojo a Smart y, tras una breve vacilación, negó con la cabeza.

—Pues entonces —prosiguió mi padre— será mejor que vaya directamente al grano, ¿no le parece?

El abogado contempló de nuevo a Smart, cuyo rostro mostraba cualquier cosa menos simpatía, luego miró al barón, que permanecía impasible, y finalmente, intentando recuperar la perdida dignidad, se ajustó las gafas, irguió la espalda, abrió el maletín de cuero castaño que descansaba a sus pies y sacó de su interior un bulto envuelto en un paño blanco de algodón. Debía de pesar bastante, porque tuvo que usar las dos manos para sacarlo del maletín y colocarlo sobre el velador que tenía al lado. Acto seguido, deshizo lentamente los dobleces de la tela hasta dejar al descubierto el objeto que ocultaba.

Ésa fue la primera vez que vi la piedra de los dos jinetes, que tantas desgracias nos habría de traer en el futuro, y, para ser franco, no me impresionó lo más mínimo. Se trataba de una losa cuadrada de obsidiana cuyas medidas rondarían los treinta centímetros de lado por diez de fondo. Era de color verde muy oscuro, casi negro, y en su cara frontal, rodeada por una filigrana geométrica, podía verse la silueta en altorrelieve de un caballo montado por dos jinetes. La verdad es que era una talla bastante fea. Justo en ese momento entró en el salón Yocasta con una bandeja y comenzó a distribuir las bebidas. Cartago, sin hacerle el menor caso, señaló la piedra y comenzó a hablar.

—Hace dos meses, esta talla precolombina fue comprada por el barón a un marchante de arte berlinés cuyo nombre no viene al caso. Posteriormente, mi representado se interesó por la procedencia de la talla y, tras realizar diversas pesquisas, descubrió que había sido exportada por la Compañía Frutera del Bajo Magdalena y del Caribe; es decir, por ustedes.

—Es cierto —intervino mi padre al tiempo que abría un cuaderno de contabilidad—. Llevo un exhaustivo control de todas las piezas que exportamos y aquí aparece reseñada esa talla —consultó el cuaderno—: «Relieve en obsidiana de un caballo montado por dos jinetes». Fue remitido a Alemania en el carguero *Taxco* el pasado doce de diciembre.

Yo jamás había visto un ceño tan fruncido como el de Smart; no obstante, aquel malhumorado inglés logró fruncirlo aún más.

—Bueno —masculló—, ¿y qué?

El secretario le dedicó una recelosa mirada y respondió:

—El barón von Reich desea averiguar el origen de la talla y visitar el yacimiento donde fue encontrada. En razón de este propósito, está dispuesto a abonar cincuenta mil dólares como pago de la información y diez mil dólares más por cabeza a aquéllos de ustedes que le acompañen al yacimiento.

Si el estupor fuese líquido nos habríamos puesto todos a nadar en el salón. Aquello era una fortuna, una increíble cantidad de dinero a cambio de algo, en apariencia, insignificante. Una bicoca, vamos, aunque Smart no lo vio así.

—Un momento —dijo—. ¿Pretenden que les revelemos datos confidenciales de nuestra empresa a cambio de unos cuantos miserables dólares?

No sé qué pensarán ustedes, amigos míos, pero a mí no me parecía que cincuenta mil machacantes mereciesen el adjetivo de miserables.

—Lo único que pretendemos —respondió Reich, siempre tranquilo— es averiguar el origen de esta talla. Los demás aspectos de su negocio no nos interesan.

Smart se puso en pie bruscamente y señaló al barón con un amenazador dedo.

—Escuche, especie de comedor de salchichas —le espetó—:

he nacido en Londres, soy inglés y, que yo sepa, nunca ha habido un inglés capaz de rebajarse tanto como para prestarse a ser lacayo de un alemán. Por si no se ha dado cuenta, amigo, quien hoy por hoy domina el mundo es el Imperio Británico, así que, como leal súbdito del Imperio que soy, le sugiero que se meta su dinero donde le quepa.

Dicho esto, y con toda la dignidad que podía permitirse alguien tan indigno como él, Smart abandonó el salón dando un portazo. Tras su marcha, se produjo un incómodo silencio, pero el barón, tan relajado como si estuviera en un baño turco, lo rompió diciendo:

—Al menos, la postura del señor Smart respecto a mi oferta está clara. ¿Y ustedes qué opinan?

Rasul había permanecido tan inmóvil y callado que había llegado a olvidarme de que estaba allí —ésa era una de sus habilidades: volverse invisible—, así que no pude evitar cierta sorpresa cuando abrió la boca y preguntó:

—¿Por qué es tan importante esa talla, Herr Reich?

Por primera vez, una tenue sonrisa quebró la usual impavidez del barón.

—La obsidiana es un mineral muy hermoso, señor Akbar —dijo—, pero también extremadamente duro. Si se fija, verá que esta piedra ha sido pulida, lo cual implica que el artesano que la fabricó dedicó mucho tiempo y esfuerzo a bruñirla frotando contra ella una pasta hecha con arena muy fina. Sin duda se trataba de un objeto importante. Ahora bien, ¿qué sabemos de él? Su origen es incaico, de ello no cabe la menor duda. Además, teniendo en cuenta el estilo de la filigrana que rodea el motivo central, me atrevería a aventurar que fue confeccionado durante el período de esplendor del Imperio Inca, aproximadamente a finales del siglo XIV después de Cristo, o en el siglo octavo tras la hégira si, en su honor, señor Akbar, usamos como referente el calendario islámico. Pero esto es sólo una especulación, pues para poder datar correctamente la talla sería preciso examinar el yacimiento de donde se ha extraído. Así pues, como historiador, mi interés en la procedencia de este objeto es puramente científico.

Puede que lo que estaba contando Reich fuese muy erudito,

pero a mí no me interesaba lo más mínimo, así que, un tanto aburrido, comencé a pasear la mirada por el salón. Entonces advertí algo: después de servir las bebidas, Yocasta, en vez de irse, se había quedado en un extremo de la habitación fingiendo que limpiaba el polvo de un aparador, aunque en realidad estaba muy atenta a las palabras del barón. Luego, cuando éste terminó de hablar, ella le miró fijamente, después contempló la talla de obsidiana, volvió a mirar a Reich y entonces su rostro mostró una expresión de absoluto escepticismo. Acto seguido, se dio la vuelta y salió del salón. En fin, la conocía lo suficiente como para darme cuenta de que esa astuta mujer había descubierto que algo no cuadraba en el asunto, pero el destino quiso que en ese preciso instante comenzara a hablar mi padre, así que, sencillamente, me olvidé por completo de Yocasta y de su extraño comportamiento.

—Su oferta es, en efecto, muy generosa —dijo mi progenitor—. No obstante, debo confesarle, señor Reich, que desconozco la procedencia exacta de la pieza, pues la adquirí a través de un intermediario afincado en Perú.

—Imagino que ese intermediario sí conocerá el origen de la talla.

—Supongo, aunque no creo que esté dispuesto a revelarlo.

—A un desconocido quizá no, pero ¿y a usted?

Mi padre vaciló o fingió que vacilaba (con él nunca se podía estar seguro de ese tipo de detalles).

—A mí sí, claro —aceptó—. Pero me vería obligado a trasladarme a Perú, lo cual supondría ausentarme de Cartagena y desatender mi trabajo en la Compañía. Soy un hombre de negocios muy ocupado, entiéndalo.

—Lo entiendo perfectamente, señor Mercader —repuso el barón—. Por ello, y para intentar compensarle por todas las molestias, estoy dispuesto a aumentar mi oferta a setenta y cinco mil dólares, así como a ofrecerle veinte mil dólares más a usted si nos acompaña, y otros veinte mil al señor Akbar si acepta organizar y dirigir la expedición.

Creo que, por primera vez en su existencia, mi padre no supo qué decir. Y no dijo nada, porque, antes de que lograra recuperar el habla, el barón se puso en pie y añadió:

—No hay necesidad de que me respondan ahora mismo. Pueden meditarlo y contestarme mañana. Nos hospedamos en el Hostal San Diego; allí aguardaré sus noticias. Les deseo que pasen un buen día, caballeros.

Tras saludarnos con una inclinación de cabeza, Lothar von Reich echó a andar hacia la salida. Everildo Cartago guardó la talla en el maletín y partió a toda prisa en pos de su patrón, sin tan siquiera molestarse en formular una despedida. Y allí nos quedamos los tres: Rasul, hierático como una esfinge, mi padre frotándose circunspecto el mentón y yo preguntándome en qué iba a acabar todo aquello.

—¿Qué vas a hacer, papá? —pregunté.

Mi padre me miró fijamente durante largo rato, en silencio.

—Es mucho dinero, hijo... —contestó al fin, en el tono de quien se resigna a aceptar lo inevitable; y repitió—: Mucho dinero...

En efecto, amigos míos, era muchísimo dinero. De hecho, era demasiado dinero. ¿El barón estaba dispuesto a pagar ciento quince mil dólares, más los gastos de la expedición, sólo por echarle un vistazo al yacimiento de donde había salido una miserable talla inca? En fin, mi padre solía decir que a un perturbado mental se le llama loco si es pobre, y excéntrico cuando es rico. Pues bien, quizá Reich fuese uno de esos millonarios excéntricos dispuestos a pagar fortunas por satisfacer sus caprichos, pero la verdad es que aquel asunto olía a chamusquina a kilómetros de distancia.

Mas no nos dimos cuenta, estimados lectores, pues el dinero posee un fulgor tan intenso que a todo el mundo ciega. Y, en definitiva, lo que nos pasaba a nosotros es que padecíamos, sin sospecharlo, esa forma de ceguera que recibe el nombre de codicia.

Y así nos fue, como a un grupo de ciegos camino del precipicio.

Capítulo Tres

Donde me despido de mi padre y de Rasul,
se narra mi romance con Guadalupe
Altagracia, Yocasta plantea un enigma
y aparece Oskar Kepler

Finalmente, mi padre aceptó la oferta del barón, aunque esto era de esperar; lo sorprendente fue que Rasul también se avino a participar en aquella empresa. Verán, amigos míos, *El Sirio* era un hombre de acción, un aventurero, pero al mismo tiempo hacía todo lo posible por evitar los problemas. Jamás buscaba líos y por eso me extrañó tanto que aceptara sumarse a una expedición que, en el mejor de los casos, sólo cabía calificar de incierta, pues en realidad nadie sabía adónde iba a acabar conduciendo. Pero aceptó, pues como él mismo dijo:

—Los veinte mil dólares de Reich me permitirán comprar la granja.

Estaba empeñado en convertirse en un campesino y nada ni nadie iba a torcer su voluntad, así que ni siquiera me molesté en discutir con él. Además, lo cierto es que estaba encantado de contar con la protección de Rasul, pues como es natural yo pensaba participar en la expedición, y no sólo por los veinte mil dólares, sino también, y sobre todo, por huir de la rutina en que se había convertido mi vida en Cartagena. Sin embargo, tales propósitos se vieron frustrados cuando mi padre me anunció:

—No vendrás con nosotros, Jaime. Debes quedarte aquí, ocupándote de la Compañía.

Protesté, discutí, me lamenté, supliqué y, finalmente, me hice el ofendido, pero no sirvió de nada, pues mi padre se mostró inflexible. Yo permanecería en Cartagena dedicado en cuerpo y alma a la Compañía Frutera del Bajo Magdalena y del Caribe, y no había más que hablar. Una semana más tarde, la víspera de su partida, mi padre se sentó frente a mí y me dijo:

—Supongo que estaré fuera un par de meses, como mucho. Durante ese tiempo, Jaime, tú te ocuparás de la casa y de la empresa, de modo que voy a darte unos cuantos consejos. No salgas de la ciudad, no dejes de ir a trabajar todos los días, lleva una contabilidad estricta, haz inventario de todas las piezas que entren y salgan, y sobre todo no pierdas de vista a Nathaniel. Que sea nuestro socio no significa que no sea también un taimado tramposo —eso no hacía falta que me lo dijera; mi padre tomó aliento y prosiguió—: Por si acaso sucediera algo, quiero que estés al corriente de nuestros planes. Mi contacto en Perú, el intermediario con quien nos vamos a entrevistar, se llama Epifanio Palanque y vive en El Callao; encontrarás su dirección en mi escritorio. No tengo ni idea de adónde nos dirigiremos después, pero el señor Palanque estará informado de todo, así que en última instancia puedes ponerte en contacto con él. Como es lógico, deberás mantener todo esto en secreto y no revelarle a nadie nuestros propósitos ni nuestro paradero. Y ya sólo me queda una cosa más que añadir: por favor, te ruego encarecidamente que no te metas en líos, hijo mío.

Llegado este punto, pongo a Dios por testigo de que no lo hice; no me metí voluntariamente en líos, al menos no en demasiados. El problema es que los líos vinieron a mí.

Al día siguiente, a primera hora de la mañana, acompañé a mi padre y a Rasul al puerto, donde iban a embarcarse en el vapor que habría de transportarlos durante el primer tramo de su periplo. Verán, estimados lectores, en aquellos tiempos los viajes no eran un mero trámite, sino una compleja aventura. Para viajar a Perú desde Cartagena existían dos alternativas: o dirigirse por tierra al puerto de Buenaventura, en la costa colombiana del Pacífico, y allí tomar un barco hacia El Callao, o bien ir en barco a Panamá, cruzar por tierra el istmo —por aquel entonces el canal aún estaba en construcción— y, una vez en la capital, embarcarse hacia Perú. Dado que esta segunda opción era la más rápida y segura, tal fue el itinerario que eligió Rasul para el viaje.

El vapor se llamaba *Mandinga* y era un pequeño mercante de cabotaje con bandera panameña. Cuando llegamos, ya habían embarcado el barón y su secretario, y ambos se encontraban en la cubierta del barco, junto a la barandilla: Lothar von Reich contemplando con aire distraído el ajetreo del puerto y don Everildo sudando copiosamente bajo su impecable levita negra y su blanca camisa de cuello excesivamente almidonado.

Antes de subir al vapor, mi padre me dio un abrazo y volvió a impartirme una larga retahíla de instrucciones y recomendaciones; luego, me abrazó de nuevo, recogió su equipaje y comenzó a remontar la pasarela que conducía al barco. Entonces sucedió algo insólito: Rasul se aproximó a mí, sacó del bolsillo un pequeño paquete y me lo entregó.

—Toma, Jaime —dijo—; es para ti.

Francamente sorprendido, pues Rasul no era pródigo en muestras de afecto, desenvolví el paquete. En su interior encontré una media luna de plata enhebrada a una cinta de cuero.

—Vaya, gracias... —dije, poniéndome el colgante—. Es muy bonito.

—La media luna es el símbolo del Islam; por eso lo he elegido —Rasul hizo una pausa y me miró fijamente a los ojos—. Escúchame, Jaime: si sucediera algo, quiero que recuerdes este símbolo.

Arqueé las cejas, desconcertado.

—¿Cómo que si sucediera algo? —pregunté—. ¿Qué va a suceder?

—Quizá nada —los ojos de Rasul se fruncieron levemente—. Pero no me fío de Reich.

—¿Por qué?

—Porque nos oculta algo. Hay detalles que no encajan. Puede que no tenga importancia, pero es mejor ser precavido. Por eso, Jaime, si sucediera algo, recuerda la media luna. Es importante: recuérdala.

Por amor de Dios, ¿de qué demonios estaba hablando Rasul?

—¿Cómo que recuerde la media luna? —pregunté—. ¿Y qué es lo que no encaja?

En vez de responder, Rasul señaló el colgante que pendía de mi cuello y repitió:

—Recuerda la media luna, Jaime.

Acto seguido, sin decir una palabra más, se dio la vuelta y echó a andar hacia el barco. Y allí me quedé yo, en la dársena, con cara de idiota. Poco después, unos marineros desataron las maromas que amarraban el buque al muelle, retiraron la pasarela y, a continuación, haciendo sonar su sirena, el *Mandinga* comenzó a alejarse surcando las plácidas agua de la Bahía de las Ánimas. Todavía un poco confuso, alcé una mano y la agité. Mi padre me devolvió el saludo con una sonrisa, el barón y su secretario me ignoraron, y en cuanto a Rasul, no hizo ni un gesto, pero mantuvo todo el tiempo su penetrante mirada clavada en mí.

Finalmente, el vapor atravesó la Bahía de Cartagena, cruzó por delante del Fuerte del Manzanillo y puso rumbo al oeste hasta convertirse en una simple coma sobre el largo renglón del horizonte. De pronto, al ver alejarse irremediablemente a mi padre y a Rasul, sentí una intensa sensación de vacío en la boca del estómago, incluso noté algo así como un punto de desamparo; pero entonces, con idéntica rapidez, experimenté una impresión de signo diametralmente opuesto, es decir, de plenitud, pues al ausentarse mi padre y quedar yo al frente de los intereses familiares, podía hacer lo que me viniese en gana. De repente recordé la promesa que había hecho de no meterme en líos, para, acto seguido, evocar las extrañas palabras que Rasul había pronunciado al despedirse de mí.

En fin, demasiadas ideas y emociones contrapuestas. Sacudí la cabeza, adopté un aire despreocupado y eché andar hacia el almacén de la Compañía. A fin de cuentas, estaba acostumbrado a enfrentarme a los problemas según el destino tuviera a bien planteármelos, aunque desde luego no podía sospechar que los problemas acabarían siendo tan numerosos y extraños.

* * *

Por mi parte, juro que hice todo lo posible por no meterme en líos. Durante un larguísimo mes no me dediqué a otra cosa que a trabajar para la Compañía; incluso procuré ser amable con Smart, aunque él siguió sin manifestar la menor simpatía hacia mí. Lejos de ello, desde la marcha de mi padre, aquel hosco inglés se mostraba aún más malhumorado que antes, pues, como no se cansaba de repetir, la oferta del barón sólo nos traería problemas. Y lamento reconocerlo, ya que Smart era la última persona del mundo a quien yo hubiera dado con agrado la razón, pero estaba en lo cierto.

Fuera como fuese, no le hice el menor caso y, dado que él procuraba no dirigirme la palabra salvo en caso de extrema necesidad, nuestra relación se mantuvo dentro de los límites de lo tolerable; algo así como una tregua permanente sustentada en la mutua suspicacia.

El caso es que me porté bien durante un mes. Luego sucedió lo inevitable: comencé a aburrirme. Para serles francos, estaba hasta las mismísimas narices, no sólo de las frutas, sino también del contrabando de antigüedades. ¿Cabe imaginar algo más tedioso que almacenar estatuas viejas, baratijas y cerámica rota, para luego esconderlo todo entre un montón de plátanos y enviarlo al quinto pino? De acuerdo, era una actividad delictiva, pero convendrán conmigo que resultaba tan poco estimulante como presenciar una carrera de caracoles.

Entonces, un buen día, me dije: ¿por qué no jugar una partidita en el local de Zolotas? De acuerdo, es cierto, mi padre me había ordenado que me mantuviese alejado de los naipes, pero eso había sido antes, en otras circunstancias, y además, qué demonios, mi padre no estaba. Así que *Little Jim* resucitó de entre los muertos y volvió a echarle un pulso al azar sobre los verdes campos de batalla de las mesas de juego.

Naturalmente, las cosas no fueron como antaño. Ya no era

el tahúr oficial del Café Boyacá. Ese puesto, tras la renuncia de mi padre, había recaído en un argentino llamado Ricardo Augusto Gardel, que no era mal jugador, aunque desde luego inferior a mí. De hecho, y no pretendo ser vanidoso, sino fiel a la verdad, no había en toda Cartagena, con la excepción de mi ausente padre, un jugador de póquer tan bueno como yo. No obstante, fui prudente y me limité a jugar partidas de escasa cuantía, en las que procuraba no ganar nunca demasiado. A fin de cuentas, si había vuelto a jugar no era por dinero, sino por la imperiosa necesidad de añadir un poco de sal y pimienta a mi por aquel entonces soporífera existencia.

Pero no es de póquer sobre lo que quiero hablarles, sino de amor, amigos míos, o de esa actividad hormonal tan parecida a una erupción volcánica que llamamos sexo. La vi por primera vez una tarde de domingo, paseando por la calle de Nuestra Señora de la Candelaria, cerca de la iglesia de Santo Domingo. Debía de rondar los veinticinco años de edad, tenía el pelo negro y brillante, recogido en la nuca con un lazo de terciopelo escarlata, los ojos enormes y oscuros, el talle cimbreante, una silueta con tantas curvas que uno se mareaba al recorrerla con la vista, y un rostro tan hermoso que invitaba a la adoración, pues facciones tan perfectas sólo podían pertenecer a una diosa.

Se llamaba, aunque eso lo supe más tarde, Guadalupe, y era la mujer más bonita de la Tierra. Debía de acabar de llegar a Cartagena, pues paseaba mirándolo todo con curiosidad, como si contemplara por primera vez aquellas viejas casas pintadas de colores —azul, rosa, amarillo— con protuberantes balcones de madera y tiestos llenos de flores. Caminaba despacio acompañada por una sirvienta negra, aparentemente ajena a las miradas de admiración que le dirigían cuantos hombres se cruzaban con ella, aunque más que caminar parecía deslizarse, como si flotara un par de centímetros por encima del suelo.

No podía apartar los ojos de aquella mujer. Comencé a sudar, el corazón se me puso a latir tan rápido que llegué a temer un colapso, mis glándulas iniciaron un desenfrenado proceso de producción hormonal, el vello de la nuca se me erizó. Fue un caso de amor a primera vista, así que me puse a seguirla a prudente distancia. Atravesamos el centro de la ciudad hasta llegar al pie del baluarte de San Francisco Javier y luego viramos a la izquierda en dirección a la Plaza de la Aduana. La vi comprar caramelos de violeta a una vendedora ambulante, y detenerse para examinar el escaparate de una sastrería, y santiguarse al pasar frente a la catedral, y cada gesto que hacía, por insignificante que fuera, se me antojaba irresistiblemente armonioso. Tres cuartos de hora más tarde, la diosa y su criada enfilaron de nuevo hacia el centro y se dirigieron a la calle de Nuestra Señora la Divina Pastora, más conocida como calle del Cuartel. Una vez allí, se detuvieron frente a una casa encalada de dos plantas; la criada abrió el portal y se apartó a un lado para cederle el paso a su señora. La diosa avanzó lentamente, se detuvo en el umbral y entonces hizo algo inesperado: volvió la cabeza, me miró directamente a los ojos y me dedicó la más deslumbrante de las sonrisas.

Un jardín tropical germinó instantáneamente a mi alrededor, las campanas del paraíso comenzaron a repicar, un coro de ángeles entonó el *Gloria in Excelsis Deo*, mientras una lluvia de pétalos de rosa se derramaba sobre mí. Por desgracia, amigos míos, aquello sólo duró unos instantes, el tiempo que tardó la diosa en apartar sus bellísimos ojos de mí y desaparecer en el interior de la vivienda.

Permanecí unos minutos embobado frente a la casa y luego me encaminé lentamente hacia la Plaza de la Aduana. Iba como en una nube; la mujer más bella del universo no sólo se había percatado de mi existencia, sino que además me había sonreído, lo cual, en el críptico lenguaje del galanteo, era una evidente invitación a un mejor conocimiento mutuo. Pero antes de nada tenía que averiguar quién era aquella aparición celestial, así que comencé a hacer indagaciones en los principales mentideros de la ciudad y descubrí unas cuantas cosas.

En primer lugar, que la diosa se llamaba Guadalupe Altagracia y Ruiz de Somosancho, que tenía veintiséis años de edad y que pertenecía a una antigua y noble —aunque, al parecer, también arruinada— familia criolla bogotana.

En segundo lugar, descubrí que la diosa había llegado a Cartagena hacía tan sólo dos días, procedente de Santa Fe de Bogotá, la capital.

En tercer lugar, descubrí que no hay rosa sin espinas, pues aquella mujer sin defectos tenía el pequeño defecto de estar casada.

En cuarto y último lugar, descubrí lo más trascendental, aunque en aquel momento se me antojara irrelevante. El marido de mi adorada Guadalupe se llamaba Ramón Espinosa, tenía treinta y siete años y era capitán del ejército colombiano. De hecho, si la diosa se encontraba ahora en Cartagena, era precisamente porque a su esposo le habían destinado allí.

En fin, estimados lectores, puede que más de uno piense que hace falta estar loco para pretender un romance con la esposa de un militar, de un hombre de armas, y tendría razón. Pero es que yo estaba loco, sí, loco de amor y deseo... Y bueno, reconozcámoslo, también un poco loco de natural. Así pues, desoyendo la voz de la prudencia, me propuse, como la más alta meta de mi vida, conquistar el tierno corazón de Guadalupe Altagracia.

Ahora me veo obligado a hablar un poco de mí y a hacerlo sin falsa modestia. Por aquel entonces yo tenía casi dieciocho años y me había convertido en un joven bastante agraciado, o al menos eso aseguraban mis amigas. Medía algo más de un metro setenta y cinco, tenía el cabello oscuro y abundante —con cierta tendencia a alborotarse—, el rostro equilibrado, los ojos expresivos y un cuerpo delgado y flexible. Sin embargo, no eran esas cualidades físicas mi principal arma de seducción, amigos míos, sino la labia. Téngase en cuenta que mi padre me había adiestrado en las artes del embaucador, lo cual implica dominar el don de la palabra, así que podía decirles a las mujeres exactamente lo que ellas querían oír. Sabía halagar, sabía engatusar, sabía embelesar con palabras de terciopelo, sabía susurrar lisonjas y requiebros, sabía, en definitiva, mentir como un bellaco. Aunque debo confesar, para mi vergüenza, que las palabras de amor que más tarde le susurré embelesado a Guadalupe Altagracia fueron fruto exclusivo de la sinceridad.

En fin, no quiero aburrir a nadie pormenorizando los avatares de un galanteo. Dedicaba todo mi tiempo libre a rondar la casa de la diosa, me hacía el encontradizo, la seguía a distancia. Un día, mientras paseaba siguiendo el trazado de las murallas, ella, fingiendo un descuido, dejó caer su pañuelo de hilo blanco al suelo. Lo recogí, se lo entregué, hablamos por primera vez, paseamos un rato juntos y... Bueno, ya se lo pueden imaginar; comenzamos a vernos cada vez con mayor frecuencia, hasta que un buen, maravilloso y deslumbrante día, cuando nos hallábamos frente al mar en un solitario palmeral y mientras la criada negra se dedicaba a recoger flores para hacer un ramillete, nos besamos.

¡Ah, mis dilectos amigos!, aún recuerdo el sabor de aquel beso y la calidez del glorioso cuerpo de Guadalupe al estrecharlo entre mis brazos. Pero eso fue sólo el aperitivo, pues el verdadero ágape habría de llegar cuatro días después cuando, aprovechando que el capitán Espinosa, su marido, estaba de guardia en el cuartel, la diosa me acogió en su hogar y, lo que es aún mucho mejor, en la intimidad de su alcoba. A partir de entonces, siempre que podíamos, nos reuníamos en secreto para dar rienda suelta a nuestra pasión.

Llegado este punto, lamento que un atisbo de caballerosidad me impida narrar con detalle los pormenores de nuestros encuentros. Baste decir que de mis más íntimas amigas —Rosita, María de la Concepción, Cecilia, la mulatita Anabel, la dulce Susana— aprendí muchas cosas sobre el amor, pero ninguna me enseñó tanto como Guadalupe Altagracia, pues ella, por decirlo de forma académica, era una auténtica catedrática en la universidad del deseo.

En fin, comprensivos lectores, estaba enamorado y, cuando el amor clava sus dardos en nuestro corazón, el tiempo se convierte en un aleteo de palomas, en un vendaval, en un torrente impetuoso. Y los días pasaron con la ligereza de una pluma arrastrada por la brisa, y transcurrieron las semanas, y de pronto, un buen día, caí en la cuenta de que mi padre y Rasul llevaban ausentes de Cartagena casi tres meses y todavía no había recibido la menor noticia suya.

* * *

Le escribí una carta a Epifanio Palanque, el intermediario peruano, preguntándole por mi padre, pero el correo en aquellos tiempos era tan lento como inseguro, de modo que la respuesta no llegaría, si es que llegaba, hasta mucho después. Conforme los días pasaban, mi inquietud iba creciendo. Tenía un mal presentimiento. Mi padre había asegurado que estaría fuera un par de meses y ya habían transcurrido tres; además, Rasul, al despedirse, me había dicho que barruntaba algo extraño en aquel asunto, pero ¿qué? Mil veces maldije a aquel granítico árabe por ser tan reservado.

Finalmente, el veintiuno de junio, llegó el día de mi décimo octavo cumpleaños. Yo no me sentía nada animado, pues hacía casi una semana que no veía a Guadalupe y, encima, estaba muy preocupado por mi padre, pero Yocasta insistió en celebrarlo preparando una suculenta comida y un gran pastel de chocolate.

Creo que ya he mencionado a Yocasta Massemba. Les he dicho que era negra como el carbón, vieja y gorda; lo que no les he contado es que también era la persona más culta e inteligente que he conocido en mi vida.

Siendo muy pequeña, Yocasta fue vendida como esclava a un tal Bartolomé Bustamante, distinguido caballero y también persona de gran erudición. El señor Bustamante, a causa de una enfermedad degenerativa, se había quedado ciego, de modo que ordenó que instruyeran en el arte de la lectura y la escritura a la pequeña Yocasta, para que ella pudiera leerle los libros que él ya ni tan siquiera podía ver. Y así fue; durante años, Yocasta leyó en voz alta para su patrón cientos, miles de libros. Más tarde, cuando la esclavitud fue abolida, ella siguió leyendo para él en calidad de sirviente de confianza, y eso fue lo que hizo, día tras día, hasta que el señor Bustamante pasó a mejor vida. La cuestión es que, dado que poseía una gran memoria y una inteligencia despierta, Yocasta, tras devorar ingentes cantidades de conocimientos escritos, había adquirido una cultura descomunal. Era una enciclopedia viviente.

Pues bien, después de servirme uno de sus deliciosos sancochos de pollo, Yocasta puso en la mesa, frente a mí, una tarta de chocolate con dieciocho velitas encendidas. Sin excesivo entusiasmo, las apagué de un soplido; luego, Yocasta cortó dos porciones —una para mí y otra para ella— y se sentó a mi lado, pero yo apenas probé el pastel.

—¿No te gusta, Jaime? —preguntó.

—Está muy bueno —respondí—. Es que no tengo hambre...

Yocasta estaba convencida de que yo era un jovencito atolondrado, ignorante e imprudente, razón por la cual, y pese a ser su patrón, solía tratarme con socarrona displicencia, empleando, cuando se dirigía a mí, toda suerte de ironías y sarcasmos. Pero aquella vez, quizá por ser mi cumpleaños, o puede que por lo sombrío de mi ánimo, no fue así.

—Te preocupa tu padre, ¿verdad? —preguntó.

Asentí con un cabeceo.

—Debería de estar ya de vuelta —dije—. O, por lo menos, tendría que haberme escrito.

—Quizá lo hizo y la carta se perdió.

—O puede que le haya ocurrido algo.

Una sonrisa dejó al descubierto la inmaculada dentadura de Yocasta.

· —De haber sufrido algún percance ya lo sabríamos, Jaime. No hay nada más rápido que las malas noticias. Además, tu padre está con el señor Akbar.

Sí, Rasul era un seguro de vida, la garantía de que mi padre, a su lado, iba a encontrarse todo lo protegido que alguien puede estar. Sin embargo...

—Rasul habló conmigo justo antes de partir —dije—. No se fiaba de ese alemán, Lothar von Reich. Dijo que algo que no encajaba.

La sonrisa desapareció poco a poco del rostro de Yocasta.

—El señor Akbar tiene razón —murmuró—. Algo no encaja; yo también me di cuenta. Y tú también lo habrías hecho si prestaras más atención.

Mi pesadumbre se disolvió al instante. Conocía a mi negra sirvienta y había aprendido a valorar sus siempre atinadas palabras (aunque rara vez le hacía caso, todo sea dicho).

—¿Qué es, Yocasta? —pregunté—. De acuerdo, soy un asno y no me entero de nada; así que, si no te importa, pasemos por alto los sarcasmos. ¿Qué demonios es lo que no encaja?

Yocasta dejó escapar un largo suspiro.

—En realidad es una tontería —dijo—. Probablemente no tenga importancia, pero... Bueno, ¿recuerdas la talla de obsidiana que nos mostró el secretario del barón?

—Claro.

—¿Qué viste en ella?

—Pues un caballo con dos tipos encima.

—Exacto. El señor von Reich afirmó que era de origen inca y que, según su opinión, había sido realizada a finales del siglo XIV. ¿Lo recuerdas?

—Sí. ¿Y qué?

—Pues que eso es imposible, Jaime. Porque en el siglo XIV no había caballos en América.

—¿No había caballos? —pregunté tontamente.

Yocasta profirió un largo y quedo «ayyyyyy» al tiempo que movía la cabeza de un lado a otro, como si las dimensiones de mi ignorancia no cesaran de causarle asombro.

—Los primeros caballos llegaron a América con los conquistadores españoles —explicó en tono paciente—. Pero eso ocurrió a finales del siglo XV, así que es imposible que en una talla inca del siglo anterior aparezca un caballo.

Fruncí el ceño y reflexioné sobre las implicaciones de aquella revelación.

—Entonces —musité—, es falsa...

—Puede que la talla sea falsa, en efecto —respondió ella—; o puede que sea auténtica, sólo que realizada en una fecha posterior a 1492. Pero eso no es lo importante, Jaime. La cuestión es que Lothar von Reich, que afirma ser historiador, sostiene que un relieve inca donde aparece un caballo fue tallado cien años antes de que hubiera caballos en América y eso, a mi humilde modo de ver, es algo que ningún historiador en su sano juicio se atrevería ni tan siquiera a sugerir como broma.

Abrí mucho los ojos.

—¿Reich es un farsante? —pregunté.

Yocasta se encogió de hombros.

—No lo creo, Jaime. El señor Reich se comporta tal y como suelen hacerlo las clases altas, con esa especie de aburrida indolencia que sólo puede adquirirse tras siglos de no hacer nada. Es algo que ni el mejor de los actores podría imitar. Por ejemplo, el señor Bustamante, mi anterior patrón, poseía una gran sabiduría y se le notaba a simple vista. Sin embargo, tú eres..., bueno, eres muy espontáneo, Jaime, y también se te nota. En cualquier caso, yo juraría que Reich es un verdadero aristócrata.

—Pero un mal historiador.

—Dudo mucho que haya un historiador tan negado como para ignorar cuándo llegaron los caballos al nuevo continente.

La contemplé con perplejidad.

—Entonces, ¿qué sucede?

Yocasta volvió a encogerse de hombros.

—No lo sé, Jaime; probablemente nada. Hablé con tu padre sobre este tema y no le dio importancia.

—Pero Rasul sí...

—El señor Akbar es un hombre muy precavido; por eso tu padre está seguro a su lado —Yocasta recuperó la sonrisa—. Vamos, Jaime, no te inquietes; seguro que no le ha sucedido nada malo. Además, tú eres la persona más despreocupada del mundo; si ahora mismo sobreviniese el Apocalipsis, lo único que te preocuparía es averiguar si los ángeles juegan al póquer, porque los demonios ya sabemos que sí lo hacen. Venga, anímate, ya verás como tu padre no tarda en regresar sano y salvo.

Pocas veces ha estado la negra Yocasta tan equivocada.

Una de las máximas favoritas de mi padre era: «nunca apuestes en un juego que no conozcas a fondo». Pues bien, sin saberlo, mi padre, Rasul, Yocasta, yo, todos nosotros nos habíamos metido en una partida cuyas reglas ignorábamos por completo.

* * *

Transcurrieron otras dos semanas sin noticias de mi padre. Yo estaba cada vez más preocupado y, conforme la inquietud crecía, comenzaba a germinar en mi interior la imperiosa necesidad de hacer algo, aunque no sabía qué. Tan nervioso me encontraba que incluso llegué a comentar el asunto con Smart, pero aquel maldito inglés del demonio se limitó a decir:

—Sea lo que sea lo que le haya podido pasar a tu padre, se lo tiene bien merecido. Nunca debería haberse rebajado tanto como para ponerse al servicio de un alemán. Pero es que los españoles carecéis de orgullo. A fin de cuentas, ¿quién echó a los franceses de España cuando os invadieron? ¡Inglaterra, amiguito, Inglaterra!...

Smart siguió durante un buen rato despotricando contra los franceses, los alemanes, los españoles y, en resumidas cuentas, contra cualquiera que no tuviera la inmensa fortuna de haber nacido súbdito del rey Eduardo VII de la Gran Bretaña, pero no tardé en dejar de prestarle atención. Bastantes problemas tenía ya como para hacer caso a un inglés empachado de imperialismo.

Y es que, amigos míos, la desaparición de mi padre no era el único quebradero de cabeza que me afligía, pues en aquel momento mi ardorosa relación con Guadalupe Altagracia se encontraba un buen puñado de grados Fahrenheit por debajo de cero. No sólo hacía semanas que no nos veíamos, sino que además ella no contestaba a las cartas que le enviaba a través de su criada; era como si me rehuyera, y yo no sabía por qué, pues nada había sucedido entre nosotros que justificase aquel inesperado distanciamiento.

Si quieren conocer mi opinión, estimados lectores, la experiencia me ha enseñado que las únicas damas en las que cabe confiar ciegamente son las reinas de la baraja. Así que, con el corazón desgarrado entre la preocupación por la suerte de mi padre y el rechazo de Guadalupe Altagracia, busqué consuelo en los verdes tapetes del Café Boyacá, sobre cuyas praderas de fieltro yo me transformaba en el invencible *Little Jim*, general en jefe de un ejército de naipes. Y allí, en el Café Boyacá, durante una noche de comienzos de julio, fue donde vi por primera vez a Oskar Kepler.

Era alto y fornido, quizá tanto como Rasul. Debía de rondar los cuarenta años de edad, pero se mantenía en espléndida forma, sin un gramo de grasa, todo músculo y fibra. Tenía el pelo castaño, muy corto, casi rapado en las sienes y la nuca, lucía bigote y perilla, y sus facciones eran enérgicas: frente despejada, ojos expresivos, nariz recta y unos labios perpetuamente curvados en una media sonrisa cuya tenue ironía parecía entrar en conflicto con las dos cicatrices que surcaban su rostro; una en el pómulo izquierdo y la otra a lo largo de la mejilla derecha. Llevaba un traje de lino negro, chaleco de idéntico color, camisa de algodón y un lazo al cuello. Se cubría con un sombrero Panamá y portaba en la mano un bastón en cuya empuñadura brillaba una esfera de plata.

Aún era temprano —las nueve y media de la noche, según el mugriento reloj de péndulo que hacía tic-tac al otro lado de la barra—, de modo que no había mucha gente en el establecimiento de Zolotas; pero todos sin excepción volvimos la mirada y guardamos silencio cuando el forastero entró en el local. Y es que había algo magnético en él, una cadencia en sus movimientos que recordaba al sigiloso acecho de un depredador. ¿Han visto un lobo alguna vez?; pues aquel hombre se movía como un lobo. Sin embargo, sonreía; y sonriendo abiertamente se aproximó a la mesa donde yo estaba enfrascado en un solitario.

—¿Jaime Mercader? —preguntó con leve acento extranjero.

Le miré receloso.

—Depende. ¿Quién es usted?

—Me llamo Kepler, Oskar Kepler, y soy natural de Heidelberg, Alemania. Acabo de instalarme en Cartagena y no conozco la ciudad, pero me han dicho que en este local se juega a las cartas. También me han hablado acerca de un tal Jaime Mercader, al que apodan *Little Jim*; por lo visto, tiene fama de ser un excelente jugador. ¿Lo conoce?

Bueno, aquel tipo no dejaba de sonreír y yo estaba aburrido, de modo que asentí.

—Soy yo —dije—. Pero aún es temprano, no hay más jugadores que nosotros.

—No importa. Juguemos un mano a mano, si le parece.

—Como quiera —acepté—, pero una partida barata; sólo por pasar el rato. ¿Le parece bien a cinco dólares el descarte?

Kepler era bueno al póquer, un jugador frío y calculador. Durante toda la partida mantuvo su mirada clavada en mí, atento al menor de mis gestos, como si me estuviera evaluando. Por supuesto, no le sirvió de nada, amigos míos, pues si bien es cierto que era hábil con los naipes, yo lo era aún más; así que lentamente, pero con aplastante seguridad, le gané dos de cada tres manos que jugamos, hasta que por fin, cuando le había despojado exactamente de doscientos dólares, Kepler arrojó las cartas sobre la mesa y declaró:

—Juega mucho mejor que yo, Jaime; me rindo. Su fama es justa.

—Gracias... —comenté, distraído, mientras guardaba el dinero.

—¿Quiere tomar algo? —propuso él—. Yo invito.

Lo sé, lo sé, inteligentes lectores, debería haberme conducido con más cautela. Era el segundo alemán que se cruzaba en mi vida durante los últimos meses y, como solía decir mi padre, las coincidencias inesperadas son señales evidentes de que algo condenadamente malo va a suceder. Pero aquel tipo parecía agradable, sonreía mucho y había encajado con admirable deportividad la derrota, así que acepté su invitación y pedí una zarzaparrilla. Las cosas empezaron a torcerse justo cuando Kepler volvió de la barra con las bebidas. Tras sentarse y darle un sorbo a su whisky, me contempló sonriente y declaró:

—Para serle franco, Jaime, no he venido aquí sólo para jugar al póquer. De hecho, le estaba buscando porque deseo hablarle sobre cierto asunto. Permítame una pregunta: ¿conoce a un compatriota mío llamado Lothar von Reich?

Me quedé helado, con el vaso de zarzaparrilla suspendido en el aire, a medio camino entre la mesa y mis labios.

—¿Lothar von Reich? —repetí.

—Ajá —asintió Kepler—; es un aristócrata, un barón, y viaja acompañado por un abogado español llamado Everildo Cartago. También quería preguntarle si alguna vez ha visto esto...

Sacó un papel doblado del bolsillo interior de la chaqueta, lo desplegó y me lo mostró. Y yo me quedé de nuevo helado, amigos míos —aunque lo oculté tras mi mejor cara de póquer—, porque en ese papel había un boceto trazado a lápiz: el dibujo de la piedra de los dos jinetes. Una sirena de alarma comenzó a sonar en mi cerebro.

—Pues no, lo siento —repuse en tono neutro—; no conozco a nadie llamado Reich ni he visto nada parecido a ese dibujo.

Kepler se echó a reír.

—De acuerdo —dijo—, comprendo que sea desconfiado; a fin de cuentas, no me conoce. Así que pondré las cartas sobre la mesa. He estado haciendo algunas preguntas por la ciudad y he averiguado que Lothar von Reich y su abogado llegaron a Cartagena hace unos tres meses. Al parecer, estuvieron en su casa, Jaime. También sé que von Reich contrató a don Fernando Mercader y a un árabe llamado Rasul Alí Akbar para que le acompañaran en un viaje. Por último, sé que von Reich, su abogado, el señor Mercader y el señor Akbar se embarcaron en el vapor *Mandinga* con rumbo a Panamá, aunque presumo que ése no era su destino final, sino tan sólo la primera etapa del viaje. Ahora bien, se da la circunstancia de que represento a cierto caballero que está muy interesado en localizar lo antes posible al señor von Reich, razón por la cual mi cliente ofrece mil dólares a cambio de cualquier información que le conduzca a su paradero.

Le dediqué la más inexpresiva de mis miradas.

—¿Cómo ha dicho que se llama su cliente? —pregunté.

—Lo siento, eso todavía no puedo revelarlo. No obstante, está a punto de llegar a Cartagena. Cuando eso suceda podrá conocerle. En cualquier caso, le garantizo que se trata de un caballero honorable cuyas razones para encontrar al señor Reich son enteramente honestas.

—¿Y qué razones son ésas? —pregunté con calculada indiferencia.

Kepler demoró unos segundos la respuesta.

—Digamos que a von Reich y a mi cliente les unen lazos familiares.

—Ya veo... —compuse una expresión de absoluta franqueza y declaré—: Pues lo lamento mucho; no tengo la menor idea de dónde se encuentran ahora mi padre y el señor Reich.

Era cierto, no lo sabía (y aunque lo hubiese sabido no se lo habría dicho).

—Comprendo —asintió Kepler—. Sin embargo, supongo

que sí estará al corriente de cuál era su destino cuando partieron de Cartagena. Imagino que Perú o Ecuador, pero ¿dónde exactamente?

Me encogí de hombros con desenvuelta naturalidad.

—No lo sé —mentí—. Mi padre es muy reservado y nunca me cuenta nada.

Siempre con una sonrisa en los labios, Kepler sacó un cigarro habano del bolsillo, lo encendió con un fósforo, dio un par de profundas caladas y dijo:

—No lo sabe.

—Pues no —respondí, desprendiendo sinceridad por cada uno de mis poros—. Ni idea.

Kepler puso cara de no creerse nada de lo que yo estaba diciendo, jugueteó con el pomo de su bastón, exhaló lentamente una nube de humo y se puso en pie.

—En tal caso, no le entretengo más, Jaime —dijo—. Gracias por su amabilidad. Si deseara ponerse en contacto conmigo, estoy hospedado en la Fonda Cartagena. Buenas noches.

Tras despedirse, se dio la vuelta y abandonó el local. Yo me quedé un rato pensativo, preguntándome quién era aquel extraño alemán y qué andaba buscando en realidad. De hecho, su aparición había sembrado en mí la semilla de la preocupación, pues contribuía a cimentar la idea de que había algo decididamente turbio en Lothar von Reich.

Por aquel entonces yo conocía a todo el mundo en Cartagena, desde los dueños de las grandes mansiones hasta los moradores de las chabolas —pues la pasión por el juego hermana a cuantas clases sociales existen—, de modo que empecé a preguntar a unos y otros sobre Kepler, y lo que averigüé, amigos míos, no contribuyó precisamente a mi serenidad.

Oskar Kepler era un aventurero, un soldado de fortuna, un mercenario que había emigrado a América en 1887, huyendo al parecer de la justicia alemana. Al principio se estableció en Estados Unidos, pero por razones no del todo claras tuvo que abandonar el país una década más tarde; aunque quizá en esta decisión pesara el hecho de que estuviese condenado a muerte en tres estados distintos y que la agencia de detectives Pinkerton hubiera puesto precio a su cabeza. De su estancia en

Estados Unidos obtuvo, cuando menos, una sólida reputación y un apodo: *Okay Dutch*. «Okay» porque así sonaban las iniciales de su nombre —O. K.— y «Dutch», pues eso, porque era alemán. Durante un tiempo actuó en Cuba, a sueldo de los independentistas; luego se trasladó a México y, finalmente, a Panamá, donde participó en oscuros negocios relacionados con la construcción del canal. Se decían muchas cosas de él y ninguna buena; como por ejemplo, que había matado a más de cincuenta personas.

Comprenderán por tanto, indulgentes amigos, que su presencia en Cartagena, así como el interés que había demostrado por los asuntos de mi padre, me causara cierta inquietud; aunque los acontecimientos de los días sucesivos habrían de demostrarme que Oskar Kepler sólo era uno más entre mis muchos problemas.

* * *

Cuando su ánimo se tornaba filosófico, mi padre solía decir que no hay circunstancia por adversa que sea que no pueda empeorar. Y eso fue lo que me sucedió a mí. A fin de cuentas, los seres humanos vivimos en un universo hostil, en medio de impactos de meteoritos, explosiones estelares y toda suerte de fuerzas titánicas, cobijados en esa insignificante mota de polvo que es nuestro planeta y a merced de los caprichos de un azar siempre cruel o, cuando menos, indiferente. Lo milagroso no es que la vida surja, sino que perdure.

En fin, comprensivos lectores, les ruego que disculpen este breve y quizá un tanto pesimista circunloquio, pero a lo largo de mi existencia he llegado a sospechar que si existe un poder sobrenatural omnipotente —eso que suelen llamar Dios—, su único propósito es hacerme la pascua a mí. Y si creen que exagero, compruébenlo ustedes mismos.

Al día siguiente, nada más llegar al almacén de la Compañía, Smart se abalanzó sobre mí hecho una furia y comenzó a increparme, acusándome poco más o menos de ser un espía al servicio del Imperio Alemán. La verdad es que, entre tanto insulto y amenaza, sus palabras no resultaban muy coherentes que digamos, pero al final logré sacar en claro que, tras entrevistarse conmigo en el Café Boyacá, Kepler le había visitado a él para formularle las mismas preguntas que a mí. Según Smart, no sólo no le contó nada, sino que además le había echado con cajas destempladas de su casa; aunque, si he de serles franco, no me imagino a Smart echando a la calle a un tipo como Oskar Kepler, ni con cajas destempladas ni poniéndole delante una alfombra roja. El caso es que a Smart, a raíz de esa visita, se le metió en la cabeza que yo formaba parte de una especie de confabulación alemana, algo que, para un inglés tan inglés como él, suponía el mayor de los agravios. Tras mucho insistir logré convencerle de que nada tenía que ver con el asunto, pero tuve que aguantar su mal humor durante el resto del día.

Mas aquello sólo fue el aperitivo de mis desgracias, amigos míos. Si confiaba en haberme librado de Oskar Kepler, estaba muy equivocado. Aquella misma noche volvió a aparecer por el Café Boyacá y allí siguió presentándose todas las noches. No hacía nada, ni siquiera hablaba conmigo; se limitaba a saludarme con un gesto amable, se sentaba a una mesa, pedía un whisky y se quedaba allí hasta la madrugada, bebiendo con moderación y aparentemente ajeno a todo y a todos. La verdad es que se comportaba como un hombre tranquilo y pacífico, pero conociendo su reputación no habrán de extrañarse, dilectos amigos, si les digo que su presencia me ponía francamente nervioso.

Por lo demás, seguía sin saber nada acerca de mi padre, y Guadalupe Altagracia continuaba ignorando las cartas que le enviaba. Aunque de Guadalupe sí que recibí noticias poco después, sólo que por desgracia no la clase de noticias que yo esperaba.

Ocurrió cuatro días más tarde en el Café Boyacá, a eso de las once de la noche. Era sábado y el local estaba lleno de bulliciosos parroquianos que parecían competir en ver quién lograba la mayor intoxicación etílica en el menor tiempo posible. Al fondo del café, un guitarrista tocaba una alegre canción marinera que un improvisado coro de estibadores se afanaba en destrozar con sus desafinadas voces. Zolotas, tras la barra, servía sin parar whisky, cerveza y ron. En la mesa principal, Ricardo Augusto Gardel, el nuevo tahúr del Boyacá, desplumaba a unos infelices, mientras que yo, sentado a otra mesa, procedía de igual manera con cuatro ingenuos tratantes de fruta. Oskar Kepler permanecía sentando en un rincón con aire distraído.

De pronto, la puerta de entrada se abrió bruscamente y tres hombres entraron en el local. Para ser precisos: tres militares vestidos con uniformes de gala, guantes blancos, correajes y sables. El que marchaba en cabeza —un tipo grande, de unos treinta y cinco años, con un fiero mostacho y una mirada aún más fiera— se dirigió en línea recta hacia donde yo estaba, apartando a empujones a quienes se interponían en su camino, y se plantó ante mí con una expresión en el rostro que distaba mucho de ser cordial. Y yo sentí que un frío polar me congelaba el corazón, amigos míos, porque sabía quién era ese militar.

—¿Jaime Mercader? —preguntó, disparando mi nombre más que pronunciándolo.

Por un momento, lo reconozco, pensé en negarlo y fingir ser otra persona, pero *Little Jim* era demasiado conocido para que esa boba artimaña sirviese de algo, así que no tuve más remedio que asentir con un vacilante cabeceo.

—Levántese —bramó el militar.

Como si me hubiera robado la voluntad, me incorporé al instante. El guitarrista había dejado de tocar, los estibadores de cantar, los borrachos de beber, los jugadores de jugar, y ahora todos miraban en nuestra dirección, expectantes.

—Es usted un miserable, un rufián y un degenerado —me espetó a la cara.

Luego, se quitó un guante, me abofeteó con él, una vez en cada mejilla, y agregó:

—Mañana, a las seis de la tarde, frente a la tapia del cementerio del Convento de Santa Clara. Traiga sus padrinos.

Acto seguido se dio la vuelta y, flanqueado por sus dos compañeros, abandonó el café. Durante unos segundos me quedé de pie, envuelto por el plomizo silencio que se había cernido sobre el local. Poco a poco, los parroquianos volvieron a beber, cantar, jugar o lo que quiera que estuvieran haciendo antes, y yo me dejé caer sobre la silla. Los tratantes de fruta, íntimamente satisfechos de que el tipo que les había estado desplumando al póquer se viera de repente metido en un lío tan grande, improvisaron una excusa y abandonaron la mesa de juego en dirección a la barra. Entonces, Adamantios Zolotas, secándose las manos en un mugriento trapo, se sentó a mi lado y me dijo con una sonrisa que a mí se me antojó del todo improcedente:

—Otra vez metiéndote en líos, ¿eh, Pequeño Jim? —su sonrisa se amplió aún más—. ¿Sabes quién es ese militar?

—Ramón Espinosa —musité con un hilo de voz—, el marido de Guadalupe Altagracia...

—Parece mentira que un hombre tan bruto tenga una mujer tan bonita, ¿verdad? —Zolotas se rascó la calva—. Pues te acaba de retar a duelo, Pequeño Jim. ¿Es por la señora Espinosa?

—No; es por ti, Adamantios —repliqué con amarga ironía—. Los dos te amamos.

—¡Ah!, siempre tan bromista, Pequeño Jim. Es bueno que conserves el humor, porque tienes un serio problema. He oído decir que el capitán Espinosa es el mejor duelista del ejército.

—Qué bien... —murmuré.

—Dicen que lleva diez cadáveres a sus espaldas —prosiguió imperturbable el seboso cantinero—, tanto a sable como a pistola. Un tipo muy peligroso, eso dicen.

Si las miradas pudieran fundir la materia, mis ojos habrían convertido a Zolotas en un charco sobre el suelo.

—Gracias por los ánimos, Adamantios —le dije—. ¿No tienes nada que hacer por ahí?

—¡Ah, sí!, los clientes me esperan —Zolotas se incorporó con un bamboleo de su enorme barriga, pero antes de volver a la barra agregó—: Te deseo mucha suerte, Pequeño Jim. Aunque mejor sería que rezaras un poco, porque tratándose del capitán Espinosa lo que realmente necesitas es un milagro.

Volví a fulminarle con la mirada, apoyé los codos sobre la mesa, hundí la cara entre las manos y me sumí alegremente en la más profunda desesperación. Zolotas tenía razón en algo: estaba metido en un inmenso lío. De repente, pensé en Rasul y lamenté más que nunca que no estuviera allí, pues una de las virtudes que le adornaban era la de salvarme frecuentemente la vida. Entonces, de reojo, advertí que Oskar Kepler me contemplaba con una expresión extraña, y maldije interiormente mi mala suerte, pues todo lo que me rodeaba eran problemas y más problemas.

En fin, estimados lectores, ¿qué hubieran hecho ustedes en mi lugar? ¿Aceptar el reto del airado esposo de Guadalupe, acudir al atardecer al cementerio de Santa Clara y batirse en duelo con el Leonardo da Vinci de los duelos?

¿De verdad creen que estoy tan loco?

No, amigos míos; lo único sensato que cabía hacer en aquellas circunstancias era desaparecer del mapa.

Capítulo Cuatro

*Donde estoy a punto de pasar a mejor
vida, se desatan incendios, aparece un
cadáver, entran en acción los misteriosos
asesinos tatuados y, finalmente, recibo
noticias de mi padre*

Si el capitán Espinosa conocía mi reputación, y sin duda la conocía, deduciría con facilidad que me proponía escabullirme, así que lo más probable era que hubiese destacado a algunos de sus hombres para que me mantuvieran vigilado. Por ese motivo, al día siguiente me dediqué a mis quehaceres con entera normalidad; fui al almacén de la Compañía, pasé toda la mañana trabajando y luego, a la hora del almuerzo, regresé a casa. Pero, una vez allí, en vez de comer metí un par de mudas en un petate, le dije a Yocasta que iba a ausentarme unos días y, tras asegurarme de que no había nadie por los alrededores, abandoné mi hogar por la puerta trasera y me encaminé sigilosamente a una fonda situada a tres cuadras de distancia. Allí, según lo previsto, me esperaba Napoleón con un caballo ensillado. Subí a la montura, le ordené a mi criado que regresara a casa, así como que no le contara a nadie que me había visto, y partí al trote en dirección sur.

Mi propósito era dirigirme a Barranquilla, donde pensaba ocultarme durante una temporada; pero no hay plan, amigos míos, por bien trazado que esté, que pueda resistirse al influjo de una suerte adversa. Después de cruzar la ciudad, mientras atravesaba la lengua de tierra que se extiende entre las lagunas de San Lázaro y de Chambacú, justo cuando más convencido estaba de haber dado esquinazo al capitán Espinosa, sobrevino la desgracia. De pronto, surgiendo de las frondas que jalonaban la senda, dos jinetes vestidos de militares se interpusieron en mi camino al tiempo que disparaban sus revólveres al aire.

Por desgracia, entrañables lectores, nada pude hacer; ni siquiera huir, que era lo que mejor se me daba. Mi caballo, tan sorprendido como yo mismo, se encabritó y me derribó al suelo, y antes de que pudiera ni plantearme siquiera la idea de levantarme, un grupo de soldados se abalanzó sobre mí y, con pasmosa diligencia, procedieron a aprisionarme las muñecas y los tobillos mediante unos grilletes de frío acero. Acto seguido, y dado que yo había comenzado a pedir auxilio con estridente entusiasmo, me amordazaron, me vendaron los ojos, me levantaron en vilo y me arrojaron como un fardo al interior de un carruaje.

El viaje duró unos veinte minutos, pero eso es todo lo que puedo decir al respecto, pues nadie se tomó la molestia de dirigirme la palabra y, en resumidas cuentas, jamás supe adónde me llevaron. Era un recinto de reducidas dimensiones, quizá la cárcel de una fortificación militar, lo ignoro. El caso es que me introdujeron en ese lugar, me quitaron la venda y la mordaza —pero no los grilletes— y se largaron cerrando la puerta a sus espaldas. Y allí permanecí, encerrado en aquella ominosa prisión, en medio de una oscuridad tan negra como mi ánimo. Al principio puse gran empeño en proferir vigorosos gritos de socorro, pero no tardó en quedar claro que aquello sólo serviría para provocarme afonía, de modo que acabé por sentarme en el suelo y sumirme en un afligido silencio.

Al cabo de, aproximadamente, unas cuatro horas, los soldados regresaron y, desoyendo mis súplicas, volvieron a amordazarme, me vendaron los ojos, me sacaron de la celda y me arrojaron de nuevo al interior de un vehículo. Esta vez el viaje apenas duró diez minutos; al cabo de ese tiempo, el carruaje se detuvo, me sacaron de él y me quitaron los grilletes, la mordaza y la venda.

El resplandor del sol poniente me deslumbró. Parpadeé repetidas veces, al tiempo que me frotaba las muñecas para recuperar el normal flujo sanguíneo, y al poco logré discernir dónde me encontraba. Reconozco que cuando vi la tapia del cementerio de Santa Clara di un respingo, aunque el motivo de mi sobresalto no fue tanto la tapia como las tres personas que se encontraban junto a ella: el capitán Espinosa y sus padrinos, todos vestidos de uniforme y mucho más armados de lo que a mí me hubiera gustado que estuviesen.

En absoluto silencio, los soldados que me habían transportado allí saludaron marcialmente al capitán, subieron al carruaje y comenzaron a alejarse. Entonces me volví hacia el esposo de Guadalupe y, fingiendo una inocencia que hasta un niño de pecho me hubiera envidiado, le dije:

—Escuche, señor Espinosa..., o capitán, o excelencia, lo que prefiera..., debe de haber alguna confusión, porque...

—¡Cállate! —bramó el militar; me callé al instante y él agregó—: Sabía que eras un miserable y ahora compruebo que también eres un cobarde.

—Bueno, quizá, pero seamos razonables —dije en tono muy razonable—. Al parecer, usted cree que le he ofendido de algún modo, pero puedo asegurarle que se trata de un malentendido...

—¡Mentiroso! —me espetó—. Has mancillado gravemente la honestidad de mi mujer y esa clase de manchas sólo se lavan con sangre.

—Comprendo su indignación —objeté en tono juicioso—, pero sin duda se trata de un lamentable error. Ni siquiera conozco a su señora esposa y estoy seguro...

—¡Silencio! Deja ya de mentir, abyecto gusano. Ella misma me contó entre lágrimas que intentaste seducirla y que, ante sus negativas, la obligaste, por la fuerza y bajo amenazas, a satisfacer tus más bajas pasiones.

Un momento, un momento, amigos míos. ¿Seducirla? ¿Negativas? ¿Fuerza? ¿Amenazas? Desde luego, ésa era una versión muy tendenciosa del asunto. Si no recordaba mal, ella, lejos de ofrecer resistencia alguna, puso gran entusiasmo y empeño en la tarea. Aunque, claro, tampoco me pareció oportuno en aquel momento aclararle ese punto a su marido. Así que, sencillamente, me callé.

—Como soy el ofendido —dijo entonces el capitán—, exijo que el duelo sea a muerte. Puesto que careces de padrinos, el teniente García desempeñará tal función.

El teniente se aproximó a mí. En la mano izquierda sostenía un estuche de madera con dos pistolas y, en la derecha, un reluciente sable.

—Dado que ha sido usted el retado, señor Mercader —dijo—, le corresponde elegir las armas del duelo. Pistola o acero; escoja.

¿Cómo demonios quería que escogiese? No tenía ni idea de manejar ninguna de esas armas; era como si un verdugo me diera a elegir entre morir guillotinado o fusilado. ¿Qué más daba si el resultado final iba a ser el mismo? Por un instante consideré la idea de sugerir que yo usara una pistola y él un sable, pero supuse que el capitán no acogería de buen grado la propuesta. Contemplé de soslayo las tumbas que se extendían más allá de las tapias del convento y me dije que, de no suceder un milagro, como dijo Zolotas, pronto descansaría yo también bajo cuatro palmos de tierra.

Entonces, angustiados lectores, sucedió un milagro.

—Disculpen, caballeros —dijo de pronto una voz—, ¿iban a empezar sin mí?

Los tres militares y yo giramos la cabeza al unísono y vimos que un hombre alto, vestido de negro se aproximaba a nosotros balanceando distraídamente un bastón con empuñadura de plata.

—¿Quién demonios es usted? —preguntó el capitán, desconcertado.

—Mi nombre es Kepler; Oskar Kepler. Soy el padrino del señor Mercader.

—¿El padrino?... —Espinosa frunció el ceño—. Llega tarde.

—Lo lamento infinitamente —Kepler se detuvo frente al capitán con una amigable sonrisa en los labios—. Me eché la siesta y he dormido más de lo previsto —se excusó—; pero un refrán español dice que nunca es tarde si la dicha es buena y, a fin de cuentas, aquí todavía no ha muerto nadie. Ahora, si no le importa, quisiera aclararme un poco las cosas. Según parece, el señor Mercader ha mantenido..., digamos que trato íntimo con doña Guadalupe Altagracia, razón por la cual usted le ha retado a duelo. ¿Es así?

Espinosa asintió con un seco cabeceo.

—Es un canalla y deberá pagar con sangre su afrenta.

—Ya, pero permítame una observación —Kepler sonrió aún más—: ésas son las cosas que suceden cuando uno se casa con una mujer demasiado coqueta.

El capitán abrió mucho los ojos.

—Caballero —masculló—, le advierto que está usted ofendiéndome...

Kepler se echó a reír.

—Tiene toda la razón —dijo—. Precisamente eso es lo que pretendo: ofenderle. Y, mire por dónde, voy a seguir intentándolo. Su mujer es una casquivana, eso está claro. Todo el mundo sabe cuán fácilmente la señora de Espinosa le concede sus favores a cuantos jóvenes agraciados se cruzan en su camino. Por tanto, eso le convierte a usted en un cornudo. Pero no en un cornudo normal y corriente, sino en un cornudo patético que se empeña en defender un honor que ni siquiera tiene.

En fin, amigos míos, pueden imaginarse lo sorprendido que estaba yo ante el repentino rumbo que tomaban los acontecimientos. Pues bien, eso no era nada comparado con la estupefacción del capitán Espinosa.

—Esos insultos —masculló entre dientes— deberá defenderlos con un arma en las manos.

—¿Un duelo? —Kepler se encogió de hombros—. De acuerdo; procedamos ahora mismo.

Espinosa le contempló desconcertado, preguntándose, supongo, por qué aquel alemán aceptaba con tanto desenfado la idea de batirse con él.

—Sí, bueno... —el militar vaciló, como si de repente se sintiera un tanto inseguro—; pero antes debo ajustar cuentas con el señor Mercader.

Kepler dejó escapar un largo suspiro.

—Vaya, tendré que seguir ofendiéndole. ¡Qué desagradable! En fin, capitán Espinosa, en mi opinión, aparte de cornudo y ridículo, usted es además un cobarde. Supongo que se siente muy hombre retando a duelo a un joven casi imberbe, pero eso no pasa de ser un miserable asesinato a sangre fría. ¿Por qué no se enfrenta a mí? ¿O es que acaso le doy miedo?

El capitán Espinosa, rojo como un campo de amapolas, tenía el rostro congestionado, los ojos desmesuradamente abiertos y una vena latiéndole acelerada en la frente. Por un momento pensé que iba a soltar chorros de vapor por las orejas.

—¡Exijo una satisfacción! —estalló—. ¡Y puesto que soy el ofendido, elijo sable y reclamo que el duelo sea a muerte!

Kepler asintió con una tranquila sonrisa; se despojó de la chaqueta y del sombrero y se lo entregó todo, junto con el bastón, a uno de los sorprendidos padrinos de Espinosa. Luego, se aproximó a García, cogió el sable, lo blandió, lo sopesó, lo hizo zumbar en el aire y comentó:

—Un arma lamentable; mal equilibrada y muy deficientemente forjada. Pero bueno, es lo que hay...

Pausadamente, siempre sin perder la sonrisa, Kepler se situó frente a Espinosa y le saludó alzando el sable y describiendo un arco con él hacia la derecha. El militar le respondió de igual manera. Uno de los padrinos —el que sostenía las prendas del alemán sin saber muy bien qué hacer con ellas— avanzó unos pasos y comenzó a declamar:

—Caballeros, nos encontramos aquí reunidos para dirimir una cuestión de honor. No obstante, antes de entrecruzar los aceros, aún están a tiempo de...

—Déjese de tonterías y empecemos de una vez —le interrumpió Kepler; luego, volviéndose hacia Espinosa, dijo—: Adelante, capitán, cuando quiera.

Ambos se pusieron en guardia, con el sable adelantado, los pies formando ángulo recto, las rodillas flexionadas y la mano izquierda apoyada en la cintura. Súbitamente, Espinosa lanzó una serie de sablazos que el alemán detuvo sin problemas interponiendo su arma. Debía de tratarse de un simple tanteo, porque Espinosa retrocedió rápidamente y comenzó a girar en torno a Kepler, como si le estudiara. De repente, descargó contra su rival una sucesión de sablazos mucho más prolongada y enérgica que la anterior. Pero Kepler, expectantes lectores, contuvo cada uno de los ataques con insultante facilidad. Acto seguido, retrocedió unos pasos, contempló a Espinosa y dijo:

—No está mal, capitán; es usted rápido y tiene buena técnica. Sin embargo, descuida los movimientos compuestos. Por ejemplo, hace un momento intentó una finta lanzada seguida de un ataque en cuarta baja —sacudió la cabeza con fingida tristeza—. Me temo que su ejecución ha sido torpe, porque durante un instante ha descubierto usted la guardia. Podría haberle herido; pero, claro, estamos en los preliminares y no debemos terminar la diversión demasiado pronto.

El capitán Espinosa, cuyo rostro había pasado de mostrar justa ira a expresar algo muy parecido a la preocupación, musitó:

—¿Quién es usted?...

—Oskar Kepler, ya se lo he dicho. Pero supongo que lo que realmente quiere saber es dónde aprendí a manejar el sable. Pues verá, amigo mío, estudié Medicina en la universidad de Heidelberg y resulta que en esa universidad los duelos son el deporte de moda. De hecho, allí proliferan los clubes de duelistas, a uno de los cuales tuve el honor de pertenecer. Las cicatrices de mi cara son un recuerdo de aquella época. Y ahora, capitán, sigamos con lo nuestro. Ya hemos visto cómo ataca; veamos cómo se defiende.

Kepler avanzó tranquilamente hacia Espinosa y de pronto, sin solución de continuidad, atacó. Debo confesar, indulgentes lectores, que nada sé de esgrima, así que apenas puedo describir lo que sucedió a continuación. Kepler desencadenó una tormenta de acero sobre su contendiente, y lo hizo con absoluta elegancia, como siguiendo la coreografía de un ballet. El sable parecía haberse convertido en una prolongación de su cuerpo y de su mente, un torbellino de metal, un afilado laberinto de ataques, fintas y paradas. Lo que practicaba aquel hombre no era esgrima, sino poesía.

En cuanto al pobre capitán Espinosa —la verdad es que

empezaba a sentir lástima por él—, lo único que pudo hacer es intentar parar la lluvia de sablazos y retroceder. Hasta que, de repente, el filo del arma de Kepler rasgó el uniforme del militar y describió una larga —aunque superficial— herida a lo largo de su pecho. El alemán retrocedió entonces, bajó el sable y comentó:

—Si esto fuera un duelo a primera sangre, el lance ya habría concluido. Pero usted ha insistido en que sea a muerte... ¿O ha cambiado de idea?

Espinosa contempló con incredulidad la roja mancha que comenzaba a extenderse por la pechera de su uniforme e, inmediatamente, profiriendo un rugido de rabia, se abalanzó contra Kepler.

Lo que sucedió entonces ocurrió tan rápido que casi no pude percibir los detalles. Kepler detuvo el ataque interponiendo su acero, hizo un vertiginoso floreo y, de repente, el sable del capitán salió volando por los aires y cayó al suelo, lejos de su alcance. Una fracción de segundo después, el arma del alemán se abatió contra el cuello del Espinosa, deteniéndose justo cuando el filo comenzaba a morder la piel. El capitán, lívido como un cirio pascual, se quedó inmóvil, atónito ante el inesperado desenlace del desafío.

—Bueno, amigo mío, se acabó —dijo Kepler sin perder su sempiterna sonrisa—. Ahora supongo que debo matarle.

Espinosa tragó saliva y musitó:

—No lo haga, por favor...

—Pero esto es un duelo y no podemos dejarlo a medias —Kepler alzó una ceja con ironía—. ¿O quizá se lo ha pensado mejor, capitán, y ha llegado a la conclusión de que todo se debe a un malentendido?

—Sí, ha sido una confusión... —susurró Espinosa sin dejar de tragar saliva o, al menos, de intentarlo, pues debía de tener la boca más seca que un barril de arenques ahumados.

—En tal caso, le debe una disculpa al señor Mercader.

Espinosa contempló a Kepler, luego me miró a mí, miró el sable que tenía incrustado en la garganta, miró otra vez a Kepler y, finalmente, colorado de vergüenza, de nuevo fijó sus ojos en mí.

—Lo lamento, señor Mercader —musitó—. Ha sido un error...

Sobrevino un silencio.

—¿Acepta las disculpas, señor Mercader? —preguntó Kepler.

Tardé unos segundos en advertir que me lo estaba preguntando a mí, pues, desde la milagrosa y providencial aparición del alemán, yo había pasado de considerarme protagonista de un drama a sentirme espectador de una tragicomedia.

—Sí, claro —dije, asintiendo repetidamente con la cabeza—. Las acepto.

Entonces Kepler se encaró de nuevo con Espinosa y por primera vez la sonrisa desapareció de su rostro, dando paso a una expresión tan fría y afilada como la hoja del sable que sostenía en la mano derecha.

—Hoy es su día de suerte, capitán —dijo con voz de hielo—; va a conservar la vida. No obstante, debo hacerle una advertencia: si el señor Mercader sufriera en el futuro algún percance, de la clase que sea, desde un accidente hasta la caída de un rayo, yo no podría evitar pensar que usted tiene algo que ver con el asunto. Entonces le buscaría incluso debajo de las piedras y, cuando le encontrase, concluiría el trabajo que hoy he dejado interrumpido. ¿Está claro?

Espinosa asintió y Kepler, tan fulgurantemente como la había perdido, recuperó la sonrisa. Apartó el sable del cuello del militar, se lo entregó a uno de los desconcertados padrinos, recuperó chaqueta, sombrero y bastón, se aproximó a mí y, tras despedirse con un amable «buenas tardes, caballeros», me indicó con un gesto que nos largáramos. Y eso hicimos, estimados lectores. Mientras los padrinos del capitán Espinosa intentaban curarle la herida del pecho, Kepler y yo bordeamos la tapia del convento de Santa Clara y pusimos rumbo hacia la ciudad. El sol acababa de zambullirse tras el horizonte y la oscuridad comenzaba a adueñarse de Cartagena.

—Señor Kepler, yo... —empecé a decir.

Pero él me interrumpió con un gesto y comentó:

—En el Café Boyacá podremos hablar tranquilamente, Jaime. Ahora será mejor que nos vayamos de aquí antes de que esos amigos suyos se olviden del honor y recuerden que tienen armas de fuego.

* * *

Cuando llegamos al establecimiento de Zolotas ya se había hecho de noche. Al entrar, los parroquianos se quedaron mirándome como si fuera un fantasma; sorprendentemente, varios de ellos comenzaron a proferir maldiciones. Según me contó luego Adamantios, muchos habían apostado por el desenlace del duelo y las apuestas estaban cuarenta a uno en mi contra. Bueno, no debemos culparles, indulgentes lectores; ni siquiera yo habría apostado a mi favor.

El caso es que nos sentamos a una mesa, en un rincón del local, y pedimos las bebidas; Kepler un whisky y yo, aunque no soy aficionado al alcohol, una cerveza, pues el día había estado tan cargado de acontecimientos desagradables que necesitaba relajarme urgentemente.

—Me ha salvado la vida, señor Kepler —dije tras darle un largo trago a mi bebida.

—No tiene importancia. Y, por favor, llámeme Oskar —sacó un habano del bolsillo interior de la chaqueta y, tras encenderlo, preguntó—: ¿Se encuentra bien, Jaime?

—Estoy vivo, lo que ya es un milagro —respondí; luego me pasé una mano por la nuca y agregué con perplejidad—: Lo que no entiendo es por qué Guadalupe le ha dicho a su marido que yo la había forzado. Es mentira...

—Ya lo sé, Jaime —Kepler le dio un sorbo a su whisky y prosiguió—: Verá, amigo mío, he averiguado algunas cosas acerca de esa pareja. Al parecer, se traen una especie de jueguecito morboso y usted iba a formar parte de él. La señora Espinosa disfruta teniendo amantes, cuantos más mejor. Pero luego, cuando se cansa de ellos, se lo confiesa todo al capitán y éste hace entonces lo que más le gusta hacer: batirse en duelo y matar a pobres inocentes. Ese tejemaneje ya lo han llevado a cabo nueve veces en Bogotá, con el resultado de nueve difuntos. Pues bien, aunque los duelos son legales en este país, nueve muertos eran demasiados cadáveres para las autoridades militares y por eso destinaron al capitán a Cartagena, lejos de la capital.

Perdí la mirada y sacudí la cabeza con desánimo.

—Pero yo la quería... —musité.

—Mal hecho —Kepler le dio una calada a su cigarro, formó un gran aro de humo en el aire y luego exhaló otro más pequeño, haciéndolo pasar justo por en medio del mayor—. Guadalupe Altagracia es como una mantis religiosa —prosiguió—: devora al macho después del apareamiento. Si quiere un consejo, Jaime, debería tener más cuidado a la hora de elegir bajo qué sábanas se mete.

Ésa era la historia de mi vida, amigos míos: siempre haciendo lo que no debía hacer. Durante un instante odié con toda mi alma a Guadalupe, aquella amante traidora, pero luego decidí que no valía la pena invertir tanto esfuerzo en algo tan poco gratificante como el odio. Además, si bien es cierto que Guadalupe estuvo a punto de causar mi muerte, también es verdad que me había proporcionado algunos de los mejores momentos de mi vida. Así que, considerando que lo uno compensaba lo otro, procedí a borrar de mi memoria a la señora de Espinosa y a su violento marido.

—Procuraré seguir su consejo —dije, aunque por supuesto no lo iba a hacer—. En cualquier caso —agregué—, muchas gracias por salvarme.

—No me lo agradezca, Jaime, porque no se trata de un favor, sino de mero trabajo —Kepler apuró su copa de un trago—. Como le conté, he sido contratado para encontrar al señor Lothar von Reich; pues bien, sólo dos personas en Cartagena saben adónde se dirigió el barón: Nathaniel Byron Smart y usted. El señor Smart..., digamos que no es precisamente la persona más razonable que he conocido. Además, por algún motivo odia mi país.

—Smart odia cualquier país que no sea una isla y se llame Inglaterra.

Kepler se encogió de hombros.

—Dado que el señor Smart no parece dispuesto a contarme nada, sólo me queda recurrir a usted para averiguar lo que quiero saber. Por eso, al retarle el capitán Espinosa a duelo, me he visto obligado a intervenir, ya que si usted moría (cosa muy probable, si me permite la opinión), me habría quedado sin pistas que seguir.

Suspiré con cansancio. Aquel tipo me acababa de salvar la vida y parecía simpático (aunque, desde mi perspectiva, cualquiera que me salve la vida pasa automáticamente a engrosar mi particular lista de personas simpáticas), pero yo no sabía en realidad quién era ni qué pretendía, y la desconfianza, amigos míos, es la mejor actitud que puede adoptarse para sobrevivir en este mundo tan cruel. Y si no, fíjense en lo que me pasó a mí por fiarme de Guadalupe Altagracia.

—Escuche, Oskar —dije en tono juicioso—, si se tratara sólo de ese aristócrata, ahora mismo le diría adónde fue. Pero es que con él están mi padre y un buen amigo, y yo a usted no le conozco de nada. Bueno, de acuerdo, me ha salvado el pescuezo y no quiero que me considere un desagradecido, pero...

—Pero no se fía de mí —completó Kepler la frase, siempre sonriente—. Es lógico, no se lo reprocho. Sin embargo, no pretendo que me diga nada ahora. Mi cliente llegará a Cartagena dentro de dos días y puedo garantizarle que, cuando usted lo conozca, no dudará en facilitarnos la información necesaria.

—¿Y eso? —pregunté extrañado—. ¿Qué tiene de especial su cliente?

Kepler sacudió la ceniza del habano y me contempló con un deje de ironía.

—Pronto lo averiguará —dijo—. Pero puede estar seguro de que en cuanto le vea confiará en nosotros.

Bueno, intrigados lectores, ¿quién podía ser ese misterioso cliente cuya simple presencia se suponía que iba a inspirarme una confianza ciega? Lo cierto es que en aquel momento no logré imaginarme a nadie capaz de ello, con la posible excepción del Papa. Aunque, bien pensado, ni siquiera de Pío X me hubiera fiado ciegamente.

* * *

Dos días. Ése era el tiempo que tardaría el cliente de Kepler en llegar a Cartagena. Sólo cuarenta y ocho horas, apenas un instante en el curso de mi prolongada existencia; mas a veces dos días pueden convertirse en una eternidad. Y al decir «eternidad» estoy pensando más en el infierno que en el paraíso.

Con frecuencia he observado que los problemas suelen presentarse, al igual que las cerezas, de dos en dos y enredados los unos con los otros. Sin embargo, hasta aquel momento yo había sido siempre el directo causante de mis propios problemas, razón por la cual no estaba acostumbrado a padecer las adversidades provocadas por los demás. Quizá ése fuera el motivo de que no viese venir lo que se me avecinaba. Estúpidamente feliz por haberme librado de una muerte segura a manos del capitán Espinosa, pensaba que ya nada más podría sucederme, cuando lo peor aún estaba por llegar.

Hay una frase hecha que, tarde o temprano, siempre acaba apareciendo en los folletines que se publican por entregas en los periódicos: «los acontecimientos se precipitaron». Pues bien, por respeto a los lectores, que cuando menos merecen obtener una prosa medianamente cuidada a cambio del dinero que pagan por mis libros, procuro dentro de lo posible huir de las frases hechas, mas en esta ocasión la frase resulta perfecta para describir lo que pasó. Tan sólo veinticuatro horas después de que el marido de Guadalupe intentara filetearme con un sable, los acontecimientos se precipitaron. Y vaya si se precipitaron, amigos míos.

Yo estaba en casa cuando comenzó el desastre. Había pasado todo el día en el almacén, entregado a los quehaceres de la Compañía e intentando olvidarme de los lúgubres acontecimientos acaecidos la jornada anterior. No había sucedido nada anormal; recibimos un par de cargamentos, uno de bananas y otro de maíz, los empacamos y los almacenamos, todo igual que siempre. El propio Smart se mostró tan desagradable como de costumbre. Pura rutina. A las seis y media de la tarde cerramos el almacén y nos fuimos a nuestros respectivos hogares. Fue un día como tantos otros.

Por la noche, después de cenar, decidí quedarme en casa. Estaba más que harto de los líos que parecían brotar a mi alrededor como hongos tras un aguacero y no me apetecía sumergirme en el barullo del Café Boyacá, así que cogí un libro, me senté en un sillón y, alumbrado por la luz de un quinqué, me enfrasqué en la lectura de *El enfermo imaginario*, una comedia de Molière cuyo humor era exactamente la clase de bálsamo que mi atribulado ánimo precisaba en aquel momento. Pero que uno no busque problemas no significa que los problemas no le busquen a uno, y eso fue lo que ocurrió cuando, de repente, mi criado Napoleón irrumpió en la sala a la carrera y exclamó entre jadeos:

—¡...tá..., diendo..., trón...!

Le miré con extrañeza.

—¿Qué dices?

Napoleón, extenuado, tosió, jadeó, resopló y, finalmente, logró articular:

—¡Está..., ardiendo..., patrón!...

Alcé una ceja.

—¿Qué está ardiendo?

Napoleón aspiró una bocanada de aire y respondió:

—¡El almacén!

Me levanté tan bruscamente que el libro de Molière salió lanzado por los aires.

—¿El almacén de la Compañía está ardiendo? —pregunté, incrédulo.

Napoleón, inclinado hacia delante con las manos apoyadas en las rodillas, asintió varias veces. Durante unos instantes nos quedamos inmóviles, mirándonos como un par de imbéciles; luego, cuando los engranajes de mi cerebro lograron encajar la noticia, salí de la casa a toda velocidad y no paré de correr hasta que llegué a los muelles. En todo momento, durante el vertiginoso trayecto, me acompañó el repique de las campanas del convento de San Francisco tocando a rebato.

Cuando llegué, el almacén ardía por los cuatro costados; las llamas, enroscándose como los tentáculos de un monstruo ígneo, se alzaban hacia el cielo nocturno en medio de una columna de humo. Un grupo de gente se había congregado frente al incendio, pero no para apagarlo, sino para presenciar el siniestro como si de una falla valenciana se tratase. Junto a ellos había un coche de bomberos tirado por cuatro mulas, aunque si no hubiera estado allí tampoco se habría notado la diferencia, pues su actividad era prácticamente nula. Cuatro aburridos peones accionaban con desgana la bomba mientras el capataz, empuñando una manguera, proyectaba un ridículo chorrito de agua, no en dirección al fuego, sino más bien hacia el edificio colindante. Mientras recuperaba el resuello, paseé la mirada por el gentío en busca de algún rostro conocido. No tardé en distinguir a uno de los peones que trabajaban para la Compañía y me aproximé a él.

—¿Qué ha pasado, Pancho? —le pregunté.

—El almacén se ha prendido fuego, patrón —contestó, como si eso no fuera evidente.

—¡Ya sé que se ha incendiado, maldita sea! Pero ¿cómo?

—Ni idea, patrón. Yo no estaba aquí cuando empezó el fuego.

—¿Has visto a Smart?

Pancho negó con la cabeza. Volví la mirada y contemplé las llamas que devoraban el almacén. Junto al olor a madera quemada percibí otro aroma muy distinto: olía a plátano asado. Sin duda, aquél era el incendio más sabroso de la historia. De pronto, la pared izquierda del almacén se derrumbó con un profundo retumbo en medio de un enjambre de pavesas y, súbitamente, una nube de copos de nieve comenzó a brotar de entre las llamas.

¿Una nevada en el trópico?, pensé estupefacto. Aquello era decididamente absurdo. Entonces me percaté de que no eran copos de nieve, sino palomitas de maíz. El intenso calor había transformado el grano que estaba almacenado en una insólita tormenta de *pop corn*. Abatido, me acerqué al capataz de la cuadrilla de bomberos y le dije:

—Ese almacén es mío...

El hombre me miró con irritante displicencia y respondió:

—Era, jefe, era. Porque no va a quedar nada en pie.

—Podrían poner un poco más de interés en apagarlo.

—¿Y cómo quiere que lo hagamos? ¿A salivazos? Eso no hay quien lo apague, jefe. Bastante suerte tendremos si conseguimos que las llamas no se propaguen a los otros almacenes.

—¿Por qué sólo ha venido un coche de bomberos?

—Se ha desatado otro incendio en la ciudad —respondió el

capataz en el tono filosófico de quien está acostumbrado a bregar con desastres—. En esa zona hay más peligro de que el fuego se extienda, por eso el resto de los coches ha ido allí.

¿Dos incendios a la vez? Podía ser una coincidencia, sí; pero ¿recuerdan, atentos lectores, lo que solía decir mi padre acerca de las coincidencias?

—¿Dónde se ha producido el otro incendio? —pregunté.

El capataz hizo un gesto vago.

—No estoy seguro, jefe. Creo que en una vivienda, dos cuadras al este de la Puerta del Reloj.

Extravié la mirada y reflexioné intensamente. ¿Qué había dos cuadras al este de la Puerta del Reloj?... De pronto, un gong resonó en mi interior anunciando la respuesta: allí se encontraba el domicilio de Smart. Noté que el corazón me daba un vuelco al tiempo que un mal presagio cruzaba mi mente como un cometa. Sin despedirme del capataz, eché a correr en dirección a la casa del socio de mi padre.

Es posible que algún lector pueda considerar que este capítulo resulta demasiado ajetreado, todo lleno de carreras vertiginosas. Pues bien, puede que sea cierto, mas la experiencia me dicta que lo que la gente acostumbra a llamar aventura no suele ser otra cosa que movimiento desenfrenado, acción ciega, un continuo ir y venir sin excesivo sentido. El caso es que no paré de correr hasta que llegué a la casa. Una vez allí, jadeante y exhausto, descubrí que, en efecto, el segundo incendio se había producido en el hogar de Smart.

Había tres coches-bomba estacionados frente al edificio, pero los bomberos ya habían acabado su trabajo, pues el incendio parecía apagado. La casa —una construcción de adobe, madera y tejas— no estaba excesivamente dañada y sólo se veían rastros de las llamas en el balcón de la planta superior y en el tejado. Como en el caso del almacén, se había reunido un grupo de curiosos para presenciar el siniestro; no obstante, me extrañó que, una vez extinguidas las llamas, la gente aún permaneciese allí. Y mayor fue mi extrañeza cuando advertí que el lugar estaba lleno de policías.

Me acerqué a uno de los alguaciles y le pregunté qué había pasado. El agente me espetó que no era asunto mío y yo repliqué que sí lo era, pues conocía al dueño de la casa. Entonces, el policía dejó de mirarme con impasible indiferencia y no sólo pasó a tratarme con manifiesto interés, sino que además me condujo ante la presencia del oficial que estaba al frente del cuerpo de policía de Cartagena, un tipo robusto y marcial, llamado Teodomiro Mateos, que en aquel momento se hallaba impartiendo órdenes a sus hombres cerca de la entrada del edificio.

—Así que es usted socio del señor Smart... —dijo mirándome como si en el fondo abrigara la sospecha de que muy bien podía ser yo el responsable de todas las atrocidades que se cometían en Cartagena y alrededores.

—Para ser precisos —aclaré—, su socio es mi padre. Pero yo trabajo habitualmente con él en la Compañía Frutera del Bajo Magdalena y del Caribe.

—Ya veo... —comentó Mateos.

Y se quedó ahí parado, mirándome con ojos preñados de recelo sin decir nada. Al cabo de un largo minuto, cansado de aquella absurda situación, pregunté:

—¿Dónde está Smart? ¿Le ha ocurrido algo?

El policía esbozó una sonrisa tan torcida como el alma de un usurero.

—El señor Smart se encuentra en la casa. ¿Quiere verle?

Asentí, aunque en el fondo no me sentía demasiado seguro de desear verle. De hecho, en aquel momento no me sentía seguro de nada. Mateos me indicó con un gesto que le acompañara, así que le seguí al interior de la vivienda. El recibidor olía intensamente a quemado, pero no se veían huellas del fuego. El policía se dirigió al salón, cruzó la puerta, se echó a un lado y señaló con un ademán lo que yacía en el suelo.

Y lo que yacía en el suelo, expectantes lectores, era el cadáver de Nathaniel Byron Smart cosido a puñaladas en medio de un charco de sangre.

* * *

Salí de la casa a toda prisa y, nada más llegar a la calle, me doblé sobre mí mismo y vomité. Pueden creerme, amigos míos, cuando les digo que no albergaba la menor simpatía hacia Smart, pues era un hombre malhumorado, violento, desagradable, antipático e intolerante; sin embargo, nadie, ni siquiera él, se merecía lo que le habían hecho. Porque el asesino no se limitó a matarle; antes de degollarle como a un cerdo, le había acuchillado por todo el cuerpo en lo que, sin duda, supuso una terrible tortura.

—¿Se encuentra bien? —preguntó Mateos, que me había seguido al exterior con aire circunspecto.

Me limpié los labios con el dorso de la mano y musité:

—¿Quién le ha hecho eso a Smart?...

—Lo mismo iba a preguntarle yo —el policía me miró con el ceño fruncido y agregó—: ¿Dónde estaba usted esta noche, señor Mercader?

Así es la vida, atribulados lectores; de repente, sin comerlo ni beberlo, me había convertido en sospechoso de asesinato.

—En mi casa —respondí.

—Así que se encontraba en su casa... —Mateos arqueó las cejas—. ¿Algún testigo puede corroborar esa coartada?

—Mis criados. Yocasta Massemba y Napoleón Martínez.

—Los criados, ¿eh? —pensativo, el policía murmuró «hum» y «ajá» un par de veces y concluyó—: Bueno, ya lo comprobaremos. En cuanto a usted, señor Mercader, tendrá que prestar declaración, así que no se mueva de aquí hasta que concluyamos la inspección.

Tras ordenarle a uno de sus hombres que no me quitara la vista de encima, Mateos regresó al interior de la casa y yo me quedé fuera, pensativo, intentando poner algo de orden en el caos de mi cerebro. Era evidente, razoné, que existía una relación entre el incendio del almacén y el asesinato de Smart; ahora bien, ¿quién podía ser el autor de aquellos desmanes? Durante unos segundos barajé la posibilidad de que el culpable fuese el capitán Espinosa, deseoso de vengar las afrentas sufridas, pero no tardé en descartarlo, pues si bien aquella conjetura podría explicar el incendio del almacén, no ocurría lo mismo con respecto a la muerte de Smart, quien nada tenía que ver con el capitán ni con su mujer.

Por otro lado, el agrio carácter de Smart le había granjeado un buen número de enemigos, aunque, por lo que yo sabía, ninguno de ellos le odiaba lo suficiente como para matarle, y menos de aquella forma tan horrible. Entonces, ¿quién era el asesino? Todavía un poco conmocionado, paseé la mirada por los rostros de la gente que aún permanecía congregada frente a la casa..., y de pronto lo vi; estaba entre el gentío, como un curioso más, contemplándome con una expresión esta vez despojada de todo rastro de sonrisa.

Oskar Kepler.

Sentí que la tierra se abría bajo mis pies, pues ahí estaba la respuesta a mi pregunta. Kepler deseaba saber una cosa —el paradero de Reich— que Smart conocía y no quería decirle, de modo que el alemán —un mercenario y un criminal, no lo olvidemos— muy bien podía haber torturado a Smart hasta la muerte para obligarle a hablar. Ahora bien, eso planteaba dos alternativas: o Smart había hablado, o se había llevado el secreto a la tumba...

Aparté la mirada de Kepler al tiempo que una serpiente de hielo se enroscaba a lo largo de mi columna vertebral. De repente, el pánico me estrujó las entrañas con mano no menos helada que la serpiente, pues si Smart no había hablado, entonces eso significaba que yo sería la siguiente víctima en la lista del asesino.

* * *

La policía me estuvo interrogando hasta bien entrada la madrugada. Se interesaron por las relaciones de Smart, por el paradero de mi padre —me limité a decirles que estaba de viaje de negocios— y por las actividades de la Compañía Frutera del Bajo Magdalena y del Caribe, asunto éste sobre el que, como es lógico, omití muchos detalles comprometedores. De hecho, me mostré tan vago en mis respuestas y les conté tan pocas cosas que debí de parecerles el sospechoso más sospechoso desde el día en que Caín le preguntó a su hermano Abel si quería ver lo que sabía hacer con una quijada de burro, así que estuvieron horas y horas repitiéndome una y otra vez las mismas preguntas, hasta que finalmente, aburridos de escuchar idénticas respuestas, y tras comprobar mi coartada con Yocasta y Napoleón, decidieron dejarme marchar, no sin antes advertirme que estuviera localizable y que ni se me pasara por la cabeza abandonar la ciudad.

Llegué a casa pasadas las cuatro de la madrugada. Creo que por primera vez en mi vida lamenté perder de vista a la policía, pues si bien me libraba de su tedioso interrogatorio, también me quedaba solo y desprotegido. Lo cierto es que el silencio de mi hogar se me antojaba francamente amenazador y no dejaba de pensar que podía haber un asesino —probablemente Kepler— acechando en la oscuridad. Tan asustado estaba que cogí una vieja escopeta de dos cañones que alguien le había dado a mi padre como pago de una deuda, la cargué, me la llevé a mi dormitorio y me tumbé en la cama con ella al lado. Pensaba que no lograría conciliar el sueño, pero con tantas emociones y carreras debía de estar agotado, pues me quedé dormido a los pocos minutos.

Cuando volví a abrir los ojos ya eran las diez y media de la mañana. Bajé a la cocina y le pedí a Yocasta que me prepara el desayuno. Mientras ponía la cafetera al fuego, mi negra sirvienta comentó:

—Esta mañana, a eso de las nueve, ha venido una visita preguntando por ti, Jaime.

—¿Algún policía? —pregunté, todavía no demasiado despierto.

—No, un caballero alemán. El señor Kepler.

La somnolencia desapareció al instante.

—¿Qué le has dicho?

—Que estabas descansando.

—¿Y él qué ha dicho?

—Que volvería más tarde.

Me aproximé a ella y, quizá con excesiva vehemencia, le ordené:

—Cuando vuelva le dices que no estoy. Dile que me he ido y que no tienes ni idea de por dónde puedo andar. Dile que no sabes nada de mí. Dile que voy a esta fuera varios días. Dile..

—Jaime —me interrumpió Yocasta.

—¿Qué?...

—¿Te encuentras bien?

—Sí, claro, estoy perfectamente —sacudí la cabeza—. No, estoy fatal. Creo que fue Kepler quien incendió el almacén y mató a Smart.

Yocasta alzó una ceja.

—Pues parece un auténtico caballero —comentó—. No tiene aspecto de asesino.

—¿Y qué aspecto tienen los asesinos? —pregunté un tanto exasperado—. Además, que yo sepa los caballeros también pueden manejar un cuchillo.

—¿Y por qué iba Kepler a matar al señor Smart?

—Porque quiere averiguar dónde demonios está ese aristócrata alemán.

—¿Von Reich?

—Sí.

—¿Y para qué quiere saberlo?

—¡Yo qué sé! El caso es que torturó a Smart para obligarle a hablar y luego le mató.

Yocasta me contempló con (irritante) escepticismo.

—Entonces —dijo—, si ya sabe lo que deseaba saber, ¿qué quiere de ti?

Me encogí de hombros.

—Quizá Smart no le contó nada.

La expresión de Yocasta pasó del escepticismo a la abierta burla.

—¿Quieres decir que el señor Smart permitió que le torturaran hasta la muerte antes que confesar adónde fue de viaje una persona que apenas conocía? Un poco excesivo me parece eso. Además, aun suponiendo que hubiera matado a Smart, ¿por qué iba a incendiar Kepler el almacén?

Una de las costumbres más exasperantes de Yocasta, aparte de tener siempre razón, era la de encontrar con desconcertante facilidad los puntos débiles de mis argumentos. En cualquier caso, estaba convencido de que el culpable era Kepler y no tenía ganas de discutir, así que insistí en que, cuando volviese el alemán, le dijera que me había esfumado.

Kepler regresó al mediodía. Yocasta le dijo lo que yo le había pedido que dijese y él se marchó; aunque no muy lejos, como pude comprobar cuando, atisbando por una ventana, le vi rondar por los alrededores de la casa. Aquel asesino estaba aguardando el momento más oportuno para rebanarme el gaznate, pensé; así que agarré la vieja escopeta y me senté en el salón, dispuesto a vender cara mi vida, aunque íntimamente convencido de que ya era hombre muerto.

A las cuatro de la tarde volvieron a llamar a la puerta. Afortunadamente no era Kepler, sino dos alguaciles que venían a buscarme con el objeto de conducirme ante el juez para prestar declaración. Para mi vergüenza, debo reconocer que sentí un inmenso alivio al ver a los policías, y que, confortado por su presencia, me dejé conducir dócilmente al juzgado. Más tarde, mientras respondía al interrogatorio del juez, consideré la posibilidad de comunicarle mis sospechas acerca de Kepler; pero carecía de pruebas y, además, habría tenido que confesarle al magistrado asuntos muy espinosos (el contrabando de antigüedades, ya saben), así que opté por guardar un prudente silencio.

No obstante, al concluir el interrogatorio, fui en busca de Teodomiro Mateos y le exigí protección policial, pues, según le expuse, temía correr la misma suerte que Smart. Tras mirarme de arriba abajo, como si quisiera asegurarse de que yo era real y no un desagradable producto de su imaginación, Mateos me preguntó si pensaba que la policía no tenía otra cosa que hacer más que estar a mi servicio. A punto estuve de espetarle que, teniendo en cuenta el número de crímenes no resueltos en Cartagena, cualquiera podría aventurar que la policía no se dedicaba precisamente a cumplir con su deber, pero dada mi comprometida situación, y considerando que quizá en un futuro necesitase el auxilio de las fuerzas del orden, decidí cerrar la boca y largarme.

Llegué a casa a las ocho menos cuarto, cuando ya era noche cerrada. Deben saber, curiosos lectores, que por aquella época el alumbrado eléctrico era en Cartagena un avance tecnológico más bien anecdótico, pues la mayor parte de las calles se iluminaba con linternas de petróleo. Se suponía que debía de haber una en cada esquina, pero la mayoría de ellas estaban rotas o apagadas y las pocas que se hallaban en funcionamiento apenas lograban convertir la negrura absoluta en oscuridad relativa. El caso es que, de noche y sin luna, no se veía ni tres en un burro y, como aquella noche la luna todavía no había salido, me vi obligado a realizar el trayecto de regreso sumido en unas tinieblas que, lo confieso, me causaban auténtico terror, pues me imaginaba a Kepler oculto tras cada esquina, acechándome como una bestia salvaje. Pero llegué a casa sin ningún contratiempo, amigos míos, así que entré en el edificio, cerré la puerta y experimenté un intenso alivio por seguir sano y salvo.

Sin embargo, algo no marchaba bien: la casa estaba silenciosa y oscura. Demasiado silenciosa y demasiado oscura. Napoleón no vivía allí, pero sí Yocasta, así que la llamé a gritos. No obtuve respuesta y entonces experimenté una punzada de inquietud. ¿Dónde estaba Yocasta? ¿Por qué no había ni una luz en la casa? Pensé en salir corriendo, pero me daba tanto miedo lo que podía haber fuera como lo que podía encontrar dentro. Necesitaba un arma, pensé. La escopeta se hallaba en el salón, tenía que recuperarla. Encendí un quinqué y con él en la mano fui sigilosamente a por ella. Y entonces, angustiados lectores, nada más cruzar la puerta de la sala, sucedieron cuatro cosas:

Alguien se abalanzó sobre mí y me retorció un brazo.

Otro me puso un cuchillo en la garganta.

Otro más me quitó el quinqué antes de que se me cayera de las manos.

Y, por último, un cuarto asaltante me propinó un demoledor puñetazo en la boca del estómago.

Todo a la vez.

Fue muy desagradable, créanme.

* * *

Como es natural, lo que en aquel momento me pedía el cuerpo era gritar pidiendo socorro, pero, a la vez, ese mismo cuerpo constituía un serio obstáculo para hacerlo, pues el puñetazo me había vaciado de aire los pulmones (y llenado de lágrimas los ojos). En absoluto silencio, los cuatro asaltantes me arrastraron al centro del salón. Una vez allí, el tipo que apretaba el cuchillo contra mi garganta me susurró al oído:

—¿Qué sabes?

Parpadeé repetidamente para espantar las lágrimas y por fin pude ver a mis agresores. Eran, en efecto, cuatro; vestían ropas humildes, de agricultor, eran muy morenos y tenían la piel cobriza, así como inexpresivos rostros de rasgos indígenas.

—¿Qué sabes? —insistió el tipo del cuchillo, que, a juzgar por su tono autoritario, era el jefe de los otros tres.

—¿Qué sé sobre qué?... —musité cuando conseguí aspirar un poco de aire.

—Conoces el signo de los dos jinetes. Lo has visto, ¿verdad?

¿El signo de los dos jinetes? Tan aterrorizado estaba que tardé unos segundos en comprender de qué demonios estaba hablando.

—¿La talla de obsidiana? —exclamé cuando la luz se hizo al fin en mi cerebro—. Pero, oiga, eso no tiene nada que ver conmigo. Pertenecía a un alemán...

—Von Reich.

—Sí, ese alemán. Le juro que apenas le conozco y...

—¿Qué sabes de Bosán? —me interrumpió.

—¿Bosán? —parpadeé tan rápido que me zumbaron los ojos—. No sé qué es Bosán. Oiga, ¿por qué no se lo toman con un poquito de calma y nos sentamos para charlar civilizadamente acerca de...?

La hoja del cuchillo se incrustó con más fuerza en mi piel y, muy alarmado, noté que la sangre comenzaba a correrme por el cuello.

—Ya has visto lo que le hicimos al inglés —susurró el jefe de los asesinos—. ¿Quieres que te hagamos lo mismo? ¡Habla! ¿Qué sabes de Bosán?

—¡Pero si no sé qué es! —aullé, aterrorizado.

Entonces, angustiados lectores, cuando más perdido me veía, una maravillosa, profunda y grave voz de mujer dijo:

—Soltadle.

Era Yocasta. Estaba junto a la puerta, encañonando con mi vieja escopeta a aquel grupo de salvajes. En fin, amigos míos, no era la primera vez que me salvaban la vida; lo había hecho frecuentemente Rasul y también mi padre; incluso Kepler me había salvado el pellejo. Pero nunca jamás habría sospechado que Yocasta, mi vieja y gorda criada, fuera a rescatarme alguna vez. En cierto modo, si se paran a pensarlo, era humillante; aunque debo reconocer que yo no lo vi así en aquel momento. No obstante, la situación distaba mucho de ser satisfactoria, pues el arma que sostenía Yocasta sólo permitía hacer dos disparos consecutivos, mientras que los adversarios eran cuatro. Además, el tipo que empuñaba el cuchillo se había parapetado detrás de mí sin apartar, por supuesto, la hoja de mi yugular.

—Sé manejar un arma —insistió Yocasta—. Si no le soltáis inmediatamente, dispararé.

A decir verdad, y por muy armada que estuviese, una vieja negra pasada de peso no es precisamente lo más amenazante que uno puede imaginar. Supongo que eso debió de pensar el jefe de los indígenas, pues de pronto exclamó «¡Bosán!» y la mano que aferraba el cuchillo se tensó, presta para cortarme el cuello.

Entonces, Yocasta disparó.

Pude sentir la bala, expectantes lectores, lo juro. Noté que pasaba casi rozándome la mejilla, y noté cómo impactaba contra la cabeza del sicario, y noté la sangre salpicándome la nuca, y el cuchillo cayendo al suelo, y el cuerpo del hombre desplomándose. Percibí todo eso igual que si fueran las imágenes ralentizadas de un cinematógrafo, como si el tiempo se hubiera vuelto denso y pastoso. Dicen que en situaciones de peligro los pensamientos se aceleran, pero no fue precisamente eso lo que me ocurrió a mí; lejos de ello, mi cerebro pareció sumirse en un estado de pasmo total. Mi padre afirmaba que el mejor antídoto contra el miedo es la velocidad; la velocidad de las piernas al salir huyendo. Pero yo no lograba moverme, amigos míos, estaba petrificado; me había convertido, al igual que la mujer de Lot, en una estatua de sal y no podía hacer otra cosa más que aguardar impotente el desenlace de aquella situación.

Entonces, tras unos segundos de quietud absoluta, todo se aceleró de repente. El tipo que sostenía el quinqué lo estrelló contra el suelo. El queroseno, al derramarse, se inflamó y en apenas un instante las llamas comenzaron a extenderse por la alfombra y las cortinas. Simultáneamente, el sicario que estaba más próximo a Yocasta empuñó un machete y, berreando «Bosán» como un becerro, se abalanzó contra ella. Por fortuna, Yocasta no había mentido cuando dijo que sabía manejar un arma, pues lo abatió de un certero disparo. ¡Bravo por ella!

No obstante, aquel disparo había puesto fin a su reserva de balas; la escopeta estaba descargada y nosotros, inermes. Cierto es que habíamos equilibrado nuestras respectivas fuerzas, pero ¿qué podían hacer una vieja criada y una estatua de sal contra un par de sanguinarios asesinos? Muy poquita cosa, créanme. El tercer sicario desenvainó su machete, gritó, como los otros, «Bosán», se aproximó a Yocasta dando tres zancadas, alzó su arma para descargarla contra ella y...

Y sucedió un nuevo milagro, inquietos lectores. De golpe, un puñal surcó el aire zumbando como un moscardón y fue a clavarse en el pecho del sicario, que al instante se desplomó sobre el suelo, tan muerto como sorprendido. Acto seguido, un hombre irrumpió en la sala blandiendo un bastón.

Era Oskar Kepler.

Si quieren que sea sincero, aquella situación estaba empezando a antojárseme absurda. Unos tipos intentaban matarme, pero Yocasta aparecía de repente y se lo impedía. Luego, esos tipos intentaban acabar con Yocasta y conmigo, pero entonces aparecía Kepler como un caballero del rey Arturo y nos salvaba a los dos. ¿Quién salvaría, entonces, a Kepler? Nadie, claro, porque lo último que necesitaba Kepler era que alguien le salvase.

El cuarto sicario contempló con frialdad a sus tres compañeros muertos, extrajo el machete de la funda que llevaba al cinto, gritó el proverbial «Bosán» y se abalanzó contra Kepler. Éste agarró entonces la caña de su bastón con la mano izquierda y extrajo de ella un afilado estoque, desvió el machetazo que intentaba asestarle el sicario, hizo un vertiginoso floreo y atravesó con su acero, de lado a lado, el cuerpo de su contrincante.

Y así acabó todo. Bueno, no exactamente; a fin de cuentas, estar en una habitación en llamas junto a cuatro cadáveres no era, siendo justos, un buen final.

—Ha llegado usted en un momento muy oportuno, señor Kepler —dijo Yocasta, secándose el sudor de la frente con el antebrazo.

—Estaba cerca. Escuché el primer disparo y decidí intervenir. Por cierto, me temo que he roto la puerta de entrada —señaló los cuerpos que yacían en el suelo y preguntó—: ¿Quiénes son?

Yocasta se encogió de hombros. Entonces, como si alguien hubiera pulsado en mi interior la palanca que ponía en marcha mi organismo, dejé de ser una estatua de sal y recuperé la mayor parte de mis funciones vitales.

—La casa se está quemando... —musité.

—Ya lo veo —respondió Kepler en el mismo tono que emplearía para hablar del papel de las paredes.

Luego, se inclinó sobre el cuerpo del tercer sicario, extrajo el puñal que tenía clavado en el pecho y limpió la sangre de la hoja en el jubón de lana que portaba el difunto.

—¿Y no deberíamos intentar apagar el fuego? —sugerí mientras contemplaba con desolación las llamas que ahora devoraban el sofá y comenzaban a extenderse por las vigas del techo.

—Creo que esto ya no hay quien lo apague —respondió Kepler.

Pero lo dijo de pasada, con aire distraído, pues tenía el ceño fruncido y los ojos fijos en el cuerpo que yacía a sus pies. Miré hacia donde él miraba y advertí que, al desclavarse, el cuchillo había apartado el jubón, dejando el ensangrentado pecho del cadáver a la vista. Una imagen muy desagradable, desde luego. Pero no fue eso lo que me llamó la atención, sino el extraño tatuaje que podía distinguirse en la piel de aquel hombre. Ignorando las llamas, Kepler examinó uno a uno el resto de los cuerpos; todos llevaban el pecho tatuado con el mismo signo. Éste:

—¿Conoce a estos hombres? —me preguntó Kepler.

—No los había visto jamás —respondí—. Pero uno ha confesado que fueron ellos los que mataron a Smart. ¿Qué son esos tatuajes?...

Yocasta tosió un par de veces; en parte para llamar nuestra atención y en parte porque la habitación se estaba llenando de humo a marchas forzadas.

—Deberíamos salir de aquí —observó.

Tenía razón; las llamas se estaban extendiendo con esa celeridad tan propia de los desastres y el calor comenzaba a ser infernal, así que abandonamos la casa a toda prisa. Antes de salir al exterior, volví la mirada y me despedí mentalmente del hogar donde había vivido los últimos años y que muy pronto no sería más que un montón de escombros humeantes. En fin, me dije, lo único bueno de todo aquello era que las cosas ya no podían estar peor de lo que estaban.

Sigan leyendo, estimados amigos, y comprueben hasta qué punto me equivocaba.

* * *

Cuando llegaron los bomberos, la casa ardía como una hoguera de San Juan. Ni siquiera intentaron apagar el fuego y, como ocurrió en el incendio del almacén, lo único que hicieron fue impedir que las llamas se propagaran a los edificios colindantes.

Luego apareció la policía, claro; recuerden que había cuatro cadáveres calcinados entre los escombros. Le conté a Teodomiro Mateos lo que había sucedido y tanto Kepler como Yocasta corroboraron mi declaración. Sorprendentemente, Mateos aceptó sin el menor reparo nuestra versión de los hechos; aunque, bien pensado, era de esperar. A fin de cuentas, así mataba dos pájaros de un tiro: resolvía el asesinato de Smart y, al tiempo, capturaba a los asesinos (aunque éstos no fueran más que cuatro cuerpos sin identificar). Menos trabajo, debió de pensar, y zanjó la cuestión estampando su visto bueno sobre nuestras declaraciones.

Dado que nos habíamos quedado sin casa, Yocasta y yo decidimos alojarnos aquella noche en la Fonda Cartagena, el local donde Kepler se hospedaba. No era precisamente un hotel de lujo, y su higiene dejaba mucho que desear, pero no me importó lo más mínimo. Nada más llegar a mi habitación, me derrumbé sobre la cama y me quedé instantáneamente dormido.

Desperté ocho horas más tarde, a eso de las diez de la mañana. Había tenido un sueño muy agradable en el que me veía a mí mismo, acompañado de la preciosa Guadalupe Altagracia, haciendo saltar la banca de un casino francés, así que volver a la realidad supuso un duro golpe para mí. No tenía casa, ni trabajo, ni dinero, ni amante, ni, quizá, padre, de modo que comprenderán ustedes que mi estado de ánimo no fuera precisamente exultante.

Al levantarme, vi que habían deslizado un papel por debajo de la puerta; era un mensaje de Kepler pidiéndome que me reuniera con él, a las once, en la recepción. Me aseé concienzudamente en el único lavabo que había en la fonda —aunque tuve que ponerme los mismo ropajes del día anterior, que, todo sea dicho, apestaban a humo— y a las once en punto bajé al vestíbulo.

Había, en efecto, una persona esperándome, pero no era Kepler. Se trataba de alguien a quien yo conocía; en concreto, la última persona del mundo a la que esperaba ver allí. No sé qué abrí más, si la boca o los ojos.

Porque junto al mostrador de la recepción, frente a mi atónita mirada, se encontraba el barón Lothar von Reich.

* * *

Mi mente se puso a dar vueltas como un tiovivo fuera de control. Se suponía que Reich estaba en algún lugar de Perú junto a su secretario, mi padre y Rasul; entonces, ¿qué demonios hacía en Cartagena?

—Pe-pe-pe-pero —tartamudeé—, ¿qué hace usted aquí?...

Reich volvió hacia mí el gélido azul de sus ojos y me dedicó una mirada displicente.

—¿Cuándo ha regresado? —insistí.

En vez de contestar, el alemán alzó una ceja y esbozó un sonrisa irónica.

—Oiga —dije, comenzando a impacientarme—, ¿dónde están mi padre y Rasul?

Él siguió mirándome sin despegar los labios. Justo en ese momento Oskar Kepler entró en el vestíbulo y se aproximó a nosotros.

—Buenos días, Jaime —me saludó—. Veo que ya conoce a mi cliente.

—¿Su cliente? —exclamé, estupefacto—. ¡Pero si es Lothar von Reich, el tipo que contrató a mi padre!

Kepler negó con la cabeza.

—Se confunde, Jaime —dijo—. Este caballero es Wolfgang von Reich, el hermano de Lothar.

Miré a Kepler con desconcierto, luego miré a Reich con incredulidad, parpadeé varias veces y musité:

—¿El hermano?...

Fue entonces cuando el hombre que decía llamarse Wolfgang von Reich se dignó a hablar por primera vez.

—Mi hermano y yo somos gemelos idénticos —dijo con mucho acento alemán—. Es imposible distinguirnos, salvo por un detalle —se llevó pausadamente la mano al mentón y concluyó—: Él tiene una cicatriz en la barbilla y yo no.

Era cierto; en su momento me llamó la atención aquella cicatriz y, ahora que me fijaba bien, el rostro de aquel tipo carecía de marca alguna. Desconcertado, miré alternativamente a Kepler y a Reich, balbuceé algo no del todo inteligible y entonces apareció Yocasta.

—Buenos días, señora Massemba —la saludó Kepler—. ¿Qué tal se encuentra?

—Muy bien, gracias —Yocasta miró de arriba abajo a Reich y comentó—: Supongo que este caballero es el hermano del barón.

La contemplé con sorpresa.

—¿Y cómo te has dado cuenta de que no es el barón? —pregunté—. Yo me he confundido, son idénticos...

—Como dos gotas de agua, sí, pero este caballero carece de la cicatriz que su hermano tiene en la barbilla —se limitó a responder ella con vanidosa indiferencia.

Vivir cerca de mi negra sirvienta, estimados lectores, era como contar siempre con un recordatorio de mis profundas carencias en cuanto a cultura y perspicacia se refiere. Aquella mujer era insufriblemente lista y, encima, hacía siempre lo que le venía en gana, como quedó claro cuando, tras sugerir Kepler que nos dirigiéramos a la cantina de la fonda para charlar un rato, ella decidió sumarse al grupo sin que nadie la hubiera invitado. En cualquier caso, justo es reconocer que lo hizo con tanta naturalidad que a nadie se le pasó por la cabeza cuestionar su presencia en aquella reunión, así que nos dirigimos a la cantina, nos sentamos en torno a una mesa y, sin más dilaciones, Wolfgang von Reich expuso los motivos que le habían traído a Colombia:

—Por cuestiones de índole familiar que no vienen al caso —dijo—, debo encontrar a mi hermano lo antes posible. Según me ha contado Herr Kepler, Lothar partió de viaje en compañía del señor Mercader y de un árabe llamado Akbar. Pues bien, deseo saber adónde fueron.

Ladeé la mirada e intenté reflexionar. Mi padre solía decir que lo último que vemos es precisamente aquello que tenemos delante de los ojos, y yo tenía la sensación de que en aquel asunto había algo evidente que se me escapaba. Debía de existir algún vínculo entre la expedición de Lothar von Reich, la piedra de los dos jinetes, la muerte de Smart, mi casi asesinato y la repentina llegada del gemelo del barón, pero por muchas vueltas que le daba no lograba encontrarlo. El caso es que durante un largo minuto no dije nada y Reich, confundiendo mi silencio con una estrategia de negociación, agregó:

—Estoy dispuesto a recompensar esa información, señor Mercader. ¿Mil dólares le parece una cantidad razonable?

Sacudí la cabeza.

—No se trata de dinero —dije (y a mí mismo me sorprendió oírme decir algo así)—. Verá, hace dos días asesinaron al socio de mi padre y ayer mismo intentaron matarme a mí...

—Herr Kepler ya me ha informado de ello, pero eso no tiene nada que ver conmigo —objetó Reich.

—Se equivoca —repliqué a mi vez—. Su hermano quería visitar el yacimiento donde se encontró cierta talla de obsidiana. Supongo que conoce esa talla, ¿no?, porque su amigo Kepler me enseñó un dibujo de ella.

Reich asintió con un deje de aburrimiento.

—La piedra de los dos jinetes —dijo—. ¿Y qué?

—Pues que uno de los tipos que intentaron matarme la mencionó—. Y, por cierto, ya que vamos a eso, también mencionó el nombre de su hermano.

Los dos alemanes intercambiaron una mirada de extrañeza.

—¿Qué más dijo? —intervino Kepler.

—Me preguntó por algo llamado «Bosán» —respondí.

—¿Bosán? —Kepler frunció el ceño.

—¿Qué es «Bosán»? —inquirió Reich, arrugando la nariz como si un desagradable tufo ofendiera su aristocrática pituitaria.

—No tengo ni la más remota idea —dije—. Eso mismo iba a preguntarles yo a ustedes.

Sobrevino un silencio. Como todavía era temprano, en el local no había nadie más que nosotros y el cantinero, que dormitaba en un extremo de la barra con la cabeza apoyada contra la caja registradora.

—¿Por qué está tan interesado su hermano en esa talla inca, señor Reich? —preguntó Yocasta.

Reich la miró como si de repente un mono se hubiera puesto a hablar. Supongo que en otras circunstancias jamás se hubiera dignado a contestar la pregunta de una criada, y menos de una criada negra, pero debió de pensar que era más conveniente mostrarse colaborador, así que, sin tan siquiera mirarla, respondió:

—Mi hermano es historiador, pero yo no; por tanto, ignoro cuál es la razón de su interés por esa antigüedad indígena. Algún asunto académico, supongo.

Pronunció «asunto académico» en el mismo tono que hubiera empleado para decir «montón de mierda».

—¿Y por qué quiere encontrar a su hermano con tanta urgencia? —siguió preguntando Yocasta.

Esta vez sí que la miró Reich, con una ceja alzada y el entrecejo levemente fruncido.

—Me parece —dijo en un tono desdeñoso— que eso no le incumbe lo más mínimo.

Yocasta apoyó los codos en la mesa y clavó su negra mirada en los ojos azul celeste del alemán.

—No crea que no soy consciente del color de mi piel, señor

Reich —dijo—, y también soy consciente de lo que la mayor parte de los blancos piensa acerca de las personas de mi raza. Pero es la única piel que tengo y ayer por la noche estuve a punto de perderla por algún motivo relacionado con su hermano, así que, en mi modesta opinión de pobre negra inculta, creo que sí me incumbe.

Reich se la quedó mirando de hito en hito, las cejas convertidas en dos acentos circunflejos sobre los ojos y una expresión de incrédula sorpresa en la mirada. Pensé que iba a mostrarse ofendido por la insolencia con que le había hablado quien, para él, debía de encontrarse tan sólo ligeramente por encima del nivel de los gusanos, pero no fue así. En vez de ello, sus labios se distendieron en una sonrisa y sus ojos, fijos en Yocasta, mostraron un ápice de deferencia.

—Tiene razón, señora —dijo—. Debo reunirme con mi hermano lo antes posible para solventar un problema relacionado con la herencia familiar. No entraré en detalles, pues se trata de un asunto privado, pero le garantizo que en nada afecta a ninguno de ustedes. Ahora bien, teniendo en cuenta lo que ha ocurrido, así como lo que el señor Mercader afirma que dijeron quienes intentaron matarle, cabe pensar que la vida de mi hermano corre peligro. Por tanto, es cada vez más imperioso que le encuentre.

—Y le recuerdo, Jaime —terció Kepler—, que su padre y su amigo Akbar acompañan al hermano de mi cliente y, por tanto, compartirán su misma suerte. ¿No cree que tiene motivos más que sobrados para decirnos adónde fueron?

Cerré los ojos y respiré profundamente. La mitad de mis ideas iba en un sentido y la otra mitad en el contrario, lo cual estaba empezando a provocarme una molesta jaqueca.

—Supongo que tiene razón —musité con desánimo—. Pero le prometí a mi padre que no revelaría su paradero a nadie...

Justo en ese momento, un hombre entró en la cantina y, dirigiéndose a mí, dijo:

—Hombre, Ja-Ja-Jaime, po-po-por fin te encuentro...

Era don Anastasio Belaunzarán, el dueño de la cerrajería.

—Me han di-di-di-dicho —prosiguió el hombre—, que tu ca-ca-casa se ha que-que-que-que...

—Se ha quemado, sí, don Anastasio —dije—. Hubo un incendio.

—...que-que-que-quemado, eso —insistió él, inasequible al desaliento—. ¿Te encu-cu-cuentras bi-bi-bi-bien?

—Muy bien, don Anastasio, gracias por su interés. Pero ahora estoy un poco ocupado, ¿sabe?...

—No te entre-tre-tre-tendré mu-mu-mucho, Ja-Ja-Jaime. Es que Ramón, el car-car-cartero, no te encon-con-contró y me dio algo pa-pa-para que te lo entre-tregase —don Anastasio sacó un sobre del bolsillo interior de la levita—. Esta car-car-car-car-car...

Le arrebaté la carta de las manos —con tanta brusquedad, por cierto, que conseguí que se callase—, y leí el nombre del remitente: Epifanio Palanque, el tratante de antigüedades peruano a quien yo había escrito preguntando por mi padre. Rasgué apresuradamente el sobre y extraje de su interior un papel doblado por la mitad. La carta, fechada doce días antes, estaba escrita con penosa letra y aún peor ortografía.

Estimado señor Mercader

Cuando recivi su carta ice las averiguaciones que me pidio y esto es lo que puedo contarle: su padre don Fernando Mercader vino a verme ace unos tres meses. Con el ivan tres personas un arave un aleman y un español

Querian saver de donde avia salido una taya indíjena y yo se lo dije. Dos dias despues partieron acia el yacimiento y desde entonces no e vuelto a saver nada de eyos. Pero como usted me pidio en su carta que averiguara como estavan y donde estavan escrivi a mi socio en la zona y averigue que su padre y sus amigos estuvieron en el yacimiento y luego se dirijieron acia el noreste. Dice tanvien mi socio que ivan a una rejion muy peligrosa. Luego mi socio supo que su padre y sus amigos avian sido atacados por una trivu de salvajes y que avian muerto en el ataque. Lamento darle estas malas noticias pero eso es lo que e averiguado y como me lo dijeron se lo cuento. Si desea algo mas me lo dice y yo are lo posible por ayudarle.

Atentamente

Epifanio Palanque

Tuve que leer la carta tres veces consecutivas, como si un muro en mi cerebro bloqueara el significado de aquellas palabras tan torpemente escritas. ¿Mi padre y Rasul habían muerto? No, de ninguna manera, eso era sencillamente inaceptable. Me volví hacia Reich y Kepler y, con un aplomo que distaba mucho de ser fiel reflejo de mi verdadero estado anímico, declaré:

—De acuerdo, les diré lo que quieren saber —hice una pausa, alcé un dedo y agregué—: Pero con una condición: cuando partan en busca de Lothar von Reich, yo iré con ustedes.

Mis palabras quedaron flotando en un silencio preñado de malos augurios.

—Car-car-car-carta... —dijo entonces don Anastasio Belaunzarán, completando al fin la frase que había iniciado unos minutos antes.

CAPÍTULO CINCO

*Donde se narra cómo abandonamos
Cartagena de Indias para dirigirnos a
El Callao, y las desagradables sorpresas
que allí nos aguardaban*

Mi padre solía decir que hacer planes y confiar en que se realicen es tan poco realista como votar a un político con la esperanza de que cumpla sus promesas. «El destino es un jugador tramposo», decía con aire resignado; «siempre oculta un as en la manga y ese as nunca juega a tu favor». No obstante, benévolos lectores, hicimos planes, aunque, eso sí, planes muy sencillos: nos dirigiríamos a Perú por mar pasando por Panamá; una vez en El Callao, nos entrevistaríamos con Epifanio Palanque y averiguaríamos dónde se encontraba el yacimiento arqueológico que deseaba visitar Reich. Luego, nos dirigiríamos allí y seguiríamos su rastro.

Parece simple, ¿verdad? Pues pese a ello, nuestros planes comenzaron desde el principio a sufrir inesperadas alteraciones, como ocurrió cuando Yocasta nos comunicó su intención de acompañarnos. A mí, en primera instancia, me pareció una idea absurda, pero ella expuso razones muy convincentes.

—Como soy una pobre negra sin educación —dijo con esa

humildad suya tan afectada—, a veces me hago preguntas que no sé responder. Por ejemplo, me pregunto por qué los hombres que asesinaron al señor Smart incendiaron también el almacén. Allí no había nadie; entonces, ¿qué razón tenían para hacerlo? —guardó un breve silencio y prosiguió—: Ninguna, salvo que su propósito no fuera sólo matar al señor Smart y a Jaime, sino destruir todo lo relacionado con ellos. Y eso me incluye a mí.

—Tranquila, esos hombres están muertos —objeté—. Ya no pueden hacerte daño.

Yocasta exhaló un largo suspiro y me miró con la misma condescendencia que emplearía la enfermera de un sanatorio mental para tratar con su paciente más alejado de la realidad.

—Vendrán otros, amito Jaime —dijo en tono paciente—; esto no ha acabado. Y si vienen cuando ya no estéis aquí, me buscarán a mí y me obligarán a decirles adónde fuisteis. Ya estoy muy vieja para soportar la tortura, de modo que se lo contaré todo y luego me matarán. Y como ninguno de nosotros quiere que nada de eso suceda, lo más prudente es que os acompañe.

—No va a ser un viaje sencillo, señora Massemba —intervino Kepler—. Disculpe que hable con franqueza, pero es usted demasiado mayor para venir con nosotros.

Yocasta le miró con suficiencia.

—Soy vieja, señor Kepler, es cierto. Y gorda. Pero, además de vieja y gorda, soy fuerte. He trabajado muy duro desde que era niña y estoy más que acostumbrada a viajar. Además, como pudo comprobar usted mismo la otra noche, sé manejar un arma. De todas formas, si una vez comenzado el viaje usted sigue creyendo que soy un estorbo, no tendrá más que decírmelo y le prometo que daré media vuelta y volveré a Cartagena.

Kepler se encogió de hombros y no puso más reparos, pero Reich se negó en redondo a que una mujer formara parte de la expedición. «Lo único que haría es retrasarnos», dijo. Sin embargo, Yocasta, que podía ser muy persuasiva cuando se lo proponía, señaló que un caballero tan distinguido como él no podía viajar sin servicio y que ella era precisamente eso, una criada. Supongo que la perspectiva de contar con un sirviente particular le pareció a Reich una buena razón, pues al final acabó accediendo, si bien yo, en mi fuero interno, estaba convencido de que Yocasta no tenía la más mínima intención de ser la criada de nadie que no la pagase por ello, y quien la pagaba era mi padre, no Reich.

Solventado este asunto, únicamente restaba disponer los preparativos para el viaje, aunque en realidad tales preparativos no fueron muchos. Afortunadamente, mi padre había confiado nuestros ahorros a las blindadas arcas del Banco de Cartagena, así que extraje una considerable porción de ellos y dediqué parte del dinero a comprar ropa para mí y para Yocasta, así como todo lo que necesitábamos para afrontar nuestro próximo periplo. También tuve que buscar a Napoleón, pues, tras el incendio de la casa y el ataque de los asesinos tatuados, se había evaporado. Cuando por fin di con él (más bien cuando él dio conmigo, pues yo me limité a hacer correr la voz de que necesitaba verle), le adelanté un par de meses de paga y le sugerí que hiciera lo que mejor sabía hacer: esfumarse.

Dos días más tarde, Wolfgang von Reich, Oskar Kepler, Yocasta y yo embarcamos en el vapor *Balboa* con destino a Panamá.

* * *

La travesía resultó más corta de lo que esperaba; apenas veinte horas, ése fue el tiempo que tardó el *Balboa* en llegar a Colón, el principal puerto panameño en la costa del Atlántico.

Colón era un villorrio inmundo, una mera acumulación de casuchas semiocultas entre palmeras y plátanos. Por las calles —si es que a aquellas sendas cenagosas se les podía llamar calles— deambulaban hombres y mujeres de color, y decenas de niños, tan negros como los adultos, pero mucho más bulliciosos. También paseaban entre ellos cerdos, gallinas, zopilotes y alguna que otra cabra. Colón no era precisamente un lugar bonito, aunque lo cierto es que apenas dispuse de tiempo para poder verlo, pues nada más desembarcar nos dirigimos a la estación —más bien un apeadero situado cerca de los muelles— y subimos al tren que, atravesando el istmo de este a oeste, nos conduciría a Panamá, la capital.

El viaje duró poco más de dos horas y media. Pasé el tiempo con la vista fija en la ventanilla, contemplando un paisaje que básicamente consistía en palmeras, plátanos y pueblos tan deplorables como Colón. No obstante, ocasionalmente distinguía, semiocultos entre la vegetación, los restos del antiguo canal proyectado por los franceses. Ferdinand Marie Lesseps, el ingeniero que construyó el canal de Suez, había fracasado en Panamá y de su empresa sólo quedaban ahora máquinas herrumbrosas, grúas cubiertas de barro y moho, e inmensas calderas alzándose sobre el boscaje como ídolos olvidados. Resultaba un tanto fantasmal, y no poco paradójica, aquella descomunal ingeniería devorada por la naturaleza; incluso puede que alguien más propenso que yo a las reflexiones filosóficas encontrara en tales imágenes de decadencia alguna moraleja.

Panamá, la capital, resultó ser algo más estimulante que Colón. El casco antiguo era pintoresco, con su catedral, sus bonitas casas coloniales y sus estrechas callejas, pero en los arrabales, chabolas y casuchas crecían como hongos entre el barro y la lujuriosa vegetación. Ahora que los norteamericanos habían reemprendido las obras del canal, la ciudad iba recuperando su antiguo y tumultuoso esplendor; negros, chinos, irlandeses, indios, hispanos, yanquis, árabes, representantes de todas las razas y nacionalidades deambulaban por las calles mientras los ecos de sus voces componían un indescifrable mosaico de idiomas, como si aquel lugar fuese una Babel tropical. Gracias a los muchos millones de dólares que se estaban invirtiendo en la reanudación de las obras, ciertos sectores de la sociedad panameña vivían en la más opulenta riqueza, al tiempo que miles de personas a su alrededor sobrevivían a duras penas sumidos en la miseria.

Pero lo que realmente captó mi atención, amigos míos, no fue la desigualdad social, sino ciertos rasgos de la civilización que, por fortuna, formaban parte de lo que podríamos llamar el ambiente de la ciudad. Allí no sólo se celebraban carreras de caballos, combates de boxeo y peleas de gallos, sino que además también había un casino, aunque, por desgracia, no iba a disponer de mucho tiempo para disfrutar de todo aquello, pues al día siguiente a primera hora de la mañana debíamos embarcar en el vapor que nos transportaría a El Callao.

Nos hospedamos en el Gran Hotel, un establecimiento que lo único que tenía de grande era el tamaño de las chinches y los piojos que infestaban las camas. Justo es reconocer que mi habitación era amplia, pero también es cierto que amplios eran los campos de hierbajos que crecían entre las tablas del entarimado y amplias las manadas de cucarachas que correteaban por doquier. Comimos en el restaurante del hotel, un salón situado en la planta baja a través de cuyas abiertas puertas no cesaban de entrar y salir andrajosos arrapiezos, cerdos o perros en busca de despojos. Tras la comida, Wolfgang von Reich se refugió en su habitación, Kepler desapareció y Yocasta decidió echarse una siesta, así que me quedé solo, circunstancia que aproveché para visitar a mis anchas la ciudad.

Quienes a estas alturas del relato hayan captado ya algunas de las peculiaridades de mi personalidad no se extrañarán si les digo que mi propósito al pasear por Panamá no era tanto contemplar sus monumentos como visitar sus antros. No tardé mucho en encontrar una casa de juegos clandestina, pero allí todo el mundo tentaba a la fortuna mediante los dados, un juego que, por depender sólo del azar, nunca me ha agradado en exceso, razón por la cual abandoné pronto aquel tugurio y me dirigí al casino.

El Gran Casino (en Panamá, al parecer, todo era grande) no se parecía en nada a los lujosos casinos franceses. Lejos de ello, tenía humedades en el techo, las paredes necesitaban una buena mano de pintura y los crupieres lo eran todo menos elegantes. Pero el sonido de las bolas al rodar por las ruletas, el barajar de los naipes y el tintineo de las fichas eran para mis oídos una música celestial que tornaba hermoso lo feo y aristocrático lo vulgar.

Hay una ley, tan cierta como la de la gravedad, que todo jugador debe tener siempre presente y cuyo enunciado reza: «el casino siempre gana». Quizá, perspicaces lectores, hayan oído historias de gente que hizo saltar la banca jugando a la ruleta, o que se enriqueció con el *chemin de fer* o el bacará; pues bien, puedo asegurarles que se trata de mentiras o de meras anécdotas sin relevancia alguna. Los casinos tienen a su favor la fuerza más poderosa de la naturaleza, el azar; las probabilidades están de su parte, así que si uno juega mucho en un casino, tarde o temprano acabará perdiendo. Es inevitable.

Sin embargo, mi propósito no era tanto ganar como olvidar mis múltiples quebraderos de cabeza y pasar un rato agradable. Como no había ninguna mesa de póquer abierta, jugué un rato a la ruleta. Cuando me cansé de un juego que, al igual que los dados, dependía sólo de la suerte (eso suponiendo que la ruleta no estuviera trucada, cosa que bien podía ocurrir), me dirigí a la mesa de *black jack.* Aún era temprano y no había demasiada gente; tomé asiento junto a un yanqui de semblante inexpresivo, puse una ficha sobre el tapete, el crupier distribuyó las cartas y comencé a jugar.

El *black jack* (*Juan el Negro,* en cristiano) es un juego sencillo: las figuras valen diez puntos; los ases, uno u once, según se prefiera; y el resto de las cartas, su valor. El crupier reparte un naipe a cada jugador y otro más para él; luego los jugadores van pidiendo cartas según su voluntad hasta que decidan plantarse. El asunto consiste en conseguir que la puntuación de tu jugada supere a la del crupier y, en el mejor de los casos, sumar veintiún puntos y hacer *black jack.* Pero si te pasas de veintiuno, pierdes. Como ocurre con los restantes juegos de casino (salvo el póquer), no existe ninguna estrategia para ganar al *black jack,* pero sí se puede jugar mejor o peor..., y yo soy bueno con las cartas, ya lo saben. Así que, poco a poco, sin prisas pero sin pausas, comencé a ganar.

Al cabo de un rato, un nuevo jugador se sentó a la mesa. Era un cuarentón más bien grueso, con el rostro redondo, los ojos pequeños y vivaces, el cabello demasiado oscuro para no estar teñido y un curioso mostacho con las guías engominadas y las puntas retorcidas hacia arriba. Vestía un terno tan caro como elegante y se comportaba con incongruente afectación, como si en vez de estar en un tugurio tropical se encontrara en el principado de Mónaco. Al principio no le presté atención, hasta que unos minutos más tarde, el hombrecillo, tras echarle un vistazo a mi montón de fichas, me dijo con una sonrisa:

—Es usted un caballero afortunado...

Era francés y hablaba con mucho acento (en realidad había dicho «*caballego afogtunado*»).

—Parece que hoy tengo suerte —asentí con aire distraído.

—¡Oh!, no sólo es cuestión de suerte (*suegte*) —prosiguió él—. ¿Sabe lo que decía La Rochefoucauld sobre la suerte? «Los grandes hombres son aquellos que saben aprovecharse de su buena fortuna.» Eso decía, o al menos algo similar. Juega usted magníficamente, *mon ami*, con inteligencia y templanza; acaricia los naipes y los naipes le quieren. No es juego, sino arte lo que usted practica... —de pronto, con grandes aspavientos, el hombrecillo exclamó—: ¡Pero qué desconsiderado soy! Aún no me he presentado —sacó del bolsillo una cartera y de la cartera una tarjeta que procedió a entregarme—. Me llamo Pierre Menard y me dedico a la venta de maquinaria.

Le eché un vistazo a la tarjeta. En la parte superior ponía: *DUPONT & MENARD - Outillage agricole et industriel, Rue de la République 8 (Marseille)*. Más abajo podía leerse: *Pierre Menard - Directeur Général*. Sin solución de continuidad, el hombrecillo me agarró una mano y comenzó a estrecharla con tanta efusividad que llegué a temer que me plantara dos besos en las mejillas. A continuación, se quedó mirándome —con mi mano aún entre las suyas— y preguntó:

—¿Y su nombre, caballero, es...?

—Mercader. Jaime Mercader.

Las cejas de Menard salieron repentinamente disparadas hacia arriba, al tiempo que sus ojos formaban dos círculos perfectos. Con expresión sorprendida musitó un par de frases en francés —*Mais ce n'est pas possible... C'est incroyable...*— y exclamó:

—¡¿No será usted pariente de *monsieur* Fernando Mercader?!

Esta vez el sorprendido fui yo.

—¿Conoce a mi padre?

—Oui. Nos conocimos aquí, en Panamá, hace unos meses.

—¿Y cómo estaba? —pregunté con vivo interés—. ¿Se encontraba bien?

—¡Oh, sí, *très bien!* —hizo un gesto vago y añadió—: Qué inesperada coincidencia encontrarnos usted y yo, ¿verdad? ¿Le apetece charlar un rato en la cantina? Permítame invitarle a una copa, por favor...

Acepté, claro. Fuimos al bar y nos sentamos a una de las mesas. Menard pidió un coñac (insistiendo mucho en que fuera francés) y yo una zarzaparrilla (por si aún no se han dado cuenta, me encanta la zarzaparrilla). A continuación, me contó que hacía cosa de cuatro meses había coincidido con mi padre en el casino.

—Estaba acompañado por un caballero árabe llamado, si no me equivoco, Akbar, y según me contó, viajaban con un aristócrata alemán y su secretario. Se dirigían al sur, creo —hizo un gesto de exagerada impotencia—. Y poco más puedo decirle, ya que sólo charlamos unos minutos. No obstante, ese tiempo bastó para convencerme de que don Fernando es todo un caballero. Un hidalgo español.

Suspiré, un tanto defraudado por la escasa información obtenida, y pensé que la perspicacia no era precisamente el punto fuerte de aquel francés, teniendo en cuenta que mi padre era lo menos parecido a un hidalgo español que pueda imaginarse.

—¿Piensa permanecer mucho tiempo en Panamá, Jaime? —preguntó entonces Menard en tono distraído.

Absorto en mis pensamientos, negué con la cabeza.

—Embarco mañana a primera hora —dije.

—¿Sí?... Entonces va a viajar en el vapor *Santiago,* ¿verdad? Ése es el único barco que parte mañana temprano. De modo, Jaime, que se dirige a Guayaquil o El Callao... En tal caso, le deseo que tenga un buen viaje o, como dicen en mi país, *bon voyage.*

Me maldije a mí mismo por tener la boca tan grande y miré de soslayo a Menard; ¿estaba intentando sonsacarme? Parecía un tipo inofensivo, incluso un poco ridículo, pero eso no significaba nada. Además, en efecto, era una gran coincidencia que el hombre que había tropezado con mi padre hacía meses se encontrara ahora casualmente conmigo, y ya hemos hablado largo y tendido sobre el tema de las casualidades, ¿no?

Coincidencia es el nombre que adopta el diablo cuando quiere hacer juegos de prestidigitación.

—¿Qué busca usted, Jaime? —preguntó de repente Menard, sacándome del pozo de mis cavilaciones.

—No busco nada —contesté un tanto receloso.

Con teatral deleite, el francés le dio un breve sorbito a su copa de coñac.

—Todo el mundo busca algo —dijo, como si estuviera enunciando un principio universal—. Los sacerdotes buscan almas, los mineros oro, los huaqueros restos arqueológicos y los hombres de negocios, como yo mismo, contratos para sus empresas. Por tanto, algo debe de buscar usted. ¿Quizá a su padre? ¿Va a reunirse con él?

Un montón de sirenas de alarma comenzaron a sonar en mi cerebro. Puede que la mención de Menard a los huaqueros fuera inocente (una coincidencia, ya saben), pero también podía ser una forma velada de decirme que él sabía más de lo que se suponía que un extraño debería saber. La expresión de su rostro mostraba una candidez que sugería cualquier cosa menos malicia; no obstante, yo era un experto en el arte del disimulo y sabía con certeza que el rostro nunca, nunca, nunca jamás es el espejo del alma, así que adopté una expresión tan cándida como la del francés y respondí:

—No, no busco a mi padre. Estoy en viaje de negocios.

—Ah, *très bien*. Es usted un *négotiant*, como yo. Pero dígame: ¿a qué negocio se dedica exactamente?

—A la fruta.

—¡Fruta! —exclamó, como si aquella palabra le produjera un regocijo indescriptible—. Entonces es usted un hombre sabio; aquí hay fruta por todas partes, pero muy pocas personas dispuestas a adquirir maquinaria. *Mon Dieu*, qué estúpido soy; debería venir menos al casino y prestar más atención a los plátanos...

Menard se echó a reír tan estruendosamente como si acabara de pronunciar el chiste más divertido del mundo (lo cual, evidentemente, no era así); luego, mientras sus risas menguaban, y al tiempo que se enjugaba las lágrimas con un pañuelo de hilo blanco, me preguntó:

—Dígame algo, *mon ami*: ¿viaja solo o le acompaña alguno de sus socios?

—Viajo solo —mentí al instante; luego, consulté el reloj, me puse en pie e improvisé una disculpa—: Se está haciendo tarde, señor Menard, y mañana debo levantarme temprano...

—Por supuesto, por supuesto —dijo él, incorporándose—. Como reza el refrán, pájaro madrugador atrapa primero el gusano. Lo cual, supongo, significa que es bueno madrugar si eres pájaro, pero muy malo si eres gusano —se echó a reír de nuevo—. En fin, *cher ami*, no le entretengo más. Estoy seguro de que volveremos a vernos, así que no le digo adiós, sino *au revoir*.

Esta vez no se conformó con estrecharme la mano, sino que, como yo temía, me plantó dos sonoros besos, uno en cada mejilla. Abandoné el casino y regresé al hotel inmerso en mis pensamientos. Estaba —¿por qué no reconocerlo?— francamente desconcertado; el tal Menard me había sacado información —la ruta de mi viaje— como quien le quita un caramelo a un niño y además, al mencionar a los huaqueros, había dejado entrever que estaba al tanto del comercio ilegal de antigüedades de mi padre. Sin embargo, el resto de su charla había sido totalmente inocente y en modo alguno se había mostrado amenazador, así que muy bien podía estar yo equivocado. Quizá aquel comentario sobre los huaqueros no fuera más que una coincidencia.

Pero, sagaces lectores, ya ha quedado sobradamente claro que debemos desconfiar de las coincidencias.

Entonces, ¿quién demonios era *monsieur* Pierre Menard?

* * *

Si repasan el breve bosquejo biográfico que aparece en el primer capítulo de este relato, recordarán sin duda que, a mi llegada a América, fui víctima de un naufragio, razón por la cual no se sorprenderán si les confieso que la perspectiva de viajar en barco se me antojaba tan seductora como bailar claqué sobre una caja de dinamita. No obstante, justo es reconocer que ningún incidente alteró nuestro periplo hacia El Callao; no hubo tormentas ni escollos y el océano Pacífico hizo honor a su nombre durante la travesía. Si de algo pecó el viaje fue de hastío.

Embarcamos en el buque *Santiago* a las ocho de la mañana; media hora más tarde la nave abandonaba el puerto de Panamá con rumbo sur. El *Santiago* era un vapor mixto fletado por la *Pacific Mail Line,* una naviera norteamericana que, como su nombre indica, cubría las rutas del Pacífico transportando mercancías, correo y pasajeros. Reich viajaba en un camarote de primera clase, mientras que Kepler, Yocasta y yo lo hacíamos en segunda. Como decía antes, el trayecto me resultó insufriblemente monótono. Reich se encerró en el camarote y Kepler, que a fin de cuentas era su guardaespaldas, se mantuvo siempre cerca de su patrón. En cuanto a Yocasta, pasaba la mayor parte del tiempo recostada en una tumbona de la cubierta principal, absorta en la lectura de un libro llamado *Story of the Crusades and the Orders of Knighthood*, o algo así. En fin, un aburrimiento.

Al cabo de dos días de travesía llegamos a Guayaquil, el principal puerto de Ecuador. El *Santiago* sólo iba a permanecer atracado en el muelle unas horas, así que aproveché el tiempo disponible para echarle un vistazo al lugar. Guayaquil, situada entre el mar y unas suaves colinas cubiertas de fronda, era una ciudad bonita, con bulevares ajardinados y amplias avenidas jalonadas de farolas de hierro forjado. Muchas calles estaban adoquinadas y las casas, por lo general de dos o tres plantas, ofrecían, al menos en el barrio antiguo, un aspecto razonablemente aseado. En el viejo malecón, a la izquierda del muelle, donde se alineaban varios barcos de vela, un enjambre de vendedores ofertaba a voz en cuello las mercancías que atestaban las canoas arrimadas a la orilla. Había varios hoteles, un balneario y un casino; si bien lo que más me sorprendió fue el sistema que allí empleaban para evacuar los desperdicios. Desde las ventanas, los vecinos arrojaban sus basuras a los techos de los tranvías; luego, cuando el coche llegaba al final de la línea, el conductor vaciaba la carga de porquería en un vertedero. Si quieren mi opinión, con tan absurdo sistema de alcantarillado no era de extrañar que la peste bubónica fuese endémica en la zona.

Cuatro horas después de su llegada al puerto de Guayaquil, el *Santiago* soltó amarras para proseguir su travesía hacia El Callao y de nuevo tuve que enfrentarme al aburrimiento del viaje, aunque debo reconocer que esto era así no tanto porque el buque careciese de alicientes —en el salón de primera clase se jugaba a las cartas todas las noches—, sino más bien porque, conforme nos aproximábamos a nuestro destino, mi ánimo se iba tornando cada vez más sombrío y melancólico. De hecho, pasaba la mayor parte del tiempo en cubierta, acodado en la barandilla, con la mirada perdida en la remota línea donde el mar y el cielo barajaban sus azules, entregado a unas cavilaciones que, lejos de aclarar algo, sólo lograban desorientarme aún más.

Pensaba, entre otras muchas cosas, en los asesinos que habían acabado con Smart y luego intentaron matarme a mí. ¿Qué significaba la marca que llevaban tatuada en el pecho? ¿Por qué habían mencionado la talla inca? ¿Qué era «Bosán»? Y, sobre todo, ¿por qué demonios querían matarnos? También pensaba en mi padre y en Rasul; me negaba a aceptar que hubieran muerto, aunque lo que yo admitiese o dejase de admitir en nada iba a cambiar los hechos.

Como pueden comprobar, indulgentes lectores, estaba muy lejos de tener la más remota idea acerca de la clase de embrollo en que, sin proponérmelo, me había metido. Y así, en ese patético estado de confusión mental, fue como llegué a la costa de Perú. A media mañana, dos días y medio después de haber partido de Guayaquil, el vapor *Santiago* atracó en el puerto de El Callao, nuestro destino. Tras desembarcar y buscar alojamiento —en un destartalado hotel de la Plaza Constitución—, nos dirigimos al domicilio de Epifanio Palanque, que estaba situado no muy lejos, en la Avenida Central, una larga calle surcada por las vías del tranvía y puntuada por una sucesión de postes de telégrafo que parecía perderse en el infinito.

No tardamos en encontrarlo. Era un edificio de dos plantas con muros de ladrillo y marquetería de madera; o, mejor dicho, lo había sido, porque ahora la casa de don Epifanio Palanque no era más que un lamentable montón de escombros ennegrecidos por el fuego.

* * *

Imagino que hasta el menos perspicaz de mis lectores habrá llegado a las mismas conclusiones que saqué yo cuando contemplé aquellas ruinas quemadas. La casa de Palanque había sido pasto de las llamas, igual que mi propia casa, la de Smart y el almacén de la Compañía, de modo que era muy posible que los responsables de todos esos incendios fueran los mismos: aquellos misteriosos asesinos tatuados. En cualquier caso, ignorábamos cuál había sido la suerte de don Epifanio, así que nos dirigimos a una taberna cercana y, tras pedir cuatro cafés, interrogamos al cantinero acerca del siniestro.

—Ocurrió hace cinco días, por la noche —nos contó el hombre, un tipo bajito de aspecto melancólico—. La casa ardió como una tea.

—¿Qué le ocurrió al señor Palanque? —preguntó Kepler.

—Murió.

—¿A causa del incendio?

El cantinero dejó escapar un lánguido suspiro antes de negar con la cabeza y responder:

—Cuando los bomberos lograron apagar el fuego, encontraron su cadáver en el salón. Le habían cortado el cuello de oreja a oreja, pero antes le habían torturado salvajemente —volvió a suspirar y agregó con un sentido cabeceo—: Terrible, terrible...

Wolfgang von Reich era el tipo más imperturbable que he conocido, así que permaneció silencioso e inexpresivo, con cierto aire de aburrimiento, como si nada de aquello fuera con él y, en el fondo, le irritara un poco estar allí, con nosotros.

—¿Detuvieron a los asesinos? —preguntó Kepler.

El cantinero esbozó una tristísima sonrisa.

—¿Sabe cuántos asesinatos se cometen aquí, en El Callao? —dijo—. Tantos que ya nadie se molesta en contar los muertos, así que no hablemos de perseguir a los criminales...

Sobrevino un abrumador silencio. En la taberna sólo había un par de clientes sentados a una mesa y un viejo borracho que dormitaba acodado en el otro extremo de la barra. Me rasqué la cabeza, pensativo, y pregunté:

—¿Conocía usted al señor Palanque?

—Era un cliente habitual —asintió el cantinero—. Dejaba buenas propinas —suspiró—. Le echaré de menos.

—Permítame una pregunta más —proseguí—: ¿recuerda si, hará cosa de tres o cuatro meses, vio al señor Palanque acompañado por un caballero tuerto?

—¿Tuerto?

—Con un parche en el ojo izquierdo —asentí.

El cantinero se puso a reflexionar con tanta intensidad que llegué a temer que se le reventara alguna vena de la frente.

—Ese caballero tuerto —dijo al cabo de un largo minuto—, ¿iba con un árabe? Un árabe grande y fuerte, con ojos de hielo.

—¡Eso es! —exclamé alborozado—. ¿Estuvieron aquí?

—Pues sí, los vi una vez...

—¿Iba con ellos un alemán? —terció Reich, cuyo rostro había pasado en un instante del aburrimiento al más vivo interés.

El cantinero se encogió de hombros.

—Eso no lo sé —dijo—. Un día, el señor Palanque se presentó aquí con cuatro forasteros. El caballero tuerto, el árabe grande y... —se quedó mirando fijamente a Reich—. Ahora que lo pienso, uno de esos forasteros se parecía mucho a... —parpadeó varias veces—. La verdad, juraría que era usted en persona...

—No —le interrumpí—, era su hermano gemelo. ¿Qué más pasó?

Durante unos segundos, el hombre continuó mirando a Reich con incredulidad; luego, tras musitar «pues son igualitos», volvió a encogerse de hombros y dijo:

—No pasó nada. Vinieron aquí al mediodía, comieron, pagaron y se fueron. Si me acuerdo, es porque con ellos iba un español muy desagradable. Encontró una mosca en el guiso y se enfadó muchísimo. Incluso amenazó con ponerme un pleito —hizo un gesto de perplejidad—. Y digo yo: si tanto le molestan las moscas, ¿por qué vino a El Callao?

En ese momento entró en la taberna un grupo de parroquianos y el cantinero nos abandonó para atenderlos. Siguiendo una sugerencia de Kepler, nos sentamos a una de las mesas.

—Esto no tiene sentido —dije—. ¿Quiénes son esos asesinos? ¿Y por qué quieren matarnos?

En realidad, se trataba de preguntas retóricas que no esperaban contestación; sin embargo, Yocasta, con sus negros ojos fijos en la sucia y rugosa superficie de la mesa, respondió:

—Están eliminando a todos los que han tenido alguna relación con la piedra inca, amito Jaime. De hecho, los hombres que intentaron matarnos en Cartagena están relacionados de algún modo con esa obsidiana.

—¿Qué quieres decir?

La mirada de Yocasta abandonó la mesa y se posó en mis ojos.

—¿Recuerdas la talla, Jaime?

—Sí...

—¿Cómo era?

Sí, sí, Yocasta estaba otra vez jugando conmigo a la maestra de escuela y el alumno ceporro. Aquello me atacaba los nervios, pero lo más práctico era seguirle la corriente, así que respondí:

—Un caballo con dos hombres encima.

Mi negra sirvienta alzó una ceja con irritante suficiencia.

—¿Y no había nada más, amito Jaime?

Fruncí el ceño e hice memoria.

—Ah, sí —caí al fin—: había una filigrana alrededor de las figuras.

—¿Y qué había en esa filigrana?

—¡Y yo qué sé, Yocasta! —exclamé, harto del jueguecito—. Rombos, espirales, figuras geométricas. No me fijé, qué quieres que te diga, soy así de burro. Anda, haz el favor de no ponerte pesada y ve al grano de una maldita vez.

Yocasta me dedicó una de sus sonrisas más pedantes.

—Había una serie de figuras geométricas, en efecto —dijo—. Pero al menos cuatro de esas figuras eran idénticas a las marcas que los asesinos llevaban tatuadas en el pecho.

Kepler arqueó las cejas y sacó del bolsillo interior de la chaqueta el dibujo de la talla. Tras desplegarlo sobre la mesa, pudimos comprobar que Yocasta no sólo tenía el tamaño de una elefanta, sino también su memoria, porque, en efecto, la marca de los asesinos aparecía en cada una de las cuatro esquinas de la filigrana.

—Eso no significa nada —comentó Reich con indiferencia—. Se trata de un signo muy común en las culturas primitivas y no sólo en Sudamérica, sino también en Europa y Asia. Es absurdo pensar que una talla con quinientos años de antigüedad pueda estar relacionada de algún modo con criminales del siglo veinte.

A punto estuve de señalar que, como me había comentado Yocasta, aquella talla no podía ser tan vieja, pero la propia Yocasta, adivinando mi intención, me indicó con un gesto que guardara silencio y preguntó:

—¿De dónde ha sacado ese dibujo, señor Kepler?

No fue el guardaespaldas quien contestó, sino su patrón:

—Lo encontré en la residencia de mi hermano, junto con el resto de su documentación. Así fue cómo averigüé adónde había ido Lothar y qué se proponía hacer. Luego, envié a Herr Kepler el dibujo para que iniciara las pesquisas —Reich torció el gesto, como si tantas preguntas le irritaran profundamente, y agregó—: Estamos perdiendo el tiempo. ¿Qué se supone que vamos a hacer ahora?

Kepler se mesó, pensativo, la perilla.

—Aparte del señor Palanque, ¿su padre tenía algún otro contacto en Perú, Jaime?

Sacudí la cabeza.

—No creo. Fue el único nombre que me dio antes de partir.

—Entonces tenemos que averiguar más cosas acerca de don Epifanio.

Kepler se aproximó a la barra.

—Tenga —dijo, entregándole un billete al cantinero—; cobre las consumiciones y guárdese el cambio.

El cantinero se quedó con la boca abierta, lo cual, dado que se trataba de un billete de cincuenta dólares, no era de extrañar.

—¿Le importa que le haga un par de preguntas más? —prosiguió Kepler.

—Amigo —respondió el cantinero sin apartar la vista del dinero—, con una propina así puede usted preguntarme hasta por la ropa interior de mi mujer.

—No creo que haga falta llegar a eso. El señor Palanque poseía un negocio, ¿verdad?

—Una compañía de exportación, sí.

—Por tanto, tenía empleados.

—Los tuvo; cuatro o cinco peones, creo. Pero hace unos meses decidió cerrar la empresa y despidió a todo el mundo.

—¿Por qué lo hizo?

El cantinero se encogió de hombros.

—No lo sé. El señor Palanque tenía casi sesenta años; supongo que pensaba jubilarse. De todas formas, no dejó de trabajar. Un día me comentó que podía llevar sus actuales negocios desde casa y que no necesitaba a nadie más; imagino que por eso cerró la oficina.

Kepler frunció el ceño.

—¿Quiere decir que las dependencias de la empresa no estaban en su domicilio?

—Claro que no. El señor Palanque tenía un almacén cerca del puerto. Lo cerró, pero de vez en cuando todavía iba allí.

Al oír esto me puse en pie, tan bruscamente que derribe la silla al suelo. Sin detenerme a levantarla, me aproximé al cantinero y le espeté:

—¿Ha ardido?

El hombre me miró como si yo acabara de sufrir un acceso de locura.

—¿El qué ha ardido?

—El almacén del señor Palanque. ¿También se incendió?

—No, que yo sepa —respondió el cantinero con perplejidad.

—Entonces, ¿sigue existiendo ese almacén? —insistí.

—Supongo...

Kepler y yo nos miramos.

Ahí estaba lo que andábamos buscando.

* * *

El Callao, como los avispados lectores saben, es el puerto más próximo a la ciudad de Lima. Tan sólo los separan catorce kilómetros, una distancia que puede recorrerse siguiendo el trazado de la primera vía férrea que hubo en Sudamérica. Supongo, amigos míos, que ahora debería pergeñar una colorista descripción de El Callao, llena de detalles curiosos y abundante tipismo local, pero, si he de serles franco, no me apetece lo más mínimo hacerlo. Baste con decir que El Callao era un enorme puerto al que le había crecido una ciudad. Las calles eran de tierra, sin asfaltar ni adoquinar, las casas bajas y de construcción más bien pobre, y todo tenía, en general, cierto aire de provisionalidad, como si sus habitantes no estuviesen del todo seguros de ir a quedarse allí definitivamente. Había sitios bonitos y cuidados, no voy a negarlo: la Plaza Matriz, con su coqueta iglesia, o la de San Martín, el viejo edificio de la Aduana, la estación... Pero, por encima de todo, El Callao era un puerto, y los puertos son lugares de donde se parte o adonde se llega, no sitios donde uno se queda.

Por otro lado, los puertos no son precisamente los parajes más seguros del mundo, especialmente de noche. Y de noche era cuando Kepler y yo nos dirigimos al almacén de Epifanio Palanque, que se encontraba, como el tabernero nos había indicado, muy cerca del muelle Manco Cápac. Las zonas más céntricas de El Callao estaban dotadas de alumbrado eléctrico, pero en aquella dársena sólo había unos cuantos faroles de queroseno desperdigados aquí y allá, de modo que las tinieblas nos envolvían. Mientras recorríamos las desiertas calles, escuchábamos en la lejanía el alboroto de las tabernas, una mezcla de música de guitarra, voces y algún ocasional disparo. De cuando en cuando nos cruzábamos con otros viandantes, por lo general damas de la noche ejerciendo su oficio, borrachos o individuos de aspecto malencarado que, solos o en grupo, erraban por las calles como lobos al acecho. A decir verdad, no me sentía nada tranquilo, así que al cabo de un rato le pregunté a Kepler:

—¿Va armado, Oskar?

—Por supuesto —contestó él, mostrándome su bastón-estoque.

—Ya... ¿Y no llevará encima, por casualidad, algún arma de fuego?

—No creo que eso sea necesario.

Bueno, puede que a él le bastase con el pincho que ocultaba en el bastón, pero yo me hubiera sentido mucho más seguro con un poquito de artillería a mano. Por otro lado, de pronto caí en la cuenta de que la muerte de Palanque había acontecido hacía tan sólo cinco días y que era muy posible que sus asesinos aún estuviesen en El Callao, así que comencé a ver sombras amenazadoras por todas partes.

Afortunadamente llegamos a nuestro destino sin sufrir el menor contratiempo. El almacén de Palanque era poco más que un cobertizo de madera muy similar al resto de las construcciones que lo rodeaban. No había ningún rótulo, ni ventanas, nada salvo una puerta cerrada con un grueso candado. Gracias a los conocimientos adquiridos en el taller de don Anastasio, y con la ayuda de un juego de ganzúas, tardé menos de diez segundos en abrirla.

El almacén estaba sumido en la oscuridad. Una vez dentro, Kepler cerró la puerta y encendió un fósforo. Había un quinqué colgando de un gancho en la pared; el alemán lo cogió, prendió la mecha y extendió el brazo para iluminar el local. No había nada, el almacén estaba completamente vacío. Sin embargo, al fondo podía verse una escalera que conducía a una pequeña habitación situada en la parte alta. Se trataba de una oficina someramente amueblada con un decrépito escritorio, dos sillas y un archivador; además de eso, había montañas de papeles, pilas y pilas de documentos amontonados por doquier. Kepler dejó el quinqué sobre la mesa, se acomodó en una de las sillas, exhaló un resignado suspiro y comentó:

—Hay muchos papeles que revisar; mejor será empezar cuanto antes.

Pasamos más de una hora examinando aquella desmesurada acumulación de documentos. Creo que don Epifanio ignoraba que ninguna ley prohibía tirar papeles... Allí había facturas, cartas, balances, inventarios, contratos, recortes de periódico, recibos, extractos bancarios..., por amor de Dios, si hasta guardaba las notas de la compra. Pero, como solía decir mi padre, no hay problema, por grande que sea, que no pueda resolverse con mucha paciencia y un poco de fortuna. Cuando apenas habíamos examinado un tercio de todo aquel papeleo, Kepler dijo:

—Creo que esto es lo que buscábamos.

Aparté la mirada de la pila de albaranes que estaba hojeando y examiné el papel que me tendía Kepler. Era una carta fechada el mes anterior y redactada con una ortografía aún más abyecta que la de Epifanio Palanque.

Apreziado Epifanio:

E rezibido tu carta y aora boy a contestar a lo que me preguntas. Tu amigo el señor Mercader bino aqui aze dos meses y medio o tres meses. Tanbien binieron sus otros amigos el aleman el arabe y el español Por zierto el arabe casi mata a tres de mis ombres. El español queria ponernos un pleito pero no le izimos caso. Al arabe si que le izimos caso. Demasiado caso. No buelbas a enbiarme a nadie asi.

Al final yegamos a un acuerdo y les yebamos al yacimiento. Estubieron ayi un par de dias y luego se dirijieron al noreste. Les adbertimos que iban a una rejion muy peligrosa pero no nos izieron caso. Un mes despues o cosa asi nos enteramos de que abian sido atacados por una tribu de salbajes y abian muerto todos.

Eso es lo que puedo contarte.

Aníbal Manco

En fin, todo eso ya lo sabíamos por la misiva que me había enviado Palanque, pero aquella nueva carta aportaba dos datos fundamentales. En primer lugar, el nombre del socio de don Epifanio: Aníbal Manco. En segundo lugar, la dirección que figuraba en el remite: un pueblo llamado Pucará. Ni Kepler ni yo habíamos oído hablar jamás de ese lugar, pero estaba claro que cerca de allí debía de encontrarse el yacimiento arqueológico adonde se había dirigido mi padre.

Volvimos a dejarlo todo más o menos como lo habíamos encontrado y abandonamos el almacén. No se veía ni un alma en la calle; de hecho, no se veía nada, pues el cielo se había encapotado, privándonos del vago resplandor de las estrellas. Echamos a andar en dirección al centro de la ciudad. Los tinglados del puerto se hallaban desiertos y silenciosos; a lo lejos, como un revoloteo de luciérnagas, se distinguía el vaivén de las linternas que brillaban, arriba y abajo, en los veleros atracados a lo largo de la dársena. Ya ni siquiera se escuchaba el jolgorio de las tabernas; a decir verdad, el silencio era casi sobrenatural.

No obstante, yo no prestaba atención a nada de eso, amigos míos, pues la carta de Aníbal Manco había supuesto para mí una inyección de optimismo, ya que nos permitiría proseguir la búsqueda de mi padre y de Rasul. El caso es que nos habíamos alejado ya unos cien metros del almacén, cuando de pronto Kepler se detuvo en seco, tenso como un arco a punto de disparar.

—¿Qué pasa?... —pregunté.

Kepler me acalló con un ademán al tiempo que escrutaba las tinieblas que nos rodeaban. Entonces ocurrió. Primero sonó algo así como un soplido, después un siseo en el aire; acto seguido, noté un leve impacto en el pecho y, sin solución de continuidad, Kepler se abalanzó sobre mí, y me derribó al suelo.

—¿Está bien, Jaime? —susurró.

—Lo estaré en cuanto se quite de encima... —masculle.

Se echó a un lado y, siempre en voz baja, ordenó:

—Quédese aquí y no se mueva.

A continuación, se zambulló en la oscuridad y desapareció de mi vista. Debo confesar, benévolos lectores, que no tenía ni la menor idea de lo que estaba sucediendo, pero sí la íntima convicción de que, fuese lo que fuese, no se trataba de nada bueno, de tal forma que me quedé tirado en el suelo y, pese a que una piedra se me clavaba dolorosamente en un costado, no moví ni un músculo. Ignoro cuánto tiempo transcurrió, aunque a mí se me antojó una eternidad; sólo sé que de pronto oí un grito ahogado seguido por un alboroto de pasos y carreras. Luego, de nuevo el silencio. Otra eternidad más tarde, la voz de Kepler sonó a unos veinte metros de donde yo estaba:

—Puede venir, Jaime, ya no hay peligro.

Me incorporé, me sacudí el polvo, me tenté las costillas y me aproximé a Kepler. La luna había salido y su resplandor, al colarse por entre las nubes, mostraba el cuerpo ensangrentado que yacía a los pies del alemán.

—¿Quién es? —pregunté.

—Supongo que un amigo de los que intentaron matarle en Cartagena —contestó mientras limpiaba con un pañuelo la sangre del estoque—. Había otro, pero ha logrado huir.

Kepler devolvió el acero al interior del bastón, prendió un fósforo e iluminó el rostro del cadáver. Era un indígena de piel cobriza y ojos rasgados, igual que los otros asesinos. El alemán le entreabrió la camisa y dejó al descubierto la marca que llevaba tatuada en el pecho.

—Otra vez... —musité con un estremecimiento.

El cadáver tenía en la mano una especie de palo muy largo. Kepler se lo quitó de entre los dedos y lo examinó en silencio.

—¿Qué es? —pregunté.

—Una cerbatana —me señaló el pecho—. Fíjese, Jaime.

Bajé la mirada y comprobé que tenía un pequeño dardo clavado a la altura del corazón. Tras arrancármelo, lo contemplé con curiosidad y murmuré:

—¿Qué demonios es esto?...

—Un proyectil de cerbatana —respondió Kepler—. Tenga cuidado; debe de estar envenenado.

—¿Envenenado?...

—Con curare. Es un veneno mortal y muy rápido —alzó una ceja—. La verdad, Jaime, es increíble que siga usted vivo.

Un escalofrío me recorrió la espalda, pues aquella vez había sido el azar, y sólo el azar, el que me había salvado el pellejo.

Tal vez, estimados lectores, en más de una ocasión hayan oído la historia del soldado que recibió un disparo en el pecho y salvó la vida porque la bala impactó contra la Biblia que portaba en un bolsillo de la chaqueta. Pues bien, a mí me había sucedido algo muy parecido, sólo que con una diferencia: aquel maldito dardo envenenado había ido a clavarse, no precisamente en una Biblia, sino en la baraja de naipes franceses que siempre llevo encima.

* * *

Dado que no teníamos la menor intención de notificar a la policía aquel incidente, abandonamos el cadáver allí donde estaba y regresamos al hotel. Reich y Yocasta aguardaban despiertos, de modo que nos reunimos en la habitación de Kepler, les contamos lo que habíamos averiguado y les pusimos al tanto acerca de nuestro nuevo encuentro con los asesinos tatuados. Entonces les mostré el dardo y comencé a relatar cómo había logrado salvar la vida, pero Yocasta, con la mirada fija en el proyectil, me interrumpió:

—Las tribus amazónicas suelen usar cerbatanas y curare.

—En efecto —asintió Kepler—. Estos asesinos son indígenas de la Amazonia.

—¿Y qué demonios pinta aquí la Amazonia? —pregunté mientras guardaba el dardo en mi cartera—. El señor Reich, mi padre y Rasul fueron a un yacimiento inca y, que yo sepa, los incas no se establecieron en la Amazonia.

—Eso es cierto —murmuró Yocasta, dándome la razón, creo yo, por primera vez en su existencia.

Tras un prolongado silencio, Kepler se volvió hacia su patrón y le dijo:

—Nada de esto estaba previsto en nuestro trato, Herr Reich. Lo único que usted me encargó fue encontrar a su hermano.

—Y eso es lo único que pretendo que haga —replicó Reich, impávido—. Ahora bien, si le elegí a usted fue por su reputación de hombre decidido y con recursos; ¿acaso le dan miedo un puñado de indígenas harapientos?

Kepler encajó las palabras de Reich con una fría sonrisa.

—No, no me dan miedo —dijo—; simplemente no me gusta lo más mínimo ignorar por qué quieren matarnos.

—Por la talla inca —intervino Yocasta.

Reich profirió una risita despectiva.

—Eso es absurdo —dijo—. Según parece, los asesinos no son incas, ni descendientes de los incas, sino salvajes de la Amazonia. Y usted misma ha dicho, señora —la palabra «señora» sonó en sus labios como un sarcasmo—, que jamás hubo incas en la Amazonia.

—Así es —repuso Yocasta, altiva como una marquesa y pedante como un catedrático—. En su época de máximo esplendor, es decir, entre los siglos XIV y XV, el Imperio Inca se extendía desde Quito hasta Santiago de Chile, siguiendo la cordillera de los Andes. Nunca se adentraron demasiado en la selva. Pero tampoco suelen encontrarse indios amazónicos en Cartagena, ni en El Callao, y ya ve, Herr Reich, están aquí y nos han visitado dos veces. Por otro lado, esos hombres mencionaron expresamente la piedra de los dos jinetes, no lo olvide; y tampoco perdamos de vista que todos aquellos por cuyas manos ha pasado la talla inca han fallecido o se encuentran en peligro de muerte.

—¿Acaso cree que se trata de una maldición? —preguntó Reich con sorna.

—Sólo soy una pobre negra ignorante —contestó Yocasta con esa falsa humildad tan irritante que la caracterizaba—; pero lo poco que sé me mueve a considerar que las maldiciones no existen. Lo que sí existe, sin embargo, es gente decidida a borrar hasta el menor rastro de esa obsidiana.

—¿Y por qué iba a querer alguien hacer algo así?

Yocasta se le quedó mirando fijamente, como si estuviera retándole. Finalmente, tras un prolongado silencio, respondió:

—No lo sé. ¿Qué piensa usted?

Reich ahogó un bostezo con el dorso de la mano.

—Es su teoría, no la mía. Personalmente, lo único que me importa es encontrar a mi hermano. ¿Acaso debo recordarles que ése era, desde un principio, el objetivo de nuestro viaje?

Kepler respiró hondo y exhaló el aire poco a poco.

—De acuerdo —dijo—. Mañana a primera hora partiremos hacia Lima y luego buscaremos Pucará, esté donde quiera que esté.

Capítulo Seis

Donde se narra nuestra travesía por los Andes, conocemos las descorazonadoras noticias que nos aguardaban en Pucará y por fin llegamos a la ciudadela secreta de los incas, para encontrar allí un nuevo misterio

La primera impresión que producía Lima era de profunda melancolía. En otro tiempo, ya muy lejano, había sido la gran capital del Virreinato de Perú, una riquísima urbe llena de galas y fastos, cuajada de hermosas iglesias, opulentos palacios y lujosas mansiones. Pero todo aquel esplendor se había ido apagando poco a poco y ahora las fachadas de las mansiones estaban sucias y ajadas, los palacios abandonados y las iglesias casi en ruinas. Es verdad que podían distinguirse ocasionales destellos de modernidad —el ferrocarril, el telégrafo, el alumbrado de gas y eléctrico—, pero, en general, aquella ciudad era un monumento a la decadencia. Incluso sus habitantes tenían un aire fantasmal y triste, como si hubieran perdido algo que anhelaran intensamente recuperar (cosa que, por cierto, era exactamente lo que les ocurría). Hasta el clima era sombrío, pues la ciudad se hallaba constantemente cubierta por lo que allí llaman la garúa, una espesa y pegajosa niebla que jamás se disipaba.

El trayecto en tren de El Callao a Lima duró poco más de veinte minutos. Nada más abandonar la estación y dejar nuestro equipaje en una fonda del centro, nos dirigimos a la Biblioteca Pública para intentar averiguar dónde estaba Pucará. Por desgracia, la tarea resultó infructuosa: en ninguna de las Geografías que consultamos logramos encontrar la menor referencia a aquel pueblo. No obstante, uno de los bibliotecarios nos sugirió amablemente que acudiéramos al Estado Mayor del Ejército, lugar donde, al parecer, se encontraban los mejores mapas del Perú; de modo que allí nos encaminamos todos, salvo Yocasta, que decidió quedarse un rato más en la biblioteca consultando no sé qué libros. Más tarde, dijo, se reuniría con nosotros en la fonda.

Según las ordenanzas militares, estaba rigurosamente prohibido proporcionar información cartográfica a cualquier persona ajena al ejército. A pesar de ello, y tras acoger de buen grado un generoso soborno, el sargento encargado del Negociado de Topografía y Cartografía puso un empeño realmente digno de encomio en ayudarnos a encontrar lo que andábamos buscando. Tras escudriñar durante un buen rato en los archivos, puso un mapa delante de nosotros y señaló triunfalmente con el dedo.

—Aquí está —dijo.

Pucará era un diminuto punto, menor que una cagadita de mosca, en medio de un enorme vacío cartográfico. Se hallaba situado en la ladera oriental de los Andes —es decir, exactamente al otro lado de la cordillera con respecto a donde nos encontrábamos—, en las faldas de un macizo montañoso llamado Huagaruncho.

—Debe de ser un villorrio —comentó el sargento al tiempo que se rascaba la entrepierna con aire displicente—, porque aquí no tenemos ninguna información sobre ese pueblo. Sólo serán unas cuantas chozas de indios; eso en el caso de que aún exista.

Nos despedimos del militar, regresamos a la fonda, donde nos aguardaba Yocasta, y fuimos a comprar los pertrechos para el viaje. Necesitábamos ropa de abrigo, porque nos dirigíamos a regiones muy frías, y también alimentos, diversos útiles y armas; en concreto, adquirimos cuatro carabinas Winchester de repetición. Concluidas las compras, regresamos al hotel y nos retiramos a dormir temprano, pues debíamos iniciar el viaje hacia Pucará al amanecer.

El primer tramo de nuestra travesía consistía en cruzar de lado a lado el macizo central de los Andes. Doscientos veintidós kilómetros de montañas inmensas y barrancos sin fondo. Sin embargo, y pese a lo que pueda parecer, ésa era la parte más sencilla y cómoda del viaje, puesto que la realizaríamos en ferrocarril.

Al día siguiente nos levantamos antes del amanecer, hicimos el equipaje, nos dirigimos a la estación de Lima en un coche de punto y abordamos uno de los vagones de primera. A las siete menos cuarto, el maquinista hizo sonar el silbato de vapor, un penacho de humo brotó de la chimenea, las bielas de la locomotora comenzaron a impulsar las ruedas y, poco a poco, el mítico convoy transandino se puso en marcha.

Aparte de nosotros, sólo otras tres personas iban en primera clase; sin embargo, el resto de los compartimentos —en particular los de tercera— estaban tan atestados que muchos preferían viajar en el exterior, encaramados a los vagones, para eludir las apreturas. Aprovechando que los primeros kilómetros del trayecto ofrecían un paisaje más bien monótono, decidí entablar conversación con el revisor, un hombre de mediana edad que se mostraba realmente encantado con su trabajo. Según me contó —con tanto orgullo que cualquiera hubiera creído que el tren era suyo—, el Ferrocarril Transandino era una de las mayores obras de ingeniería jamás realizadas. Nada más y nada menos que la línea férrea más alta del mundo. Su construcción, iniciada en 1870, tardó veintitrés años en concluirse y en las obras participaron alrededor de diez mil obreros, de los cuales, por cierto, más o menos la mitad eran chinos.

Durante un buen rato, el revisor me puso al tanto de todas las características de la línea —incluyendo una prolija descripción de la locomotora—, hasta que, por algún motivo difícil de discernir, comenzó a contarme la historia de su tío Leopoldo, quien, además de padecer gota, tenía una hija ligera de cascos que recientemente se había quedado embarazada. Dado que a mí me importaban un bledo sus líos familiares, improvisé una excusa y regresé a mi asiento, junto a Yocasta, que se hallaba abstraída en la lectura de uno de sus libros. Poco después, el tren comenzó a escalar los Andes.

Aquellos de entre mis lectores que nunca hayan estado en el Nuevo Mundo deben tener algo muy presente: América es el continente de los excesos. Allí todo es exagerado: los ríos son excesivamente grandes, excesivamente caudalosos o ambas cosas a la vez, las selvas son excesivamente frondosas, las lluvias excesivamente copiosas, la sequía excesivamente árida, los ricos excesivamente ricos y los pobres en exceso pobres. Incluso los insectos son excesivos, pues allí alcanzan tamaños que en Europa están reservados a los mamíferos y las gallinas.

Ahora bien, el mayor de todos los excesos es la cordillera de los Andes, esa columna vertebral de piedra que recorre Sudamérica de norte a sur, desde Colombia hasta Chile, a lo largo de siete mil doscientos kilómetros. Uno no puede dar dos pasos por el oeste del subcontinente sin encontrarse con las montañas y, créanme, amigos míos, tropezar con los Andes no es algo que le deje a uno indiferente. Por eso, cuando el tren en que viajábamos se internó en el corazón de aquel desmedido macizo montañoso, me quedé sin aliento.

No, no piensen que estoy empleando una figura del lenguaje; me quedé literalmente sin aliento. Como ya he mencionado antes, el Ferrocarril Transandino es la línea férrea más elevada del mundo; de hecho, llega a superar los cuatro mil ochocientos metros de altitud y a esa altura el aire se vuelve tan tenue que no se pueden dar dos pasos sin romper a jadear.

—No te preocupes, Jaime —comentó Yocasta sin apartar la mirada de su libro—. Tu organismo no tardará en acostumbrarse a la escasez de oxígeno.

Bueno, quizá fuera así, pero mientras mi organismo se iba acostumbrando yo me ahogaba como un pez fuera del agua, lo cual resultaba de lo más desagradable. Además, claro que me preocupaba, me preocupaba muchísimo, y no sólo por la pertinaz asfixia que me aquejaba, sino también —y sobre todo— por el trazado de aquella endiablada línea férrea.

Imagínense, agudos lectores, un sinfín de montañas tan altas que sus cumbres parecen hacerle cosquillas a la panza del cielo, un paisaje abrupto y desértico en el que no crece ni una brizna de hierba —¿qué narices va a crecer a esa altitud?—, con torrenteras tan elevadas que el agua alcanza el fondo convertida en polvo. Imagínense ahora una sima entre dos enormes riscos, un abismo cuyo final apenas se adivina cuatro mil metros más abajo. ¿Se hacen una idea? Pues bien, ahora tiendan un estrechísimo puente de hierro entre ambos extremos de la sima e intenten imaginarse lo que es pasar con un tren por allí.

La palabra «vértigo» debió de inventarla algún viajero del Transandino.

Discurríamos por el filo de precipicios aterradoramente profundos, cruzando puentes que parecían incapaces de soportar nuestro peso y atravesando túneles que, a primera vista, aparentaban ser más angostos que el convoy. El trazado de la línea férrea era tan tortuoso que, en ocasiones, para tomar una curva, el tren debía avanzar y retroceder por vías auxiliares hasta encarar la dirección adecuada. Era una locura, una locura a más de cuatro mil metros de altitud, lo cual resultaba del todo perturbador. Para serles sincero, pasé gran parte del trayecto convencido de que nos íbamos a despeñar.

Sin embargo, hubo un momento en que el miedo y el vértigo se esfumaron para dar paso a una inesperada sensación de plenitud. El tren atravesaba una cuesta tan pronunciada que hasta una cabra se lo hubiera pensado dos veces antes de plantearse subirla, cuando de pronto advertí un movimiento más allá de la ventanilla. Volví la cabeza y vi que un pájaro planeaba junto a nosotros, en el mismo sentido del tren, como si hubiera decidido acompañarnos un rato. Pero no era un pájaro cualquiera, amigos míos, sino un pájaro al que el término «descomunal» le cuadraba como un traje hecho a la medida.

—Es un cóndor —observó Yocasta—. El ave voladora más grande del mundo.

Sí que era grande el pájaro, aunque no excesivamente bonito, pues a lo que más se parecía era a un buitre después de pasar por el gimnasio. No obstante, me quedé mirándolo durante todo el tiempo que permaneció a nuestro lado, fascinado por la majestuosidad de su vuelo, pero también convencido de que aquella imagen contenía un significado singularmente profundo. Un pájaro desmedido sobrevolando un paisaje desmesurado; eso era el símbolo perfecto de Sudamérica.

Puro exceso.

En fin, estimados lectores, el caso es que no nos despeñamos y, al cabo de doce horas, después de cruzar sesenta y un puentes y atravesar sesenta y cinco túneles, llegamos a nuestro destino, un pueblo llamado La Oroya. El tren se detuvo en la estación, bajamos de nuestro compartimiento e instantáneamente comencé a resoplar, porque —como averiguaría más tarde— La Oroya se encontraba a tres mil ochocientos metros de altitud y, por tanto, no andaban allí muy sobrados de oxígeno.

Mientras recuperaba el resuello, miré a mi alrededor. El sol acababa de ponerse, pero todavía había luz suficiente para distinguir el paisaje, aunque lo cierto es que aquel paisaje distaba mucho de ser alentador. El pueblo, una mera acumulación de chozas de adobe y ladrillo atravesada por un riachuelo, estaba situado en una breve planicie batida por el viento y rodeada de riscos, un paraje yermo e inhóspito donde sólo crecían unos cuantos tristes matojos de puna. La verdad, no pude evitar preguntarme por qué demonios se había tomado alguien la molestia de construir una línea férrea para llegar a un lugar tan deprimente como La Oroya. A mi modo de ver, eran los habitantes de aquel pueblo quienes deberían haber buscado denodadamente un medio para huir de allí.

Un grupo de arrapiezos, tan polvorientos como su entorno natural, se aproximó a nosotros con el propósito de transportar nuestro equipaje, conducirnos a una de las posadas del pueblo y conseguir una propina. Aceptamos su propuesta y echamos a andar hacia las casas. A los pocos pasos, jadeando como un cerdo camino del matadero, tuve que detenerme para recuperar el aliento. Uno de los muchachos, que cargaba como si nada con dos pesados bultos, se volvió hacia mí y me preguntó con mal disimulada ironía:

—¿Soroche, patrón?

«Soroche» es el nombre que en Perú le dan al mal de altura.

Y sí, en aquel momento yo era el tipo con más soroche de todo el continente.

* * *

Una de las escasas virtudes de La Oroya es que, a causa de la extrema altitud y el aún más extremo frío nocturno, ni siquiera a un piojo se le ocurriría vivir allí, de modo que las camas de la posada —en realidad unos incómodos jergones de paja— estaban enteramente libres de parásitos.

Al día siguiente nos levantamos al amanecer y fuimos al pueblo para completar los preparativos de la expedición, tarea que básicamente consistía en adquirir caballos, mulas de carga y los arreos necesarios. Mientras Reich y Kepler se ocupaban de ello, y Yocasta seguía enfrascada en la lectura, yo di una vuelta por los alrededores. Afortunadamente, tal y como había predicho mi negra criada, el organismo se me iba acostumbrando a la escasez de oxígeno y ya podía caminar sin sofocarme, aunque nunca dejé de sentir una leve —y siempre insidiosa— sensación de ahogo.

El paisaje, a plena luz, resultaba más descorazonador incluso que al anochecer; un inclemente desierto rodeado por enormes peñascos requemados por el sol y agrietados por el frío. De nuevo pensé que resultaba absurdo construir una línea férrea para llegar allí. No obstante, tras charlar un rato con el factor de la estación, descubrí que La Oroya no era un punto de llegada, sino de tránsito, pues la línea férrea se prolongaba hacia el sureste, en dirección a Huancayo, y justo en sentido contrario, hacia el noroeste, camino de Cerro de Pasco. De hecho, la razón de ser de La Oroya residía en este último lugar: en Cerro de Pasco, con sus enormes yacimientos de oro, plata, cobre, zinc y plomo, se encontraban las principales minas del país; es decir, las fuentes de un caudaloso río mineral que forzosamente debía pasar por La Oroya para dirigirse hacia su desembocadura en El Callao, donde las materias primas eran embarcadas en grandes cargueros con destino, sobre todo, a Estados Unidos. La línea férrea se extendía, pues, a ambos lados de aquel inhóspito pueblo; mas, por desgracia, ninguno de los dos ramales conducía a nuestro destino, pues Pucará se encontraba al norte, a unos ciento ochenta kilómetros de La Oroya.

Partimos a media mañana, bajo el plomo fundido de un sol implacable. Kepler cabalgaba en cabeza. Le seguían Reich y Yocasta; y yo marchaba cerrando la comitiva, pues por algún arbitrario motivo se había dado por sentado que era a mí a quien le correspondía la tarea de conducir las mulas.

En este punto, pacientes lectores, permítanme una breve digresión: los caballos y yo no hacemos buenas migas. En mi opinión, cualquier animal que no sólo permita que un hombre se le suba encima, sino que además acepte de buen grado cargar con él a todas partes, es un perfecto imbécil. ¿Acaso se cabalga sobre búfalos? De ninguna manera, y no porque los búfalos sean mucho más listos que los caballos, sino porque un búfalo tiene dignidad y un caballo ni siquiera conoce el significado de tal palabra. Por amor de Dios, contemplen esos ojos equinos. ¿Qué ven? A un idiota.

Pues bien, algunos caballos, interpreto que los más avispados entre su ofuscada especie, logran advertir de algún modo el desdén que siento por ellos, razón por la cual manifiestan hacia mí una profunda animadversión. Ése era el caso de la montura que me había tocado en suerte, un jamelgo flaco y fibroso que mostraba una enojosa tendencia a ir exactamente por el lado contrario por el que yo quería que fuese, así como la costumbre de pararse bruscamente con la intención, estoy seguro, de hacerme caer al suelo. Entre ese animal y yo brotó un instantáneo sentimiento de odio mutuo; pero, como estábamos obligados a recorrer juntos muchos kilómetros, intenté hacerle comprender que lo mejor era mostrarnos razonables y pactar una tregua. Reconozco que no tuve mucho éxito, pues aquel taimado penco no perdía la oportunidad de tocarme las narices al menor descuido.

El viaje a Pucará duró seis días. En La Oroya nos habían

asegurado que el camino era bueno, pero la verdad es que se trataba de un sendero de montaña tan sinuoso y estrecho que en ocasiones nos veíamos obligados a desmontar y caminar en fila india pegados a la pared rocosa para no despeñarnos. Afortunadamente, la mayor parte de la ruta era hacia abajo, pues nos dirigíamos a las estribaciones de los Andes, dejando atrás las cumbres más altas. Pronto alcanzamos por tanto la altura que las plantas consideran razonable para vivir, y la aridez del paisaje se fue viendo poco a poco sustituida por la presencia de matorrales y ocasionales bosquecillos de coníferas.

El camino discurría a lo largo de una sucesión de puertos y valles en dirección noreste. Al pie de las montañas se extendían amplios campos de cultivo —por lo usual de maíz y quínoa—, presididos por aislados núcleos de población. La villa más grande que cruzamos fue Tarma. El resto —Las Vegas, Palca, San Román, La Merced...— no eran más que pueblecitos agrícolas habitados por indios de piel oscura y rasgos pétreos, una gente silenciosa y circunspecta que utilizaba como animal de carga a esa mezcla entre camello y oveja que es la llama. Y, llegado este punto, permítanme hacerles una advertencia: ojo con las llamas. Escupen.

Y lo digo por propia experiencia. Durante el segundo día de viaje, cuando nos detuvimos en Palca —un pequeño poblado emparedado entre dos montes—, me acerqué a una llama cargada de leña que estaba atada junto a un pilón y la miré con fijeza, pensando que aquel animal tenía una expresión aún más estúpida que la de un caballo. Entonces, Yocasta apartó la mirada de su libro y me advirtió:

—No deberías acercarte tanto, Jaime.

—¿Por qué? —pregunté con indiferencia—. Este bicho es más manso que un cordero.

—Sí, pero las llamas escupen.

Y justo en ese preciso momento, la llama —esa condenada llama en concreto— me escupió. En fin, queridos amigos, un escupitajo de llama no se parece en nada a un esputo humano; es algo así como un espray que te cubre de pies a cabeza con una baba viscosa y nauseabunda. Una experiencia de lo más repugnante, créanme; parece mentira que un único animal pueda producir tal cantidad de saliva. Dos viejas que pasaban por allí comenzaron a reírse a carcajadas; incluso el habitualmente hierático Reich esbozó una sonrisa, y estoy seguro de que mi caballo se partió interiormente de risa, pero ni a mí ni a mi maltrecha dignidad nos hizo la menor gracia. Aunque también es cierto que aquello me enseñó dos cosas: es conveniente hacer caso a Yocasta y lo más prudente es mantenerse alejado de las llamas.

Hay algo, por cierto, que me gustaría comentar. Hasta que llegamos a La Oroya, Oskar Kepler había llevado puesto un impecable traje de lino, pero cuando partimos hacia Pucará cambió su vestuario por una chaqueta de cuero negro, un chaleco de piel de caimán, sombrero *Stetson*, pantalones de pana oscura y botas altas. Sin duda, aquella nueva indumentaria era más adecuada para la expedición que habíamos emprendido; pero no pretendo hablar de eso, sino de lo que el alemán llevaba en el chaleco.

Aparentemente, Kepler no portaba más armas que su bastón-estoque y la carabina que llevaba en una funda trabada a la silla de montar; sin embargo, durante el segundo día de viaje, cuando nos detuvimos para comer en un bosquecillo de abetos, y mientras yo hacía un solitario sentado en una roca, Kepler se agachó para encender un fuego y, al entreabrirse su chaqueta, pude ver con claridad lo que había debajo: seis puñales en seis fundas cosidas a la piel de caimán, tres en cada ala del chaleco.

—¿Por qué no usa pistola, Oskar? —le pregunté en tono casual.

—Porque no hay que ser especialmente hábil para disparar —respondió mientras prendía con un fósforo los líquenes secos que había colocado bajo la leña—. Cualquier imbécil puede hacerlo.

—Pero eso es un punto a favor de las armas de fuego —objeté—. Son más eficaces.

—¿Está seguro, Jaime? —Kepler me miró de reojo con una sonrisa y se acomodó sobre una piedra—. El problema es que cuando uno lleva pistola acaba confiando más en la pistola que en sí mismo. Sin embargo, el acero requiere aprendizaje, disciplina y práctica. Yo no me fío de las armas; me fío de lo que sé hacer con ellas.

—Ya, pero un cuchillo no puede enfrentarse a una pistola —insistí.

En vez de responder, Kepler cogió una cafetera llena de agua y la colocó sobre el fuego. Un largo minuto más tarde, dijo:

—¿Le importaría enseñarme el as de corazones, Jaime?

Sorprendido por el brusco cambio de conversación, busqué en la baraja y le mostré al alemán la carta que me había indicado.

—Muy bien —prosiguió él—. Ahora, hágame un favor: tire la carta a un lado, a izquierda o derecha, como quiera. Y tenga en cuenta que el tiempo que le lleve hacerlo será más o menos lo que tarda un buen tirador en desenfundar. Adelante, hágalo cuando desee...

Me encogí de hombros y lancé la carta a mi derecha. Entonces, tan rápido que apenas pude distinguir el movimiento, la mano de Kepler centelleó hacia su chaleco e, instantáneamente, relampagueó hacia delante. Un rayo de acero siseó en el aire y, en una fracción de segundo, el naipe quedó clavado contra la corteza de un árbol, con la punta de un cuchillo hendida en el centro del único corazón que había en el as de corazones. Boquiabierto, me quedé mirando el puñal y la carta.

—Caray... —dije con un hilo de voz.

Kepler se levantó, desclavó el cuchillo y lo guardó en su funda; luego, me devolvió el naipe y comentó:

—La mayor parte de los tiroteos se produce a menos de cuatro metros de distancia y quienes participan en ellos no suelen pararse a hacer puntería, sino que disparan todo lo rápido que pueden, vayan las balas adonde vayan. Por eso, a cuatro metros de distancia, mis cuchillos son más rápidos y certeros que una pistola.

Kepler volvió a sentarse frente a la hoguera y agregó:

—Además, nunca he sido bueno con las armas de fuego.

Aparté los ojos de él y contemplé el corte que sesgaba el

centro exacto del as de corazones; luego —con pobre elocuencia, lo reconozco—, murmuré de nuevo:

—Caray...

* * *

No sufrimos ningún incidente durante nuestro periplo a Pucará. Fue un viaje extenuante, es cierto, pues cabalgábamos de sol a sol sin más pausas que las imprescindibles y además mi maldito caballo logró tirarme al suelo cuatro veces con su artera táctica del parón repentino —¡ah, cómo anhelaba el momento de venderlo a una carnicería!—; pero aparte de esto nada grave sucedió.

Cinco días después de haber dejado La Oroya, nos adentramos en la región de Piura camino de Huancabamba, el pueblo más próximo a Pucará. Era una zona de valles fértiles y verdes laderas cubiertas de vegetación y surcadas por riachuelos cantarines, el paraíso terrenal en comparación con los rigores del altiplano. Recuerdo que en cierta ocasión, al pasar frente a una pradera salpicada de cedros, distinguí las ruinas cubiertas de maleza de una construcción extremadamente antigua. Me aproximé a Yocasta, que cabalgaba delante de mí, con las riendas en una mano y un libro en la otra, y llamé su atención sobre aquellos restos.

—Mira, Yocasta: ruinas incas.

La negra enciclopedia andante alzó la mirada del libro que estaba leyendo, le echó un vistazo al derruido edificio y negó con la cabeza.

—No son incas, Jaime —dijo—; son huancas.

—¿Huancas? ¿Qué es eso?

Yocasta exhaló el típico suspiro destinado a manifestar su inmensa paciencia ante la oprobiosa incultura de un asno como yo y repuso:

—Hasta el siglo XV, este territorio pertenecía a los indios huancas, una civilización rival de la incaica. De hecho, eran muy diferentes: los incas, por ejemplo, adoraban al sol, mientras que los huancas rendían culto a los jaguares. Hubo numerosas guerras entre ambos pueblos, hasta que, en 1460, los incas, acaudillados por Túpac Yupanqui, lograron adueñarse de este territorio y acabar con la cultura huanca.

Por aquellos tiempos, el orgullo todavía me movía a intentar demostrarle a Yocasta que yo no era tan obtuso como ella creía, así que reflexioné sobre lo que me acababa de contar y dije:

—Von Reich aseguraba que la talla inca era del siglo XIV; pero, si los incas no llegaron aquí hasta el siglo XV, entonces la talla debe de ser posterior; probablemente de la época en que llegaron los españoles. Eso explicaría lo del caballo tallado en la piedra.

Yocasta sacudió la cabeza y dijo:

—No es tan sencillo, Jaime. Es cierto que los incas no estaban aquí en el siglo XIV, pero también es verdad que la frontera entre los dos imperios se encontraba muy cerca. El pueblo adonde nos dirigimos se llama Pucará; pues bien, «Pucará» no es una palabra huanca, sino inca. ¿Sabes lo que significa?

—No, pero una voz interior me susurra que lo voy a saber enseguida.

—Significa «plaza fuerte» —prosiguió ella, impermeable a mi ironía—. Lo cual quiere decir que en Pucará, o cerca de Pucará, debía de haber una fortaleza inca, probablemente un bastión situado en las montañas. Y es perfectamente posible que esa fortaleza ya existiera en el siglo XIV.

Tras desmantelar mi argumento con insultante facilidad, Yocasta volvió a enfrascarse en la lectura y siguió cabalgando como si yo no estuviese allí. Y es que para aquella vieja y gorda negra nada había más sencillo que demoler la excesivamente buena imagen que, en aquellos tiempos, yo tenía de mí mismo.

Llegamos a Huancabamba al atardecer del quinto día. Huancabamba era un pequeño pueblo situado en la quebrada entre dos montes, el Guitiligún y el Pariaqaqa, en medio de un abrupto paisaje cubierto de vegetación. Fue allí donde recuperamos el rastro que andábamos buscando. En el pueblo sólo había una posada y el tipo que la atendía, un mestizo de enorme panza llamado Gedeón, confundió a von Reich con su hermano nada más verle. Le explicamos que eran gemelos y él nos contó que, hacía un par de meses, unos forasteros, entre los que se encontraba un árabe, habían pasado por allí camino de Pucará. La expedición de mi padre. Por desgracia, el tal Gedeón sólo pudo decirnos que los forasteros hicieron noche en la posada y al día siguiente se dirigieron a las montañas. Escasa información, sí, pero la suficiente para confirmarnos que íbamos en el buen camino, lo cual supuso, al menos para mí, una inyección de optimismo.

No obstante, aquella noche sucedió algo extraño y hasta cierto punto inquietante. Estábamos en la cocina de la posada, cenando un guiso de yuca y carnero; éramos los únicos huéspedes, así que sólo nos encontrábamos allí nosotros cuatro, Gedeón y su madre, doña Kukuyu, una vieja y arrugada india quechua que se encontraba sentada en un taburete junto a la lumbre del hogar, fumando en una pipa de barro. Yo acababa de probar el guiso y me estaba preguntando cómo era posible que algo pudiera saber tanto a sebo, cuando doña Kukuyu se volvió hacia mí y, con voz sorprendentemente grave para su menudo tamaño, me espetó:

—Estás buscando a tu sangre.

—¿Cómo dice, señora?...

—Estás buscando a tu sangre —repitió ella y, tras una larga pausa, aclaró—: Buscas a tu padre, el jugador, y también al guerrero de la media luna, y a los hombres de más allá del mar, el gemelo y la tortuga.

—Pues sí... —dije, un tanto perplejo.

—Mi madre es una *laikka* —intervino Gedeón al tiempo que servía una jarra de vino—. Una bruja. Ve cosas que los demás no vemos.

Según nos contó, en la región abundaban brujos y curanderos, pues cerca de allí se encontraban unas lagunas sagradas dotadas de propiedades mágicas. En fin, por aquel entonces yo no creía en lo sobrenatural, así que no presté excesiva atención.

—Soy una *laikka*, sí —prosiguió doña Kukuyu tras darle una profunda calada a su pipa—. Soy *qhawa*, la que vigila, la centinela, porque mi mirada llega lejos. Mi nombre, Kukuyu, significa luciérnaga, porque doy luz en la oscuridad y puedo ver lo que ocultan las tinieblas.

—Eso está muy bien, señora... —repuse con cortés indiferencia al tiempo que intentaba seguir comiendo el seboso guiso.

Pero ella se me quedó mirando con unos ojos que parecían arder entre las ranuras de los párpados.

—No me crees —dijo.

—Claro que la creo. Es usted una *laikka*, o como se diga; nadie lo pone en duda.

—No, no me crees —insistió ella; luego, tras un incómodo silencio, añadió—: También buscas a dos hombres que cabalgan en el mismo caballo. Son tan viejos como el tiempo, pero aún existen y sus siervos, los hombres de la marca en el pecho, ya han intentado matarte dos veces.

Un silencio de hielo se abatió sobre la cocina; todos, incluso el habitualmente flemático Reich, nos quedamos mirando asombrados a la anciana.

—¿Cómo sabe usted eso? —preguntó Kepler.

—Lo veo en el humo —respondió ella.

Subrayando sus palabras, aspiró una densa bocanada de humo y lo exhaló lentamente (la verdad, amigos míos, no sé qué estaba fumando aquella mujer, pero, a juzgar por el olor, cualquier cosa menos tabaco).

—¿Qué más ve, señora?... —pregunté en tono inseguro.

—Veo que antes de tres días intentarán matarte de nuevo, pero pierde cuidado, salvarás la vida gracias a un animal. Luego te irás lejos, muy lejos, buscando la tierra de los espíritus, donde está tu padre, el jugador.

—Un momento, ¿qué significa eso de que mi padre está en la tierra de los espíritus?

—El jugador está con los fantasmas —respondió ella, como si eso aclarara algo.

—¿Quiere decir que ha muerto?

Doña Kukuyu cerró los ojos y guardó un prolongado silencio. El resplandor de la lumbre dibujaba ondas rojizas sobre sus facciones de barro cocido.

—No lo sé, hay demasiada oscuridad —dijo al fin—. Tu padre está rodeado de fantasmas y los fantasmas no le dejan irse. Eso es todo lo que veo.

En ese momento, Yocasta profirió una risita sarcástica y comentó:

—Por favor, esto es una tontería...

Entonces, doña Kukuyu se volvió hacia ella como un relámpago y le espetó:

—Crees que lo sabes todo, ¿verdad? Pues no sabes nada. Naciste esclava y ahora piensas que eres importante porque has leído muchos libros, pero sigues siendo una esclava, ¿me oyes, negra?, una esclava de la ignorancia. Hay dos mundos, pero tú sólo conoces uno; el otro ni siquiera lo ves —hizo un brusco ademán y concluyó—: Ninguno de vosotros puede verlo.

Acto seguido, volvió la mirada hacia la lumbre y siguió fumando en silencio. Yocasta, por su parte, se la quedó mirando desconcertada, sin saber qué decir. Creo que fue la primera vez en su vida que las palabras le fallaron.

Bueno, mi padre solía comentar que lo único sobrenatural que existe en este mundo es una escalera de color; no obstante, y pese a que siempre he intentado no dejarme deslumbrar por otra luz que no fuese la de la razón, debo reconocer que las admoniciones de doña Kukuyu me inquietaron un tanto.

A fin de cuentas, no todos los días le auguran a uno que va a sufrir un intento de asesinato.

* * *

Al día siguiente, el posadero nos indicó el camino para llegar a Pucará; aunque no comentó nada, la expresión de su rostro mostraba la profunda perplejidad que le producía el hecho de que alguien quisiera ir allí. Partimos al amanecer, hacia el oeste, siguiendo un sendero que remontaba las laderas del macizo montañoso Huagaruncho. Pucará no estaba muy lejos de Huancabamba —a poco más de treinta kilómetros—, pero todo el camino era hacia arriba. Muy, pero que muy hacia arriba. Al cabo de apenas dos horas de marcha, perdimos de vista los verdes campos del valle y nos internamos en un escarpado territorio torturado por innumerables quebradas y pedreras.

No me enredaré en una minuciosa descripción del trayecto,

pues con ello no conseguiría otra cosa que fatigar a los lectores tanto como nos fatigamos nosotros al recorrerlo. Subimos pendiente tras pendiente, pasamos junto a una cascada tan alta como el cielo —con un arco iris dibujándose allí donde el agua rompía—, atravesamos un estrecho cañón recorrido por un riachuelo, cruzamos un mareante abismo por un puente de cuerda y madera que daba vértigo con sólo mirarlo... Fue agotador, y más teniendo en cuenta que yo no sólo tenía que bregar con las mulas, sino que además mi tozudo caballo seguía empeñado en dar con mis huesos en el suelo.

Por suerte, y estoy orgulloso de ello, había acabado desarrollando cierta habilidad a la hora de impedírselo: cada vez que se paraba en seco, yo apretaba las piernas contra sus costados y me abrazaba a su cuello, de tal modo que si yo caía él también lo haría. Pese a ello, no crean que aquel maldito rocín dejó de intentarlo; de hecho, nuestra relación acabó convirtiéndose en una especie de permanente pulso, él pretendiendo tirarme y yo luchando por mantenerme sobre su lomo.

Finalmente, al atardecer, alcanzamos nuestro destino. Pucará se encontraba a tres mil doscientos metros de altura, sobre un pequeño altiplano sesgado por un arroyo. Tal y como nos había advertido en Lima el sargento del Negociado de Cartografía, Pucará sólo era un villorrio habitado por unos pobres indios de aspecto semejante a las esculturas realizadas, siglos atrás, por sus antepasados, los incas. Catorce chozas de adobe, un rebaño de cabras dentro de un corral y unas plantaciones de patatas, eso era todo. Para que se hagan una idea, comparada con Pucará, La Oroya era la ciudad más cosmopolita del mundo.

Pero había algo más: a la derecha del pueblo, al otro lado del arroyo, se alzaba una casamata de madera; junto a ella había cinco tiendas de campaña y al lado, recluidos en un pequeño cercado, cuatro caballos y tres mulas.

—Ése debe de ser el campamento de los huaqueros —comentó Kepler.

El lugar parecía desierto; sin embargo, una columna de humo brotaba de la chimenea —un simple tubo metálico encajado en el techo de la casamata—, de modo que nos acercamos allí, atamos los caballos al cercado y entramos. El cobertizo era en realidad un almacén de bultos y herramientas, pero en el extremo más alejado de la puerta había un pequeño hogar con un puchero sobre la lumbre y, en torno al fuego, cuatro tipos a los que el calificativo «malencarados» les sentaba como anillo al dedo.

Concédanme un segundo, benévolos lectores, para hablar un poco sobre los huaqueros. Su nombre proviene de la palabra inca *huaca*, que significa objeto sagrado. Por tanto, los huaqueros se dedican a buscar *huacas*. No lo hacen, claro está, por fervor religioso, sino para venderlas en el mercado negro. Pues bien, cualquiera que se dedique al expolio de antigüedades es alguien que infringe habitualmente la ley y, por tanto, una persona de catadura moral más bien dudosa. En concreto, aquellos huaqueros parecían perfectamente capaces de destripar a sus madres por pasar el rato, así que ya pueden imaginarse lo que estarían dispuestos a hacerles a unos desconocidos. Eran gente violenta, en efecto, como demostraron nada más abrir nosotros la puerta del cobertizo, cuando los cuatro llevaron sus manos a los revólveres que portaban al cinto. Kepler, haciendo un gesto apaciguador, dijo en tono amigable:

—Tranquilos, somos unos pacíficos viajeros. Sólo estamos de paso.

El que parecía ser el jefe —un tipo barbudo con una verruga en la punta de la nariz— se nos quedó mirando con desconfianza y, sin apartar la mano de la culata del revólver, advirtió:

—Esto es una propiedad privada. Largaos.

—Nos iremos enseguida —asintió Kepler, siempre sonriente—. Buscamos al señor Aníbal Manco; ¿lo conocen?

Los huaqueros se miraron entre sí.

—¿Qué pasa con Aníbal? —preguntó Verruga.

—Venimos de parte de un amigo suyo, el señor Palanque. Sólo queremos hablar con él.

—¿Queréis hablar con Aníbal? —Verruga arqueó las cejas, se volvió hacia sus hombres y exclamó—: ¡Quieren hablar con Aníbal!

Entonces, sin venir a cuento, los cuatro se echaron a reír.

—¿El señor Manco no está? —insistió Kepler.

Cuando Verruga logró dejar de reírse, se secó las lágrimas de los ojos con el dorso de la mano y repuso:

—Sí, claro que está. Lo encontraréis a trescientos metros de aquí... Ah, y varios palmos bajo tierra.

Los huaqueros estallaron de nuevo en carcajadas.

—¿Quiere decir que está muerto? —pregunté.

—¡Más muerto que mi difunto abuelo! —repuso Verruga entre risotadas.

Kepler aguardó pacientemente a que las carcajadas cesasen.

—¿Cómo murió? —preguntó.

—Haces muchas preguntas, amigo —replicó, súbitamente serio, Verruga—. ¿Por qué debería contestarte?

Kepler sacó del bolsillo dos billetes de veinte dólares y se los entregó.

—Aquí tiene cuarenta razones —dijo—. ¿Cómo murió Aníbal Manco?

Verruga examinó los billetes, asegurándose de que eran auténticos, y los hizo desaparecer entre sus ropas.

—Se lo cargaron hará cosa de un mes —respondió en un tono que, si bien distaba mucho de ser amable, al menos ya no era amenazador—. Lo mataron por la noche, a él y a tres de sus hombres. Les cortaron el cuello y luego prendieron fuego a sus tiendas.

Otra vez, pensé: asesinatos e incendios. Durante unos instantes experimenté una profunda sensación de fatalidad y desánimo. Cada paso que dábamos desembocaba en nuevos crímenes; al final, me pregunté, ¿no acabaría conduciendo nuestra búsqueda a los cadáveres de mi padre y de Rasul? Me negaba a creerlo, pero...

—¿Atraparon a los asesinos? —inquirió Kepler, interrumpiendo el negro curso de mis pensamientos.

Verruga sacudió la cabeza.

—Ni siquiera los vimos. Los hijos de perra escaparon mientras apagábamos el fuego. Casi queman todo el campamento.

De repente, Verruga se acercó a Reich y le examinó con los ojos entrecerrados.

—¡Eh, amigo! —dijo—, yo a ti te conozco...

Reich, impasible, ni siquiera se molestó en dirigirle una mirada.

—Lo confunde con su hermano gemelo —intervino Kepler—. Estuvo aquí hace unos meses, con otros tres hombres.

Verruga abrió mucho los ojos y se dio una palmada en la frente.

—¡El alemán! —exclamó—. Ya me acuerdo; viajaba con dos españoles y un árabe.

—¿Uno de los españoles era tuerto? —pregunté.

—Sólo tenía un ojo, sí. Jugué a las cartas con él y casi me desvalija —rió entre dientes—. Nunca he visto a un tipo con tanta suerte. ¿Sois amigos suyos?

—Estamos buscándolos —contestó Kepler.

—¿Sí?... —Verruga chasqueó la lengua—. Pues a mí no me gustaría volver a encontrarme con el árabe. Era un animal. Se enfrentó a cinco hombres, tres de Aníbal y dos de los míos, y los despachó en un santiamén. Él no se hizo ni un rasguño, pero los otros cinco..., ¡ay, mamita!, daban pena.

Ése era Rasul Alí Akbar, no cabía duda. Kepler prosiguió:

—Como iba diciendo, señor... Perdone, me parece que no he oído su nombre...

—Porque no lo he dicho, amigo —rió Verruga—. Me llamo Restituto Calancha —señaló a sus hombres—, y ésos son Policleto, Ataúlfo y Eufrasio.

La verdad es que tenían unos nombres tan feos como sus caras.

—Verá, señor Calancha, estamos buscando a esa gente. Sabemos que se entrevistaron con Aníbal Manco y que luego fueron a cierto yacimiento arqueológico. ¿Sabe dónde se encuentra ese lugar?

La expresión de Verruga —cuyo auténtico nombre era Restituto— se endureció.

—Yo no me metía en los asuntos de Aníbal —dijo con repentino recelo—. No sé nada de ningún yacimiento.

—Vamos, déjese de tonterías —intervino Reich en tono impaciente—. Ustedes son huaqueros, claro que saben de qué yacimiento estamos hablando.

Restituto-Verruga frunció tanto el ceño que las cejas estuvieron a punto de juntársele con los pómulos.

—¿Nos está llamando ladrones, señor? —más que una pregunta sonaba a amenaza.

—No les estoy llamando nada. Me da igual si son ladrones, huaqueros o cultivadores de flores; ustedes me son absolutamente indiferentes —desde luego, Reich no era un ejemplo de diplomacia—. Lo único que me interesa —prosiguió— es encontrar a mi hermano. Por eso ofrezco una recompensa de mil dólares a quien me proporcione alguna pista sobre su paradero.

Al oír lo de la recompensa, las cejas de Restituto, Policleto, Ataúlfo y Eufrasio se alzaron como una bandada de cuervos emprendiendo el vuelo. Kepler fulminó a su patrón con la mirada y tenía razones para ello; no se puede entrar en una jaula llena de leones hambrientos y agitar un solomillo delante de sus fauces.

—¿Tiene usted aquí mil dólares, señor? —preguntó Restituto con suavidad de serpiente.

—¿Acaso no acabo de ofrecer tal cantidad? —replicó Reich.

—Pues eso cambia mucho las cosas...

Cuando alguien, como yo, se ha pasado media vida en tugurios infectos, aprende a distinguir a primera vista las señales que anuncian el desastre. Nada más oír la oferta de Reich, Restituto y sus compinches decidieron que lo mejor que podían hacer era matarnos y robarnos, o viceversa, así que el verrugoso jefe de los huaqueros comenzó a hablar zalameramente para distraer la atención de Kepler.

—Como estamos entre caballeros (menos esa negra, claro), podemos confiar los unos en los otros, ¿verdad? Sé cómo llegar al yacimiento. Aníbal, que en paz descanse, me lo contaba todo; éramos como hermanos. Me dijo dónde estaban los restos incas, claro que sí. El viejo Aníbal no tenía secretos para mí...

Mientras Restituto hablaba, Policleto, Ataúlfo y Eufrasio comenzaron a rodear lentamente a Kepler. Éste, con una sonrisa en los labios, la mano derecha apoyada en su bastón y la mirada fija en Restituto, parecía totalmente ajeno a lo que sucedía a su alrededor. A punto estuve de proferir una advertencia..., pero justo entonces empezó el jaleo.

Fue un trallazo de violencia repentina e inesperada. Kepler estaba ahí, en medio del cobertizo, inmóvil como una estatua cuando, de pronto, giró vertiginosamente sobre sí mismo, estrelló la empuñadura de su bastón contra la cabeza de Ataúlfo —que instantáneamente se derrumbó cuan largo era— y concluyó el giro proyectando una demoledora patada contra la entrepierna de Policleto. Justo en el instante en que éste, tras desorbitar los ojos y vaciar de aire los pulmones, caía al suelo de rodillas, los dos huaqueros restantes empezaron a reaccionar.

El primero en hacerlo fue Eufrasio, que se llevó la mano izquierda (debía de ser zurdo) al revólver, en el mismo instante, para su desgracia, en que un puñal surcaba el aire y se clavaba en su brazo, obligándole a soltar el arma y a proferir, de paso, un alarido de dolor. Simultáneamente, Restituto había logrado empuñar su revólver y ya tenía el pulgar sobre el percutor, dispuesto a amartillarlo..., cuando se encontró con la punta del estoque de Kepler suspendida frente a la verruga que adornaba su nariz, lo cual le dejó absolutamente petrificado.

—Suelta el arma —susurró Kepler en un tono que hizo bajar la temperatura ambiente unos cuantos grados.

Restituto bizqueó, mirando el afilado vértice de acero que tenía incrustado en la verruga, tragó saliva y dejó caer el revólver al suelo.

—¡Mi brazo!... —aulló Eufrasio, intentando contener la hemorragia.

—Jaime —dijo Kepler—, ¿le importaría recoger las armas de estos caballeros?

Tardé unos segundos en obedecer, pues aún no podía creerme lo que había pasado. Uno de los huaqueros estaba inconsciente, otro sangraba como un cerdo, el tercero yacía de rodillas, con las manos en la entrepierna e intentando respirar, y el jefe de todos ellos temblaba como un corderillo bajo el acero del alemán.

Y todo había sucedido en menos de cinco segundos...

Increíble.

Mientras yo recogía los revólveres, Restituto, lívido como la cera, musitó con voz trémula:

—Pero si no hemos hecho nada...

—Claro que no; sencillamente ibais a matarnos, ¿verdad? Debería acabar contigo ahora mismo.

—No lo haga, por favor... —suplicó el huaquero—. Tengo hijos...

—Entonces —replicó Kepler—, tendría que buscar a tus hijos y acabar también con ellos. Una alimaña como tú no debería reproducirse. Aunque, la verdad, dudo mucho que exista una mujer capaz de tener hijos con alguien tan feo.

—¡Mi brazo!... —berreó Eufrasio.

Kepler adelantó unos centímetros el estoque; Restituto, alarmado, retrocedió un paso, tropezó y cayó sobre unos sacos de patatas. Instantáneamente, el acero se posó sobre su garganta.

—Ahora —dijo Kepler—, vamos a empezar otra vez con las preguntas.

—¡Mi brazo!... —chilló Eufrasio, creo yo que un poco harto de que nadie le hiciera caso.

—¡Cállate! —restalló el alemán.

Eufrasio cerró la boca y, mientras apretaba un mugriento pañuelo contra la herida, se mordió los labios para contener los gritos de dolor. La verdad es que daba lástima ver a un tipo tan grande y tan feo derramando lagrimones como puños.

—Vamos a ver, Restituto —prosiguió Kepler—; antes has dicho que sabías cómo llegar al yacimiento. Cuéntamelo.

—Era una broma, era una broma... —balbuceó el huaquero—. No lo sé, se lo juro. Aníbal no me contó nada...

—No mientas —susurró Kepler.

El filo del estoque hizo brotar una gota de sangre en el curtido cuello del huaquero.

—¡No le miento! —gimoteó Restituto—. Escúcheme, excelencia, por favor... Aquí había dos grupos de excavadores, el de Aníbal y el mío. Yo encontré unas tumbas al norte y Aníbal un yacimiento al oeste, pero ninguno le dijo al otro dónde estábamos trabajando. Hay que proteger el negocio, compréndalo, es natural...

—¿Qué ocurrió cuando llegó la anterior expedición?

—Nada, se lo juro —el huaquero tenía la camisa empapada de sudor—. Eran amigos de Aníbal y no nos metimos con ellos... Bueno, algunos de los muchachos intentaron buscarle las cosquillas al árabe..., pero eso ya se lo he contado... Mire, eminencia, vinieron aquí y dos días más tarde se fueron con Aníbal al yacimiento. Después, no volví a saber de ellos. Aníbal sólo me dijo que se habían ido de la región...

—¿Adónde?

—No lo sé, se lo juro...

Hubo un breve silencio.

—¿Cuántos hombres trabajaban para Aníbal Manco? —preguntó de pronto Yocasta, que hasta entonces había mantenido la boca cerrada.

—Cinco...

—Usted ha dicho que mataron a tres —reflexionó ella—; ¿dónde están los otros dos?

El huaquero tragó saliva, un poco desconcertado, creo yo, por tener que responder a las preguntas de una negra.

—Lucas se fue después de los asesinatos —dijo—. Arsenio se quedó aquí, trabajando por su cuenta.

—¿Es de ese tal Arsenio la quinta tienda de campaña que está ahí fuera?

—Sí...

—¿Dónde se encuentra él ahora?

—En las montañas. Se fue hace dos días para explorar... Arsenio dice que el yacimiento de Aníbal está agotado; por eso se dedica a recorrer la zona buscando más restos.

—¿Cuándo regresará?

—Dijo que volvería mañana y que, si no había encontrado nada, se iría de la región... Nosotros pensábamos largarnos pronto, porque nuestro yacimiento también está agotado.

Kepler apartó el estoque de la garganta de Restituto y esbozó una fría sonrisa.

—Es cierto —dijo—, os vais a ir, pero mucho antes de lo que pensabais, porque os vais a ir ahora mismo.

Les quitamos todas sus armas; no sólo las que llevaban encima, sino también los rifles y la munición que guardaban en las tiendas. Más tarde, una vez que Ataúlfo hubo recobrado el conocimiento, y después de que Eufrasio se vendara la herida y Policleto consiguiera volver a andar (si bien con las piernas muy abiertas y arqueadas), Kepler los obligó a largarse. Así que los huaqueros recogieron a toda prisa sus cosas y subieron a los caballos. Cuando estaban a punto de abandonar Pucará, Restituto se volvió hacia Kepler y le dijo en tono lastimero:

—Pronto se pondrá el sol, excelencia; tendremos que viajar de noche y desarmados. No es justo...

—¿Quién ha dicho que la vida sea justa? —respondió Kepler—. Por cierto, en el caso de que se os ocurra regresar al anochecer para cogernos por sorpresa, quiero advertiros dos cosas: en primer lugar que yo nunca duermo y, en segundo lugar, que si vuelvo a veros no seré tan amable como hoy. Vamos, largaos.

Los huaqueros, resignados a su suerte, se alejaron siguiendo el sendero que conducía a Huancabamba. Poco después, cuando ya habían desaparecido de nuestra vista, llegó a nosotros, multiplicado por el eco, un conmovedor lamento:

—¡Mi brazo!...

* * *

Arsenio, el quinto hombre de Aníbal Manco, regresó a Pucará al día siguiente, a media mañana, montado en un viejo caballo y tirando de una mula. Antes de entrar en el pueblo se detuvo en un altozano, extrañado, intuyo, al encontrar tan desierto el lugar (desde nuestra llegada, los indios que habitaban Pucará habían decidido encerrarse a cal y canto en sus casas). Además, en el campamento huaquero ya sólo quedaba una tienda de campaña, la suya.

Unos minutos más tarde, tras convencerse de que no había peligro, Arsenio se dirigió al campamento, encerró a sus animales en el cercado y llamó a gritos a Restituto, Policleto, Ataúlfo y Eufrasio. Al no obtener respuesta, entró en la casamata..., y se quedó de una pieza, con los ojos desorbitados y la boca abierta, al vernos a nosotros cuatro ahí, esperándole; de todas formas, probablemente lo que más le alarmó fue la carabina con la que Kepler le apuntaba a la cabeza.

En fin, comprensivos lectores, tal fue el susto que se llevó Arsenio Taboada (pues ése era su apellido) que se orinó encima. De hecho, cuando descubrió que no pretendíamos matarle, sino simplemente obtener información, el alivio le hizo mostrarse tan colaborador como un *boy scout* ante una anciana a punto de cruzar la calle.

—Claro que me acuerdo de ellos —dijo al preguntarle nosotros por la expedición de mi padre—. Sobre todo del árabe. Era una mala bestia... Oiga, ya me han desarmado, así que, si no le importa, podría apartar un poco esa carabina... Como decía, sus amigos vinieron aquí hace unos meses y el alemán (que, por cierto, se parecía muchísimo a ese caballero de ahí) le dijo a Aníbal que querían ver el yacimiento. Llegaron a un acuerdo y fueron allí.

—¿Qué hicieron en el yacimiento? —preguntó Kepler.

Arsenio se encogió de hombros.

—No lo sé. Yo no fui con ellos.

—¿Y qué sucedió después?

—Nada. Aníbal volvió al cabo de tres días y dijo que los forasteros se habían largado.

—¿Adónde?

Un nuevo encogimiento de hombros.

—Ni idea, amigo. Creo que hacia el norte.

¿Hacia el norte? ¿Acaso Rasul había decidido regresar a Colombia por el interior? No, era absurdo; de seguir ese itinerario se habrían visto obligados a atravesar la selva más impenetrable del planeta.

—Hemos oído que fueron atacados por salvajes —señalé.

Tercer encogimiento de hombros.

—Eso dijo Aníbal.

—¿Y él cómo lo supo?

—Se lo contaron cuando estuvo en Huánuco, al norte de Cerro Pasco. Por lo visto, el señor Mercader y sus amigos contrataron allí a tres peones para la expedición que iban a emprender. Al cabo de un tiempo, sólo volvió uno de los peones y en muy mal estado. Contó que habían sido atacados por una tribu de indios y que todos los miembros de la expedición habían muerto, salvó él, que logró escapar de milagro.

—¿Cómo se llama ese hombre?

—No lo sé; además, tampoco importa, porque estiró la pata poco después... Eso es todo lo que puedo contarles, se lo juro. Oigan, yo pensaba marcharme de aquí hoy mismo, así que si no les importa...

El huaquero hizo amago de incorporarse pero Kepler le contuvo clavándole la contera del bastón en el pecho.

—No, Arsenio, me temo que todavía no te puedes ir. Nosotros también queremos visitar el yacimiento.

—¿Por qué? —protestó el huaquero—. No hay nada, le doy mi palabra; ya sólo quedan piedras sin valor...

—Pero queremos verlo y tú nos vas a guiar. Cuando lleguemos allí podrás irte.

Arsenio Taboada era tan feo como el resto de sus compañeros —diríase que para ser huaquero resultaba imprescindible parecer un mono—; tenía el rostro picado de viruela y las cejas tan juntas que no se sabía dónde acababa una y dónde empezaba la otra. Sin embargo, ante la perspectiva de conducirnos al yacimiento inca, su rostro logró afearse hasta el punto de adquirir una notoria semejanza con una gárgola.

—Les diré cómo llegar —suplicó—. Haré un mapa, si hace falta; pero no me obliguen a regresar allí, por favor...

—¿Por qué? —preguntó Kepler, extrañado.

Arsenio desvió la mirada y, tras una nerviosa pausa, dijo:

—Hay fantasmas...

—¿En el yacimiento?

—Sí...

Kepler sonrió con ironía.

—¿Qué clase de fantasmas? —preguntó—. ¿De los que llevan sábanas y arrastran cadenas?

Arsenio torció el gesto (batiendo, de paso, un nuevo récord de fealdad).

—De acuerdo, no me crean —musitó—; yo sé que están ahí. Hace un mes empezamos a oír ruidos extraños en el yacimiento, por las noches. También se veían luces y marcas raras... Luego, mataron a Aníbal y a los otros...

—Los fantasmas no acuchillan a la gente —le interrumpió Kepler—. De hecho, los fantasmas ni siquiera existen, así que no pienses en ellos, porque quien en realidad debería preocuparte soy yo —se puso en pie y concluyó—: Partiremos ahora mismo hacia el yacimiento.

Abandonamos Pucará poco después del mediodía, bajo un sol abrasador. Arsenio cabalgaba en cabeza, guiándonos; aunque, como Kepler no se fiaba de él y estaba convencido de que intentaría escapar a la menor oportunidad, le había atado las manos y mantenía su caballo firmemente sujeto con una cuerda. Nos dirigimos hacia el noroeste, siguiendo un infernal sendero —apenas un camino de cabras— que conducía a las cumbres más altas del Huagaruncho. El terreno que atravesábamos eran tan abrupto, árido y desolado como el resto de las alturas andinas, de modo que el viaje fue, una vez más, agotador. Aunque nuestro destino no se encontraba a excesiva distancia de Pucará —cinco o seis kilómetros, a lo sumo—, tardamos algo más de cuatro horas en recorrerlo, pues todo el trayecto consistía en una pronunciada cuesta que serpenteaba entre riscos ciclópeos, sorteando crestas y cortadas, simas y pedreras.

La verdad, amigos míos, estaba empezando a hartarme de corretear por los Andes y más a lomos de un caballo cuya máxima ambición era romperme la cabeza. Pero todo llega y finalmente, al bordear una elevada pared de granito, Arsenio detuvo su caballo y señaló al frente con un cabeceo.

—Ahí está —dijo—. El yacimiento.

Miré hacia donde el huaquero había indicado y comprobé que, en efecto, a unos trescientos metros de distancia, las ruinas de una fortaleza inca se alzaban sobre un risco con forma de yunque. Sin saber muy bien por qué, sentí un escalofrío y experimenté una extraña sensación de asombro y reverencia, como si me encontrara ante la presencia de una construcción sobrenatural habitada, como aseguraba Arsenio, por fantasmas invisibles.

Por otro lado, pensé, allí había empezado todo, pues ése era el lugar donde apareció la piedra de los dos jinetes.

* * *

En realidad, se trataba de una pequeña ciudadela rodeada por una muralla erigida con grandes bloques de piedra que, aunque eran irregulares, encajaban entre sí como las piezas de un puzzle. Pese a su manifiesta antigüedad, y aunque las techumbres hacía siglos que se habían desplomado, los muros de la mayor parte de las edificaciones se mantenían orgullosamente en pie. En cierto modo, parecía como si sus habitantes acabaran de irse, aunque lo cierto es que aquella construcción estaba abandonada desde hacía al menos cuatrocientos años.

Remontamos un sendero que rodeaba el promontorio y acababa desembocando en la entrada principal de la ciudadela. Allí, en la pequeña explanada que se extendía frente a un pórtico de piedra formado por dos pesadas losas verticales y una horizontal, distinguimos los restos —éstos, sí, recientes— del campamento de los huaqueros. Fogatas apagadas, basura, restos de comida así como innumerables zanjas abiertas por doquier; las huellas de tal actividad depredadora eran más una profanación que un expolio, pues aquellas ruinas situadas en la cumbre del mundo parecían un templo secreto erigido a unos dioses tan antiguos que ya ni siquiera tenían nombre. Arsenio, cada vez más inquieto, insistió en que le dejáramos ir, pues él ya había cumplido con su parte del trato. Entonces Yocasta le preguntó:

—¿Qué encontraron aquí cuando estuvieron excavando?

—Cerámica, estatuas, unas cuantas joyas, lo de siempre... —el huaquero parpadeó con nerviosismo—. ¿Puedo irme ya?

—¿Recuerda una talla de obsidiana con un caballo y dos jinetes? —insistió Yocasta.

—Sí, sí, la recuerdo... ¿Les importaría desatarme?

—¿Dónde la encontraron?

—¿Qué?...

—¿Dónde encontraron la talla de obsidiana?

—En el centro de la fortaleza. Estaba en los cimientos de un edificio derruido... Oigan, tengo que volver a Pucará y se me va a hacer de noche...

—Llévenos allí —le interrumpió Yocasta.

—¿Qué?

—Que nos conduzca al lugar donde apareció la talla, por favor.

Arsenio respiró profundamente y asintió con un resignado cabeceo, así que cruzamos bajo el masivo dintel de piedra y nos adentramos en la vieja ciudadela inca.

El lugar donde los huaqueros habían encontrado la talla de obsidiana era un simple contorno rectangular de unos cinco metros de ancho por diez de largo; es decir, los restos de un edificio de cuya traza apenas quedaban los sillares más bajos de los muros y un arco de medio punto muy deteriorado que aún se alzaba en el extremo este. En el centro del rectángulo podía verse un agujero recientemente excavado en el suelo; al bajar de los caballos y acercarnos, descubrimos que el boquete conducía a un pequeño habitáculo subterráneo con paredes de ladrillo cocido.

—Ahí, en esa cripta encontramos la talla —señaló Arsenio.

—¿Había algo más? —preguntó Yocasta.

El huaquero sacudió la cabeza.

—Sólo la talla —respondió—. Bueno, qué, ¿puedo irme?...

Kepler empuñó uno de sus cuchillos y cortó las ligaduras que mantenían atadas las manos de Arsenio.

—Lárgate —dijo el alemán.

Frotándose las muñecas, el huaquero echó a andar a toda prisa hacia su caballo, pero antes de montar se volvió hacia nosotros y nos advirtió a gritos:

—¡Lo crean o no, aquí hay fantasmas!

Acto seguido, subió a su montura y partió a galope tendido. Dado que faltaba poco para el anochecer, decidimos aprovechar las últimas horas de luz para explorar la ciudadela, lo cual, todo sea dicho, no resultó una tarea nada sencilla. Aquella fortaleza se encontraba situada por encima de los tres mil metros de altura y de nuevo el soroche hacía estragos entre nosotros, así que Kepler, Reich y yo andábamos de un lado a otro jadeando penosamente. Sin embargo, Yocasta caminaba con toda tranquilidad, como si la falta de oxígeno fuese un mero contratiempo sin importancia.

En resumen, estimados lectores, si algo había quedado en la ciudadela después de cuatro siglos de abandono, los huaqueros ya se lo habían llevado, así que sólo encontramos construcciones vacías, polvo y algunas piedras talladas que, por ser demasiado grandes, los expoliadores no habían podido llevarse. Tras dedicar más de una hora a recorrer el recinto —con frecuentes pausas destinadas a recuperar el resuello— decidí hacer un descanso para beber un trago de agua y ordenar las ideas, pues, a decir verdad, ni siquiera sabía qué demonios estábamos buscando. Cuando me dirigía hacia donde estaban los caballos y las mulas, advertí que Yocasta se encontraba en las ruinas del edificio donde había aparecido la talla, abstraída en la contemplación del arco que permanecía en pie.

—¿Has encontrado algo, Yocasta? —pregunté, aproximándome.

Ella negó con la cabeza y señaló las ruinas con un ademán.

—Me estaba preguntando para qué se utilizaría este edificio cuando aún estaba en pie —comentó.

—Vete tú a saber, porque no queda nada.

—Pero tiene una cripta —observó ella— y la entrada está orientada al este.

—¿Y qué?

—¿Te has fijado en ese arco, Jaime?

—Sí. ¿Qué le pasa?

—¿No has notado algo raro en él?

Lo observé con detenimiento durante unos segundos, pero sólo vi un viejo arco a punto de desplomarse.

—Sólo es un arco ruinoso —concluí.

Yocasta suspiró, haciendo acopio de paciencia.

—Los incas no conocían el arco, Jaime —dijo—. Ninguna construcción inca tiene arcos.

Entonces, tras una larga pausa, volvió sus ojos hacia mí y entreabrió los labios, como si fuera a decirme algo, pero no llegó a hacerlo, porque justo en ese momento aparecieron Kepler y Reich.

—No hemos encontrado nada —dijo Kepler—. Y ya falta poco para que el sol se ponga, así que mejor será que nos prepararemos para pasar la noche. Mañana continuaremos la búsqueda.

—¿Y si no encontramos nada? —preguntó Reich, de mal humor.

—Entonces iremos a Huánuco y buscaremos a la familia del

hombre que sobrevivió al ataque de los indígenas. Quizá ellos nos puedan decir adónde se dirigía la expedición de su hermano, Herr Reich —Kepler dio una palmada—. No perdamos más tiempo; debemos instalar el campamento antes de que anochezca.

Echamos a andar hacia la salida de la ciudadela, todos menos Yocasta, que permaneció donde estaba. Me volví hacia ella y advertí que sus ojos, abstraídos en la contemplación del arco de piedra, mostraban una intensa expresión de incredulidad y sorpresa, como si no fuera capaz de creerse lo que estaba viendo.

* * *

Instalamos las tiendas de campaña en la explanada situada frente a la fortaleza inca. Al anochecer, tras cenar en silencio un poco de cecina y pan, nos retiramos a descansar. Yo estaba agotado, así que, nada más meterme en la tienda y envolverme en una manta, me quedé profundamente dormido.

Desperté a eso de las tres de la madrugada, acuciado por la imperiosa necesidad de orinar. Medio dormido, me puse las botas sin atar los cordones, me eché la manta por los hombros y salí al exterior. Un viento helado me azotó el rostro; hacía un frío terrible, pero ni la más adversa de las climatologías puede impedir que un hombre con el metabolismo en buen estado alivie sus necesidades cuando la naturaleza así lo exige, de modo que me aproximé a unas rocas y procedí a vaciar la vejiga.

Al acabar, ya un poco más espabilado, me di cuenta de que, pese a no haber salido aún la luna, todo a mi alrededor estaba bañado por una lechosa claridad. Alcé la mirada y..., ay, amigos míos, jamás, ni antes ni después, he visto un firmamento tan espléndido como el que aquella noche se alzaba sobre las cumbres de los Andes. Era una cúpula enjoyada, un dosel de diamantes, un archipiélago de candelas. Había miles, millones de estrellas, era como asomarse a un abismo de luz y tinieblas para contemplar el infinito. Ladeé un poco la mirada para ver la ciudadela inca recortándose contra el cielo nocturno y pensé que, de algún modo, existía una relación entre aquellas ruinas y las estrellas, un nexo, algo en común. Quizá el misterio.

Un leve ruido sonó a mi espalda. Me di la vuelta, sobresaltado, y el resplandor de los astros me reveló que Oskar Kepler se encontraba a unos metros de distancia, sentado en el borde del risco, con la mirada perdida en la noche. Me acerqué a él y le pregunté:

—¿No puede dormir, Oskar? ¿Sucede algo?

Kepler, con los ojos fijos en la oscuridad, tardó unos segundos en contestar.

—Están ahí —dijo.

Los últimos restos de estupor se disolvieron en mi mente.

—¿Quiénes? —pregunté alarmado—. ¿Los huaqueros?

El alemán negó con la cabeza.

—Los hombres tatuados.

La alarma creció en mi interior.

—¿Los asesinos? —musité—. ¿Los indios de los cuchillos y la cerbatana?

—Sí.

Miré en derredor.

—¿Dónde?

—Lejos, no se preocupe.

—¿Los ha visto?

—No.

—Entonces, ¿cómo lo sabe?

—Tengo un olfato muy fino y ellos un olor muy peculiar. Huelen a selva.

—¿Quiere decir que los ha olido?

El alemán asintió con un leve cabeceo y señaló hacia delante.

—Están ahí, en algún lugar.

Con no poca inquietud, paseé la mirada por el quebrado horizonte que se extendía frente a mí. La luz de las estrellas no permitía distinguir los detalles, pero perfilaba con su incierto resplandor las cumbres de las montañas. Lo demás era oscuridad. Súbitamente, una estrella fugaz trazó su rúbrica luminosa en el firmamento; dicen que tales fenómenos son augurio de buena suerte, pero en aquel momento se me antojó una señal de infortunio.

—¿Por qué tanto empeño en matarnos? —musité.

Kepler suspiró.

—No tengo ni idea, Jaime. Y le juro que me encantaría saberlo.

De repente, un intenso chasquido resonó cerca de nosotros. A punto estuve de sufrir una parada cardíaca, pero Kepler me tranquilizó con una sonrisa.

—Son las piedras —dijo—. El frío las resquebraja.

Sí que hacía frío, sí, pensé. Una ráfaga de viento aulló por entre las ruinas de la ciudadela inca.

—¿Puedo confiar en usted, Jaime? —preguntó de pronto Kepler.

Bueno, amigos míos, cualquiera que me conociese le hubiera contestado que, evidentemente, no podía confiar en mí. Pese a ello, contesté:

—Claro.

El alemán, con las pupilas ancladas en la oscuridad, guardó un breve silencio.

—No se lo he contado a los demás para no alarmarlos —dijo al fin—, pero nos están siguiendo desde que abandonamos La Oroya.

—¿Quiénes? —pregunté—. ¿Los indios tatuados?

—Ésos también, pero no me refiero a ellos. Hay otra expedición; siguen exactamente nuestro mismo camino, se detienen cuando nos detenemos y avanzan cuando avanzamos, siempre manteniéndose a unos quince o veinte kilómetros de distancia.

Fruncí el ceño; en aquella absurda aventura, cada novedad resultaba más desconcertante que la anterior.

—¿Cuántos son? —pregunté.

—Sólo he logrado verlos una vez y a mucha distancia, así que no estoy seguro. Treinta o cuarenta hombres, creo. Quizá más.

—¡Treinta o cuarenta! —exclamé consternado—. ¡Eso es una barbaridad! ¿Quiénes son?...

—No lo sé, Jaime. De hecho, ignoro muchas cosas acerca de

nuestro viaje y, si quiere que le diga la verdad, estoy empezando a perder la paciencia.

—Pero, pero... —balbuceé.

—Si quisieran hacernos algo, ya nos lo habrían hecho —comentó él, supongo que para confortarme—. Creo que lo único que pretenden es seguirnos.

—Pero, ¿por qué?...

Kepler guardó un prolongado silencio.

—Ya lo averiguaremos —contestó—. Ahora es mejor que intente descansar, Jaime. Mañana será un día duro.

Desde que dejamos atrás la dulce y cálida Cartagena de Indias, pensé, todos los días habían sido duros. Regresé a mi tienda de campaña, me tumbé sobre el suelo, me arrebujé en la manta y cerré los ojos. Mas quizá por tener demasiado presentes todos los peligros que nos acechaban, apenas logré conciliar el sueño aquella noche.

El miedo, como solía decir mi padre, contiene cafeína.

* * *

Al día siguiente nos levantamos al amanecer. Sí, avispados lectores, siempre nos levantábamos al amanecer. O incluso antes. Jamás en mi vida he madrugado tanto. El caso es que nos pusimos en pie nada más salir el sol y, tras un fugaz e insatisfactorio desayuno, reanudamos la exploración de la ciudadela.

Igual que había ocurrido la tarde anterior, no encontramos nada. Mejor dicho, casi nada, pues al cabo de hora y media de búsqueda, Kepler halló una losa cuadrada que estaba caída dentro de una torre circular, entre cascotes, y nos pidió que le ayudáramos a levantarla. Debía de medir más o menos un metro de lado y pesaba una barbaridad, pero entre todos logramos alzarla. Entonces pudimos ver lo que había grabado en su superficie. Una marca. Una marca muy familiar. Esta marca:

—La señal de los asesinos... —musité.

—Una casualidad —replicó Reich en tono desdeñoso—. ¿O no ha quedado claro que ese signo es muy común en Sudamérica?

Nadie habló durante un buen rato. Luego, Kepler se sacudió las manos y concluyó:

—Aquí no hay nada. Estamos perdiendo el tiempo.

—Entonces, ¿qué vamos a hacer? —preguntó Reich de mal humor (ese hombre parecía estar siempre malhumorado).

—Lo que dije ayer —respondió Kepler—. Iremos a Huánuco y buscaremos a los familiares del peón que sobrevivió al ataque de los indígenas.

—¿Y no le parece que eso es agarrarse a un clavo ardiendo?

—Puede ser, Herr Reich; pero es el único clavo que tenemos. En cualquier caso, aquí no vamos a encontrar ninguna pista sobre el paradero de su hermano, de modo que partiremos inmediatamente. No he localizado en el mapa ningún paso en las montañas, así que debemos regresar a Huancabamba, dirigirnos a Cerro de Pasco y luego hacia el norte, a Huánuco. Es un viaje largo; más vale que partamos cuanto antes.

Con ánimo sombrío, recogimos nuestros enseres, levantamos el campamento y cargamos las mulas; luego, montamos en los caballos y nos pusimos en marcha. Cuando estábamos a punto de internarnos en el sendero que descendía hacía el pie del risco, volví la cabeza y paseé la mirada por las viejas edificaciones de la ciudadela inca, por el portal de piedra, por el ciclópeo muro... Y, entonces, lo vi.

Estaba en una cresta rocosa que se alzaba junto a la ciudadela. Al principio pensé que se trataba de una decoloración de la piedra, una simple mancha en forma de rodaja de sandía. O de media luna...

¡Media luna!

Ahora, diligentes lectores, ha llegado el momento de hacer memoria. ¿Se acuerdan de lo que me dijo Rasul en el puerto, cuando se despedía de mí? «Si sucediera algo, Jaime, recuerda la media luna», eso fue lo que dijo. Incluso me regaló un colgante de plata con forma de media luna, el mismo colgante que desde entonces pendía de mi cuello.

—Un momento, quiero comprobar algo —les dije a los

demás al tiempo que desviaba mi caballo en dirección a la pared rocosa.

—¿Qué sucede, Jaime? —preguntó Kepler.

No respondí. Tal y como había imaginado, la mancha no era una mancha, sino media luna toscamente grabada en la roca con la ayuda de un cuchillo.

La marca de Rasul.

Y esa marca estaba situada exactamente encima de un montón de piedras sueltas que —de forma no muy natural, por cierto— se apilaban contra la pared hasta alcanzar una altura de más o menos metro y medio. Bajé del caballo y comencé a apartar las piedras.

—¿Qué haces, Jaime? —preguntó Yocasta.

Permanecí mudo; el soroche y el ejercicio me estaban dejando sin aliento. Al poco, tras apartar un cascote de buen tamaño, el inicio de un orificio en la roca quedó al descubierto. Entonces me volví hacia los demás y, no sin antes recuperar el resuello, dije:

—Creo que he encontrado la entrada de una cueva.

Subidos a sus caballos, Kepler, Reich y Yocasta se me quedaron mirando sin hacer nada.

—Bueno, qué —dije al cabo de unos segundos—, ¿voy a tener que apartar yo solo todas estas piedras? Porque me estoy rompiendo la espalda...

Tras recuperarse de la sorpresa, todos, incluso el habitualmente poco colaborador Reich, arrimaron el hombro y, tras veinte minutos de esfuerzos, la entrada de la gruta quedó totalmente expedita. Entonces, Kepler extrajo de la carga que portaban las mulas una linterna de queroseno, la encendió y, casi a rastras para poder pasar, cruzamos aquel oscuro y reducido agujero en la roca.

Era un cueva pequeña; unos tres metros de altura en su parte más elevada, por seis de fondo y cuatro de ancho. Olía intensamente a tierra y humedad. Cuando el débil haz de la linterna iluminó las paredes, pudimos ver en ellas multitud de pinturas incas, desde cabezas monstruosas hasta figuras antropomorfas, pasando por un sinfín de marcas geométricas, entre las que aparecía, cómo no, el signo de los asesinos.

Pero apenas prestamos atención a todo eso, pues en la cueva había algo más. Era una losa de piedra pulida encajada en la pared. Mediría unos dos metros de ancho por uno y medio de alto. Y en su superficie había un dibujo grabado a cincel.

Un mapa.

* * *

A decir verdad, yo tardé un poco en darme cuenta de que era un mapa, pues su diseño no podía ser más esquemático. En el lado izquierdo, una sinuosa línea vertical corría de arriba abajo dividiendo la losa en dos partes; la zona más estrecha ocupaba un sexto de la superficie total y en ella había dos palabras inscritas: *Mare Incognitus*. A la derecha de la línea se veía una franja llena de ondulaciones picudas que, probablemente, representaban montañas; es decir, una gran cordillera que se extendía de norte a sur. Junto a las montañas otras dos palabras: *Terra Incae*. Abajo, justo al lado derecho de la franja montañosa, había un punto y otro par de palabras: *Castellum Incae*. En el centro de la losa se extendía una gran superficie vacía en la que podía leerse: *Magna Silva*. Encima, ocupando el cuadrante superior derecho, tres líneas serpenteaban hasta converger; la más larga, cuyo trazado seguía más o menos la diagonal de la losa, estaba marcada con la palabra *Paranaguasú*; las otras dos, situadas arriba y mucho más pequeñas, ostentaban los nombres de *Itaya* y *Nanay*. A la izquierda de esas dos líneas había otro punto y sobre él unas iniciales: *O.P.C.C.T.S.*

—Un mapa... —musité cuando me di cuenta de lo que era.

—Un mapa de Perú —asintió Yocasta mientras contemplaba con asombro la losa iluminada por la luz de la linterna.

—Pero esto no lo ha hecho ningún inca... —intervino Kepler.

—No —respondió ella con ironía—, a menos que algún inca supiera escribir en latín. *Mare Incognitus* significa «Mar Desconocido». Debe de ser el océano Pacífico. Esos montes son los Andes, y *Terra Incae*, «Tierra del Inca», el Imperio Inca —señaló con el dedo el punto inferior—. *Castellum Incae* significa «Fortaleza del Inca»; es decir, Pucará, donde estamos ahora...

—Y *Magna Silva* —apuntó Kepler— significa «Gran Selva». La selva amazónica.

—¿Qué son esas líneas de la derecha? —pregunté—. ¿Caminos?

Yocasta negó con la cabeza.

—Son ríos. Paranaguasú es el nombre que le daban los indígenas al Amazonas; Itaya y Nanay son dos afluentes de éste.

—¿Y qué significa «O.P.C.C.T.S.»?

Mi negra sirvienta se encogió de hombros.

—No lo sé —dijo—. Pero en este mapa sólo hay dos puntos marcados: uno el de partida (aquí, en Pucará) y otro el de llegada; es decir, el que se encuentra junto a esas iniciales.

Kepler sacó del bolsillo un mapa y lo examinó atentamente, comparándolo con el dibujo de la losa.

—Su «punto de llegada», señora Massemba —dijo—, está en mitad de la selva y, según este plano del ejército, en ese lugar no hay nada.

—Pues mi padre, Rasul, el barón y su secretario fueron allí, así que algo habrá.

—No estamos seguros de que hayan ido a ese lugar —replicó Kepler.

—Claro que lo estamos —protesté—. Rasul marcó la entrada de esta cueva para que yo encontrara el mapa de la losa.

—¿Y cómo sabía su amigo que usted le buscaría?

—¡Porque me conoce, maldita sea! Rasul sabía que, si les sucedía algo, nada en el mundo me impediría ir a buscarlos, así que ha intentado facilitarme las cosas.

Kepler sacudió la cabeza.

—Sólo es una suposición.

—Arsenio, el huaquero, dijo que habían ido hacia el norte —insistí—, y eso concuerda con el mapa de la losa.

Kepler respiró hondo y dejó escapar el aire lentamente.

—Será mejor que salgamos de aquí y lo discutamos fuera.

—¿Qué es lo que hay que discutir, Herr Kepler? —preguntó Reich con frialdad—. A mi modo de ver, el asunto está claro.

—Puede ser, pero prefiero hablar en el exterior.

Kepler apartó el haz de luz del mapa de piedra y lo dirigió hacia la salida de la gruta. Sólo entonces descubrimos el letrero; estaba sobre el agujero de entrada, pintado en la roca con tinta roja. Era un mensaje de Rasul y decía lo siguiente:

12-04-1905 NOS DIRIGIMOS A IQUITOS

El breve texto estaba firmado con una media luna. Durante unos segundos, todos nos lo quedamos mirando con sorpresa, sin hacer ni decir nada, hasta que finalmente musité:

—¿Dónde está Iquitos?

Tras un largo silencio, Kepler alzó una mano y señaló el mapa de la losa.

—Exactamente allí —dijo—. En la confluencia de los ríos Nanay, Itaya y Amazonas.

—Entonces no hay discusión —concluí con aire triunfal—. Tenemos que ir a Iquitos.

En vez de contestar, Kepler se agachó y abandonó la cueva, proceder que, al quedarnos a oscuras, nos apresuramos a imitar. Al salir al exterior, el intenso resplandor del sol me hizo guiñar los ojos y lagrimear; cuando recuperé la vista, vi a Kepler delante de nosotros, con los brazos cruzados y el rostro serio.

—Debemos hablar —dijo; y tras una pausa agregó—: Creo que éste es el final de nuestro viaje.

—¿Cómo que el final del viaje? —exclamé, consternado—. Pero si ya sabemos adónde se dirigieron.

—Y también sabemos que murieron en un ataque de los indígenas.

Sacudí enérgicamente la cabeza.

—Eso no está nada claro. Un peón moribundo lo dijo, de acuerdo; pero, ¿qué narices sabía él?

—Estuvo allí.

—Sí, y mientras eran atacados por los indios, él se quedó fumando un cigarrito para ver qué pasaba, ¿verdad? Pues no, de eso nada; salió corriendo para salvar el pellejo, sin preocuparse lo más mínimo de lo que les pasaba a quienes se quedaban atrás. De modo que no podía saber a ciencia cierta si habían muerto o no.

—Si no hubieran muerto ya habrían regresado a Colombia —replicó Kepler.

Me disponía a rebatir su argumento, pero entonces intervino Reich.

—Escúcheme con atención, Kepler: no descansaré hasta encontrar a mi hermano, sea vivo o enterrado en una tumba.

—¿Y dónde quiere que lo busquemos, Herr Reich? ¿En ese punto que aparece en el mapa de piedra? —Kepler sacudió la cabeza—. Ese puntito representa en realidad miles de kilómetros cuadrados de selva. Jamás podríamos dar con su paradero.

—Pero sí podemos ir a Iquitos —tercié—. Lo más probable es que Rasul haya dejado allí otra pista.

—¿Sabe a qué distancia está Iquitos, Jaime? A más de mil kilómetros. Pero no mil kilómetros cualesquiera, sino mil kilómetros de selva. De hecho, no sabemos dónde fueron atacados sus amigos; pudo ser en cualquier lugar de esos mil kilómetros. Quizá nunca llegaron a Iquitos.

Sobrevino un silencio. Tal como lo exponía Kepler, la tarea de dar con la expedición de mi padre resultaba, no ya compleja, sino sencillamente imposible. No obstante, yo estaba firmemente decidido a dirigirme a Iquitos, y así lo iba a manifestar, cuando Yocasta intervino.

—Disculpen, caballeros —dijo con arrogante humildad—, puede que yo sea una negra vieja e inculta, pero me parece que nos estamos olvidando de lo principal —señaló la cueva—. ¿Quién talló ese mapa? Está claro que los incas no lo hicieron; ¿entonces?...

—¿Algún conquistador español? —aventuré.

Yocasta esbozó una sonrisa socarrona.

—De ser así —dijo—, si quienes realizaron el mapa y lo ocultaron en una cueva fueron los españoles, ¿por qué lo hicieron?

No contesté nada, claro; básicamente, porque ignoraba la respuesta.

—¿Y eso qué importa ahora? —preguntó Reich en tono impaciente.

—Claro que importa, Herr Reich. Veamos: si mal no recuerdo, su hermano adquirió una talla inca en Europa y vino a

Sudamérica para inspeccionar el yacimiento donde apareció dicha antigüedad. Pues bien —señaló con un ademán los muros de la ciudadela—, éste es el yacimiento que deseaba visitar su hermano. De hecho, estuvo aquí y pudo explorar la fortaleza a su antojo. Es decir, hizo lo que había venido a hacer. Entonces, ¿por qué decidió ir a Iquitos?

Reich se encogió de hombros.

—No lo sé. Nunca me han interesado las actividades de Lothar.

—Pues yo creo que la respuesta es evidente —prosiguió Yocasta—. Su hermano fue a Iquitos porque encontró el mapa de piedra y decidió seguir sus indicaciones. Pero eso significa que el objetivo del barón al venir al yacimiento no era sólo datar adecuadamente la talla inca, sino también, y sobre todo, buscar el rastro de algo. Y parece ser que encontró ese rastro. Ahora bien, ¿qué buscaba en realidad su hermano, Herr Reich?

Yocasta mantuvo los ojos clavados en el rostro del alemán. Éste, visiblemente incómodo, cambió el peso del cuerpo de un pie a otro y desvió la mirada.

—Ya le he dicho que no estoy al tanto de los asuntos de Lothar —repuso; luego, se encaró con Kepler y le espetó—: Supongo que no es necesario recordarle que le he contratado, pagándole muy generosamente, para encontrar a mi hermano. Iremos a Iquitos, Herr Kepler, y no hay nada más que discutir.

Kepler se mesó la perilla, pensativo, y deslizó la mirada por las lejanas cumbres de la cordillera. Luego, le echó un vistazo a la ciudadela inca y comentó:

—En cualquier caso, tenemos que regresar a Huancabamba y, si queremos llegar con luz, más vale que partamos inmediatamente. Pero antes hay que volver a tapar la entrada de la cueva.

—¿Y eso por qué? —preguntó Reich con el ceño fruncido.

—Porque no queremos que nadie sepa adónde nos dirigimos, ¿verdad?

Tenía razón, de modo que nos pusimos todos a tapar de nuevo la entrada de la cueva. Y yo, mientras amontonaba piedra tras piedra, me planteé una cuestión que si nadie se había molestado en mencionar era porque resultaba evidente.

El mapa tallado en la losa conducía a un lugar situado en la selva amazónica. Y los asesinos tatuados eran indígenas amazónicos. Es decir, nos proponíamos ir exactamente al lugar de donde procedía la gente que deseaba vernos muertos.

Convendrán conmigo, solícitos lectores, que no era una idea demasiado alentadora.

* * *

El resto de la jornada resultó de lo más desagradable; pese al ardiente sol que en todo momento nos asaeteó con sus inclementes rayos, fue un día sombrío y lleno de malos presagios, sobre todo desde que encontramos el cadáver.

Ocurrió poco después de que abandonáramos la ciudadela inca; mientras recorríamos el sendero que conducía a Pucará, al bordear un recodo del camino, nos topamos con el cuerpo de Arsenio Taboada, el huaquero que nos había conducido al yacimiento. Estaba tirado sobre una roca con los brazos y las piernas desmadejados, los ojos muy abiertos y la garganta seccionada. A su alrededor, un charco de sangre coagulada enrojecía la piedra.

Nadie dijo nada, todos nos quedamos mirando el cadáver como si fuera el primer hombre muerto que hubiéramos visto en nuestra vida, salvo Kepler, que empuñó la carabina, miró en derredor y, tras asegurarse de que no había peligro, bajó del caballo y examinó el cuerpo.

—Debe de llevar unas doce horas muerto —dijo, quebrando el aciago silencio que se había abatido sobre nosotros—. Lo mataron anoche, al poco de dejar la ciudadela.

No hubo más comentarios, porque eran innecesarios; todos sabíamos quiénes habían acabado con el huaquero: los indígenas tatuados.

—Hay que darle sepultura —dijo Yocasta.

Sí, supongo que eso es lo que deberíamos haber hecho, pero el suelo de aquellas montañas era condenadamente duro y nosotros carecíamos de las herramientas necesarias para cavar una tumba, así que nos limitamos a depositar el cuerpo a la orilla del camino y cubrirlo de piedras. Ahora que lo pienso, me pasé aquel día cambiando piedras de lugar, lo que, bien mirado, no deja de ser una actividad absurda.

Tras el rápido sepelio de Arsenio Taboada, proseguimos nuestro viaje de regreso. Cuando llegamos a Pucará, los indios corrieron de nuevo a esconderse en sus chozas. No es de extrañar que desconfiaran de los forasteros, pensé, especialmente después de haber sufrido a los huaqueros; además, esos pobres tipos estaban acostumbrados a vivir en uno de los rincones más aislados del planeta y, de pronto, su pueblo se había vuelto tan transitado como una romería.

Dejamos atrás Pucará y nos internamos por la senda que conducía a Huancabamba. Afortunadamente, todo el camino era ahora de bajada; además, mi tozudo caballo parecía haber entrado en razón, pues no había vuelto a intentar su truquito de la parada en seco. Debo reconocer que lo tomé como un pequeño triunfo.

A media tarde llegamos al punto donde el camino se internaba en un cañón recorrido por un riachuelo. Kepler se detuvo al llegar allí y escrutó el lugar durante un largo minuto. No se veía a nadie ni se oía otro sonido que el gorgojeo del agua y el silbido del viento. Kepler clavó los talones en los ijares de su montura y comenzó a internarse lentamente en el cañón, seguido por Yocasta y Reich. Yo, por mi parte, procedí del mismo modo, pero justo en ese momento mi taimado caballo decidió entrar en acción.

De pronto, el animal emprendió una súbita cabalgada, tan bruscamente que se me escapó de las manos la correa con que sujetaba a las mulas (bastante tuve con mantenerme sobre la silla). Tiré de las riendas, intentando frenar la galopada, pero aquella bestia traidora parecía decidida a batir algún récord de velocidad, así que prosiguió su vertiginosa carrera, sobrepasamos a Reich, Yocasta y Kepler, nos adentramos unos veinte metros en el desfiladero y, de repente, el maldito animal se detuvo clavando las cuatro patas en el suelo.

Volé como un ángel, amigos míos; salí lanzado por encima de su testuz, giré sobre mí mismo y, cuan largo era, me estrellé violentamente contra el suelo. El golpe me dejó sin aliento y, durante unos instantes, vi un enjambre de lucecitas de colores revoloteando frente a mis ojos. Un zumbido resonó en mis oídos y, por detrás del zumbido, la alborozada risa de Wolfgang Reich. Desde luego, era el tipo más desagradable que he conocido; hasta entonces no se había reído ni una vez, pero bastaba con que yo me partiese la crisma para que él se partiese de risa.

—¿Estás bien, Jaime? —preguntó Yocasta.

—Creo que me he roto todos los huesos —musité, quejumbroso, mientras intentaba incorporarme; y añadí con un gruñido—: Voy a matar a ese bicho...

Mi caballo se alejó unos metros, movió indolentemente la cola a un lado y a otro, y me dirigió una mirada que a mí se me antojó insufriblemente burlona. De pronto, un intenso fragor atronó sobre mi cabeza al tiempo que una enorme roca se desplomaba por una de las laderas del cañón y pasaba rodando frente a mí. Acto seguido, una lluvia de piedras se desató a mi alrededor y yo, olvidándome al instante de mis doloridos huesos, me levanté de un brinco y eché a correr hacia la entrada del desfiladero, donde aguardaban los demás. Kepler saltó del caballo y ordenó:

—No se muevan de aquí.

Y comenzó a trepar hacia la parte más elevada del cañón. Desapareció y poco después el estrépito de la avalancha cesó, sustituido por un fúnebre silencio. Reich, Yocasta y yo permanecimos pegados a la pared de piedra, sin decir nada, pero intercambiando miradas de preocupación; y así estuvimos durante, no sé, quizá diez minutos. Al cabo de ese tiempo, Kepler regresó ladera abajo y nos dijo:

—El desprendimiento ha sido provocado. Arriba hay huellas de cinco personas, pero cuando llegué ya se habían ido —esbozó una cansada sonrisa y comentó—: Le debemos la vida a su caballo, Jaime; de no haberse espantado, las rocas nos habrían alcanzado de lleno.

Bueno, siendo fieles a la verdad, mi caballo no se había espantado; simplemente, había intentado matarme. Pero Kepler tenía razón; de no ser por ese artero animal, habríamos muerto. Lo cual nos conduce, avispados lectores, a la profecía de doña Kukuyu, la madre del posadero: «Antes de tres días intentarán matarte de nuevo, pero pierde cuidado, salvarás la vida gracias a un animal». Pues bien, la vieja india había dado en el clavo, lo cual, en sí mismo, ya era sorprendente. Lo malo es que si había atinado en eso, también podía estar en lo cierto cuando dijo que mi padre se encontraba en la tierra de los espíritus. Es decir: muerto.

Proseguimos el viaje circunspectos y abatidos. A última hora de la tarde alcanzamos los fértiles campos del valle y poco después, cuando el sol estaba a punto de cruzar la meta del horizonte, divisamos las casas de Huancabamba. Entonces, al atravesar un solitario prado salpicado de flores, Kepler detuvo su montura, bajó al suelo y nos dijo:

—Descansaremos aquí unos minutos.

—¿Aquí? —preguntó Reich, extrañado—. Pero si falta muy poco para llegar al pueblo.

—No importa. Tenemos que hablar y prefiero hacerlo lejos de oídos indiscretos.

Bajamos de nuestros caballos y nos quedamos mirando expectantes a Kepler. Éste, con toda parsimonia, se quitó el sombrero, cogió una cantimplora, dio un sorbo de agua y anunció:

—Herr Reich, le presento mi dimisión.

—¿Cómo?...

—Rescindo nuestro contrato. Ya no trabajo para usted.

Reich abrió y cerró la boca varias veces sin emitir el más mínimo sonido, como si la sorpresa le hubiera robado el habla.

—Pero todavía no hemos encontrado a mi hermano —dijo al fin—. Y ya le he pagado por adelantado...

Kepler negó con la cabeza.

—Sólo me ha pagado el cincuenta por ciento; el resto iba a abonármelo al concluir el trabajo. Pues bien, le he traído hasta, más o menos, la mitad de la distancia que hay entre Cartagena e Iquitos pasando por Lima, lo cual quiere decir que he cumplido con la mitad de mi contrato, así que estamos en paz.

—Pero...

—La decisión está tomada, Herr Reich. Esta noche dormiré en Huancabamba y mañana, a primera hora, partiré hacia

Lima, donde abordaré el primer barco que se dirija al norte. Si quieren acompañarme, perfecto; si no... —se encogió de hombros—, les deseo buena suerte.

—Pero ¿por qué? —insistió Reich—. ¿Por el desprendimiento de rocas? ¿Le asustan unos cuantos salvajes desarrapados?

Kepler aspiró una bocanada de aire y lo dejó escapar lentamente.

—Esos salvajes —dijo— vienen siguiéndonos desde Cartagena. Y no sé por qué se toman tantas molestias. Por otro lado, su hermano, Herr Reich, decidió irse a Iquitos y no sé por qué lo hizo. Además, otra expedición nos sigue desde La Oroya, y tampoco sé quiénes son ni por qué les interesamos tanto. En resumen: ignoro demasiadas cosas y, yendo a ciegas, no puedo comprometerme a proteger su vida ni, si vamos a eso, tan siquiera la mía.

—¿De qué expedición está hablando? —preguntó Reich con el ceño fruncido.

—Son unos cuarenta hombres y se mantienen siempre a mucha distancia de nosotros, pero destacan vigías para controlar nuestros movimientos. Esta misma tarde he visto un destello de luz en las montañas y apostaría cualquier cosa a que era el reflejo del sol en la lente de un catalejo.

—Pero..., ¿quiénes son?

—Ésa es una de las múltiples preguntas para las que no encuentro respuesta.

Reich bajó la mirada y guardó unos instantes de silencio. Luego, contempló fijamente a Kepler y dijo:

—¿Podemos hablar unos minutos en privado?

—Claro, Herr Reich.

Los dos alemanes se dirigieron al extremo más alejado del prado y comenzaron a hablar. Mejor dicho, Reich hablaba y Kepler escuchaba. Y no, intrigados lectores, no sé qué demonios dijeron, en parte porque estaban demasiado lejos para poder escucharles, pero también porque hablaban en alemán, idioma que desconozco por completo.

Me volví hacia Yocasta para comentar algo, pero mantuve la boca cerrada. Mi negra sirvienta tenía la mirada extraviada..., o, más bien, vuelta hacia dentro, como si se hallara sumida en las más profundas cavilaciones. Yo conocía aquella expresión y sabía que sólo brotaba en su rostro cuando los engranajes de aquel bien temperado cerebro suyo habían llegado a alguna conclusión.

—Tú sabes de qué va esto, ¿verdad, Yocasta? —pregunté.

—Sé lo mismo que tú, Jaime —respondió ella con las pupilas siempre posadas en el infinito.

—Ya, pero sospechas algo, ¿no? Vamos, Yocasta, te conozco y estoy seguro de que alguna idea te está rondando por la cabeza.

Yocasta tardó un buen rato en contestar.

—Sí, tengo una teoría —aceptó al fin, volviendo la mirada hacia mí—. Pero es una locura.

—No importa, estoy acostumbrado a las locuras. Venga, cuenta.

Yocasta sacudió la cabeza.

—No, Jaime, es demasiado absurdo y todavía no tengo ninguna prueba. Esperemos a ver qué pasa.

Una súbita explosión de carcajadas nos sobresaltó. Miramos hacia el extremo del prado y vimos a Kepler partiéndose de risa mientras Reich le contemplaba con el ceño fruncido. Cuando el guardaespaldas logró poner freno a su hilaridad, le preguntó algo inaudible a su ex patrón, éste contestó en tono igualmente inaudible, Kepler se echó a reír de nuevo, asintió con la cabeza y, con una sonrisa burlona aleteándole en los labios, se aproximó a Yocasta y a mí.

—Cambio de planes —anunció—: sigo al frente de la expedición. Mañana partimos hacia Iquitos.

CAPÍTULO SIETE

En el que se narra nuestro periplo por el río Ucayali hasta llegar a Iquitos, el encuentro con un viejo conocido y mi conversación con un salvaje llamado Lázaro

No supe, hasta mucho después, qué le había dicho Reich a Kepler para hacerle cambiar de idea, y cuando por fin lo averigüé ya era demasiado tarde. Mi padre solía decir: «En toda partida de póquer hay siempre un primo; si después de jugar unas cuantas manos no has descubierto de quién se trata, eso significa que el primo eres tú». Pues bien, no me duelen prendas en reconocer que, en aquella peculiar partida de póquer que era nuestra expedición, el primo era, en efecto, yo. Wolfgang von Reich sabía mucho más de lo que reconocía; Oskar Kepler también, pues se lo había contado Reich, y a Yocasta nadie le había dicho nada, pero era tan condenadamente lista que, sin duda, ya había atado los suficientes cabos como para formarse una nítida imagen mental acerca de lo que estaba sucediendo.

Pero yo, indulgentes lectores, estaba en la inopia. No sabía absolutamente nada, mas la ignorancia no me iba a hacer flaquear en el empeño de encontrar a mi padre y a Rasul. Y, en este punto, quizá algún escéptico lector se pregunte por qué estaba yo tan seguro de que ambos se hallaban vivos, pese a que todos los indicios apuntaban en sentido contrario; pues bien, con respecto a mi padre, en otra ocasión ya le había dado por muerto y al final resultó estar vivo, y en cuanto a Rasul... Verán, amigos míos, sencillamente no podía imaginar que nada ni nadie pudiera acabar con él. Así que me abstuve de formular preguntas (que, por otro lado, nadie iba a contestar) y centré toda mi atención en la odisea que nos disponíamos a emprender.

Puede que entre los lectores más impacientes alguno piense que en esta historia hay demasiados viajes, y no le faltará razón. Si despliegan un mapa de Sudamérica y trazan la ruta que estábamos siguiendo, comprobarán que era un itinerario tan absurdo como excesivo. En primer lugar nos habíamos dirigido al oeste, a Panamá; luego hacia el sur, hasta Lima, para continuar hacia el este a través de los Andes y proseguir después en dirección noreste camino de Iquitos. Es decir, estábamos dando un descomunal rodeo de más de dos mil kilómetros.

Y, si he de serles franco, estaba hasta la mismísima coronilla de tanto viaje. Por las noches, antes de dormirme sobre el duro suelo, evocaba con añoranza la plácida vida de Cartagena, sus fragantes jardines, sus alegres tabernas, sus bellas mujeres... Incluso llegué a recordar con nostalgia a la pérfida Guadalupe Altagracia, pues si bien tenía un corazón de piedra, también es cierto que su piel era suave como la seda. Si hasta el capitán Espinosa, su marido, comenzó a parecerme un hombre simpático en comparación a los rigores de aquel viaje.

Y fueron, ay, amigos míos, tantos los rigores...

Tardamos veintiséis días en llegar a nuestro destino; casi un mes adentrándonos más y más en un infierno esmeralda. Y aquí conviene hacer una aclaración: resulta imposible alcanzar Iquitos por tierra; la selva es demasiado tupida y peligrosa para cruzarla a pie. El único modo de llegar allí es por el agua, siguiendo el curso de los ríos.

Tras hacer noche en Huancabamba, nos dirigimos al sureste, camino de Oxapampa, para luego virar hacia el norte en dirección a Puerto Bermúdez. Durante esta primera parte del camino aún deambulábamos por las estribaciones de los Andes, alternando la aridez de las alturas con el verdor de los valles. Mas en Perú sucede algo realmente curioso: cuando se acaba la montaña, sin solución de continuidad, empieza la selva. Vas andando entre rocas peladas y, de pronto, casi sin darte cuenta, te encuentras rodeado de matojos y bichos.

Puerto Bermúdez era una diminuta aldea de chozas de caña incrustada en medio de la selva cuya única importancia consistía en ser un puerto fluvial. Finalmente no cumplí la promesa de entregar mi caballo a la hoja de un matarife (a fin de cuentas, nos había salvado la vida) y lo vendimos, junto a las demás monturas y las mulas, en una hacienda cercana, pero créanme cuando les aseguro que no lamenté lo más mínimo separarme de aquel insufrible animal.

Al día siguiente alquilamos tres canoas a unos indios campas y contratamos a seis de ellos para que nos condujeran río abajo hasta Pucallpa, la última ciudad que encontraríamos durante nuestro viaje a Iquitos. Las canoas eran en realidad unas piraguas toscamente talladas en troncos de sasafrás —unos gigantescos árboles de la selva—; al principio, lo reconozco, no me ofrecieron la menor garantía de seguridad, aunque más tarde demostraron ser unas excelentes embarcaciones de río. En una de las canoas viajaban Kepler y Reich, en otra Yocasta y yo, mientras que la tercera iba cargada con el equipaje; cada una de las piraguas era conducida por dos remeros campas.

Los campas, de baja estatura y pequeño tamaño, eran sin embargo fuertes y fibrosos; tenían el pelo muy oscuro, la piel cobriza y los ojos rasgados. La verdad es que se parecían notablemente a los asesinos tatuados; aunque, para ser justos, todos los nativos que encontramos a lo largo del río tenían, cuando menos para un occidental, el mismo aspecto. En cualquier caso, los campas no portaban ningún tatuaje en el pecho, eran amables, esforzados y, como apenas hablaban castellano, también silenciosos.

Iniciamos la navegación en el río Pichis, para desembocar al poco en el Pachitea, cuyas aguas seguimos corriente abajo, hacia el norte, en dirección a su confluencia con el río Ucayali, con las lejanas cumbres de los Andes despuntando sobre la verde cúpula de la selva. Y ahora, expectantes lectores, supongo que debería explayarme en una prolija descripción de aquella selva, de los poblados que vimos, de los indígenas que los habitaban y de la fauna que merodeaba por las frondas, pero, siguiendo mi costumbre, no voy a hacerlo, pues en el fondo carece de importancia. Aquella jungla era muy similar a la que se desplegaba a orillas del río Magdalena, mucho más al norte, en Colombia, y apenas era un jardincillo comparada con los impenetrables bosques húmedos de la Amazonia que nos aguardaban más adelante y de los que hablaré largo y tendido cuando llegue el momento.

En la lengua de los indios shipibo, Pucallpa significa «tierra colorada», pues ése es el color que el sol refleja en sus humedales. Pucallpa está situada a orillas del río Ucayali y más que una ciudad era un enclave comercial donde llegaban, para distribuirse después por todo el país, numerosos cargamentos de madera y látex procedentes del interior de la Amazonia. Cuando arribamos allí, descubrimos una urbe populosa y dinámica habitada por un sinfín de etnias unidas por el propósito común de enriquecerse cuanto antes y de la forma que fuese. Por lo demás, se trataba de una anárquica acumulación de casas de madera cuyo eje y razón de ser era el gran puerto fluvial que se desplegaba a orillas del Ucayali.

Llegamos por la mañana y, nada más desembarcar nuestro equipaje, los campas que nos habían conducido hasta allí cobraron sus emolumentos e iniciaron el regreso a Puerto Bermúdez. Poco después, adquirimos cuatro pasajes en el *Manantay,* un vapor fluvial de carga que cubría la ruta entre Pucallpa e Iquitos, y aquella misma tarde iniciamos la odisea hacia el corazón de la selva más vasta del planeta.

* * *

Murallas de vegetación se alzaban a ambos lados de aquel anchísimo río. Árboles de hasta sesenta metros de altura cubiertos de bejucos y enredaderas, resplandecientes orquídeas de raíces aéreas, enormes helechos con hojas grandes como abanicos, varas de bambú rematadas por verdes penachos, higueras estranguladoras, racimos de frutos colgando de las ramas más bajas, arroyos de color escarlata a causa del ácido tánico de las plantas. Por entre el dosel de la jungla volaban oropéndolas, papagayos, tucanes y colibríes mientras enjambres de mariposas revoloteaban en las orillas como nubes multicolores. El aire estaba cargado de olor a flores, putrefacción, agua estancada, así como toda suerte de aromas cuyo origen, para mí, era imposible discernir.

Al amanecer, la selva se cubría de brumas que, poco a poco, el intenso resplandor del sol iba disipando en medio del clamor de las aves y el estridente griterío de los monos aulladores que se balanceaban en las ramas, junto a familias de monos-araña, titíes y aburridos perezosos. Por las noches, las riberas se convertían en un escenario para la resplandeciente danza de las luciérnagas, al tiempo que los murciélagos surcaban el aire en la oscuridad. El calor era intenso y la humedad asfixiante. Llovía con frecuencia. En cuanto a los mosquitos, jamás los he visto tan grandes ni tan feroces.

Conforme el *Manantay* se internaba en la selva amazónica, dejando a su paso un penacho de humo, parecía como si retrocediéramos hacia un pasado extraordinariamente remoto, como si viajáramos a la arcaica era en que la vida se extendió por la Tierra con toda su pujanza y salvajismo. Creo que si hubiese visto aparecer un dinosaurio por entre las frondas no me habría sorprendido lo más mínimo.

Y, mientras nos adentrábamos en aquel infierno esmeralda, nuestra vida se fue sumiendo en una pausada monotonía marcada por la cadencia del viaje. El *Manantay* había descargado en Pucallpa varias toneladas de látex procedente de Iquitos y ahora regresaba cargado con unos pertrechos y provisiones que, en el confín de la selva, allí donde la civilización brillaba por su ausencia, adquirirían un precio realmente escandaloso. No había escalas en aquel viaje, ni más paradas que las imprescindibles para llenar de agua las calderas y aprovisionarse de carbón. El capitán del vapor, un portugués llamado Oliveira, pasaba la mayor parte del tiempo en la cabina de mando, junto al piloto, emborrachándose a base de ron y de tedio. Los marineros, un variopinto grupo de negros, indios y mestizos, se afanaban en sus quehaceres en silencio para, al caer la noche, imitar el etílico proceder de su patrón. Los pasajeros —un par de docenas de desarrapados agricultores— viajaban en cubierta, bajo los verdes toldos que los protegían del sol y de la lluvia, tumbados en hamacas o tirados por los suelos.

En cuanto a nosotros, después de las duras jornadas pasadas en los Andes decidimos tomarnos aquel tiempo de navegación como un merecido descanso. Reich se encerró en el pequeño camarote que había alquilado en la cubierta superior del barco y no salió de allí durante todo el trayecto. Yocasta, por su parte, lo que hizo fue encerrarse en sí misma; tumbada en una hamaca, se enfrascaba en la lectura de sus libros y se limitaba a responder con monosílabos a cualquier intento de conversación. Y yo, comprensivos lectores, pasaba los días sumido en una especie de letargo contemplativo, haciendo solitario tras solitario y observando con aprensión el inmenso océano vegetal que se extendía más allá de la borda del barco.

Con respecto a Kepler... En fin, amigos míos, aquel aventurero alemán parecía transformarse a medida que nos adentrábamos en la selva. De entrada, y supongo que a causa del intenso calor reinante, se despojó de su chaqueta de cuero y de la camisa y decidió cubrirse el torso únicamente con el chaleco de piel de caimán, dejando al descubierto sus musculosos brazos y los seis cuchillos que llevaba, lo cual, todo sea dicho, le confería un aspecto decididamente amenazador.

Pero un cambio más profundo que la mera apariencia se estaba produciendo en él. Era como si, al internarse en aquel territorio salvaje, su naturaleza se tornara cada vez más primitiva, algo que delataban sus ojos, antes teñidos de ironía y ahora intensos como la mirada de un halcón, y también su semblante, que había abandonado la sonrisa para convertirse en una máscara hierática y dura. Si hacen memoria, recordarán que la primera vez que vi a Kepler lo comparé con un lobo; pues bien, aquel rasgo animal de su apariencia no había desaparecido, mas ya no era a un cánido a lo que se parecía, sino a un felino. De hecho, los marineros indígenas comenzaron a llamarle —si bien a sus espaldas— *Uthurunku*, término que en quechua significa «tigre».

Kepler permaneció en la cubierta del *Manantay* los trece días que duró el viaje a Iquitos. Por las noches descansaba en una hamaca situada en el rincón del barco más alejado del resto de los pasajeros, aparentemente ajeno a los picotazos de los terribles mosquitos que poblaban aquella tierra dejada de la mano de Dios. Durante el día, solía practicar con sus cuchillos, lanzándolos contra una diana improvisada que había clavado a una de las mamparas; esta actividad le convirtió en el blanco de todas las miradas, pero luego, conforme los días pasaban, la monotonía de su extraordinariamente certera puntería fue reduciendo el número de espectadores y aumentando su reputación de hombre peligroso. Aunque, a decir verdad, Kepler pasaba la mayor parte del tiempo acodado en la barandilla, con la mirada perdida en la lujuriosa vegetación que se agolpaba en las orillas del río, como si hallara algún tipo de sosiego en la contemplación de aquella selva que, cuando menos para mí, resultaba de lo más inquietante.

Una mañana, seis días después de haber abandonado Pucallpa, advertí que Kepler se encontraba en la popa del barco, de pie en la cubierta situada justo encima de las palas que nos impulsaban batiendo el agua como un enorme molinillo; tenía la vista fija en la distancia y me pareció apreciar en su rostro un deje de preocupación.

—¿Sucede algo, Oskar? —pregunté, aproximándome.

Kepler alzó un brazo y señaló un punto situado en el horizonte.

—Allí —dijo.

El río Ucayali era una inmensa corriente de agua que serpenteaba por la selva describiendo innumerables meandros, curvas y revueltas; sin embargo, el tramo que recorríamos en aquel momento era recto hasta donde alcanzaba la vista. Miré en la dirección que señalaba el alemán pero, pese a que el día era claro, no advertí ningún motivo de alarma.

—No veo nada —dije.

—Fíjese en esa nube, allí, sobre el horizonte. ¿La ve?

En efecto, a lo lejos se distinguía una nubecita flotando casi a ras del agua.

—¿Qué pasa con ella? —pregunté.

—No es una nube, sino el humo de un vapor. Debe de estar a unos cuatro o cinco kilómetros de distancia. Nos sigue desde que abandonamos Pucallpa.

Fruncí el ceño y agucé la vista, pero no logré divisar el barco.

—¿Cómo sabe que nos sigue? —pregunté—. Ya nos hemos cruzado con otros vapores...

—Es un barco más pequeño y más rápido que el *Manantay*, pero procura no aproximarse nunca demasiado. Cada vez que hemos hecho un alto para repostar, ese barco se ha detenido también, siempre a distancia. Actúa igual que la expedición que nos seguía en los Andes.

—¿Cree que son los mismos?

Kepler se encogió de hombros, pero aquel gesto, más que una expresión de ignorancia, contenía una pregunta: ¿quiénes iban a ser si no? Exhalé una bocanada de aire y contemplé con aprensión la distante nube de humo blanco. ¿Por qué aquellos desconocidos llevaban tantas semanas siguiéndonos?, me pregunté. Aquél era un enigma más que sumar a los muchos enigmas que se acumulaban en nuestra aventura, un misterio para el que no tenía ni tan siquiera un asomo de respuesta. No obstante, mi padre solía decir: «Cuando sucede algo, hijo mío, y no sabes lo que sucede, ten por seguro que se trata de algo malo».

Kepler encendió un cigarro y le dio una serie de vigorosas caladas, pero el habano no tardó en apagarse. El alemán chasqueó la lengua y lo arrojó al agua, justo donde las palas del vapor batían la superficie del río.

—Hay tanta humedad —comentó—, que es imposible fumar.

Sobrevino un largo silencio. Le miré de reojo y me pregunté quién era en realidad aquel experto en espadas y cuchillos. Hice memoria y recordé lo que él mismo había comentado hacía mucho tiempo, cuando me salvó del duelo con el capitán Espinosa.

—¿Es usted médico, Oskar? —pregunté.

Negó con la cabeza.

—Pero estudió Medicina —insistí.

—En Heidelberg. No pude acabar la carrera.

—¿Por qué?

—Tuve que irme de Alemania.

Supongo que, según las normas de la discreción, ahí debía haber acabado el interrogatorio, pero entre las muchas cosas que me han llamado a lo largo de mi vida no figura precisamente la palabra «discreto».

—¿Por qué tuvo que irse? —pregunté.

Kepler demoró largo rato la respuesta. Cuando volvió a hablar lo hizo con una tenue sonrisa en los labios y, en vez de una contestación, formuló otra pregunta.

—¿Ha oído hablar de las fraternidades alemanas de estudiantes, Jaime?

No, nunca había oído hablar de tal cosa.

—Se trata de clubes de esgrima —me explicó él—. O, mejor dicho, de asociaciones donde se practica la lucha con espada. Me refiero a verdaderos combates en los que se vierte la sangre.

—¿Duelos?

—No exactamente. Los duelos suelen acabar con la muerte o mutilación del contrincante, pero en las fraternidades se practica una modalidad de combate llamada *Mensur,* una lucha más bien ritual donde sólo se inflingen heridas superficiales. De entrada, no se puede avanzar ni retroceder, pues el pie retrasado debe permanecer totalmente inmóvil. Además, el torso, las extremidades y el cuello están protegidos para evitar golpes mortales, al igual que los ojos, que van cubiertos por unas gafas de hierro. De hecho, la única parte del cuerpo que queda descubierta es el rostro y es ahí donde se concentran los ataques.

—Por eso tiene usted esas marcas en la cara —señalé.

Kepler se pasó la yema de los dedos por una de las cicatrices que le recorrían el rostro y asintió.

—Cuando era joven —dijo—, participé en muchos combates y, en efecto, éstas son las huellas que me han quedado de aquellos enfrentamientos. A decir verdad, el auténtico propósito de los *Mensuren* es conseguir cicatrices como éstas. Es más, las heridas recibidas en el curso de un *Mensur* suelen coserse con voluntaria torpeza para que las marcas resulten más visibles.

Desvié la mirada y me dije que los alemanes eran rarísimos. Adivinando mis pensamientos, Kepler aclaró:

—El propósito del *Mensur* es demostrar el valor, la sangre fría y el carácter de quien lo practica. Por eso, cicatrices como éstas son algo así como condecoraciones que granjean el respeto y la admiración ajena.

Arqueé una ceja con abierto escepticismo.

—¿Le parece una tontería, Jaime? —me preguntó él.

—Pues... no pretendo ofenderle, Oskar, pero un poco tonto sí que me parece. A fin de cuentas, lo lógico sería enorgullecerse de las cicatrices que uno causa al adversario y no al revés.

Durante unos segundos, la ironía regresó a los labios de Kepler.

—Estoy de acuerdo con usted, Jaime —aceptó—; los *Mensuren* son una estupidez. Pero por aquel entonces yo aún pensaba que sangre y honor eran las dos caras de la misma moneda.

Sobrevino un largo silencio.

—Aún no me ha contado por qué tuvo que irse de Alemania —le recordé.

Kepler dejó escapar un suspiro.

—Nada más ingresar en la universidad pasé a formar parte de la fraternidad de estudiantes de Medicina. Tuve magníficos maestros y no tardé en convertirme en un más que notable espadachín. Verá, Jaime, la práctica del *Mensur* no era legal en Alemania, pero estaba consentida. Las fraternidades habían alquilado una gran sala en una posada de las afueras, la Hirschgasse, y allí celebrábamos los combates. Disputé más de cuarenta *Mensuren*; me gané mis cicatrices y propicié las cicatrices de muchos otros. Pronto adquirí cierta fama en la ciudad y la gente comenzó a tratarme con respeto y deferencia, lo cual, dada mi juventud, contribuyó no poco al envanecimiento de mi carácter —hizo un pausa antes de proseguir—. Un día, cuando sólo faltaba un año para mi licenciatura, un individuo llamado Rudolf Haffner me ofendió y yo le desafié. Haffner era mayor que yo, un hombre de armas, y se negó a disputar un *Mensur*. Eso eran juegos de niños, dijo, y me retó a un duelo. Un duelo auténtico, sin defensas ni protecciones. A muerte. Como le he dicho, yo era entonces un estúpido engreído, así que acepté.

El *Manantay* navegaba ahora relativamente cerca de la orilla derecha del río. Kepler perdió la mirada en la exuberante vegetación.

—Al día siguiente, poco después del anochecer —prosiguió—, Haffner y yo nos reunimos en la Hirschgasse con nuestros padrinos. Luchamos, yo gané y él murió con la yugular seccionada por un tajo de mi espada. Por eso tuve que huir.

—Pero fue un duelo justo, ¿no? —aduje—. Ambos tenían las mismas oportunidades.

—Sí, Jaime, pero en Alemania los duelos son ilegales. Además, Haffner era uno de los jefes de la policía de Heidelberg. Me acusaron de asesinato y pusieron precio a mi cabeza, así que tuve que escapar de Alemania —respiró hondo—. ¿Sabe cuál fue el motivo de aquel duelo? Yo iba corriendo por la calle, pues llegaba tarde a una cita, y tropecé con Haffner. Él me llamó *dummer junge* y yo le reté —sacudió la cabeza—. *Dummer junge*, «joven estúpido», eso fue lo que me dijo y ése fue el motivo por el que acabé con su vida y arruiné la mía —hizo una pausa—. *Dummer junge* —repitió, esbozando una sonrisa triste—; la verdad es que Haffner tenía razón. Yo era muy estúpido por aquel entonces...

Kepler perdió de nuevo la mirada en la selva. Al cabo de un rato comprendí que no iba a decir nada más y comencé a alejarme. Entonces sucedió algo muy curioso: en la orilla del río apareció un jaguar. Era un macho grande, con la piel de color pardo amarillento moteada de negro. Supongo que había acudido al río para beber, pero no lo hizo; en vez de ello, alzó los ojos y los fijó en el *Manantay*. Pero no, no fue el barco lo que miró; lo que hizo fue clavar el doble estilete de sus pupilas en los ojos de Kepler. Éste le devolvió la mirada y ambos se contemplaron en silencio hasta que el barco pasó de largo.

Yo diría que, de un modo u otro, se saludaron, como si fueran dos tigres encontrándose en medio de la selva.

* * *

Dos días más tarde, el *Manantay* abandonó el río Ucayali, por el que habíamos navegado desde que dejamos atrás las estribaciones de los Andes, y nos adentramos en las aguas del Amazonas. Tres días después llegamos a Iquitos.

De todos los lugares extraños y absurdos que habíamos visitado durante nuestro viaje, aquél se llevaba la palma. Iquitos era un confuso asentamiento humano situado en medio de ninguna parte; o mejor dicho —y aún peor—, situado en el centro de la selva más condenadamente grande, frondosa y salvaje del planeta. La villa constaba de una larga calle principal jalonada por casas de una sola planta con muros de adobe y techos de chapa ondulada. Ésa era, por decirlo así, la parte noble de la ciudad, y allí se encontraban las oficinas y los almacenes de las empresas yanquis y europeas dedicadas al comercio del caucho. El resto estaba compuesto por unas cuantas callejas miserables llenas de casas de bambú con techumbre de paja donde vivían los indios y los caucheros peruanos. A la orilla del río, a ambos lados del gran —aunque no por ello menos cochambroso— puerto fluvial, decenas de viviendas de madera con techos barbados se arracimaban sobre el agua como si fueran extrañas bestias abrevando.

Por lo demás, pavimento, telégrafo, teléfono, electricidad o alcantarillado eran, en aquella zona, tan sólo vagos rumores sin confirmar. No obstante, los más precipitados de entre mis lectores se equivocarían de medio a medio si sacaran la conclusión de que se trataba de un lugar pobre; lejos de ello, Iquitos era, junto con Manaos en Brasil, uno de los principales centros mundiales de producción y distribución de látex, la savia de unos árboles llamados seringas que sirve para fabricar caucho y cuyo precio no cesaba de incrementarse.

Iquitos fue fundado por los misioneros jesuitas que llegaron a la selva para cristianizar indios amazónicos, en concreto a las tribus de los napeanos y los iquitos. En un principio se llamó

San Pablo de Napeanos y estuvo situado a orillas del río Nanay, pero luego, a mediados del siglo XVIII, sus habitantes decidieron cambiar de aires y largarse de donde estaban. Inexplicablemente, en vez de buscar algún lugar más civilizado, se conformaron con trasladarse unos cuantos kilómetros hacia el este, a las orillas del Amazonas, su actual emplazamiento, y el asentamiento pasó a llamarse San Pablo de Nuevo Napeanos, aunque quizá por ser un nombre excesivamente largo —y porque los indígenas napeanos optaron inteligentemente por largarse de allí— no tardó en ser conocido como Caserío de Iquitos o, de forma más telegráfica, simplemente Iquitos.

El caso es que durante la mayor parte de su existencia, Iquitos no fue más que un villorrio inmundo cuya única utilidad era servir de punto de partida para las expediciones que se dirigían al interior de la selva. Sin embargo, de repente, el mundo entero comenzó a tener hambre de caucho y, dado que los mayores seringales se encuentran en la Amazonia, Iquitos pasó a convertirse en un auténtico emporio del látex. Tanto es así que, hacía tan sólo veinte años, en el pueblo apenas vivían setecientas personas y ahora su población ascendía a casi diez mil almas, la mayor parte de ellas dedicadas a la tarea de intentar enriquecerse con el negocio del caucho.

El *Manantay* atracó en el puerto de Iquitos a primera hora de la mañana. Encontramos alojamiento en el Roma, un hotel que, si bien ofrecía un aspecto lamentable, al menos contaba con camas razonablemente limpias, lo cual, en aquel selvático rincón, era todo un lujo. Tras inscribirnos en el hotel y dejar nuestro equipaje, nos reunimos en la recepción para planear nuestros siguientes pasos. Kepler nos comunicó que se proponía montar guardia en el puerto a la espera del vapor que nos estaba siguiendo desde Pucallpa.

—Debemos averiguar quiénes son y por qué nos siguen —dijo.

Reich, como solía ser su costumbre, no tenía la menor intención de hacer nada, así que se encerró en su habitación. Yocasta hizo otro tanto y a mí, estimados amigos, me correspondió la misión de buscar por la ciudad alguna pista acerca del paradero de mi padre y de Rasul. Y eso fue lo que hice.

Pasé el resto de la mañana deambulando por Iquitos y, tras formular numerosas preguntas en tabernas, hoteles, comercios y antros, descubrí que, en efecto, mi padre, Rasul, von Reich y su secretario habían llegado allí hacía casi dos meses. Al parecer, apenas permanecieron en la ciudad una semana, justo el tiempo de preparar una expedición hacia el interior de la selva. El dueño de una tienda de abarrotes —que les había vendido parte del material que necesitaban para el viaje— me contó que se proponían dirigirse hacia el noroeste remontando el Mamón, un afluente del Amazonas. Reconozco que, al principio, tales noticias me llenaron de optimismo, pues demostraban que mi padre y Rasul habían conseguido llegar a Iquitos sanos y salvos; desgraciadamente, poco después entablé conversación con un sacerdote, un pastor protestante que me contó que la expedición de mi padre, tal y como nos habían dicho los huaqueros, fue asaltada por una tribu de indígenas, los ashuar, en algún punto indeterminado de la selva, y que en el curso del ataque murieron todos los componentes de la partida salvo uno, el peón de Huánuco, que logró salvarse mediante el expeditivo procedimiento de salir pitando sin mirar atrás.

Una vez más todos los indicios parecían conducir a la conclusión de que mi padre y Rasul habían muerto, pero yo me negaba a aceptar tal posibilidad. A fin de cuentas, no existía ninguna prueba fehaciente y así se lo manifesté a aquel sacerdote. Él me miró con un deje de conmiseración y dijo:

—No hemos vuelto a tener noticias suyas desde que fueron atacados. Además, ¿sabe quiénes son los ashuar?

—Unos salvajes, supongo.

—En efecto; pero no se hace una idea de hasta qué punto son salvajes. En occidente, a los ashuar se les conoce por el nombre de jíbaros. ¿Ha oído hablar de ellos, señor Mercader?

Tragué saliva. Claro que había oído hablar de los jíbaros; eran los famosos cazadores de cabezas del Amazonas, una de las tribus más peligrosas que hay sobre la faz de la Tierra.

—Los jíbaros no hacen prisioneros —concluyó el pastor—. Me temo que no cabe la menor duda de que su padre y sus amigos han muerto.

Me despedí del sacerdote y regresé al hotel. Kepler ya se encontraba allí y tenía noticias acerca del grupo que nos pisaba los talones.

—El vapor llegó al puerto este mediodía —dijo—. Es el *Santa Rosa*.

—¿Y por qué nos seguía? —pregunté.

Kepler se encogió de hombros.

—No lo sé; no había nadie a bordo, salvo la tripulación. El capitán del *Santa Rosa*, un tal Andrade, me ha dicho que el barco fue alquilado por unos desconocidos en Pucallpa. Le encargaron que siguiera al *Manantay*; pero, poco antes de llegar a Iquitos, desembarcaron.

—¿En mitad de la selva?

—No; en Tamshiyaco, un pueblo situado a día y medio de aquí.

—Bueno, ¿y quiénes son?

Un nuevo encogimiento de hombros.

—Según el capitán del *Santa Rosa*, cincuenta y cinco individuos muy bien armados. Se limitaron a pagar el viaje y no dieron ninguna explicación.

—Bueno, al menos no nos han seguido hasta aquí.

—Vendrán, Jaime, vendrán —señaló Kepler—. Está claro que intentan mantenerse a distancia de nosotros, pero también es evidente que no quieren perder nuestro rastro. Supongo que conseguirán algún tipo de embarcación en Tamshiyaco y tarde o temprano se presentarán aquí.

Estábamos todos reunidos en torno a una mesa del comedor del hotel, dando cuenta de una sorprendentemente sabrosa comida.

—¿Has averiguado algo acerca de tu padre, Jaime? —preguntó Yocasta.

Les puse al tanto de todo lo que me habían contado en el pueblo; cuando narré mi entrevista con el pastor protestante, Kepler observó:

—El sacerdote tiene razón; deben de estar muertos.

Sacudí la cabeza.

—Eso no lo sabemos. Nadie los vio morir y nadie ha encontrado sus cuerpos. Quizá estén perdidos.

—Nadie puede permanecer tanto tiempo perdido en esta selva y seguir vivo —señaló Kepler.

—Vivo o muerto —intervino Reich—, tengo la firme intención de encontrar a mi hermano.

—¿Y dónde se supone que vamos a buscarle? —preguntó Kepler.

—Fueron hacia el noroeste —apunté—. Siguiendo el río Mamón.

Kepler sacó del bolsillo un mapa, lo desplegó sobre la mesa y señaló con el dedo una zona situada por encima y a la izquierda de Iquitos.

—Esto es el noroeste —dijo—. ¿Qué hay ahí, Jaime?

Lo único que aparecía en el mapa era una gran mancha verde.

—Selva... —respondí.

—Exacto. No hay ningún pueblo, ninguna misión, ninguna hacienda, nada. Sólo selva inexplorada. ¿Cómo vamos a encontrarlos? ¿Buscando a los ashuar y preguntándoles por ellos?

Las palabras de Kepler quedaron flotando en el aire como si más que una ironía fueran una espada de Damocles cerniéndose sobre nuestras cabezas.

—De nuevo nos estamos formulando la pregunta equivocada —intervino Yocasta.

—¿Y qué deberíamos preguntarnos, señora Massemba? —inquirió Kepler.

—Por qué fueron a la selva.

—No te entiendo —dije—. ¿Cómo que por qué fueron a la selva?

—Es la misma cuestión de siempre —repuso ella, mirando fijamente a Reich—. ¿Qué buscaba el señor Lothar von Reich? ¿Qué le movió a venir a Iquitos y después a internarse en la selva?

—Ya le he dicho que ignoro en qué andaba metido mi hermano —replicó Reich con un deje de irritación.

—Además —señalé yo—, ¿qué importa eso ahora?

Yocasta me miró con esa condescendencia suya que me hacía sentir, en la escala evolutiva, a la altura de las lombrices.

—Claro que importa, amito Jaime. Si supiéramos adónde pretendían ir, sabríamos dónde buscarlos.

—Pero no lo sabemos —aduje.

Mi negra criada alzó un ceja con aire insufriblemente condescendiente.

—¿Y ellos? —preguntó—. ¿Lo sabían?

Parpadeé varias veces.

—¿Qué quieres decir?

—Pues que aunque supieran lo que andaban buscando, no conocían esta región, así que difícilmente podían orientarse sobre el terreno. Necesitaban guías y remeros, y a esa gente tuvieron que contratarla aquí, en Iquitos.

—Ya, pero estarían con ellos cuando les atacaron los jíbaros.

—Quizá alguno se salvara y consiguiera regresar —Yocasta se encogió de hombros—. Pero, aunque no fuera así, lo que está claro es que tuvieron que hablar con alguien para contratar a los peones que necesitaban, y esa persona debe de saber adónde querían dirigirse.

—Ya le he preguntado a un montón de gente —protesté—, y nadie sabe nada.

Yocasta chasqueó la lengua y negó lentamente con la cabeza.

—Pero no has preguntado a las personas adecuadas —dijo—. Es decir, a la gente que mejor conoce esta jungla: a los indios.

Exhalé una bocanada de aire.

—Es verdad... —musité.

Kepler esbozó una sonrisa y le dedicó a Yocasta un cabeceo de reconocimiento.

—Fue un acierto aceptar que viajara con nosotros, señora Massemba. Es usted muy lista —se volvió hacia mí—. Creo, Jaime, que esta tarde deberíamos visitar los barrios indígenas, de Iquitos.

*   *   *

Hablar de «barrios», indígenas o no, en Iquitos era sin duda una exageración. Dejando aparte la calle principal —que de principal sólo tenía la relativa robustez del adobe de sus viviendas—, el resto del pueblo no era más que una aglomeración de cabañas y casuchas distribuidas sin el más mínimo sentido, no ya del urbanismo, sino del mero sentido común. Los indios, que ocupaban el puesto más bajo en el escalafón social del lugar, vivían en la periferia —es decir, allí donde poblado y selva se confundían— y eran francamente numerosos. De hecho, era tal su número que Kepler y yo optamos por dividirnos la tarea: él se ocuparía del sur de la villa y yo del norte.

Aun así, la labor resultó ardua. Muchos de esos indios no hablaban español ni ningún otro idioma comprensible; pero es que, además, los que hablaban en cristiano no tenían la menor intención de contestar a las preguntas de un forastero, así que me estrellé contra un muro de silencio y desconfianza. Nadie había visto a nadie, nadie sabía nada.

Aquel día, ni Kepler ni yo encontramos la menor pista, así que, a la mañana siguiente, proseguimos nuestras pesquisas, él por su lado y yo por el mío. Fue una experiencia agotadora y deprimente. A última hora de la tarde, tras recorrer un sinfín de callejas embarradas e intentar hablar con centenares de indios que no tenían la menor intención de hablar conmigo, decidí tirar la toalla. Entonces, justo cuando acababa de echar a andar de regreso al hotel, sobrevino el más inesperado de los encuentros.

—¡*Monsieur* Mercader! —exclamó una voz—. ¡Qué sorpresa!

Giré la cabeza y vi que un hombrecillo grueso sobre cuya boca flotaba un bigote retorcido se aproximaba a mí con una sonrisa tan grande que parecía estar a punto de dislocarle la mandíbula. Era Pierre Menard, el vendedor de maquinaria.

—*Comment ça va, mon ami?* —dijo, saludándome con una efusión más apropiada para batir mantequilla que para estrecharle la mano a alguien—. Qué extraordinaria coincidencia, *N'est-ce? C'est incroyable!*

En fin, aun a riesgo de ponerme pesado insistiré en el hecho de que las coincidencias son las señales que el destino lanza para avisarte de que un desastre está a punto de acontecer, así que saludé al francés con prevención e intenté escabullirme de él mediante una vaga excusa; pero aquel hombre era inasequible al desaliento y, tras asegurar que nuestro encuentro era la más venturosa casualidad desde el día en que Colón tropezó con América, me arrastró literalmente a una taberna cercana para invitarme a tomar un trago.

Una vez allí, sentados a una mesa frente a nuestras bebidas —un vaso de ron moreno y una zarzaparrilla—, Menard pasó los siguientes quince minutos hablando sin parar. Comentó lo terrible que era la vida en América para un europeo civilizado como él, echó pestes de los yanquis, pues, al parecer, para la construcción del canal sólo contrataban empresas de su país, y se lamentó de lo infructuosa que había resultado hasta el momento su actividad comercial en el Nuevo Mundo. A continuación me contó que acababa de llegar a Iquitos con el propósito de estudiar las posibilidades de industrializar la recolección y el almacenamiento del látex. En resumen, todo muy aburrido. Sin embargo, tras una pausa en el relato de su odisea empresarial, Menard me espetó:

—¿Y qué le ha traído a Iquitos, Jaime? ¿Intenta averiguar qué le sucedió a la expedición de su padre?

Di un respingo y me atraganté con la zarzaparrilla, lo cual me causó un violento ataque de tos. Mientras me palmeaba la espalda, Menard agregó:

—¡Oh, no se sorprenda, *cher ami*! Iquitos es *un petit village*, un pueblecito, y en estos lugares el chismorreo suele ser el deporte más extendido. Según me han contado, *son père,* don Fernando, se dirigió hace unos dos meses, junto con sus amigos, al interior de la selva, y desde entonces no ha vuelto a saberse de ellos. Ahora usted los busca, *n'est-ce pas?*

La expresión de Menard era tan cándida como la de un lactante, lo cual ya resultaba de por sí notablemente sospechoso; además, de nuevo aquel hombrecillo sabía demasiado. Sin embargo, no tenía sentido negar lo evidente, así que, tras recuperarme del acceso de tos, respondí:

—Sí, estoy buscando a mi padre...

—¿Y ha averiguado algo, *mon ami*?

—Ni siquiera sé adónde fueron.

Se produjo un silencio. Menard le dio un sorbo a su ron y lo paladeó con aire de profundo desagrado.

—Un *breuvage terrible* —dijo torciendo el gesto—. Una bebida realmente decepcionante el ron. Pero claro, es *très diffi-cile* encontrar coñac aquí, en Iquitos —permaneció unos segundos pensativo, contemplando su vaso, y prosiguió—: Permítame una pregunta, Jaime: si usted deseara procurarse un buen coñac, ¿a quién recurriría? A un francés, por supues-to. ¿Y a quién acudir si lo que desea es averiguar algo relacio-nado con la jungla? A los habitantes de la jungla, *c'est evident*.

—Eso he hecho —repliqué—. Llevo dos días preguntando a los indios, pero nadie sabe nada.

—*Oh oui, mais...* —Menard se encogió de hombros—. Casi todos los indígenas de Iquitos pertenecen a la etnia cocama. Son indios, pero... *comment je dis?*... Indios civilizados, *oui*. Hace tiempo que abandonaron el corazón de la selva para vivir en la ciudad. Si yo fuera usted, *cher ami*, buscaría a los verda-deros hombres de la selva. Los aguarunas.

—¿Aguarunas? —repetí; jamás había oído ese nombre.

—*Mais oui*, aguarunas. Son los auténticos *jungle-men*, como dicen los yanquis. La mayor parte de ellos todavía vive en las frondas, *avec les bêtes*, pero algunos se han instalado cerca de Iquitos. Según tengo entendido, *il y a un homme...*, hay un hombre, un jefe, un viejo indígena llamado Lázaro, que cono-ce la selva como la palma de su mano. Yo en su lugar, Jaime, le preguntaría a él.

—¿Lázaro?

—*Oui*, Lázaro. Ése es su nombre cristiano, claro; tiene otro nombre propio de salvajes, *mais je ne connais pas*. Sin lugar a dudas es la persona adecuada para obtener información acerca de *son père*.

—¿Y dónde puedo encontrarle?

—Oh, muy cerca de aquí; a poco más de un kilómetro hay un asentamiento aguaruna. Allí vive *monsieur* Lázaro.

Menard me indicó cómo llegar —debía salir de Iquitos por el noroeste y seguir el sendero que corría paralelo a un arro-yo—; luego se despidió de mí con su habitual efusión y un par de sonoros besos en las mejillas.

—Espero que encuentre a su padre, *cher ami* —dijo mientras me abrazaba—. *Et beaucoup de chance avec les aguarunas!* No son gente fácil esos hombres de la selva.

No me fiaba ni un pelo de Pierre Menard —a esas alturas ya no me fiaba de nadie—, pero era la única pista con que contaba, así que me dirigí al lugar que había indicado el francés, lo cual, todo sea dicho, resultó mucho más inquietante de lo que mi atribulado ánimo hubiera deseado, pues uno, cuando vive en ciudades civilizadas, tiende a pensar que el extrarradio es, simplemente, algo que está lejos del centro, pero en Iquitos las afueras eran nada más y nada menos que la maldita selva amazónica; es decir, el entorno menos tranquilizador que pueda concebirse. Para colmo de males, estaba atardeciendo y me vi obligado a caminar en una creciente oscuridad.

El caso es que salí de Iquitos en dirección al noroeste y seguí un sendero que se adentraba en la jungla corriendo a la vera de un arroyo de aguas claras. En este punto, me gustaría señalar algo con respecto a los bosques tropicales: cuando uno se adentra en ellos, aunque sólo sea un poquito, la orientación se convierte en un acuciante deseo insatisfecho, pues el follaje es tan profuso y lujurioso que casi al instante se pierde cualquier referencia. Poco después de dejar atrás las últimas cabañas, y aunque la ciudad debía de encontrarse muy cerca, me sentí como si estuviera perdido en el confín del mundo, rodeado por un entorno hostil en el que cada sonido, sombra o movimiento se me antojaba el colmo de la amenaza. Y así, con el corazón en un puño, fue como recorrí el escaso kilómetro y medio que me separaba del asentamiento indígena.

Cuando llegué era casi de noche y, aunque por un lado me pareció de perlas encontrar de nuevo compañía humana, la verdad es que dicha compañía se me antojó muy poco adecuada, pues aquellos indios, inquietos lectores, se parecían muchísimo a los asesinos tatuados que tantas veces habían puesto en peligro mi vida. Afortunadamente, ninguno de ellos llevaba la extraña marca en el pecho.

La aldea aguaruna constaba de una docena de chozas con techo de palma situadas formando un círculo en cuyo centro ardía una gran hoguera. Allí, ocupados en sus quehaceres, había unos cincuenta indígenas. Los hombres, bajos, de piel cobriza y muy morenos, vestían tan sólo faldas de algodón cuyo nombre, según supe más tarde, era *itipac*; las mujeres llevaban unos vestidos llamados *buchak* que las cubrían del cuello a los tobillos, dejando un hombro al descubierto, y los niños, sencillamente, iban tal cual Dios los trajo al mundo.

Nada más poner un pie en el poblado, tres tipos me cortaron el paso. Eran bastante más bajitos que yo y, pese a su constitución fibrosa y atlética, tampoco parecían muy fuertes; lo malo es que los tres portaban grandes machetes al cinto y todos ellos me miraban como si aguardaran una razón, por mínima que fuese, para empuñar dichos machetes y hacerme picadillo.

—Buenas tardes —les saludé con una sonrisa un tanto forzada.

Uno de los indios, el más ceñudo, me espetó:

—*Winiámek?*

Compuse una expresión rebosante de inocencia.

—Disculpe —musité—, no le comprendo.

—*Yáachitme?*

—¿Cómo dice?...

El indio torció el gesto.

—*Náimsha yáachi?* —me espetó con alarmante sequedad.

Por lo que yo sabía, lo mismo podía estar invitándome a tomar el té que amenazándome con cortarme los atributos masculinos para echárselos a los cerdos —aunque, dado el tono que empleaba, probablemente sus palabras iban dirigidas más bien en ese último sentido—, así que sonreí muchísimo y dije:

—Disculpe, no domino su, sin lugar a dudas, espléndido idioma. Si me he permitido la indiscreción de venir aquí sin anunciarme previamente es porque tengo la imperiosa necesidad de entrevistarme con un caballero llamado Lázaro. ¿Se encuentra aquí?

Los tres indios intercambiaron sombrías miradas; a continuación, el que llevaba la voz cantante me contempló con desconfianza y masculló:

—*Lázaro?*

—Eso es, Lázaro —asentí—. ¿Podría hablar con él?

Tras un nuevo intercambio de miradas, el cabecilla gruñó:

—*Jáasta...*

Acto seguido, se dirigió a una de las cabañas —la más grande— y desapareció en su interior. Los otros dos indios se quedaron ahí, mirándome fijamente; de hecho, todos los habitantes del poblado habían dejado de hacer lo que estaban haciendo y no me quitaban la vista de encima, como si yo fuese el bicho más raro que jamás hubieran visto surgir de aquella selva llena de bichos raros. Hasta el más impávido de mis lectores convendrá conmigo que la situación resultaba, cuando menos, incómoda, así que no cesé de sonreírle a todo el mundo, incluso a un par de cerdos que pasaban por ahí. Unos minutos más tarde, el cabecilla regresó a mi lado y me ordenó:

—*Aintút!*

Luego echó a andar de nuevo hacia la cabaña y, como me indicó con un gesto que le siguiese, supuse que me había dicho que le siguiese, así que le seguí. Al llegar a la choza, señaló la entrada con un ademán y mandó:

—*Wayáta.*

Aquello debía de significar algo así como «entra», de modo que aparté la cortina de algodón que cubría la puerta y entré. El interior de la cabaña estaba lleno de utensilios; había una escopeta de aspecto tosco, un arco con sus flechas, un par de lanzas, varias vasijas de barro, cuerdas, hatos de tela y unos cuantos sacos. De las palmas del techo, colgando de un cabo, pendía un quinqué de aceite cuya llama apenas lograba mitigar las galopantes tinieblas del anochecer. Al fondo, dos mujeres con sendos *buchaks* —uno azul y el otro amarillo— estaban ocupadas en preparar una especie de masa blanquecina en un enorme plato de barro. En el centro de la estancia, sentado con la piernas cruzadas, un hombre de edad indefinida —aunque no precisamente joven— me miraba con fijeza; llevaba una falda verde, se cubría la cabeza con una corona de flores rojas y llevaba un collar de cuentas en torno al cuello. El tipo señaló el suelo y dijo:

—*Kéemsata tutangnúm.*

No tenía ni la más remota idea de qué demonios me estaba

diciendo, pero parecía una invitación a tomar asiento, así que me senté frente a él.

—*Winia naárka Lázaroaiti* —prosiguió—. *Yáitpa?*

Sonreí mucho, carraspeé aún más y declaré:

—Disculpe mi ignorancia, pero no conozco su idioma. ¿Habla usted español?

Tras un prolongado silencio, el tipo de la corona floreada asintió.

—Lo hablo —dijo.

—Ah, fantástico. ¿Es usted Lázaro?

—Lo soy. ¿Quién eres tú?

—Perdone, no me he presentado, qué mala educación. Me llamo Mercader; Jaime Mercader.

—¿Qué quieres de mí, Jaime Mercader?

Por lo visto, el tal Lázaro era uno de esos tipos prácticos que van siempre directos al grano, así que expuse los motivos de mi visita sin más circunloquios.

—Pues verá, resulta que hará cosa de dos meses vinieron aquí, a Iquitos, unos caballeros que pretendían dirigirse al interior de la selva. Según parece, remontaron el curso del río Mamón hacia el noroeste y, desde entonces, no ha vuelto a saberse de ellos. Bueno, pues resulta que los estoy buscando y me preguntaba si no habrían recurrido a usted o a su gente para que los guiaran en ese viaje. Uno de ellos es un caballero español llamado Fernando Mercader. ¿Lo ha visto por aquí?

Lázaro se me quedó mirando a través de la doble rendija de sus ojos como si lo que le acababa de contar tuviera tanto que ver con él como las cotizaciones de la bolsa de Nueva York. Sin embargo, al cabo de un largo silencio, dijo:

—*Makichik-jíi.*

—¿Qué?...

—Ese hombre era *makichik-jíi*. Un solo ojo.

—¡Sí! —exclamé—. ¡Exacto, es tuerto!

—¿Era tu padre?

Ya habrán advertido, perspicaces lectores, que aquel indígena hablaba de mi padre en pasado, lo cual, por qué negarlo, me dio muy mala espina.

—Sí, es mi padre. ¿Lo conoció usted?

Lázaro asintió con un apenas perceptible cabeceo.

—Vino aquí con otros tres hombres. Uno grande y fuerte, otro muy rico y otro con cristales en los ojos. Con ellos iban tres sirvientes.

Sin duda, se refería a Rasul, a Lothar von Reich y a Everildo Cartago, su secretario, así como a los peones que contrataron en los Andes.

—¿Qué sabe de ellos? —pregunté.

—Querían que los lleváramos al interior de la selva —respondió—. Lo hicimos. Luego, los mataron los ashuar.

—¿Cómo sabe que han muerto? —musité—. ¿Estaba usted allí?

Lázaro sacudió la cabeza.

—¿Ha visto sus cadáveres? —insistí.

Una nueva negativa.

—Entonces, ¿cómo lo sabe?

—Los ashuar son grandes guerreros —respondió—. Cazadores de cabezas. Siempre acaban con sus enemigos. Siempre.

—Mi padre contrató a los aguaruna para que le guiaran al interior de la selva, ¿no?

—Sí.

—Entonces, ¿por qué no estaban ustedes allí, con ellos, cuando atacaron los ashuar?

De nuevo un largo silencio.

—El trato era que nosotros los llevaríamos al *jínta-wakán* —respondió finalmente Lázaro—. Pero no más allá. Cuando estuvieran en el *jínta-wakán*, nosotros regresaríamos y ellos seguirían adelante solos.

—¿Qué es el *jínta-wakán*?

—El sendero fantasma.

—¿Qué es eso?

—Un camino en la selva.

—¿Y adónde lleva ese camino?

—Al *Núgka Wakani*, la Región de las Sombras.

Bueno, intrigados amigos, aquello parecía un concurso de adivinanzas. No obstante, cuando mencionó la Región de las Sombras, las dos mujeres que estaban al fondo de la choza dejaron de amasar la cosa blanquecina que estaban amasando y pusieron cara de auténtico terror.

—Vamos a ver —dije tras un carraspeo—. ¿Usted sabe adónde se proponían ir mi padre y sus amigos?

—Sí.

Aquel hombre, de puro lacónico, estaba empezando a ponerme nervioso; hice acopio de paciencia y pregunté:

—Bueno, ¿adónde querían ir?

Sobrevino un nuevo y larguísimo silencio. Lázaro, que no había movido ni un músculo del rostro desde mi llegada a la choza, abrió mucho los ojos y susurró:

—Querían ir a Bosán...

De no estar sentado, me habría caído al suelo. ¡Bosán! Ésa era la palabra que habían pronunciado los asesinos tatuados cuando intentaron matarme en Cartagena. Le pregunté a Lázaro qué era Bosán, pero no logré sacar nada en claro. Según aquel maldito indio, Bosán era el *Núgka Wakani*. ¿Y qué era el *Núgka Wakani*? La Región de las Sombras. ¿Y qué era la Región de las Sombras? Bosán.

En fin, aquella forma de razonar en círculos no conducía a ninguna parte, así que hice lo único que cabía hacer en aquellas circunstancias: llegué a un acuerdo con Lázaro para que él y su gente nos condujeran al lugar donde habían dejado, hacía dos meses, a la expedición de mi padre. Es decir, al comienzo del *jinta-wakán*, el sendero fantasma, y ni un paso más allá, como dejó muy claro el jefe de los aguarunas. Concluida la negociación, Lázaro hizo un brusco ademán y me espetó:

—*Ayú, wetá. Kashín wainiámi.*

Supuse que estaba diciendo que me largase, de modo que salí de la choza. Era noche cerrada; afortunadamente, uno de los indios me entregó una antorcha y así, alumbrado por el tenue resplandor de la llama, inicié el camino de regreso a Iquitos. La verdad es que la selva, de noche, resulta mucho más aterradora de lo que ya de por sí es durante el día. Todos los sonidos resonaban amenazadores e incluso me pareció escuchar algún que otro rugido; sin embargo, estaba demasiado contento para sentir miedo, pues por fin había averiguado el paradero de mi padre.

Lo malo es que dicho paradero era Bosán, la Región de las Sombras o como quiera que se llamase, un misterioso lugar situado en lo más profundo de una jungla que nadie en su sano juicio se hubiera planteado visitar jamás.

* * *

Aquella misma noche, una vez sano y salvo en el hotel, y tras reunirme en la cantina con Kepler, Reich y Yocasta, les conté lo que había averiguado, así como el acuerdo al que había llegado con Lázaro para que los aguarunas nos condujeran al lugar donde fue vista por última vez la expedición de mi padre. Kepler, tras unos instantes de reflexión, me preguntó:

—¿Quién es ese hombre, el francés?

—¿Pierre Menard? Un comerciante de maquinaria. Parece inofensivo.

—Sin embargo, conoció a Fernando Mercader en Panamá, más tarde tropezó con usted, Jaime, en ese mismo lugar, y hoy, de repente, se han vuelto a encontrar aquí, a cientos de kilómetros de distancia. Demasiadas casualidades.

Por lo visto, Kepler desconfiaba tanto como mi padre de las coincidencias.

—Bueno, ¿qué más da? —dije, quitándole trascendencia al asunto—. Lo importante es que hemos vuelto a encontrar la pista de mi padre y podemos seguir adelante.

—Ya... —Kepler perdió la mirada en un punto indeterminado del local y agregó—: La cuestión es si queremos seguir adelante.

—¡Claro que queremos! —protesté.

—Yo también he hecho algunas averiguaciones —repuso Kepler—. La región que se extiende al norte y noroeste del río Mamón está inexplorada. La única certeza es que la habitan tribus salvajes.

—Los ashuar —apuntó Yocasta mientras hojeaba con aire distraído uno de sus libros.

—Los ashuar, en efecto —prosiguió Kepler—. Jíbaros. Cazadores de cabezas —se volvió hacia su patrón y le preguntó—: ¿Está seguro de querer ir allí, Herr Reich?

—Estoy seguro de que nada me impedirá encontrar a mi hermano, aunque ello suponga buscarle en un territorio hostil. No me dan miedo un puñado de salvajes.

Kepler dejó escapar un largo suspiro y le dio un trago al vaso de whisky que descansaba frente a él, sobre la mesa.

—Los ashuar pertenecen al tronco etnolingüístico de los indios jíbaro —intervino de pronto Yocasta.

—Eso ya lo sabemos —repuse.

Mi negra sirvienta me contempló con una irónica ceja levantada.

—¿Y sabías que los aguarunas también lo son?

—¿Que son qué?

—Jíbaros. Tanto los ashuar como los aguaruna lo son. Primos hermanos, como aquel que dice.

Fruncí el ceño y parpadeé repetidamente. ¿Los indígenas que iban a guiarnos a través de la selva pertenecían a la misma etnia que los indígenas que habían atacado a la expedición de mi padre?... De repente, Yocasta se echó a reír.

—No pongas esa cara, Jaime —dijo entre carcajadas—. Hace tiempo que esos aguarunas que has conocido hoy dejaron de cazar cabezas. Son pacíficos; no tienes por qué preocuparte.

—Aun así —terció Kepler—, nuestro viaje no va a estar exento de peligros. Señora Massemba, sería más prudente que se quedara usted aquí, en Iquitos, esperándonos.

Yocasta le contempló con su habitual aire de superioridad y negó lentamente con la cabeza.

—No he recorrido más de dos mil kilómetros, señor Kepler, para morirme de aburrimiento en este poblacho. Iré con ustedes.

Supongo que Kepler ya conocía lo suficiente a mi negra sirvienta como para saber lo inútil que era intentar torcer su voluntad, así que se encogió de hombros y apuró su bebida de un trago. Al poco, abandonamos la cantina del hotel camino de nuestras habitaciones; aunque, en realidad, eso no es del todo cierto, pues Kepler, en vez de retirarse a dormir, salió al exterior y se quedó de pie junto a la entrada del hotel, intentando fumar un cigarro que, a causa de la humedad, tenía que estar encendiendo a cada poco. Fui tras él y permanecí unos minutos a su lado, contemplando el aspecto nocturno de la población.

En Iquitos no había luz eléctrica ni de gas, así que la única iluminación consistía en algunos faroles de queroseno o aceite dispersos aquí y allá. No obstante, la luna, en cuarto creciente, flotaba en el firmamento bañando con su lánguida luz las embarradas calles. Al fondo, el río Amazonas era una inmensa cinta de plata en cuyas orillas titilaba el esporádico resplandor de las hogueras. A lo lejos se escuchaba la voz de una soprano interpretando un aria de Puccini en un cascado gramófono y, más allá, los exóticos sonidos de la selva. Olía a flores, a humo, a estiércol y a humedad. De reojo, vi que Kepler mantenía la mirada perdida en el oscuro horizonte de palmas, ficus y seringas, y aunque su rostro permanecía inexpresivo, me pareció advertir un titileo de inquietud en sus pupilas.

—¿Le preocupa algo, Oskar? —pregunté, rogando interiormente que me diera una respuesta negativa.

—El viaje que vamos a emprender no será fácil —respondió en un tono tan neutro como su expresión—. La selva es peligrosa.

—Bueno, con eso ya contábamos, ¿no?

Kepler guardó silencio unos segundos y comentó:

—No hay ni rastro de la partida que nos seguía y eso no me gusta; preferiría saber dónde están. Pero hay algo que me preocupa aún más...

—¿El qué?

Kepler intentó darle una calada a su cigarro, pero se había vuelto a apagar, así que lo encendió con un fósforo.

—Los asesinos tatuados —dijo al tiempo que exhalaba una nube de humo.

—¿Qué pasa con ellos?

—Nada. Eso es lo que me preocupa.

Me rasqué la cabeza.

—No le entiendo...

Kepler se encogió de hombros.

—Esa gente nos intentó matar en Cartagena, en El Callao y en los Andes. Sin embargo, desde que iniciamos el viaje a la Amazonia no hemos vuelto a tener noticias de ellos.

—Pero eso es bueno, ¿no? —repliqué.

—No, es muy malo —el alemán arrojó la colilla del puro al suelo—. Se hace tarde, Jaime —dijo—. Será mejor que nos retiremos.

—Un momento —le contuve—. ¿Qué tiene de malo que no hayan vuelto a intentar matarnos?

Kepler hizo un gesto vago.

—Tengo la impresión —dijo— de que estamos yendo exactamente hacia donde ellos quieren que vayamos, y eso no es bueno, Jaime.

Acto seguido, desapareció en el interior del hotel.

Capítulo Ocho

Donde se narra un viaje fluvial al corazón de la selva, nuestra llegada al jínta-wakán, *los desafortunados incidentes que acontecieron en el sendero fantasma y el aciago encuentro con los cazadores de cabezas*

M i padre solía decir que cuando todo el mundo, sin excepción, afirma que te estás equivocando, cabe empezar a sospechar que existe la remota posibilidad de que realmente te estés equivocando. Pues bien, todo el mundo en Iquitos, sin la menor excepción, se empeñó en decirnos que cometíamos un terrible error al pretender viajar al interior de la selva. Creo que se habrían cruzado apuestas acerca de nuestras posibilidades de sobrevivir si alguien hubiese estado lo suficientemente loco como para apostar a nuestro favor. Incluso Lázaro, a quien habíamos contratado para que nos sirviese de guía, comentó:

—Sólo un blanco puede ser tan estúpido como para querer ir a la Región de las Sombras.

De hecho, cuando se corrió la voz de que pretendíamos dirigirnos al noroeste, los iquiteños comenzaron a contemplarnos con una curiosa mezcla de displicencia y compasión, como si fuéramos patéticos condenados a muerte ignorantes de nuestra condición de casi cadáveres, y en cuanto nos dábamos la vuelta nos señalaban con el dedo y se ponían a cuchichear en tono lúgubre. En fin, era algo muy irritante.

Afortunadamente, la expedición tampoco requería grandes preparativos, pues, después de tanto tiempo viajando, ya estábamos equipados con todo lo necesario. Básicamente, adquirimos latas de conserva, munición y algo de ropa, así como los artículos que nos habían solicitado los aguaruna a cambio de sus servicios, ya que preferían cobrar en especias. En concreto, nos pidieron pólvora, machetes, cañas y anzuelos, tres rollos de tela, una máquina de coser Singer y una escopeta comercial. Esto último, la llamada «escopeta comercial», era un arma fabricada ex profeso para el comercio del caucho en el Amazonas. Para confeccionarla, se enrollaba alambre grueso formando una espiral en torno a una barra, luego se quitaba ésta, se calentaba el alambre, se estañaba, se pulía y se pintaba de azul o de gris. La escopeta se cargaba por la boca del cañón y disparaba siguiendo una sucesión de tres explosiones consecutivas: primero la del pistón, luego un siseo y por último un estallido similar al gruñido de un cerdo salvaje; eso en el caso de que disparase, pues más o menos la mitad de las veces todo acababa en mucho humo y pocas balas. Era un arma tan mala que al cabo de cuarenta o cincuenta disparos quedaba inutilizada.

En fin, pacientes lectores, si bien equipar la expedición no supuso excesivo esfuerzo, sí que resultó problemático encontrar porteadores. Los aguaruna sólo se comprometían a conducirnos hasta el sendero fantasma —ni un metro más allá— y los indios cocamas que vivían en Iquitos se negaban en redondo a acompañarnos al interior de la selva, pues, tal y como nos dijeron repetidas veces, eran pobres, pero no idiotas. El caso es que durante unos días no encontramos a nadie que estuviera dispuesto a viajar con nosotros, hasta que finalmente Reich, usualmente siempre ajeno a los preparativos y al trabajo en general, contrató a cuatro hermanos apellidados Olivares —Roberto, Ambrosio, Wilfredo y Carmelo— que no sólo acababan de instalarse en Iquitos, sino que también eran unos recién llegados a la Amazonia y, por tanto, desconocían los peligros del lugar adonde nos dirigíamos.

—Además —señaló Reich—, son blancos.

La vida —así como el ejemplo de la negra y sabia Yocasta— me ha enseñado que establecer diferencias entre las personas en función de su raza es tan estúpido como intentar juzgar la velocidad de un caballo de carreras por el número de pelos de su cola. Mi padre solía decir que el único color que importa es el del dinero y que todo lo demás son tonterías, así que la observación de Reich me pareció una soberana estupidez. Por otro lado, puede que Roberto, Ambrosio, Wilfredo y Carmelo fuesen blancos, pero desde luego aquella circunstancia no ofrecía la menor garantía acerca de su condición y talante, pues su aspecto no podía ser más patibulario.

Fuera como fuese, cinco días después de nuestra llegada a Iquitos estábamos listos para emprender el último tramo de nuestro viaje. Un lunes por la mañana, poco después de salir el sol, nos reunimos con Lázaro y sus hombres en la orilla del río, cerca del puerto, montamos en las piraguas y pusimos rumbo al norte, en dirección a la cercana desembocadura del río Mamón. En total, eran cinco canoas, con dos remeros aguaruna asignados a cada una de ellas. Reich y Kepler viajaban juntos, igual que Yocasta y yo; nuestros porteadores ocupaban otras dos piraguas y en la quinta, donde se amontonaba la mayor parte del equipaje, viajaba Lázaro junto con dos de sus hombres.

Durante los primeros días de travesía no sucedió nada. Las canoas se deslizaban plácidamente, primero por las aguas del Amazonas y después siguiendo el cauce del Mamón. Al principio, mientras aún estábamos relativamente cerca de Iquitos, tropezamos en nuestro camino con diversas aldeas cocama, todas ellas situadas a la orilla del agua, pues los indios que las habitaban se dedicaban sobre todo a la pesca. Eran minúsculos villorrios poblados por indígenas de aspecto paupérrimo; una visión muy poco estimulante, desde luego, pero al menos nos proporcionaba un espejismo de compañía que, por desgracia, no tardó en esfumarse, pues al cabo de un par de jornadas de navegación perdimos de vista cualquier rastro de presencia humana.

En efecto, una vez que dejamos atrás los últimos asentamientos cocamas, la terrible desolación de la selva se cernió sobre nosotros, como si a cada golpe de remo nos adentráramos más y más en un infierno esmeralda pavorosamente solitario y amenazador. Conforme avanzábamos hacia el noroeste, el cauce del Mamón se iba estrechando, hasta tal punto que, en ocasiones, las murallas de vegetación que crecían en ambos lados del río se unían sobre nuestras cabezas formando un dosel que nos hurtaba la luz del sol. En cuanto a la selva, si bien era solitaria, desde luego no era silenciosa, y a nuestros oídos llegaba una constante barahúnda de sonidos alarmantes.

Viajábamos rodeados por nubes de mosquitos y mariposas, y por encima de nuestras cabezas revoloteaban sin cesar pájaros multicolores de canto no siempre melodioso; por las ramas más bajas se deslizaban toda suerte de serpientes —incluso vi alguna anaconda de mediano tamaño—, mientras que por las más altas se desplazaban familias enteras de monos, entre ellos los llamados aulladores, unos peludos y feos animales cuya voz no podía ser más estruendosa y desagradable. De vez en cuando, las aguas del río se agitaban con el chapoteo de unos peces tan enormes que llegué a preguntarme si en aquel río no habría tiburones de agua dulce. Aunque llovía con periódica y frecuente insistencia —unos aguaceros breves, pero tan intensos que las gotas te golpeaban como impactos de perdigón—, hacía un calor endiabladamente pegajoso.

Y mientras tanto, a medida que nos adentrábamos en aquella región inexplorada, yo no dejaba de preguntarme qué demonios habían ido a buscar allí mi padre y Rasul, pues la selva sólo parecía contener selva. Vegetación y alimañas, eso es lo único que cabe esperar de la terrible Amazonia.

Por lo demás, las jornadas de viaje eran extenuantes; nos despertábamos antes del amanecer y, tras un decepcionante desayuno a base de pan ácimo reblandecido por la humedad, fruta y café con leche en polvo, iniciábamos una navegación que sólo interrumpíamos brevemente para comer y que concluía al ponerse el sol; entonces montábamos el campamento en alguna zona más o menos despejada situada junto a la orilla, preparábamos la cena e intentábamos conciliar el sueño en el interior de las tiendas de campaña.

El asunto de la alimentación requiere un comentario aparte. Aunque íbamos provistos de latas y carne en salazón, decidimos guardar las conservas para la última parte del viaje —es decir, para cuando llegáramos al sendero fantasma y tuviéramos que proseguir sin la compañía de nuestros guías—, de modo que procurábamos alimentarnos de lo que cazaban los aguarunas. Y los aguarunas, amigos míos, cazaban, fundamentalmente, monos.

Al principio, debo reconocerlo, mostré no pocas reticencias a comer carne de mono, sobre todo porque un mono muerto y despellejado se parece muchísimo al cadáver de un ser humano pequeñito. Para expresarlo de forma clara, tenía la sensación de estar devorando niños. No obstante, la necesidad y la costumbre acaban por derribar hasta el más tenaz de los prejuicios y, pese a que nunca dejé de sentirme un poquito caníbal, con el tiempo acabé por apreciar los guisos de mono, una carne magra y roja cuyo sabor es una mezcla de la de vaca y la de cerdo; incluso llegué a convertirme en un gourmet en la materia, pues, aunque todos los monos pueden comerse, los más gratos al paladar son los de tamaño grande, como los maquisapa o los choro, especies estas que resultan un auténtico *boccato di cardinali* para los aficionados a la barbacoa de simio.

Dije antes que al principio de nuestro viaje hacia el corazón de la jungla no aconteció incidente alguno, pero tal afirmación no resulta del todo atinada, pues cierto día tuve un encuentro muy desagradable con uno de los seres más repelentes de la Amazonia. Ocurrió poco después del anochecer. Nuestros guías aguarunas solían dormir al aire libre, protegiéndose de los aguaceros bajo unos sombrajos que improvisaban a base de cañas y grandes hojas de palma; Roberto, Ambrosio, Wilfredo y Carmelo se guarecían en una tienda de campaña grande, y los demás lo hacíamos en tiendas individuales —considerablemente pequeñas e incómodas, todo hay que decirlo—. El caso es que aquella noche —la tercera desde que abandonamos Iquitos—, me introduje en mi tienda, me quité las botas y los pantalones, me tumbé sobre la esterilla que me protegía de la humedad del suelo, abrí una rendija en la lona para que corriera un poco el aire y me quedé instantáneamente dormido.

Soñé con la pérfida Guadalupe Altagracia, aunque más que pérfida resultaba tentadora, pues en mi sueño aparecíamos los dos tumbados sobre un lecho, jugando a esa clase de juegos en los que las prendas se pagan antes de empezar a jugar. El caso es que Guadalupe me estaba besando con reconcentrada pasión, pero no de una forma normal. De hecho, me estaba besando repetidamente en el tobillo de la pierna izquierda. En fin, perspicaces lectores, incluso en el transcurso de un sueño resulta de lo más extraño que una mujer bellísima se dedique a besuquearte un tobillo, así que me desperté.

Y nada más despertarme tuve la insidiosa sensación de que no estaba solo. Alarmado, encendí una cerilla; al principio, el resplandor de la llama me cegó, pero un segundo más tarde, al tiempo que el acre olor del fósforo irritaba mi pituitaria, vi lo que había en el interior de la tienda.

Y el corazón se me detuvo entre dos latidos.

Porque había un demonio.

Un demonio de aspecto horrible, con grandes orejas, ojos malévolos y unas fauces llenas de dientes entre los que sobresalían dos enormes incisivos. Su color era pardusco y tenía sendas alas de aspecto apergaminado. Aquella cosa abominable estaba inclinada sobre mi pierna izquierda y lamía con glotona fruición la sangre que me brotaba del tobillo. Bueno, justo es reconocer que no era muy grande —treinta o cuarenta centímetros a lo sumo—, pero sí espantosamente feo, así que tras unos instantes de incrédulo estupor, di un grito y salí a toda prisa de la tienda de campaña.

Cuando grito, cosa que no suelo hacer a menudo, lo hago con potencia y admirable sonoridad, así que ahí estaba yo, medio desnudo en mitad de la noche amazónica y profiriendo unos alaridos que no tardaron en despertar a todo el mundo. Kepler fue el primero en salir de la tienda.

—¿Qué sucede, Jaime? —me preguntó, aproximándose con su bastón-estoque en una mano.

—¡Un diablo! —exclamé, al tiempo que señalaba mi tienda; y por si la cosa no había quedado clara, repetí—: ¡Un diablo!

Entonces, el demonio en cuestión asomó la cabeza entre la lona de la tienda y se alejó volando hasta perderse en la noche. Al instante, los aguarunas estallaron en risas.

—Wawakúi —dijo Lázaro como si fuese la cosa más divertida del mundo.

—¿Qué narices es un wawakúi? —pregunté, molesto por que se tomaran tan a la ligera mi encuentro con aquel engendro.

—Vampiro —repuso Lázaro y, sin hacerme el menor caso, regresó con sus hombres.

—¿Vampiro? —parpadeé repetidamente y musité—: ¿Cómo que «vampiro»?

—Se trata de un murciélago vampiro —intervino Yocasta, ahogando un bostezo con el dorso de la mano—. Su nombre científico es Desmodus Rotundus y es un animal hematófago, lo cual, por si no lo sabes, significa que se alimenta de sangre.

Me senté en el tronco de un árbol caído y bajo la pálida luz de la luna examiné mi tobillo; en efecto, cerca del pie se distinguían dos agujeritos, la mordedura de aquel bicho tan desagradable.

—No me he dado cuenta de que me mordía —murmuré, asombrado—. Ni siquiera me duele...

—Porque el vampiro tiene en la saliva una sustancia anestésica —Yocasta bostezó de nuevo y, mientras regresaba a su tienda, agregó—: No te preocupes, Jaime, es inofensivo. Salvo que se trate de un ejemplar infectado de rabia, claro.

Todo el mundo se retiró de nuevo a dormir, pero yo me quedé unos minutos más sentado sobre el tronco del árbol, masajeándome el tobillo herido y no sabiendo si sentirme avergonzado por el ridículo que había hecho o preocupado ante la posibilidad de estar infectado de rabia.

En cualquier caso, me juré que nunca jamás volvería a poner los pies en la selva amazónica, por ninguna razón, por imperiosa que fuese. Y, una vez más, me pregunté qué narices podrían haber ido a buscar mi padre y Rasul a un lugar tan inhóspito como ése.

Al final, afortunadamente, no enfermé de rabia; sin embargo, a partir de aquel momento tomé la precaución de no dejar abierta ni la menor rendija en mi tienda de campaña. Qué quieren que les diga, amigos míos; aprecio demasiado mi sangre como para compartirla con unos bichos tan nauseabundos.

No obstante, lo cierto es que resultaba muy difícil mantenerse alejado de los animales desagradables en aquella selva abarrotada de animales desagradables. Todas las mañanas, al despertar y antes de vestirnos, teníamos que inspeccionar con minuciosidad nuestras ropas, pues lo más normal es que en ellas se ocultara más de una sorpresa. Recuerdo, por ejemplo, cierto día que, al sacudir una de mis botas, vi salir de su interior una tarántula de color negro y púrpura, tan peluda como la zarpa de un mono e igual de grande. Di un brinco del susto y proferí un gritito más bien ridículo. Piruch, uno de los aguarunas, me contempló con sorna y rió entre dientes.

Y yo me sentí como un estúpido, porque, estimados amigos, las tarántulas son endiabladamente feas, pero no venenosas, así que, intentando restaurar la perdida dignidad, me dispuse a apartarla de mi vista, ya que al salir de la bota aquel bicho había caído sobre mi manta. Tendí la mano para cogerla, pero Piruch me contuvo con un gesto.

—*Atsá, atsá!* —exclamó—. *Migala tseásjintin!*

—Bah —respondí mirándole con displicencia—; sólo es un bicho.

Con aire resoluto, cogí aquel enorme arácnido y, experimentando no poca repugnancia al notar cómo se retorcía entre mis dedos, pero no dispuesto a permitir que se me notase, lo arrojé por encima del hombro. Entonces, Lázaro, que se encontraba cerca, me contempló con respeto y comentó:

—Eres muy valiente. O muy loco.

—Pero si sólo era una tarántula —objeté, quitándole importancia al asunto.

Lázaro sacudió la cabeza.

—No era tarántula: era araña migala. Muy mala.

Arqueé las cejas.

—¿Araña migala? —tragué saliva—. ¿Es... ve-venenosa?

—Mucho —asintió él—. Si te hubiera picado, ahora no estarías hablando —se encogió de hombros y concluyó—: Ni respirando.

Un sudor helado me bañó el cuerpo y miré en derredor, asegurándome de que aquella cosa horrible ya no estaba. Pero, en fin, así era, y es, la Amazonia: un maldito sobresalto detrás de otro.

¿Qué puedo decir acerca de aquella travesía hacia el interior de la selva? Pues que no fue precisamente una excursión de colegio. Pasábamos todas las horas de luz en las piraguas, navegando por el Mamón en sentido contrario a la corriente. Tuvimos que aguantar continuos aguaceros, un calor de mil demonios, las picaduras de toda clase de mosquitos y la constante amenaza de animales cuya existencia yo ni siquiera sospechaba. Recuerdo, por ejemplo, que durante la mañana del cuarto día, mientras navegábamos por una zona de aguas calmadas, tendí el brazo por la borda de la canoa y sumergí la mano en el río. Uno de los remeros sacudió la cabeza y me advirtió:

—*Páni* —y para dejar las cosas claras, tradujo—: Pirañas.

Bueno, me dije, ¿qué clase de lugar era ése donde ni siquiera puedes meter la mano en el agua sin correr el riesgo de que un pez te arranque un dedo? No obstante, mi padre solía decir que, de entre todas las bestias, el hombre puede ser la alimaña más peligrosa, algo que quedó claro ese mismo día. Al atardecer, cuando estábamos acabando de instalar el campamento en un claro cercano al río, advertí que Kepler se encontraba en la orilla, con la mirada perdida hacia el sureste; es decir, justo en la dirección de donde veníamos nosotros.

—¿Algo raro, Oskar? —pregunté, aproximándome.

—¿No lo huele, Jaime? —respondió él tras una pausa.

Olfateé el aire, pero lo único que percibí fue el usual olor a humedad, flores y putrefacción vegetal que flotaba perennemente en aquella selva.

—No, no huelo nada.

Kepler entrecerró los ojos y contempló pensativo el plateado curso del río.

—Fuego —dijo—. Alguien ha encendido una hoguera a unos cuantos kilómetros de aquí y está asando carne.

Yo no olía absolutamente nada, pero a esas alturas ya había aprendido a confiar en el fino olfato del alemán.

—¿Indígenas? —pregunté.

Kepler sacudió la cabeza.

—Lo dudo. Según dicen, resulta imposible advertir la presencia de los jíbaros hasta que los tienes encima. Supongo que son los mismos que nos seguían en las montañas.

Volví la mirada hacia donde el río trazaba una curva para desaparecer, acto seguido, entre la vegetación y me pregunté por enésima vez quién demonios era esa gente que tanto empeño ponía en ir tras nosotros y cuáles eran las razones para esa persecución. En ese mismo instante se produjo un alboroto en nuestro campamento.

Debo ahora, pacientes lectores, señalar algo que había olvidado comentar. Desde el comienzo del viaje, los hermanos Olivares, tanto Roberto como Ambrosio, Wilfredo y Carmelo, solían tratar muy desabridamente a nuestros guías aguarunas; los obligaban a realizar la mayor parte del trabajo y solían gritarles por cualquier motivo, por nimio que fuese. Pues bien, al parecer uno de los indios había tirado sin querer la pila de ramas que estaba amontonando Ambrosio para hacer un fuego y éste, junto con Carmelo, lo había derribado al suelo y le estaban propinando una paliza al tiempo que le cubrían de improperios. Los demás indios intentaron defender a su compañero, pero Roberto los mantuvo a raya apuntándoles con una escopeta comercial.

Con la mandíbula encajada, Kepler se aproximó al lugar de la trifulca, apartó a Carmelo de un empujón y derribó a Ambrosio por el expeditivo procedimiento de descargarle un contundente directo en la mandíbula. Al instante, sucedieron tres cosas; primero, que Ambrosio quedó tendido en el suelo cuan largo era; en segundo lugar, que Roberto volvió su escopeta hacia Kepler, sin llegar a apuntarle, pero en un evidente gesto de amenaza; por último, Carmelo hizo una mueca de rabia y tendió una mano a la empuñadura del machete que llevaba al cinto.

De repente, las manos de Kepler aparecieron armadas con sendos puñales, pero el movimiento fue tan fulgurante que apenas pude percibirlo. Durante unos segundos nadie se movió; Roberto y Carmelo contemplaban al alemán con fijeza, a punto de revolverse contra él, mientras que Kepler, tenso como la cuerda de un arco y sosteniendo los cuchillos por las hojas, miraba alternativamente a los dos porteadores. Entonces intervino Wilfredo, el mayor de los cuatro: apartó de un manotazo la escopeta de Roberto, empujó a Carmelo y les espetó:

—¡Basta ya! Pero bueno, ¿qué falta de respeto es ésta? —se volvió hacia Kepler y adoptó un aire de abyecta humildad—. Disculpe, patrón; mis hermanos son de sangre caliente y se encienden a la menor chispa. Le juro que no volverá a pasar.

Sin apartar la mirada de Roberto y Carmelo, el alemán devolvió los puñales a sus fundas y advirtió:

—No quiero que nadie vuelva a ponerles la mano encima a los aguarunas. ¿Está claro?

Tras deshacerse en disculpas, Wilfredo aseguró que no volvería a suceder nada parecido; acto seguido, los tres hermanos que permanecían conscientes se llevaron a rastras al inconsciente Ambrosio. Kepler ayudó a levantarse al aguaruna apaleado y, tras asegurarse de que se encontraba bien, se aproximó a donde estaban nuestras tiendas.

—Demasiado jaleo por un indio —le espetó Reich con aire malhumorado.

—No lo he hecho por ese indio en concreto, Herr Reich —respondió Kepler—, sino por todos ellos. Si los aguarunas se enfadan con nosotros, pueden decidir dejar de guiarnos y desaparecer. Como no queremos que suceda tal cosa, mejor será que los tratemos bien.

Reich se encogió de hombros.

—Usted es el capataz de la expedición —repuso—. Mientras consiga que lleguemos a nuestro destino, haga lo que quiera. Pero le conmino a que evite los alborotos. Son muy desagradables.

Kepler volvió la mirada hacia el lugar donde Wilfredo, Carmelo y Roberto intentaban despabilar al maltrecho Ambrosio y murmuró:

—Demasiado tarde para evitar alborotos. Nunca debimos contratar a esos tipos.

* * *

Aquella misma noche, poco antes de que nos retiráramos a dormir, Lázaro dijo que deseaba hablarnos, así que nos reunimos con él cerca del río, bajo las estrellas, iluminados por el rojizo resplandor de la hoguera que ardía en el centro del campamento.

—Te has portado bien con mi gente —le dijo Lázaro a Kepler—, así que yo te voy a devolver el favor y me portaré bien con vosotros. No vayáis a Bosán; si lo intentáis, moriréis, pues para llegar allí hay que seguir el *jínta-wakán*, y el sendero fantasma cruza la tierra de los kuitámin, los hombres de la selva.

—¿Los kuitámin son ashuar? —preguntó Yocasta.

Lázaro asintió.

—Una tribu ashuar, sí. Los kuitámin son cazadores de cabezas, muy peligrosos. Os matarán si intentáis cruzar su territorio.

—Negociaremos con ellos —intervino Reich—. Pagaremos por el derecho de paso.

Lázaro sacudió la cabeza.

—Los kuitámin no negocian. En su lengua, «kuitámin» significa «guardián», porque ellos guardan la entrada del *Núgka Wakani*, la Región de las Sombras. Su misión es impedir que nadie llegue a Bosán. Todos los que lo han intentado están muertos, como lo está esa gente que andáis buscando. Regresad a Iquitos antes de que sea tarde.

—¿Qué hay en Bosán? —pregunté, notando un desagradable cosquilleo a lo largo de la columna vertebral.

Lázaro me miró con aire taciturno y, tras una larga pausa, declaró:

—Esta historia me la contó mi padre, y a mi padre el suyo, y al suyo, el padre del padre de mi padre, y así se ha venido contando desde los tiempos de nuestros antepasados, los primeros aguaruna. Hace mucho, antes de que los blancos llegarais a nuestras tierras, los gigantes que vivían en las cumbres de las montañas lucharon contra los demonios y fueron vencidos, de modo que abandonaron las alturas y vagaron por el mundo hasta llegar a la selva. Entonces, los gigantes se ocultaron en lo más profundo de la espesura para que los demonios no los encontraran, y allí asentaron Bosán, su morada. Pero antes ordenaron a los kuitámin que impidieran el paso a cualquiera que intentara perturbar su descanso. Con el tiempo, los gigantes se transformaron en fantasmas y su tierra en la Región de las Sombras. Los que ahora viven allí son los espíritus de los muertos —chasqueó la lengua un par de veces—. Por eso debéis olvidaros de Bosán y regresar a Iquitos.

Reich profirió una despectiva risotada.

—Eso es una bobada —dijo—, y no voy a cambiar de idea por una estúpida superstición. Parlamentaremos con los..., con esos salvajes, como se llamen; negociaremos el derecho de paso y buscaremos a mi hermano.

—Nunca encontrarás a tu hermano —replicó Lázaro—. Está muerto.

—Mi padre y un gran amigo mío viajaban con el hermano del señor Reich —tercié yo—. También estoy decidido a encontrarlos.

Lázaro se volvió hacia Kepler.

—Tú eres un hombre razonable. Convence a tus amigos de que es una locura seguir adelante.

El alemán se encogió de hombros.

—Me he comprometido a conducirlos allí —dijo con escaso entusiasmo.

Lázaro dejó escapar un largo suspiro.

—Entonces también vosotros estáis muertos —susurró en tono admonitorio.

—Bueno, asunto zanjado —declaró Reich—. ¿Cuándo llegaremos a ese sendero?

—Mañana —respondió Lázaro, echando a andar en dirección al campamento—. El *jinta-wakán* está a media jornada de aquí.

—Un momento, Lázaro —le contuvo Yocasta—. Esos gigantes que, según dice, fueron expulsados de las montañas, ¿cómo eran?

El aguaruna se detuvo y contempló a Yocasta con grave seriedad.

—Grandes y fuertes —dijo—, y muy duros. Las flechas y las lanzas no podían traspasar su piel —guardó un prolongado silencio y concluyó—: Eran de hierro.

* * *

Tal y como había anunciado Lázaro, al declinar la mañana del día siguiente llegamos al *jínta-wakán*. A decir verdad, no se trataba de un sitio claramente definido, el típico lugar por donde uno pasa y dice: «Hombre, mira, el sendero fantasma». No, ni mucho menos. Era una pequeña playa fluvial circundada por un claro algo más amplio y despejado de lo usual. Una vez que desembarcamos y mientras los aguarunas sacaban nuestros pertrechos de las canoas, pude comprobar que junto a la playa, en la orilla, aún se distinguía el podrido maderamen de un pequeño muelle, y que el claro estaba cubierto por viejos fondos de cabañas. Le pregunté a Lázaro al respecto y él me contestó:

—Hace años, muchos más que veinte veces los dedos de mis manos, aquí había una aldea de pescadores. Los kuitámin los mataron a todos.

En fin, pensé mientras un escalofrío me recorría la espalda, eso me pasaba por preguntar. Tragué saliva y me puse a echar una mano a los que estaban descargando el equipaje, pero poco pude ayudar, pues los aguarunas ya lo habían hecho con sorprendente diligencia. Y es que aquellos indios, por lo general imperturbables y tranquilos, se mostraban ahora muy nerviosos, por no decir atemorizados, como si quisieran largarse cuanto antes. Y así fue; apenas diez minutos después de nuestra llegada, los aguarunas concluyeron la tarea y se dirigieron a sus embarcaciones, prestos, como aquel que dice, a soltar amarras. Lázaro se aproximó entonces a nosotros y nos dijo:

—Dejaremos aquí dos canoas para que podáis regresar a Iquitos. Cuando, dentro de una luna, no tengamos noticias vuestras, volveremos a por las canoas y nos las llevaremos.

Supongo que hasta el menos perspicaz de los lectores se habrá percatado de que Lázaro no tenía la menor fe en nuestro regreso. El jefe aguaruna señaló con el brazo hacia las frondas y agregó:

—Allí comienza el *jínta-wakán*.

Nos aproximamos al lugar que indicaba Lázaro y comprobamos que, en efecto, entre la espesa vegetación se distinguía el inicio de un sendero —más bien una trocha cubierta de maleza— que se internaba en la selva hasta perderse de vista a los pocos metros.

—Debéis seguir la senda siempre hacia el noroeste —dijo Lázaro.

—¿A qué distancia se encuentra el territorio de los kuitámin? —preguntó Kepler.

—Ya estamos en territorio kuitámin —repuso Lázaro—. Que no los veamos no significa que no estén aquí. En la selva son invisibles.

Miré en derredor, pero no distinguí nada amenazador en las espesuras que nos rodeaban, aunque la selva ya era en sí lo suficientemente amenazadora como para mantener profundamente preocupado al ciento cincuenta por cien de mi cerebro. Kepler se aproximó a Yocasta, que permanecía sentada sobre el tronco de un árbol caído, leyendo tranquilamente un libro, y le dijo:

—Los aguarunas se van, señora Massemba. Sería mejor que regresara a Iquitos con ellos.

Sin apartar la mirada de su lectura, mi negra criada sacudió la cabeza.

—Me quedo —dijo.

—A partir de ahora comienza la parte más arriesgada del viaje —insistió el alemán.

Yocasta le miró de reojo y esbozó una sonrisa.

—Gracias por su interés, señor Kepler —dijo—; pero, como ya creo haberle comentado, no he recorrido medio continente para dar marcha atrás ahora.

Yocasta podía ser tozuda como una mula cuando quería, así que, finalmente, Kepler se encogió de hombros y el asunto quedó zanjado. Unos minutos después, los aguarunas subieron a sus canoas y se dispusieron a partir. Antes de hacerlo, Lázaro nos advirtió:

—Aún estáis a tiempo. Volved con nosotros.

Kepler sonrió con cansancio.

—Gracias, jefe Lázaro —dijo—, pero seguiremos adelante.

Lázaro dejó escapar un suspiro, chasqueó la lengua y, sin decir nada más, ocupó su sitio en una de las embarcaciones. Al instante, los remeros batieron el agua con las palas y las canoas iniciaron el viaje de regreso, corriente abajo, hacia Iquitos. Advertí que los aguarunas remaban con gran energía, como si quisieran poner tierra —en este caso agua— de por medio lo antes posible, de modo que al cabo de un minuto se perdieron de vista. Y yo, comprensivos lectores, al ver las tres canoas desapareciendo en un recodo del río, sentí como si se rompiera el último lazo que me ataba con la civilización.

Kepler repartió los pertrechos entre los hermanos Olivares y, al poco, nos adentramos en el sendero fantasma, caminando en fila india, con Kepler a la cabeza, seguido por Reich, por mí y por Yocasta, y con los cuatro porteadores cerrando la marcha. Dado que nos estábamos adentrando en la selva, no tardamos ni un minuto en perder de vista el río y decirles adiós a las canoas que permanecían amarradas en la orilla, nuestra última esperanza de regreso.

¿Qué puedo comentar acerca del *jinta-wakán*? Que era una senda en la jungla, un estrecho pasadizo perforado en aquella muralla de madera, savia y clorofila. Parecíamos los israelitas cruzando un Mar Rojo virado a verde, con sendas oleadas de follaje a ambos lados, alzándose muy por encima de nuestras cabezas hasta entrelazarse en un dosel de ramas y hojas. A veces teníamos que cruzar arroyos y charcas, o sortear árboles caídos, pero en términos generales el sendero estaba bien trazado, lo cual significaba que era usado con frecuencia, pues en aquel Tártaro vegetal las plantas crecen con rapidez hasta cubrirlo todo. Evidentemente, quienes recorrían aquel sendero tenían que ser los kuitámin —lo cual no resultaba nada tranquilizador, por cierto—; pero lo que me intrigaba era el porqué. Es decir, ¿por qué unos tipos que vivían en lo más profundo de la selva, con el firme propósito de permanecer absolutamente aislados, querrían mantener abierto el único camino que conducía al mundo exterior? ¿Para qué demonios lo usaban?

* * *

Caminamos toda la tarde, con la breve excepción de alguna que otra parada para descansar y comer un poco. Hora y media después de iniciar la marcha, tres chaparrones consecutivos nos dejaron empapados; lo cual, teniendo en cuenta que la humedad del ambiente convertía en ilusoria cualquier esperanza de evaporación, nos mantuvo perennemente mojados durante el resto del día. Conforme avanzábamos, no cesábamos de escuchar constantes ruidos a nuestro alrededor: graznidos, trinos, las voces de los monos, rugidos y bramidos, el alboroto de algún animal grande y pesado —no quiero ni pensar qué— corriendo entre los arbustos... Por lo demás, no advertimos rastro de presencia humana hasta el atardecer.

Ocurrió a última hora de la tarde. Nos habíamos adentrado en un terreno llano donde los árboles crecían a gran altura, entrelazando sus ramas de tal forma que las hojas bloqueaban el resplandor del sol. La ausencia de luz había eliminado el bosque bajo, así que por primera vez recorríamos una zona despejada de arbustos y enredaderas, aunque, eso sí, plagada de unos árboles que se alzaban veinte metros por encima de nuestras cabezas, como si fueran las columnas de un templo vegetal. Y entonces, de repente, a pesar de la semipenumbra, distinguí algo en uno de los troncos: media luna tallada a cuchillo en la corteza.

—¡La señal de Rasul! —exclamé, deteniéndome frente al árbol.

Kepler se aproximó a mí y contempló en silencio la marca; tras quitarse el sombrero, se pasó una mano por los cabellos y comentó:

—Bueno, ya sabemos que al menos llegaron hasta aquí —echó una mirada en derredor y, mientras se desprendía de la mochila, agregó—: Éste es un buen lugar para pasar la noche.

Los hermanos Olivares encendieron una pequeña hoguera y

dispusieron las tiendas de campaña en torno a ella. Cenamos en silencio —cecina y unas galletas de maíz supuestamente secas, pero tan húmedas que ya empezaban a cubrirse de moho— y nos retiramos a dormir. Pese a todos los peligros que nos acechaban, entre los que podríamos enumerar serpientes, arañas, felinos, malaria y una tribu de salvajes cuyo principal *hobby* consistía en coleccionar cabezas, estaba tan cansado que cerré los ojos nada más introducirme en la tienda y no los volví a abrir hasta la mañana siguiente. No obstante, recuerdo que la última imagen que vi antes de quedarme dormido fue la de Kepler montando guardia y que, al amanecer, cuando desperté, el alemán seguía en el mismo lugar, vigilando.

Tras un rápido y deprimente desayuno, levantamos el campamento y reiniciamos la marcha hacia el noroeste siguiendo el sendero fantasma. Mientras nos adentrábamos en aquella selva desmedida, y dado que contaba con tiempo de sobra para darle vueltas a la cabeza, me puse a observar a mis compañeros y advertí que Reich había adelgazado mucho desde nuestra partida; se le marcaban las costillas y su rostro se había tornado huesudo y afilado, aunque siempre, por supuesto, aristocrático. A buen seguro, aquel tipo jamás había dado una caminata más larga de lo estrictamente necesario para cazar un par de faisanes; no obstante, seguía adelante con inflexible determinación.

—Debe de querer mucho a su hermano, señor Reich —le comenté mientras vadeábamos un arroyo.

—¿Por qué? —repuso él después de una pausa tan larga que llegué a pensar que, o bien no me había oído, o sencillamente no pensaba molestarse en contestar.

—Bueno, hay que querer mucho a alguien para estar dispuesto a pasar tantas penalidades por ir en su búsqueda.

Reich esbozó una fría sonrisa y murmuró:

—Nada deseo más que volver a ver a mi hermano, ésa es la verdad —luego, recuperando su habitual aire impasible, agregó—: Cuando abandoné Alemania, juré que no descansaría hasta encontrar a Lothar, vivo o muerto, y un caballero siempre cumple con su palabra.

Creo que fue el parlamento más largo que me había dirigido durante todo el viaje; aunque, no sé por qué, me pareció entrever algo extraño en el tono de su voz, un deje sarcástico que de algún modo ponía entre comillas lo que había dicho.

Pero no era Reich el único que había cambiado. Kepler también había perdido peso, aunque la delgadez, en su caso, le había vuelto más fibroso y musculado. En cuanto a mí, en una ocasión contemplé mi reflejo en el agua de una charca y no me reconocí, pues mi rostro había adquirido un aspecto macilento, con los pómulos muy marcados, los ojos hundidos y la piel quemada por el sol. La única que no había cambiado era Yocasta; lejos de adelgazar, se diría que estaba incluso más gorda que antes. ¡Por amor de Dios!, ¿cómo lo hacía? Aquella negra pedante y engreída debía de tener más de sesenta años y pesaba un quintal; sin embargo, trabajaba como el que más y seguía el ritmo de nuestra marcha sin mostrar un ápice de cansancio. Y encima era la que mejor aspecto ofrecía.

En fin, recuperando el rumbo del relato, los problemas no tardaron en presentarse. Avanzamos durante toda la mañana por el sendero; al mediodía hicimos un alto para comer y, tras un breve descanso, proseguimos la marcha. A media tarde se desató una tormenta, pero como no teníamos dónde guarecernos, seguimos caminando bajo el azote de aquella lluvia implacable. Entonces, apenas diez minutos después de que se desatara el aguacero, llegamos a un lugar donde el sendero se ensanchaba hasta convertirse en un pequeño claro. Al fondo, jalonando el camino, como si fueran una especie de portal, se alzaban dos postes de unos dos metros de altura.

Al principio no pude distinguirlos bien, pues la lluvia me impedía ver con claridad, pero luego, conforme nos acercábamos, advertí que unos objetos redondos pendían en lo alto de los postes. Pensé que eran cocos o algún tipo de fruta, pero cuando, finalmente, llegamos a la altura de los maderos, descubrí que aquellas cosas redondas no eran precisamente cocos, sino unas cabecitas del tamaño de naranjas. Había siete en cada poste.

—Muñecos —dijo Reich en tono despectivo—. Fetiches.

Sin apartar la mirada de las cosas redondas, Kepler negó con la cabeza.

—No son muñecos, Herr Reich —le corrigió, alzando una ceja—. Son cabezas humanas.

—Cabezas reducidas —apuntó Yocasta—. Los jíbaros las llaman *tzantzas*.

Me enjugué el agua de los ojos y examiné con atención aquellas cosas. Sus rasgos, en efecto, eran humanos, pero reducidos a escala; tenían el pelo muy largo, la piel de un color marrón negruzco, como el del cuero, y tanto los párpados como los labios estaban cosidos con bramante. Eran horribles.

—¿Cabezas humanas? —pregunté, no del todo convencido—. Pero si son muy pequeñas...

—Los jíbaros —dijo Yocasta, adoptando ese displicente tono doctoral que solía emplear cuando se dignaba a explicarme algo que para ella resultaba evidente— tienen la costumbre de cortarles la cabeza a los enemigos vencidos. Luego, reducen esas cabezas mediante un complejo procedimiento que, básicamente, consiste en despellejar el cráneo con mucho cuidado, eliminar la calavera y el cerebro, curtir la piel usando el jugo de una liana llamada *chinchipi* y por último encogerla aplicándole calor. Así se obtienen las *tzantzas*, las cabezas reducidas, los trofeos de los guerreros jíbaros. Y los kuitámin son jíbaros.

—Pues si se trata de trofeos de guerra, ¿qué narices hacen aquí?

—Son una advertencia —respondió Kepler—. Los kuitámin nos sugieren que no sigamos adelante —señaló las cabezas reducidas y concluyó—: O acabaremos como esos tipos.

Sobrevino un fúnebre silencio. La lluvia seguía cayendo inmisericorde sobre la selva mientras el cielo se oscurecía aún más. De repente, el estampido de un trueno restalló sobre nuestras cabezas y, justo en ese momento, Wilfredo, el mayor de los hermanos Olivares, exclamó:

—¿Estamos en territorio jíbaro? Un momento, patrón, de eso no habíamos hablado.

Reich le dirigió una mirada que combinaba con singular equilibrio indiferencia, hartazgo y desdén.

—Ustedes sabían que veníamos a la selva —respondió—. Y en la selva suele haber indígenas.

—Claro, patrón —replicó Wilfredo—: aguarunas, cocamas

y chusma de esa clase. Pero los jíbaros son unos salvajes, unos asesinos... Mire, patrón, se lo digo con todo respeto: mis hermanos y yo pensamos que sería mejor no seguir adelante.

Reich sacudió la cabeza.

—Regresaremos cuando encuentre a mi hermano y ni un segundo antes.

—Es una locura —intervino Ambrosio—. Nos matarán a todos.

—Seguiremos adelante —respondió Reich, dándoles la espalda.

Los hermanos Olivares intercambiaron unas miradas.

—Pues entonces, patrón —dijo al fin Wilfredo—, lo siento, pero renunciamos. No queremos enfrentarnos a los jíbaros, así que tomaremos algunas provisiones y nos volveremos a Iquitos.

—¿Y cómo pensáis volver? —preguntó Kepler.

—Iremos al río y cogeremos una de las canoas.

Kepler negó lentamente con la cabeza.

—Las canoas son nuestras —replicó—, igual que las provisiones. De modo que si decidís iros, lo haréis andando y con las manos vacías —esbozó una sonrisa—. Ahora bien, ¿creéis que vais a poder llegar a Iquitos en esas condiciones? Sinceramente, lo dudo. En realidad, me parece que estaríais más seguros con nosotros. No pensamos enfrentarnos a los jíbaros; hablaremos con ellos y negociaremos un permiso de paso. No habrá problemas.

Tras un nuevo intercambio de miradas, Wilfredo dudó unos instantes y, si bien todavía un tanto reticente, asintió.

—Muy bien, patrón —musitó—. Seguiremos adelante.

Kepler le echó un vistazo al claro donde estábamos; el agua de lluvia le corría por las alas del sombrero formando minúsculos regatos.

—Falta poco para que oscurezca —dijo—. Y éste es un lugar tan bueno como cualquier otro para pasar la noche. Aguardaremos a que escampe e instalaremos aquí el campamento.

Al cabo de veinte minutos, la lluvia cesó bruscamente y pudimos montar las tiendas de campaña. Encender un fuego resultó algo más difícil, pues la madera estaba muy húmeda, pero tras repetidos intentos, Ambrosio logró prender una hoguera que, por cierto, expelía considerable cantidad de humo. Consciente, pero que muy consciente, de las amenazas que se cernían sobre nosotros, me aproximé a Kepler y le dije:

—No sé yo si ha sido buena idea lo de encender un fuego, Oskar. El humo delatará nuestra presencia a los kuitámin y...

Me interrumpí, entre otras razones porque Kepler se había echado a reír.

—Los kuitámin saben que estamos aquí desde el mismo momento en que pusimos un pie en el sendero fantasma —respondió—. Y estoy seguro de que nos han estado vigilando todo el tiempo.

—¿Cómo lo sabe? —pregunté, sobresaltado—. ¿Los ha visto?

—No, claro que no los he visto. Pero, ¿recuerda lo que nos dijo el jefe Lázaro?, que no los veamos no quiere decir que no estén ahí.

—Pero tampoco quiere decir necesariamente que estén —protesté.

—Están, Jaime —replicó Kepler con una sonrisa—, y muy cerca. Esos jíbaros no serían la temible tribu que se supone que son si no supieran todo lo que sucede en su territorio.

—Entonces, ¿por qué no nos han atacado?

—Porque también saben que tenemos armas de fuego. Y, como no son idiotas, prefieren no enfrentarse a nosotros mientras sea posible evitarlo. Por eso han puesto ahí esas cabezas reducidas, para intentar disuadirnos de seguir adelante. Si damos media vuelta, los kuitámin nos dejarán en paz, pero si seguimos adelante... Bueno, supongo que entonces comenzarán a plantearse la posibilidad de iniciar las hostilidades. Como nos hemos quedado justo en el límite de su frontera, los kuitámin deben de creer que nos lo estamos pensando, así que dudo mucho que ataquen esta noche. Por eso, Jaime, poco importa que encendamos una hoguera; ellos ya saben dónde estamos.

De un modo u otro, estimados lectores, yo albergaba la íntima esperanza de que los kuitámin ya no estuviesen por los alrededores. Confiaba en que se hubieran ido a otra parte, o extinguido, o que algún voluntarioso misionero los hubiese convencido de que no tiene nada de cristiano eso de ir por ahí cortando cabezas. Pero no, estaban allí, tan salvajes como siempre, acechándonos en la oscuridad...

—Por cierto, Jaime —prosiguió Kepler—: esta noche haré el primer turno de guardia, pero debería dormir algo antes del amanecer, así que tendrá usted que relevarme durante unas horas. Le despertaré a las tres de la madrugada, ¿de acuerdo?

Acepté, claro, aunque no me hacía la menor gracia quedarme montando guardia en mitad de la noche. El caso es que cenamos en silencio y nos retiramos temprano a las tiendas. Me quité las botas, apagué la linterna de queroseno y nada más tumbarme me quedé dormido; y así permanecí durante cinco horas, aunque hubiera podido jurar que no habían transcurrido ni cinco segundos desde que cerré los ojos hasta el momento en que Kepler me despertó zarandeándome por un hombro.

—¿Qué hora es? —pregunté al tiempo que parpadeaba tan rápido como el aleteo de un colibrí.

—Las tres. Le toca vigilar, Jaime.

Asentí con un bostezo y, tras frotarme los ojos, desperezarme, comprobar que no había nada reptante dentro de las botas y ponérmelas, cogí mi carabina, salí de la tienda y me acomodé en un tronco junto al fuego. Kepler se despidió de mí llevándose la mano derecha al ala del sombrero y desapareció en el interior de su tienda.

Y me quedé solo.

Respiré hondo y dejé escapar el aire lentamente. Miré en derredor: el resplandor de la hoguera iluminaba justo hasta las lindes del claro; más allá, la noche se transformaba en un telón de terciopelo negro a través del cual resultaba imposible vislumbrar nada. Sin pretenderlo, mis ojos tropezaron con los dos postes que se alzaban al fondo del calvero y vi las catorce cabecitas humanas que pendían de ellos. Dejé escapar un suspiro y aparté la mirada, preguntándome con aire filosófico si no acabaría mi cabeza decorando la sala de trofeos de algún jíbaro.

Para espantar tan funestos pensamientos, y dado que apenas veía nada, decidí concentrarme en los sonidos, pero aquello resultó aún peor, porque en la selva, de noche, se escuchan toda suerte de sonidos. En particular, las ranas. Había cientos, miles, quizá millones de ranas croando a la vez; ése es el sonido de la selva amazónica al caer la noche, un infinito coro de batracios cantándoles a las estrellas.

De hecho, al poco rato comencé a sospechar que existía algún tipo de orden en aquel aparentemente caótico croar. Presté mucha atención y, al cabo de unos minutos, advertí que cada cierto tiempo todas las ranas croaban a la vez. No sé por qué, pero aquello me pareció un descubrimiento fabuloso, así que dejé el Winchester sobre el regazo, saqué mi reloj, ahogué un bostezo y me puse a calcular la duración del intervalo.

En fin, indulgentes lectores, supongo que todos sabrán que una buena manera de conciliar el sueño es contar ovejas; pues bien, estoy en disposición de asegurarles que exactamente lo mismo se consigue contando ranas. Es decir que, poco a poco, acunado por aquel monótono concierto anfibio, me fui quedando dormido.

Y así permanecí hasta que el estampido de cuatro disparos consecutivos me sacó brusca y desapaciblemente de mi letargo.

* * *

Hay acontecimientos tan vertiginosos que consumen mucho más tiempo en describirse que en suceder, y éste fue uno de esos acontecimientos. De entrada, señalaré que lo que en realidad me despertó fue el primer disparo. Di un brinco, abrí los ojos y, pese a la oscuridad de la noche, vi con toda claridad cómo Roberto Olivares, empuñando una carabina, disparaba tres veces más contra la tienda de Oskar Kepler. A la derecha, armados con machetes, aguardaban Ambrosio y Carmelo. Y frente a mí, a apenas dos metros de distancia, apuntándome con una escopeta comercial, se encontraba Wilfredo.

Entonces, tras una pausa que se me antojó eterna y a la vez infinitamente breve, el mayor de los hermanos Olivares sonrió de oreja a oreja y apretó el gatillo.

Podría jurar sobre la Biblia, si tuviera cerca alguna Biblia, que jamás he visto la muerte tan próxima. Pero sucedió, sobrecogidos lectores, que aquella escopeta comercial, en vez de disparar, hizo primero *PING*, después *PSSSSSSSSST* y finalmente *POFF*. Wilfredo masculló una maldición y descargó un irritado manotazo contra el arma, como castigándola por haber fallado. Roberto rió entre dientes, volvió hacia mí su carabina y afinó la puntería, dispuesto a acabar conmigo.

De repente, un fogonazo, acompañado del estruendo de un disparo, brotó de detrás de unos arbustos y Roberto se derrumbó con un nuevo y poco saludable agujero en la cabeza. Wilfredo, al ver caer abatido a su hermano, tiró la escopeta comercial al suelo, empuñó su machete y se abalanzó contra mí.

Simultáneamente, conseguí vencer la parálisis que hasta aquel momento me había mantenido inmovilizado e intenté frenéticamente empuñar la carabina que tenía sobre el regazo; quizá demasiado frenéticamente, pues el arma acabó cayéndoseme al suelo. En ese preciso instante, cuando Wilfredo estaba a punto de descargar su machete contra mí, Kepler surgió de detrás de los arbustos y disparó dos veces consecutivas. La primera bala falló, pero la segunda impactó de lleno en el pecho de Wilfredo, que se derrumbó pesadamente y quedó postrado a mis pies, como un búfalo abatido en plena carrera.

Al ver caer a su hermano mayor, Ambrosio profirió un aullido de rabia y lanzó su machete contra Kepler; éste lo esquivó inclinando el cuerpo hacia delante y le abatió disparándole tres veces (al parecer, Kepler tenía que disparar mucho para acertar). Entonces, el maldito Reich aprovechó precisamente ese momento para abrir su tienda de campaña y asomar la cabeza. Carmelo, el único de los Olivares que permanecía con vida, saltó sobre él, le puso un machete en la garganta y se escudó tras su cuerpo.

Y de golpe, aquel vértigo pareció aplacarse. Roberto, Wilfredo y Ambrosio yacían en el suelo; Kepler apuntaba con su carabina a Carmelo; éste, parapetado tras Reich, contemplaba alternativamente los cadáveres de sus hermanos y el Winchester del alemán. De reojo, advertí que Yocasta se encontraba de rodillas en la entrada de su tienda, con la mirada atenta y una carabina en las manos, pero sin apuntar a nadie. En cuanto a mí, tenía el arma a mis pies, es cierto; pero, qué demonios, nunca he sido un buen tirador y, además, me pareció más prudente no hacer ningún movimiento que pudiera inquietar a Carmelo.

—¡Cómo te atreves! —exclamó Reich, intentando liberarse—. ¡Suéltame inmediatamente!

Huelga decir que Carmelo no le hizo ni caso; lejos de ello, incrustó el filo de su machete contra la garganta de Reich con tanta fuerza que un hilo de sangre comenzó a fluir.

—¡Cállate, cerdo! —bramó Carmelo.

Reich enmudeció al instante.

—¿Qué vas a hacer, Carmelo? —preguntó Kepler con tranquila frialdad.

—¡Tira el arma! —exigió Carmelo, siempre escudado tras el cuerpo de Reich—. ¡Tírala o le corto el gaznate!

Kepler arqueó una ceja, compuso una sonrisa y bajó su carabina.

—¿Quieres que la tire? —arrojó el Winchester al suelo—. Ya está, la he tirado.

—¡Esa negra, que la tire también! —ordenó Carmelo.

Kepler asintió con una leve inclinación de cabeza.

—Por favor, señora Massemba —dijo sin volver la mirada—, haga lo que dice.

Tras unos instantes de duda, Yocasta dejó la escopeta en el suelo, no muy lejos de su alcance, por si acaso. Sin perder la sonrisa, Kepler se cruzó de brazos y dijo:

—Bueno, Carmelo, parece que tenemos un problema. Tú crees que dominas la situación porque tienes un rehén. Y yo, claro está, no quiero que le pase nada al señor Reich. Lo malo es que si le matas, te quedarás sin escudo y te juro que entonces me ocuparé personalmente de que sufras la muerte más larga y dolorosa que puedas imaginar. ¿Sabes por qué he aceptado tan fácilmente deshacerme del Winchester? Porque tengo muy mala puntería con las armas de fuego y, si disparaba, corría el riesgo de herir al señor Reich —extendió los brazos y mostró el puñal que, no sé muy bien cómo, había aparecido en su mano derecha—. Sin embargo, soy realmente bueno con los cuchillos.

Carmelo abrió mucho los ojos y se agazapó todavía más tras el cuerpo de Reich.

—¡Tira eso o le mato! —berreó.

—Y si le matas —el tono de Kepler se tornó más frío y acerado—, si tan sólo vuelvo a ver brotar una gota más de sangre de su garganta, te juro que te despellejaré vivo. Ahora escucha: como decía, soy tan bueno con los puñales que estoy seguro de que puedo clavarte uno en la cabeza sin rozar siquiera al señor Reich. El problema es que si doy en hueso corro el riesgo de no matarte, así que tendré que apuntar a las zonas blandas del rostro. Por ejemplo, a uno de los ojos. Verás, el puñal te atravesará el globo ocular y se incrustará en tu cerebro, lo cual provocará tu muerte instantánea y no tendrás tiempo de hacerle siquiera un cortecito a Herr Reich. Es cierto que se trata de un lanzamiento difícil, pero creo que puedo conseguirlo.

—¡Cállate! —gritó Carmelo en un tono, estoy seguro, demasiado agudo para su gusto—. ¡Tira el cuchillo al suelo!

Kepler negó con la cabeza.

—De ninguna manera, Carmelo. Lo que voy a hacer es lanzártelo de un momento a otro. Y ahora se abren dos alternativas: la primera es que acierte, te mate y Herr Reich acabe sano y salvo; la segunda es que falle, tú mates al señor Reich y luego yo te mate a ti. Como puedes ver, ambas posibilidades concluyen con tu muerte. Sin embargo, existe otra alternativa: si sueltas al señor Reich y te largas de aquí, prometo no hacerte nada —Kepler hizo girar el puñal en el aire y lo cogió por la hoja—. Bueno, Carmelo, tú decides. Voy a lanzar el cuchillo en cuanto tenga la menor oportunidad. ¿Te vas ahora o prefieres acabar como tus hermanos?

Carmelo se removió, visiblemente alterado. Intentaba ocultarse tras Reich, pero al mismo tiempo pretendía no quitarle la vista de encima a Kepler, lo cual le obligaba a asomar al menos uno de los ojos, convirtiéndose entonces en un blanco para el puñal. Tras un intenso debate interior, Carmelo gritó:

—¡De acuerdo, de acuerdo, baje el cuchillo! ¡Le voy a soltar!

Dicho esto, el último de los Olivares retrocedió de espaldas, arrastrando consigo a Reich. Al llegar al fondo del claro, dio un empujón al alemán y echó a correr por el sendero hasta perderse de vista. Reich, con los ojos desorbitados de indignación, se frotó el cuello, señaló hacia el lugar por donde había desaparecido Carmelo y le ordenó a Kepler:

—¡Mate a ese rufián inmediatamente!

—Se ha ido —respondió Kepler mientras devolvía el cuchillo a su funda.

—¡Ya sé que se ha ido! ¡Sígale y acabe con él!

Kepler negó lentamente con la cabeza.

—Lo siento, Herr Reich, pero no pienso perseguir a nadie por la selva en mitad de la noche. Carmelo sólo tiene un machete, así que no supone ningún peligro.

—Pero..., pero..., ¡ha intentado matarme! —protestó Reich; luego, recomponiendo la apostura, agregó—: Además, podría regresar al río y apoderarse de nuestras canoas.

—Mientras sea de noche no irá a ninguna parte, Herr Reich. Se quedará en las cercanías hasta que amanezca. Entonces iré a buscarle.

Yocasta se aproximó a los dos alemanes y, tras observar los cadáveres de los porteadores, preguntó:

—¿Qué ha sucedido, señor Kepler?

—Al parecer, los hermanos Olivares no tenían intención de seguir adelante. Poco después de irme a dormir, les oí cuchichear, así que salí de mi tienda a escondidas y me oculté tras unos arbustos. Uno de los hermanos se había apoderado de una carabina —Kepler se aproximó al cadáver de Roberto y recogió el Winchester que yacía a su lado—. Creo que es la suya, Herr Reich.

Con el ceño fruncido, Reich cogió el arma que le tendía Kepler y adoptó un aire de digna indiferencia.

—Roberto disparó contra mi tienda creyendo que yo estaba allí —prosiguió Kepler—. El resto de la historia ya la conocemos. Los Olivares pretendían matarnos, robarnos y regresar a Iquitos. Eso es todo.

—¿Qué haremos ahora? —preguntó Yocasta.

—Hablaremos mañana —Kepler consultó su reloj—. Faltan

más de dos horas para el amanecer; será mejor que intenten descansar. Yo me quedaré de guardia —se volvió hacia mí y agregó—: Écheme una mano con los cadáveres, Jaime. Tenemos que retirarlos de ahí en medio.

Reich y Yocasta regresaron a sus tiendas y yo ayudé a Kepler a transportar los cuerpos de Wilfredo, Ambrosio y Roberto al extremo más alejado del claro. Luego, nos sentamos juntos frente al fuego.

—Lo siento, Oskar —dije tras un prolongado silencio.

—¿A qué se refiere?

—A que me quedé dormido estando de guardia.

—¡Ah, eso!... —Kepler le quitó importancia al asunto con un ademán—. Si quiere que le diga la verdad, Jaime, contaba con ello. Sabía que los Olivares no intentarían nada mientras yo estuviese vigilando; por eso le pedí que me sustituyera.

Alcé las cejas, desolado.

—¿Me ha utilizado como señuelo? —pregunté.

Kepler rió entre dientes.

—Más o menos —respondió.

—¡Podían haberme matado! —exclamé destilando bochorno por todos los poros de mi cuerpo—. De no ser porque le falló la escopeta, Wilfredo me hubiera volado los sesos.

—Las escopetas comerciales suelen fallar, sobre todo con tanta humedad. La pólvora se moja y el arma no dispara.

—Pero usted no podía saber que eso iba a pasar —protesté.

Kepler suspiró.

—Le voy a contar algo, Jaime. Cuando Napoleón tenía que aprobar el ingreso de algún general en su Estado Mayor y escuchaba la lista de sus méritos, los estudios que había realizado, las condecoraciones que había recibido, su experiencia de guerra, al final siempre preguntaba lo mismo: «Sí, sí, todo eso está muy bien, pero ¿tiene suerte?» Pues eso le pasa a usted, Jaime; que tiene suerte. Es afortunado en el juego y afortunado en la vida. Por eso falló la escopeta de Wilfredo.

—Sí, tengo mucha suerte —musité con amargura—. Aquí estoy, en medio de la selva, rodeado por cazadores de cabezas. Eso es ser afortunado, sí señor; mi vida es una juerga —suspiré de nuevo y pregunté—: Por cierto, Oskar, ¿es que usted no duerme nunca? Porque yo siempre le veo despierto.

Kepler se encogió de hombros.

—Cuando puedo dormir, duermo —dijo—; y cuando no puedo, no lo hago —luego, con aire filosófico, agregó—: Supongo que ésa es la clave de la supervivencia, adaptarse a las circunstancias.

Personalmente siempre he pensado que es más cómodo y agradable procurar que las circunstancias se adapten a mí, pero no tenía ganas de suscitar ningún debate al respecto, así que nos quedamos ahí, sentados frente a la hoguera, sin decir nada, escuchando los infinitos sonidos de la selva. Y así permanecimos hasta el amanecer.

Pero antes, pacientes lectores, sucedió algo que me heló la sangre en las venas. Justo cuando el cielo comenzaba a clarear por el este, la selva enmudeció repentinamente. No se escuchaba nada, ni siquiera el sempiterno croar de las ranas, era un silencio absoluto, sobrenatural, estremecedor. Y, de repente, un alarido humano resonó en la distancia (aunque excesivamente cerca para mi gusto) y se prolongó durante un par de segundos hasta interrumpirse bruscamente. Al poco, las ranas volvieron a croar.

—¿Qué ha sido eso? —musité con todo el vello del cuerpo erizado.

—Carmelo Olivares —respondió Kepler—. Creo que ya no tendremos que preocuparnos por él.

—Pero..., pero... —balbucí—, ¿qué puede haberle pasado?

—Quizá le ha mordido una serpiente, o puede que le haya atacado un jaguar —Kepler se encogió de hombros y concluyó—: O quizá ha tropezado con los kuitámin.

Tragué saliva y no dejé de tragarla durante un buen rato.

* * *

Finalmente, amaneció.

Retazos de neblina flotaban sobre la selva acariciando las copas de los árboles y fragmentándose en jirones conforme el calor del sol los iba disolviendo; las ranas ya no cantaban, pero sus voces habían sido sustituidas por el trinar de miles de aves. Se respiraba una incongruente sensación de paz en aquella selva excesiva, como si fuera el jardín del Edén. Pero no lo era, ni mucho menos. Tras dar cuenta de un rápido y, como siempre, insatisfactorio desayuno, nos reunimos en torno a las ascuas de la hoguera para deliberar acerca de nuestro inmediato futuro.

—Hay algo que debe quedar claro —dijo Kepler, señalando el lugar donde se alzaban los postes con las cabezas reducidas—; si seguimos adelante estaremos provocando a los kuitámin y acabaremos encontrándonos con ellos. Será muy peligroso.

—Continuaremos hasta encontrar a mi hermano —sentenció Reich.

Kepler nos miró inquisitivamente a Yocasta y a mí, y como nadie protestó, el alemán zanjó el asunto diciendo:

—De acuerdo entonces. El problema es que nos hemos quedado sin porteadores y no podemos llevar tanto peso, así que dejaremos aquí la mitad de las provisiones y los pertrechos. Llevaremos sólo la tienda de campaña grande.

Reich torció el gesto ante la idea de tener que compartir el lecho con chusma como nosotros.

—Una cosa más —agregó Kepler—. Antes de que el jefe Lázaro se fuese le pedí que me tradujera dos palabras a la lengua de los kuitámin. La primera es «amigo», que, según Lázaro, se dice *kumpág*. Para la segunda palabra, «negociar», no hay traducción; el término más aproximado es *yapajít*, que significa «intercambiar» —hizo una pausa y concluyó—: *Kumpág* y *yapajít*. Recuérdenlas; esas palabras pueden salvarnos la vida.

Escondimos la mitad de las provisiones, gran parte de los pertrechos y las tiendas de campaña individuales en las ramas de uno de los árboles que circundaban el calvero y repartimos lo que quedaba en nuestras mochilas. Antes de iniciar la marcha, señalé los cuerpos de los hermanos Olivares y le pregunté a Kepler:

—¿No vamos a enterrarlos?

—¿Para qué? —replicó el alemán—. ¿Piensa cavar un agujero de dos metros de profundidad, Jaime? Porque un hoyo menos hondo no serviría para impedir que las alimañas los desenterraran y los devoraran. Mejor ponérselo fácil, ¿no cree? Dentro de dos días no quedarán ni los huesos.

Pues no, no tenía el menor interés en excavar un agujero tan grande, así que unos minutos más tarde abandonamos el claro y proseguimos la marcha siguiendo el sendero fantasma hacia el norte. Recuerdo que, al cruzar por en medio de los postes, tuve la sensación de que las catorce cabecitas reducidas me miraban a través de sus párpados cosidos, como advirtiéndome de que pronto mi dura cabezota se reuniría con ellas. Para serles franco, entrañables lectores, estaba muerto de miedo.

Sin embargo, nada de eso sucedió durante la mañana. Al poco de iniciar la caminata encontramos otra media luna grabada en la corteza de un árbol y, de algún modo, al ver la señal de Rasul sentí un profundo alivio, pues aquello significaba que mi buen amigo árabe y mi padre se encontraban ya muy cerca. Vivos o muertos, pero cerca.

Aquel tramo del sendero no se diferenciaba en lo más mínimo de lo que llevábamos recorrido hasta el momento, lo cual, por supuesto, no tenía nada de extraño, pues la selva amazónica, una vez que te acostumbras a ella, acaba convirtiéndose en un paisaje de lo más monótono. Plantas y más plantas, árboles enormes, lianas, helechos, enredaderas, flores, millones de pájaros, toda suerte de alimañas, una infinita variedad de insectos y constante presencia de agua, sea en forma de ríos, arroyos, ciénagas o charcas. Y es que allí llovía mucho, muchísimo, constantemente, y daba igual si el cielo estaba despejado o no, pues en un minuto podía llenarse de nubes y caer un aguacero tan intenso que parecía llover incluso de abajo arriba. De hecho, durante la mañana sufrimos tres chaparrones que nos dejaron totalmente empapados, pero no paramos hasta el mediodía, momento en que realizamos un alto para descansar y comer un poco.

No hicimos fuego, así que engullimos carne en conserva aderezada con galletas de maíz mojadas. Apenas hablamos, o para ser fieles a la verdad, apenas hablamos en español, porque —y esto es algo que creo no haber señalado antes— desde el principio mismo de la expedición, Kepler y Reich tenían la costumbre de hablar ocasionalmente entre sí en alemán. Supongo que actuaban de ese modo cuando querían que no entendiésemos lo que decían, lo cual resultaba muy molesto, aunque también es cierto que no solían hacerlo con excesiva frecuencia. Sin embargo, aquel día, después de comer y mientras descansábamos sentados en un tronco caído, decidieron charlar un ratito en su lengua natal.

—*Wir müssen schon ganz in der Nähe sein* —dijo Reich.

—*Das will ich hoffen Herr Reich* —respondió Kepler—. *Und ich hoffe auch, dass ihr Bruder sich nicht geirrt hat.*

Reich sacudió la cabeza.

—*Dieses mal hatte Lothar Recht. Seitdem er den Anker Kodex gelesen hatte war er von dem heiligen Kelch besessen. Er hat ihn seit Jahren gesucht und scheint nun endlich, seinen Aufenthaltsort gefunden zu haben.*

Entonces sucedió algo inusitado: Yocasta se puso en pie, contempló a los dos alemanes y, pronunciando con exquisito acento, dijo:

—*Welchen Kelch meinen sie meine Herren? Etwa den, den die Tempelritter bewacht haben?*

Reich y Kepler se quedaron mirándola con incredulidad.

—*Sprechen sie Deutsch, Frau Massemba?* —preguntó Kepler; y repitió en español—: ¿Habla usted alemán?

—Pues sí, sólo soy una pobre negra inculta, pero tengo ciertos conocimientos de la lengua germana —respondió Yocasta—. *Ich glaube sogar, dass ich es ziemlich korrekt spreche* —carraspeó—. El señor Bustamante, que era un gran políglota, solía leer en el idioma original de Goethe, Nietzsche y Kant. Al quedarse ciego y convertirme yo en su lectora, el señor Bustamante insistió en que aprendiese alemán, tarea que acometí, creo yo, con no poco provecho. Por eso he podido entender claramente sus palabras, señores.

Dios santo, pero qué insufriblemente pedante podía llegar a ser esa mujer. No obstante, había algo que yo ignoraba y que deseaba imperiosamente saber.

—Muy bien, Yocasta —dije—; hablas alemán mejor que un cantante tirolés. ¿Pero qué narices está pasando? ¿Qué han dicho?

Yocasta me miró con irritante suficiencia y declaró:

—Estos caballeros han mencionado, amito Jaime, lo que realmente buscaba el hermano del señor Reich. Y, de hecho, lo que estamos buscando nosotros ahora.

—¿Y qué demonios es? —pregunté, impaciente.

—Una copa —respondió ella.

—¿Una copa? —parpadeé varias veces—. ¿Cómo que una copa? ¿Es que hemos venido hasta aquí para echar un trago?

—No, no de esa clase. Se trata de una copa muy especial —miró a Reich y le dijo—: ¿Por qué no nos explica qué clase de copa es la que buscaba su hermano?

Sobrevino un largo silencio que bien podía haberse prolongado indefinidamente de no ser porque Kepler decidió intervenir.

—Ya no tiene sentido seguir ocultándolo, Herr Reich —dijo—. Cuénteselo.

Reich miró a un lado, luego a otro y, finalmente, mientras contemplaba con aire distraído las punteras de sus botas, repuso:

—El Grial.

Me rasqué la cabeza.

—El Grial... —musité, siguiendo mi costumbre de, cuando no sé qué decir, repetir lo último que se ha dicho.

—El Santo Grial —asintió Yocasta—. La copa que, según la tradición, utilizó Jesús durante la Última Cena y que José de Arimatea usó para guardar la sangre de Cristo cuando éste agonizaba en la cruz.

—¡Ya sé lo que es, maldita sea! —exclamé, harto de su pomposo y prepotente tonillo—. El Grial, la reliquia que buscaban los caballeros del rey Arturo, está claro —de repente me sentí muy cansado—. Así que estamos buscando el Santo Grial, ¿no? Y precisamente aquí, en Sudamérica, en el interior de la selva peruana, ¿verdad? Porque, claro, la Amazonia es el primer sitio al que acudiría cualquiera que estuviese buscando el Grial —suspiré, espanté un mosquito del tamaño de una alondra, me froté los ojos y musité—: ¿Pero es que nos estamos volviendo todos locos o qué?

Reconocerán conmigo que me había esforzado en ser lo más

sarcástico posible, pero lo cierto es que nadie me prestó la menor atención.

—¿Cómo ha sabido lo de los templarios, señora Massemba? —preguntó Kepler.

¿Los templarios? ¿Qué demonios pintaban los templarios en aquel asunto?

—Bueno, soy una vieja sin educación, pero ésa era la única alternativa posible —respondió Yocasta, logrando batir marcas olímpicas de pedantería—. La primera pista la encontré en la obsidiana inca, claro está, pero la confirmación me llegó cuando vimos el mapa de piedra.

—Por las iniciales —apuntó Kepler.

—Así es —aceptó Yocasta—. Otro claro indicio fueron los tatuajes de los asesinos indígenas.

—Es usted muy lista, señora Massemba.

—Un momento —intervine—. ¿Alguien me puede explicar de qué va esto?

—Gracias por el halago, señor Kepler —prosiguió Yocasta, siguiendo con la política general de ignorarme—. Pero aún hay muchas cosas que no sé. Por ejemplo, ¿qué es el Códice Anker? Ustedes lo mencionaron antes.

—El Códice Anker es la causa de que estemos aquí —respondió Reich con la mirada perdida—. Y pueden creerme cuando aseguro que maldigo el día en que ese manuscrito surgió del pasado para arrastrar a mi hermano a esta locura.

—¡Bueno, ya está bien! —exclamé—. ¡No entiendo nada, maldita sea! —exhalé una bocanada de aire, como una caldera soltando presión, y procuré mostrarme razonable—. Lamento haber gritado, pero es que eso del Grial me tiene confundido. ¿No podríamos exponer el asunto de forma un poquito ordenada y, a ser posible, comenzando por el principio?

—De acuerdo —dijo Kepler poniéndose en pie—. Pero no podemos quedarnos aquí; tenemos que proseguir la marcha. Estoy seguro de que Herr Reich estará encantado de contarles la historia completa mientras caminamos.

Nos pusimos de nuevo las mochilas y echamos a andar por el sendero, Kepler a la cabeza, seguido de Reich y de Yocasta, y con su seguro servidor en último lugar. Durante unos minutos marchamos en silencio, lo cual, en mi opinión, no era de ninguna manera lo que habíamos convenido.

—Bueno, ¿qué? —dije, impaciente—. ¿Alguien me va a contar qué demonios pasa o vamos a mantener el suspense un ratito más?

Un nuevo silencio siguió a mis palabras. Afortunadamente, justo cuando estaba a punto de ponerme a jurar en arameo, Reich se decidió a hablar:

—Todo comenzó hace mucho años, cuando Lothar y yo éramos adolescentes y nuestros padres aún vivían. A principios de verano de 1886, un lejano pariente de la rama materna de nuestra familia, Carl Helsingborg, murió en su residencia de Suecia, legando todos sus bienes a la única pariente viva que le quedaba, su sobrina nieta Greta Helsingborg, nuestra madre. En fin, la herencia no era gran cosa: unas cuantas hectáreas de terreno, un par de casas y las pertenencias del difunto, entre las que se encontraba una nutrida colección de libros antiguos. Dicha biblioteca, que al parecer había pertenecido a la familia Helsingborg desde tiempos inmemoriales, llegó a nuestra mansión de Berlín tres meses más tarde.

Reich, sin duda poco acostumbrado a tan largas parrafadas, se llevó la cantimplora a los labios y dio un trago de agua.

—Mi padre —prosiguió—, un hombre práctico y sensato, no prestó especial atención a aquella repentina invasión de libros, pero Lothar, que era un gran aficionado a la lectura, se sumergió en aquella biblioteca y dedicó semanas a examinarla. Un día, me vino a buscar muy excitado y me dijo que había encontrado un códice en pergamino que, al parecer, había sido redactado a comienzos del siglo XIV por un remoto antepasado nuestro, Anker de Helsingborg. Mi hermano quería que le ayudase a traducirlo, pues, aunque estaba escrito en latín clásico, idioma que ambos conocíamos por nuestros estudios, la caligrafía resultaba endiabladamente difícil de descifrar. No obstante, aunque supuso un gran esfuerzo, finalmente logramos traducirlo —hizo una larga pausa y concluyó—: Lo que encontramos en aquel códice fue la historia más increíble que pueda concebirse.

Un nuevo silencio. Como ya estaba más que harto de tanta

pausa melodramática, no dudé ni un segundo en estimularle a seguir hablando.

—El códice contaba una historia tremenda, de acuerdo; pero, ¿qué historia en concreto?...

Entonces, cuando atravesábamos un tramo del sendero tan normal y corriente como cualquier otro, Kepler se detuvo en seco y se quedó inmóvil como una estatua.

—Qué hijos de puta... —musitó con un deje de admiración—. No los había visto hasta ahora...

—¿Qué sucede? —preguntó Reich.

—Shhhhhh —siseó Kepler—. Que nadie se mueva.

—¿Pero qué demonios...? —comencé a decir.

—Silencio —me interrumpió Kepler, siempre en voz baja—. Si quieren continuar vivos, no hagan movimientos bruscos y tiren las armas al suelo.

—¿Que tiremos las armas? —replicó Reich—. ¿Pero es que se ha vuelto loco?...

Kepler masculló una maldición en su idioma y susurró a voz en cuello (si es que tal cosa es posible):

—¡Obedezca, maldita sea, o nos matarán! ¡Desháganse de las armas!

Dando ejemplo, Kepler arrojó a un lado su carabina y se desprendió, uno a uno, de los cuchillos que portaba en las fundas del chaleco. Miré en derredor, pero no vi nada; aquel lugar era tan solitario como cualquier otro rincón de la selva. No obstante, obedecí la orden del alemán y tiré al suelo mi Winchester, gesto que no tardaron en imitar Yocasta y Reich, si bien este último más bien a regañadientes. Luego, durante quince o veinte segundos, no sucedió nada; los insectos zumbaban, los pájaros trinaban y los monos saltaban de rama en rama.

Entonces, de pronto, aparecieron ellos, surgiendo como fantasmas de detrás de cada árbol y cada matorral. Primero uno, el cabecilla, luego tres, diez, quince, veinte... Al final, más de cien guerreros jíbaros nos rodeaban sin dejar ni por un instante de apuntarnos con sus arcos, lanzas y cerbatanas.

Habíamos encontrado a los kuitámin. O, mejor dicho, los kuitámin nos habían encontrado a nosotros.

Siendo honesto, debo reconocer que cuando los vi surgir de entre las frondas, me sentí literalmente enfermo; no obstante, ni la flaqueza que notaba en las piernas ni el temblor de mis manos me impidieron echarles un atentísimo vistazo. Se parecían a los aguarunas, con los ojos un poco almendrados y la piel cobriza, pero ahí terminaba toda semejanza. Los kuitámin llevaban el pelo como cortado a tazón y se cubrían exclusivamente con un minúsculo taparrabos que apenas lograba ocultar sus partes pudendas. Todos llevaban el rostro pintado a franjas rojas y todos estaban armados. Pero si bien aquello era muy inquietante, hubo un detalle que contribuyó a terminar de convertir mis tripas en una trémula masa gelatinosa: cada uno de los guerreros kuitámin, sin excepción, llevaba tatuada en el pecho la marca de los asesinos.

El caso es que nos quedamos todos tan quietos como si fuéramos la recreación amazónica de algún museo de figuras de cera: los kuitámin a punto de realizar prácticas de tiro y nosotros a punto de ingresar en su colección de cabezas reducidas. Al cabo de lo que a mí se me antojó un siglo, Kepler alzó las manos mostrando las palmas y dijo con una enorme sonrisa:

—*Kumpág* —y repitió—: *Kumpág...* —lo que, en la lengua de los jíbaros, significa «amigo».

Al instante, todos nos pusimos a decir *kumpág* con entusiasmo, pero los kuitámin, lejos de valorar este gesto de camaradería, se limitaron a mirarse entre sí alzando una ceja, para luego mirarnos a nosotros frunciendo el ceño, sin dar la menor muestra de estar dispuestos a aceptarnos en su círculo íntimo de amistades. Entonces Reich dijo:

—*Yapajít* —que significa «negociar».

Luego, con movimientos muy pausados, sacó una bolsa del interior de su mochila, extrajo de ella un puñado de cuentas de colores y se las ofreció al que parecía el jefe de los guerreros.

—*Yapajít* —repitió Reich; y, desplegando el cien por cien de sus conocimientos del idioma, agregó—: *Kumpág yapajít...*

El cabecilla jíbaro miró las cuentas, miró a Reich, volvió a mirar las cuentas y, como si espantara un mosquito, las arrojó al suelo de un manotazo. Acto seguido, los kuitámin se abalanzaron sobre nosotros, se apoderaron de nuestras armas y de todo lo que llevábamos encima, nos ataron las manos a la espalda y, mediante una desagradable sucesión de empujones, nos obligaron a ir con ellos.

Si algo había quedado claro era que los kuitámin no iban a ser nuestros *kumpág* y, además, que no tenían la menor intención de *yapajít* con nosotros.

Capítulo nueve

*Donde se narra nuestra atribulada estancia
en el poblado kuitámin y asistimos a un
selvático espectáculo de prestidigitación,
así como al posterior encuentro con un
demonio llamado* Ságkuch

Haciendo gala de unos modales tan toscos como destemplados, los kuitámin nos obligaron a recorrer con ellos el último tramo del sendero fantasma, lo cual supuso aproximadamente hora y media de caminata; al cabo de ese tiempo, llegamos a su poblado. Estaba emplazado en un extenso calvero, al lado de un arroyo, y constaba de unas cincuenta chozas —todas ellas de caña y hojas de palma— dispuestas en círculo; en el centro ardía una hoguera y por las inmediaciones deambulaban grupos de mujeres y niños.

Cuando nos vieron llegar, los habitantes del poblado se congregaron a nuestro alrededor para observarnos con curiosidad; entonces me fijé en que las mujeres kuitámin iban tan desnudas como los hombres, pues sólo llevaban unos someros taparrabos y los collares que pendían entre sus senos, pero aquella desnudez, lejos de cualquier otra consideración, resultaba más inquietante que otra cosa, pues ponía de manifiesto las poco civilizadas costumbres que regían en aquel lugar. En cuanto a los niños, estaban más desnudos aún que los adultos, ya que ni siquiera llevaban taparrabos; además, era evidente que necesitaban con urgencia unas cuantas lecciones de urbanidad, pues nada más vernos prorrumpieron en una ensordecedora algarabía y comenzaron a arrojarnos guijarros y fruta podrida.

Finalmente, los guerreros kuitámin nos introdujeron en una de las chozas, trancaron la puerta y nos dejaron confinados allí. En cuanto los jíbaros desaparecieron de vista, Kepler se situó a mi lado, espalda contra espalda, y deshizo con los dedos mis ataduras; a continuación, ya con las manos libres, le desaté a él y luego hicimos lo mismo con Yocasta y Reich. Acto seguido, Kepler recorrió la choza mirando a través de los resquicios de las paredes; concluida la inspección, permaneció unos segundos pensativo, se frotó el cuello y declaró:

—Hay un par de docenas de guerreros montando guardia en torno a la cabaña.

—¿Qué piensa hacer, Kepler? —intervino Reich, más en tono de exigencia que de pregunta.

—Esperar —respondió Kepler.

—¿Esperar? —Reich alzó una ceja con aire profundamente reprobatorio—. ¿Cómo que esperar?

—Estamos rodeados por centenares de guerreros kuitámin, Herr Reich, y carecemos de armas, así que poco podemos hacer. Ésas son las malas noticias. Las buenas consisten en que todavía no nos han matado, cosa que podrían haber hecho con toda facilidad en la selva, créame, y eso significa que quieren algo de nosotros. Cuando nos digan de qué se trata quizá podamos llegar a un acuerdo con ellos. Entre tanto, más vale que descansemos.

Kepler se sentó en el suelo, apoyó la espalda contra la pared, se caló el sombrero sobre los ojos y se quedó instantáneamente dormido. Reich, visiblemente molesto, cruzó las manos a la espalda y comenzó a caminar de un lado a otro de la choza, como una fiera enjaulada. En cuanto a Yocasta, profirió un resignado suspiro y se sentó cerca de Kepler. Y en lo que a mí respecta, afligidos lectores, pocas veces en mi vida me he sentido tan desmoralizado como entonces. No obstante, mi padre solía decir que un buen antídoto contra el miedo es la palabra, pues un poco de conversación nos mantiene distraídos y ejerce un beneficioso efecto sedante sobre el sistema nervioso, así que interrumpí a Reich en medio de una de sus idas y venidas y le propuse:

—¿Por qué no sigue contándonos la historia del Códice Anker?

Reich frunció el entrecejo, me fulminó con la mirada y reanudó en hosco silencio su ir y venir. Al parecer, no le apetecía hablar, así que me quedé callado, deprimido, abrumado, tembloroso y sumido en unos fúnebres pensamientos que siempre acababan conduciéndome a la imagen de mi cabeza colgando en lo alto de un poste.

Entonces, maquinalmente, me llevé una mano al bolsillo izquierdo de la camisa y descubrí que los kuitámin no me habían quitado la baraja. No sé por qué, aquello me produjo un incongruente alivio, como si los naipes fueran viejos amigos reencontrados tras una larga ausencia; de modo que me senté en el suelo, barajé y comencé a hacer un solitario. Si cerraba los ojos, pensé, podía imaginar que estaba en el Café Boyacá, sentado a una de las mesas de juego, desplegando las cartas sobre un tapete de fieltro verde mientras saboreaba una deliciosa zarzaparrilla; pero como es imposible hacer un solitario con los ojos cerrados, no me imaginé nada de eso.

Dieciocho solitarios más tarde, cuando empezaba a oscurecer, la puerta se abrió repentinamente y entró en la choza un ser indescriptible. Al principio, pensé que era un indígena, pues, salvo por el ya mencionado taparrabos, iba completamente desnudo, pero luego me percaté de que tenía el pelo largo y grisáceo, y que una barba, tan larga y cenicienta como la cabellera, le cubría la cara, lo cual era extraño, pues los jíbaros son imberbes.

—Buenas tardes, señora, caballeros... —dijo de pronto aquel tipo en un perfecto castellano—. ¿Se encuentran bien? ¿Alguien ha sufrido algún daño?

Nos quedamos boquiabiertos, mirándole. Kepler se incorporó, se quitó el sombrero, se rascó la cabeza y dijo:

—Usted no es un kuitámin, ¿verdad?

—¡Oh, no, no, no, no, no! —exclamó el recién llegado en tono ofendido—. ¿Acaso parezco un salvaje? —la verdad es que eso era precisamente lo que parecía, pero como nadie le llevó la contraria, prosiguió—: Permítanme presentarme: me llamo Jebedías Líbano de Castresana, doctor por la Universidad de Alcalá de Henares y catedrático de Historia Antigua en la Universidad de México, pero pueden llamarme profesor Líbano.

—¿Es usted español? —pregunté, al tiempo que guardaba la baraja en un bolsillo.

—Claro que lo soy, y de pura cepa. Nací el once de febrero de 1851 en la villa y corte de Madrid.

Por tanto, aquel tipo contaba cincuenta y cuatro años de edad, aunque a juzgar por su aspecto bien podría haber tenido cien.

—¿Y qué hace usted aquí, profesor? —preguntó Yocasta.

—Ah, eso... —Líbano rió entre dientes—. Es una larga historia... —volvió a reír—. Pero supongo que disponemos de tiempo para un poco de charla —carraspeó—. Verán ustedes, siempre he sentido fascinación por las culturas precolombinas, así que, en cuanto obtuve el doctorado en Historia, me embarqué para México e ingresé en la Universidad en calidad de profesor. Más tarde conseguí la cátedra de Historia Antigua, pero eso ahora no importa, no importa. El caso es que, paralelamente a mi actividad académica, me dediqué a estudiar los idiomas y las costumbres de los indígenas americanos. Adquiría viejos manuscritos, recopilaba historias y tradiciones, investigaba en archivos, en fin, toda esa clase de asuntos, ya se pueden hacer una idea —bruscamente, su voz se convirtió en un susurro—. Pero un día llegó a mis oídos la leyenda de Bosán, la Tierra de las Sombras, el *Núgka Wakani* —profirió una risa cascada y prosiguió—: Convencí a la Universidad de que financiara una expedición y me dirigí al interior de la selva peruana, al lugar donde se suponía que estaba Bosán, es decir, aquí —su expresión se tornó sombría—. Pero los kuitámin nos tendieron una emboscada y mataron al guía, a mis colegas y a los porteadores —se echó a reír otra vez—. Pero a mí no me mataron, no, no, no, ¿y saben por qué?

Negamos con la cabeza. Líbano miró a un lado y a otro, se inclinó hacia delante con aire confidencial y dijo en voz baja:

—Porque me hice el loco —rió otra vez—. Los kuitámin creen que los locos son sagrados, porque están en comunicación con los espíritus, así que me hice el loco y no me mataron. Y desde entonces me tienen prisionero aquí, en el poblado, pero yo finjo que estoy desequilibrado y me dejan tranquilo. Además, hablo su idioma y les sirvo de traductor..., ya saben, *traduttore, traditore*... Así que soy su intérprete en las, ¡ay!, escasas ocasiones en que aparecen por aquí personas civilizadas y cultas como ustedes. Pero estoy completamente cuerdo, se lo garantizo, tengo las ideas claras y estoy preparando un infalible plan de fuga.

—¿Cuánto tiempo lleva prisionero, profesor Líbano? —preguntó Kepler.

Líbano frunció el ceño y cerró los ojos, entregándose a un esfuerzo mental tan intenso que una vena empezó a latirle en la frente.

—¡No me acuerdo, no me acuerdo! —exclamó al cabo de un rato, dándose un par de palmetazos en la cabeza—. A veces olvido las cosas, ¿saben? Es por la selva; se te mete dentro y te crecen enredaderas en el cerebro. Aquí no hay estaciones, ni primavera, ni verano, ni otoño, ni invierno, nada de nada, siempre igual, de modo que acabas perdiendo el sentido del tiempo —hizo una pausa y agregó con una risita—: Lo que sí recuerdo es una noticia que leí el mismo día que partimos de México camino de estas tierras... Hablaba sobre la muerte de José Martí, ya saben, el poeta cubano... Una lástima, una lástima...

—Eso ocurrió en 1895 —observó Yocasta—. Hace diez años.

—¿Diez años? —Líbano exhaló una bocanada de aire—. Una década... —extravió la mirada, rió entre dientes y musitó—: Cómo pasa el tiempo...

Mientras hablaba —y también cuando permanecía callado, si vamos a eso—, el profesor Líbano no cesaba de gesticular alocadamente. Aquel tipo estaba como un reloj de cuco con la cuerda saltada; lo cual, si nos paramos a pensarlo, no puede ser más natural, pues al cabo de diez años de vivir entre salvajes fingiendo locura, cualquiera acabaría con los tornillos fuera de rosca.

—¿Ha estado en Bosán, profesor? —preguntó Kepler.

Líbano puso cara de terror y sacudió la cabeza vigorosamente.

—¡No, no, no, no! ¡Bosán es terreno prohibido, nadie puede ir allí! Ni siquiera los kuitámin.

—¿Sabe al menos qué es?

—¿Bosán?...

—Sí.

Líbano sonrió como lo haría un zorro.

—Claro que lo sé —dijo—. Por eso vine aquí. Pero es mi secreto y..., no, no, no, nada de eso, no se lo diré a nadie —lanzó una seca risotada—. Vaya por Dios, con tanta charla se nos está haciendo tarde, muy tarde... Y tenemos que hablar de otras cosas, ¿verdad? Por ejemplo, ¿quién de ustedes es pariente de don Fernando Mercader?

—Soy su hijo... —musité.

—¿Ah, sí? Encantado —Líbano me dedicó una rápida sonrisa y volvió a preguntar—: ¿Y el pariente de un alemán llamado Lothar von Reich?

—¿Sabe dónde está mi hermano? —preguntó Reich, alzando (como tenía por costumbre) una ceja.

—¡No, no, no! —rió Líbano—. No sé dónde está, pero sí sé cómo está: muerto. Igual que don Fernando Mercader y el árabe loco y el abogado y los porteadores. Muertos todos.

—Todos no —repliqué—. Al menos uno de los porteadores logró escapar con vida.

—¿Ah sí? —Líbano se encogió de hombros—. Qué raro...

—Y si alguien logró escapar —concluí—, también otros pudieron hacerlo.

Líbano sacudió la cabeza.

—Todos muertos —repitió—; se lo aseguro, no quedó nadie con vida —hizo un amplio ademán, como zanjando el tema, y prosiguió—: Pero ahora tenemos que tratar otros asuntos. Permítanme exponerles cómo están las cosas: ustedes han matado a cinco miembros de la tribu. Cuatro en Cartagena de

Indias y uno en El Callao, lo cual tiene seriamente enfadados a los kuitámin.

—¡Ellos intentaron antes matarnos a nosotros! —protesté.

—Por supuesto, ésa era su misión: acabar con ustedes.

—Pero ¿por qué?

—Porque así lo han ordenado las Sombras —Líbano agitó nerviosamente las manos—. Pero eso no importa, no importa... El caso es que ustedes han matado a cinco kuitámin y eso no le ha gustada nada al jefe de la tribu, que, por cierto, se llama Untúru. Pero en fin, no, no, no, eso de momento carece de interés; lo importante es que Untúru va a interrogarles a ustedes ahora.

—¿Sobre qué? —le interrumpió Kepler.

—Sobre lo que quiera —respondió Líbano, en el tono irritado de quien se ve obligado a explicar lo evidente—. Si eres el jefe de una tribu y haces prisioneros, puedes preguntarles lo que buenamente te apetezca, ¿no le parece?

—Profesor Líbano —intervino Yocasta—, usted ha dicho que las Sombras ordenaron nuestra muerte; pero, ¿quiénes son las «Sombras»?

—Los moradores de Bosán, por supuesto —Líbano rió cascadamente y aclaró—: Los gigantes, los espíritus, los guardianes del secreto.

—¿Qué secreto?

—No, no, no, no —Líbano chasqueó la lengua—. Como se trata de un secreto, nadie sabe lo que es.

—¿Y por qué las Sombras quieren matarnos?

Líbano extendió los brazos y puso cara de sorprendida incredulidad, como si no pudiera creerse que alguien preguntara algo tan tonto.

—¡Por la piedra! —exclamó—. ¡Porque ustedes la han visto!

—La obsidiana inca... —musitó Yocasta, pensativa.

—Por supuesto, la obsidiana. Como la han visto, tienen que morir. Si lo contemplamos desde su punto de vista, es razonable —Líbano agitó otra vez las manos—. Pero eso no es importante, no, no, no, no lo es, al menos ahora, y andamos muy mal de tiempo. Así que vamos a realizar un pequeño resumen: el jefe Untúru va a interrogarles. Luego, los kuitámin les torturarán. Finalmente, después de largas horas de suplicio, les matarán —una fugaz risita brotó de sus labios—. Por así decirlo, ése es el programa de actos para esta noche.

Sobrevino un sombrío silencio.

—La perspectiva no resulta muy halagüeña —comentó Kepler.

—No lo es, no —asintió seriamente Líbano—; nada halagüeña, no, no, no, de ninguna manera. La verdad, no me gustaría estar en su piel..., aunque, bien pensado, imagino que dentro de poco ustedes tampoco estarán en su piel. A los kuitámin les encanta desollar vivas a sus víctimas.

Repentinamente, un cadencioso batir de tambores resonó en el exterior. Líbano se agitó, inquieto, y exclamó:

—¡Ya es la hora, ya es la hora! —echó a correr hacia la puerta y nos indicó con un ademán que le siguiéramos—. ¡Vamos, vamos! ¡Al jefe Untúru no le gusta esperar, venga, deprisa, síganme!

Líbano salió al exterior y nosotros, después de un sombrío intercambio de miradas, abandonamos la choza tras él. El sol acababa de ocultarse, pero aún había luz suficiente para ver con claridad la escena que nos aguardaba al otro lado del umbral. Una doble fila de guerreros kuitámin armados hasta los dientes formaba un pasillo desde la choza hasta el centro del poblado, donde ardía una enorme hoguera. A ambos lados, más allá de las columnas de guerreros, las mujeres, los ancianos y los niños se congregaban para presenciar el espectáculo. Al fondo, a ambos lados de la hoguera, unos tamborileros batían con entusiasmo sus instrumentos.

Delante, tres figuras se recortaban contra las llamas. Uno de ellos, el que estaba a la izquierda apoyado en una lanza, era el cabecilla de los indios que nos habían secuestrado; el del centro, un tipo panzudo adornado con plumas rojas debía de ser el jefe de la tribu y, en cuanto al de la derecha, no sé de quién demonios podía tratarse, pero tenía un aspecto entre estrafalario y siniestro, con la cara pintada de negro y, como pude comprobar al acercarme, un collar de vértebras humanas colgándole del cuello.

Líbano se encaminó hacia la hoguera; mientras le seguíamos, flanqueados por los ceñudos rostros de los guerreros kuitámin, pensé que aquello no era posible, que yo no podía estar ahí, a punto de ser brutalmente torturado por una tribu de salvajes, que debía de estar soñando...

Pero si era un sueño, amigos míos, sin duda se trataba de una pesadilla.

* * *

Cuando llegamos a la altura de los tres tipos que aguardaban frente a la hoguera, el profesor Líbano se detuvo e hizo las presentaciones.

—A este caballero ya le conocen —dijo, refiriéndose al individuo de la lanza—; es Kujancham, el jefe de los guerreros —señaló al panzudo y prosiguió—: Aquí tenemos a su majestad Untúru, monarca indiscutido de los kuitámin —hizo un ademán en dirección al tipo de la cara pintada—. Y éste es Nunkui, el hechicero de la tribu.

De pronto, el sonido de los tambores cesó, dejando tras de sí un largo silencio entreverado por el croar de las ranas. Como las miradas de todos los kuitámin convergían expectantes en su jefe, también nosotros nos quedamos mirándole. Al cabo de una enormidad de tiempo, Untúru se dignó a abrir la boca y, como queriendo compensar su anterior mutismo, nos encasquetó un larguísimo discurso en su impenetrable idioma.

—Untúru dice —intervino Líbano, pasando súbitamente del usted al tuteo— que habéis asesinado a guerreros kuitámin, que habéis profanado el territorio kuitámin, que habéis ofendido a los kuitámin, y a los antepasados de los kuitámin, y... en fin, que habéis ofendido a todo el mundo, incluyendo a los muertos y a los espíritus. Luego, Untúru ha dicho que los kuitámin son la sal de la tierra, la tribu elegida, los guerreros más feroces y valientes, bla, bla, bla, y luego os ha llamado alimañas, excrementos de mono y diversos insultos más —rió entre dientes—. Untúru no está de buen humor hoy, no, no, no, no lo está...

Súbitamente, Nunkui, el hechicero, dio un paso al frente y

alzó una mano al tiempo que exclamaba algo en tono desabrido.

—Nunkui —tradujo Líbano— pregunta si reconocéis eso.

El hechicero sostenía en la mano una cabeza reducida, pero ésta era distinta a las otras que habíamos visto. De entrada, apenas tenía pelo y, además, llevaba algo sobre la diminuta nariz, frente a los párpados cosidos: una gafas metálicas de lentes hexagonales.

Yo había visto antes esas gafas, pensé.

Y, súbitamente, el recuerdo se abatió sobre mí como un mazazo.

—Pero ése es... —balbucí, anonadado—. Ése es...

—Everildo Cartago —concluyó Yocasta—. El abogado del barón von Reich.

Un escalofrío serpenteó por mi espalda y tragué litros de saliva, incapaz de apartar los ojos de aquella macabra cabecita. Entonces, Untúru prorrumpió en una nueva parrafada que Líbano nos tradujo con presteza:

—Untúru dice que vais a morir, pero que hay muchas clases de muerte, unas mejores y otras peores, unas más cortas y otras más lentas, y que si contestáis con sinceridad a sus preguntas, vuestra muerte será rápida. Aunque, si de algo vale mi opinión, os torturarán digáis lo que digáis, sí, sí, sí... Pero bueno, el caso es que Untúru os pregunta quién más ha visto la piedra inca.

—Sólo nosotros —respondió Kepler—, y los miembros de la anterior expedición. El resto de los que la vieron están muertos.

Líbano le tradujo a Untúru la contestación y luego procedió a traducirnos a nosotros la réplica del jefe.

—Untúru pregunta quién más sabe algo acerca de la piedra inca.

—Nadie más —respondió Kepler.

Tras una nueva tanda de traducciones, Líbano nos dijo:

—Untúru está satisfecho con vuestras contestaciones. Pero es un hombre desconfiado, así que os volverá a interrogar, sólo que esta vez bajo tortura —una risita aleteó en sus labios—. ¿Veis? Yo tenía razón, sí, sí, sí...

—¡Bueno, basta ya! —exclamó Reich destilando indignación—. Dígale a ese salvaje que pertenezco a una de las familias más antiguas de Alemania y que exijo ser tratado con el debido respeto.

Líbano se echó a reír estruendosamente.

—Disculpe, señor Reich —dijo, enjugándose las lágrimas que la risa había amontonado en sus ojos—, pero al jefe Untúru le importa un bledo si es usted primo del káiser o hijo de un trapero. No, no, no, no voy a perder el tiempo traduciendo tonterías.

—Dígale entonces —intervino Kepler— que yo sé algo que él ignora. Un grupo de hombres blancos se dirige aquí. Nos siguen a nosotros.

Líbano le tradujo a Untúru lo que había dicho el alemán y luego nos transmitió su respuesta.

—El jefe dice que no importa si vienen más blancos, pues los kuitámin acabarán con ellos.

Kepler negó con la cabeza.

—Son muchos —dijo—, y tienen armas de fuego. Cuando lleguen, matarán a todos los guerreros y destruirán el poblado. Sin embargo, si Untúru nos deja en libertad, yo le conduciré a donde están esos hombres y le diré cómo puede vencerlos.

Líbano tradujo sus palabras. Untúru, tras escucharlas, permaneció largo rato pensativo y creo yo que un poco desconcertado. Entonces, Nunkui, el hechicero, le susurró algo al oído y Untúru, tras otra pausa, habló de nuevo.

—El jefe afirma que no os cree —dijo Líbano—. Según él, los monos blancos sois mentirosos y poco de fiar. Duda mucho que haya ningún grupo armado por los alrededores, pero si lo hay, Untúru asegura que sus valientes guerreros matarán a cualquiera que ose profanar el territorio de los kuitámin. Por lo demás, insiste en que seáis torturados.

Algunos guerreros habían comenzado a proferir gritos y agitaban sus arcos, lanzas, cerbatanas o cuchillos mientras nos contemplaban con impaciencia, como si a duras penas lograran contener las ganas que tenían de arrancarnos la piel a tiras. Untúru alzó los brazos, gritó algo y todo el mundo se calló. Tras un breve silencio, los tambores volvieron a sonar, Nunkui avanzó unos pasos, alzó los brazos y comenzó a hablar. Mientras lo hacía, Líbano nos iba traduciendo sus palabras.

—El hechicero dice que vais a ser sacrificados a las Sombras... Que arrancará vuestras almas infringiéndoos un dolor insufrible..., y se las entregará a los espíritus de las regiones oscuras... Dice que primero os desollarán (esto les vuelve locos, es como una manía, siempre lo hacen)... Luego arrojarán sal sobre la carne viva... Después pondrán carbones encendidos sobre vuestros genitales y... —Líbano chasqueó la lengua con aire abochornado—. ¡Oh no, eso es asqueroso, no puedo traducirlo!... —hizo un nuevo gesto de desagrado y prosiguió—: Nunkui dice ahora que también os arrancarán las uñas y luego os abrirán en canal y os sacarán las tripas...

Dejé de prestar atención, pues aquella retahíla de horrores me estaba poniendo enfermo. Jamás en mi vida había sentido tanto miedo, compasivos lectores; era un terror expansivo, pirotécnico, abrumador, esa clase de espanto que resuena como una alarma de bomberos en cada una de las células de tu cuerpo y te aturde y te paraliza hasta robarte el aliento. Era todo un triunfo que a aquellas alturas todavía mantuviese un mínimo control sobre mis atribulados esfínteres.

Entonces, absorto como estaba constatando la desmesura de mi propio pánico, sin darme cuenta de lo que hacía, saqué la baraja del bolsillo y comencé a juguetear con ella. Maquinalmente, abrí las cartas formando dos abanicos y las entremezclé con un rápido ademán. Luego me las pasé de una mano a otra en cascada, realicé un *riffle* y la mezcla hindú, abrí otra vez los naipes en abanico, los hice desaparecer entre mis manos y volví a materializarlos desplegando un nuevo abanico.

Como ya he dicho, no me daba cuenta de lo que hacía; pero, de pronto, noté un extraño cosquilleo en la nuca, como si alguien me estuviera mirando, y alcé la cabeza, lo cual me permitió comprobar que, en efecto, todo el mundo me estaba mirando. De hecho, hasta los tambores habían enmudecido. Untúru, con los ojillos clavados en los naipes y la expresión asombrada, musitó algo en su extraña lengua.

—El jefe pregunta qué es eso —tradujo Líbano—. En fin, es

una baraja, ya lo sé, pero no hay ninguna palabra jíbara para «baraja», no, no, no... Y tampoco para «cartas»... Vaya, qué inconveniente.

De repente, mientras el profesor Líbano reflexionaba sobre la traducción, experimenté uno de esos raros momentos de plenitud durante los cuales se accede a la inspiración en estado puro. Fue como una epifanía; súbitamente, recordé la treta que, en cierta ocasión, empleó mi padre para escapar de unos piratas, y los engranajes de mi alma de estafador comenzaron a girar de nuevo.

—Profesor —musité tras un carraspeo—: dígale a Untúru que se trata de un oráculo mágico.

Líbano me miró de hito en hito.

—Pero qué mentira... —protestó—. No es más que una simple baraja fran...

—¿Quiere escapar de aquí, profesor? —le interrumpí.

—Por supuesto, sí, sí, sí, joven, ¿quién lo duda? Es mi máximo anhelo.

—Pues entonces sígame la corriente, ¿de acuerdo? Dígale al jefe que las cartas son un oráculo mediante el cual puedo ponerme en comunicación con los espíritus y conocer el futuro.

Líbano tradujo lo que yo había dicho y me comunicó la respuesta de Untúru.

—El jefe quiere saber si eres un mago... —profirió una risita—. Qué tontería, ¿verdad?

—¿Un mago? —sonreí de oreja a oreja y comencé a barajar la cartas—. Claro que soy un mago; el más grande desde los tiempos de Merlín —desplegué los naipes, se los tendí al jefe y dije—: Vamos, Untúru, escoja una carta y mírela sin que yo la vea.

Creo oportuno señalar que cuando mi padre me instruyó en los secretos del juego profesional no olvidó adiestrarme en el arte de la prestidigitación y que, desde mi más tierna infancia, fui capaz de remedar con cierta maestría los trucos de los grandes magos del mundo del teatro, como Houdini, el Gran Carter o Thurston.

Pero aquella noche, en medio del poblado kuitámin, superé a

todos los prestidigitadores del planeta poniendo en escena, sólo para el jefe Untúru, el mayor espectáculo de cartomancia jamás visto en la Amazonia. Con desenvuelta soltura, adiviné cartas ocultas, convertí reyes en ases, desmaterialicé naipes y los volví a materializar... Al final, movido por el entusiasmo, incluso hice brotar unas monedas de las narices del jefe y creo que, de haber llevado chistera alguno de los presentes, habría sacado de su interior un conejo. Cuando concluí mi actuación, Untúru estaba boquiabierto, estupefacto, patidifuso; era lo que en la jerga de las variedades se conoce como un público entregado.

—Dile al jefe —comenté con Líbano— que mientras realizaba estos prodigios he podido ver retazos de su futuro.

El profesor tradujo para Untúru y luego tradujo para mí:

—El jefe quiere que le cuentes lo que has visto.

—Claro —asentí con una sonrisa—. Pero tiene que ser en privado, si no los espíritus no se comunicarán con nosotros. ¿Por qué no nos reunimos en algún lugar tranquilo?

Tras un breve debate interior, Untúru nos indicó con un gesto que le siguiéramos y echó a andar hacia la cabaña más grande del poblado, que, supongo, debía de ser la suya. Mientras caminábamos, advertí que Nunkui se había unido a nosotros sin que, por cierto, nadie le hubiese invitado.

—Un momento —dije—; sólo podemos estar el jefe, el profesor y yo. El hechicero no viene.

Líbano habló con Untúru y éste le ordenó algo a Nunkui —probablemente que se quedara donde estaba—, lo cual no pareció sentarle nada bien al hechicero, pues frunció el ceño hasta juntar las cejas con la nariz y me dirigió una mirada tan torva como el alma de un sepulturero.

Pero yo, estimados amigos, no hice el menor caso y seguí caminando en dirección a la cabaña real, disponiéndome a disfrutar de una agradable velada en la residencia de Untúru, el gran jefe de los kuitámin.

* * *

A lo largo de mi prolongada carrera como jugador profesional me he topado con contrincantes de toda condición, desde adversarios tan hábiles como yo hasta pobres infelices cuya única misión en la vida parecía consistir en perder dinero con entusiasmo, pero jamás he encontrado a un primo tan candoroso como el jefe de los kuitámin. En fin, puede que Untúru fuese un hacha en cuestiones de política tribal o asuntos de la selva, pero en lo que al juego respecta era de una ingenuidad tal que incluso un niño no muy avispado podría haberle ganado hasta el taparrabos apostando a las tabas.

El caso es que, una vez reunidos en la sala de estar —por así llamarla— de la cabaña, y siempre contando con la traducción del profesor Líbano, procedí a informar al jefe Untúru acerca de lo que las cartas me habían revelado sobre su futuro. Le dije que los kuitámin serían la tribu más poderosa de toda la Amazonia y él se convertiría en el jefe más respetado y temido; le dije que tendría innumerables esposas, todas jóvenes y guapas, que sus hijos se multiplicarían como las estrellas en el firmamento, que viviría hasta los cien años y que después su nombre sería recordado de generación en generación.

De acuerdo, sí, le estaba lamiendo el culo; pero mi padre solía decir que, antes de abrir una caja de caudales ajena, conviene engrasar los goznes para que no chirríen, y eso era precisamente lo que estaba haciendo yo: engrasar la credulidad de Untúru mediante supuestas profecías tan dulces como la miel. Fue insultantemente fácil, lo reconozco. El jefe, como ya he dicho antes, era un público entregado, así que se tragó mis dorados presagios con la glotonería de un atún mordiendo el anzuelo.

Más tarde, una vez concluida la sesión de augurios, le dije a Untúru que las cartas servían para ponerse en contacto con los dioses y que, si lo deseaba, podía enseñarle a hacerlo. Untúru aceptó entusiasmado, así que le enseñé a jugar al póquer; aunque, por supuesto, disfracé las reglas convirtiéndolas en un ritual destinado a conocer los designios de las divinidades.

Y comenzamos a jugar.

Ah, indulgentes lectores, reconozco que en algún momento sentí cierta lástima por Untúru, aquel inocente salvaje atrapado en las fauces de un juego que le venía grande por todos los costados, pero luego recordé que el muy animal tenía la intención de torturarnos y al instante se desvaneció en mi interior todo rastro de piedad. Para apostar, empleábamos guijarros, cuarenta cada uno; al principio le dejé ganar cinco manos seguidas, con el objeto de que se confiase. Luego, una vez desbrozado el camino, me puse serio y, con la determinación de una apisonadora, le machaqué, le destrocé, le derroté, le desplumé, le hice fosfatina. En definitiva, gané.

El juego había durado poco menos de una hora; al cabo de ese tiempo, Untúru lo había perdido todo. Y aquí conviene recordar que para el jefe de los kuitámin las apuestas de aquella partida no eran un simple juego, sino la expresión misma de los designios divinos. Algo condenadamente serio, para que me entiendan.

Abandonamos la cabaña y regresamos a la explanada central del poblado, donde nos aguardaba la tribu en pleno. Los kuitámin, tan expectantes como desconcertados, contemplaron a su jefe con la esperanza, supongo, de que éste les dijera de una vez por todas qué narices estaba pasando, aunque, para ser justos, Kepler, Yocasta y Reich me recibieron con un desconcierto enteramente similar al de los indígenas.

—¿Qué ha pasado, Jaime? —preguntó mi negra sirvienta.

—Oh, nada, nada —respondí, henchido de falsa modestia—. El jefe y yo hemos mantenido una provechosa reunión, sólo eso.

—Este joven es muy peculiar —intervino Líbano bizqueando un poco—. Sí, sí, sí, un joven sorprendentemente peculiar.

En ese instante, Untúru alzó los brazos y, dirigiéndose a la tribu con aire abatido, comenzó a hablar. Mientras lo hacía, Líbano nos iba traduciendo:

—El jefe Untúru dice que los dioses le han hablado y le han comunicado sus designios... Dice que le han ordenado que los extranjeros (o sea, ustedes) sean respetados y queden en libertad...

Los kuitámin, estupefactos ante aquellas novedades, prorrumpieron en una indignada algarabía cuajada de protestas y lamentos. Untúru alzó los brazos para aplacar el griterío y continuó hablando.

—El jefe dice que los dioses le han revelado que el joven

hechicero extranjero es su elegido... —siguió traduciendo Líbano—. Y también dice que los dioses han decidido que él sea el guía de los kuitámin, amo y señor del poblado y dueño absoluto de cuanto haya en éste, incluyendo a sus habitantes...

El desconcierto se abatió sobre los kuitámin con la contundencia de un asteroide chocando contra la Tierra. De repente, todos se pusieron a protestar, lamentarse, discutir o parlotear entre sí con cara de no entender nada. Nunkui, el hechicero, tan enfadado que parecía echar humo por la cabeza, discutía acaloradamente con Untúru, mientras que Kujancham, el líder de los guerreros, permanecía inmóvil, mirando a un lado y a otro sin saber qué hacer. La verdad es que se organizó un barullo muy considerable.

—Bueno —comenté, dirigiéndome a mis compañeros de expedición con aire satisfecho—, por lo visto soy el nuevo propietario de la tribu.

Por primera vez desde que nos conocíamos, Yocasta me contempló con algo que, si no era respeto, se le parecía mucho.

—¿Cómo lo has conseguido, Jaime? —preguntó.

—Jugando a las cartas —respondí en tono displicente, y añadí—: Ah, por cierto, podemos pasar la noche en la choza de Untúru. También se la he ganado.

* * *

Los kuitámin nos devolvieron todas nuestras pertenencias —salvo las armas, que, por lo visto, habían sido requisadas por Kujancham— y permitieron que nos instaláramos en la cabaña del jefe. Estábamos agotados, así que, tras explicarles someramente cómo me las había ingeniado para engañar a Untúru, quedamos en reunirnos a la mañana siguiente para planear nuestros próximos pasos. Luego, nos fuimos a descansar; habían sido tantas las emociones de los dos últimos días que me quedé dormido nada más tumbarme en la hamaca. Por desgracia, el tiempo de descanso apenas pareció durar un suspiro.

—Despierte, Jaime —dijo Kepler, sacudiéndome por el hombro—. Ya ha amanecido.

Me froté los ojos, ahogué un bostezo y me desperecé. Miré

en derredor y, a través de la entrada, vi que fuera llovía a raudales.

—¿Alguna novedad? —pregunté mientras me incorporaba.

—Ninguna —respondió Kepler—. Salvo que los kuitámin han pasado toda la noche formando corrillos y cuchicheando. Me temo que todavía no ha pasado el peligro.

—Pero si soy el dueño de la tribu —repliqué con aire despreocupado—. Harán lo que yo les diga.

—Esperemos que así sea, aunque no creo que todos los kuitámin estén muy de acuerdo con la nueva situación —Kepler se mesó la perilla—. Coma algo, Jaime —dijo—. Después del desayuno le haremos una visita a Untúru.

Tras asearme un poco, di buena cuenta de un mango y un par de frutas para mí totalmente desconocidas —pero muy sabrosas—; luego, abandonamos la choza y nos reunimos todos con Untúru y el profesor Líbano en la cabaña que el jefe le había arrebatado a un pariente suyo (después de que yo le arrebatase a él la suya). El jefe de los kuitámin parecía abatido y taciturno, pero su melancólico estado no le impidió contestar a nuestras preguntas.

—Profesor —dijo Kepler—: pídale a Untúru que nos cuente lo que ocurrió con la otra expedición.

Líbano le comunicó al jefe la pregunta y, acto seguido, nos tradujo su respuesta.

—El jefe dice que los monos blancos se atrevieron a profanar el sagrado territorio de los kuitámin, ofendiendo así... —Líbano se detuvo y sacudió la cabeza—. Si les parece bien, omitiré la retórica y me centraré en lo importante; sí, sí, sí, eso será mucho mejor —carraspeó—. En resumen, el jefe dice que la anterior expedición entró en su territorio hace algún tiempo y que los guerreros les tendieron una emboscada... Pero uno de los expedicionarios, un árabe muy grande, advirtió la presencia de los kuitámin y logró repeler el ataque —Líbano parpadeó como una ametralladora—. Sorprendente, muy sorprendente —musitó—; vaya, sí que lo es, sí, sí, sí. Porque los kuitámin son unos maestros camuflándose en la selva.

—Ese árabe se llama Rasul Alí Akbar —dije.

—Ya, ya, ya, ya lo sé... —asintió Líbano—. El abogado lo

contó todo con pelos y señales... Pero bueno, a lo que vamos, el jefe dice que el árabe y otros dos hombres se internaron en la selva y lograron sortear las filas de guerreros. Luego, se dirigieron aquí y, tras enfrentarse con los guardianes en el poblado, entraron en el *Núgka Wakani* y allí desaparecieron.

—¿En Bosán? —musité.

—Eso es, sí, sí, sí, entraron en Bosán. Fue un severo golpe para Untúru, vaya que sí, porque la misión de los kuitámin es precisamente impedir la entrada en el *Yákat Akásmatkamu*...

—¿Mi hermano se encontraba entre los hombres que escaparon? —le interrumpió Reich.

—Ah, sí, sí, sí, claro; el barón escapó junto con el árabe y don Fernando Mercader, el padre de este joven.

—Pero usted dijo ayer que estaban muertos —protesté.

—¡Y lo están, amigo mío, lo están! —exclamó Líbano—. Que lograran escapar de los kuitámin no quiere decir que sigan vivos, no, no, no. Entraron en Bosán, ¿no es cierto?, así que con toda seguridad han muerto a manos de las Sombras.

Me disponía a replicar que eso era sólo una suposición, pero Kepler me interrumpió preguntándole:

—¿Qué sucedió después?

—Bueno, los kuitámin acabaron con todos los miembros de la expedición, menos los tres ya citados y un abogado llamado Everildo Cartago, al que hicieron prisionero.

—También logró escapar uno de los portadores —puntualicé.

—Sí, ya me lo dijo ayer, no soy tonto —repuso Líbano en tono irritado—. No, no, no lo soy. Y, además, eso no importa. El caso es que los kuitámin encontraron entre los pertrechos de la expedición una talla de obsidiana.

—La piedra inca —señaló Yocasta.

—Exacto, el relieve de un caballo con dos jinetes, eso es, sí, sí, sí. Pues bien, Untúru y Nunkui se dirigieron al *Yákat Akásmatkamu* para hablar con las Sombras...

—¿El *Yákat* qué?... —le interrumpí, recordando que ya había mencionado antes ese nombre.

—El *Yákat Akásmatkamu* —repitió Líbano con impaciencia—. Como sabe, joven, en lengua jíbara eso significa «lugar prohibido». Evidente, ¿no? Está en la frontera con Bosán y es allí donde se reúnen los altos dignatarios kuitámin con las Sombras —chasqueó la lengua varias veces, supongo que molesto por las interrupciones, y prosiguió—: Untúru y Nunkui hablaron con las Sombras, les contaron que unos blancos habían entrado en su territorio y luego les entregaron la obsidiana. Entonces las Sombras ordenaron a los kuitámin que averiguaran quiénes conocían la existencia de esa talla inca y que acabaran con ellos —por entre las greñas que prácticamente le ocultaban el rostro, la expresión de Líbano se tornó sombría—. Los kuitámin interrogaron a Everildo Cartago —dijo en tono lúgubre—; le torturaron salvajemente, pobre hombre. Era un caballero insoportable, pero nadie se merece algo así, no, no, no, fue una salvajada... —suspiró ruidosamente—. Y, claro, el infeliz habló largo y tendido. Lo contó todo: de dónde había salido la obsidiana, los nombres de quienes la habían visto, sus direcciones..., todo, todo, todo —rió con la mirada extraviada—. Luego —concluyó—, le mataron.

—Entonces —intervino Kepler—, Untúru envió a sus hombres con la misión de eliminarnos.

—Por supuesto —repuso Líbano—. Claro que sí; los kuitámin siempre obedecen las órdenes de las Sombras, sí, sí, sí. Una partida de guerreros se dirigió a Cartagena de Indias para acabar con ustedes. Aunque, claro, también tenían que matar a los huaqueros que encontraron la talla y a Epifanio Palanque, el hombre que la compró y la envió a Cartagena —se encogió de hombros—. En fin, a todos los que conocían la existencia de esa obsidiana.

—Pero, demonios, ¿por qué? —exclamé, harto de no entender nada—. ¿Por qué narices querían matarnos?

Líbano me miró con perplejidad.

—Pero si no puede ser más evidente —dijo, sorprendido por mi ignorancia—. Para salvaguardar el secreto, claro está, sí, sí, sí. La piedra inca revela el secreto y las Sombras quieren protegerlo. Es lógico.

Sería lógico para él, pensé, pero desde luego no para mí. Aquello era como un laberinto en el que, en cuanto crees ir en la buena dirección, te topas con un callejón sin salida.

—Un momento, un momento —dije, intentando poner un poco de coherencia—. Vamos a ver, profesor, aquí, en el poblado, el único que habla español es usted, ¿no?

—En efecto —respondió Líbano con orgullo—. Domino el español y nueve idiomas y dialectos más, sí, sí, sí, claro, claro, por supuesto, qué duda cabe.

—Pues algunos de los indios que intentaron acabar con nosotros también hablaban español.

—Ah, eso... —Líbano rió fugazmente—. Verá, joven, resulta que me ocupo personalmente de enseñar español a unos cuantos kuitámin. No lo hablan muy bien, no, no, no, pero sí lo suficiente como para desenvolverse en Iquitos.

—¿Los kuitámin van a Iquitos? —pregunté, sorprendido—. ¿Para qué?

—Para comprar. Tienen que adquirir las mercancías que necesitan las Sombras.

—¿Y qué mercancías son ésas? —preguntó Kepler.

—Oh, bueno, depende... —respondió Líbano—. Por lo general, semillas, azufre, sal, tejidos y..., bueno, claro, sí, sí, sí, sobre todo hierro.

—¿Hierro? —repetí tontamente.

—Sí, hierro, ese metal frío y duro, no creo que sea tan difícil de entender, claro está que no, cualquiera lo captaría a la primera. Lingotes de hierro, eso es lo que más desean las Sombras. Para que se hagan una idea, ¡los kuitámin están convencidos de que las Sombras comen hierro!

Como si lo que acababa de decir fuese el colmo de la ocurrencia, Líbano comenzó a lanzar sonoras carcajadas.

—¿Cómo consiguen el dinero necesario para comprar esas mercancías? —preguntó Yocasta una vez que Líbano hubo logrado contener la hilaridad.

—Oh, eso... No hay problema, claro, no, no, no, no lo hay. Las Sombras les dan oro —el profesor se volvió hacia mí y me espetó—: Oro, jovencito, oro; y no me diga que ignora lo que es el oro, porque eso todo el mundo lo sabe.

—¿De dónde sacan el oro las Sombras? —preguntó Kepler.

Líbano se encogió de hombros.

—Ni idea. Lo ignoro.

Se produjo un largo silencio que yo empleé para intentar encontrarle algo de sentido a aquella historia, aunque debo reconocer que fracasé estrepitosamente. Al cabo de un largo minuto, Yocasta preguntó:

—¿Alguna vez ha visto usted a las Sombras, profesor?

Líbano sacudió tan vigorosamente la cabeza que su sucia cabellera hizo molinetes en el aire, primero en un sentido y luego en el otro.

—Nunca, claro que no, de ninguna manera. Nadie, salvo unos pocos elegidos, puede entrar en el *Yákat Akásmatkamu*.

—Pero el jefe Untúru sí las ha visto —señaló Yocasta—. Pregúntele cómo son.

Untúru, que había asistido silencioso a nuestra charla, contemplándonos con decaída indiferencia, ora a unos, ora a otros, escuchó la pregunta y, tras una lánguida pausa, respondió con voz tristona.

—El jefe dice que las Sombras son gigantes tan altos como cuatro hombres —Líbano rió entre dientes—. Ah, y respiran fuego —carraspeó—. Al menos, eso asegura él.

Hubo un nuevo silencio, aunque esta vez más corto, pues de repente Untúru, con la mirada perdida y el tono quejumbroso, decidió soltar una larga parrafada.

—El jefe dice que la obsidiana está maldita —nos tradujo Líbano—. Dice que los blancos que la trajeron profanaron Bosán, y que después los kuitámin tuvieron que ir al exterior, donde cinco de ellos murieron... Y luego un *Ságkuch* se puso a merodear por los alrededores... Y ahora habéis llegado vosotros y todo va mal...

—¿Qué es lo que merodea? —le interrumpí.

—Un *Ságkuch* —repitió Líbano, frunciendo el ceño, como si cualquier persona medianamente culta tuviera que saber qué narices era un *Ságkuch*—. Es un espíritu maligno de la selva; algo así como un demonio, sí, sí, sí, eso es, un demonio. El caso es que, entre unas cosas y otras, Untúru tiene muchos problemas y anda el hombre muy desmoralizado.

Kepler zanjó la conversación con una palmada y se puso en pie.

—Pues entonces no le importunaremos más —dijo—.

Profesor, ¿le importaría enseñarnos cómo se va a ese lugar, el *Yákat Akásmatkamu*?

—¿Para qué quiere saberlo? —Líbano bizqueó un poco y cacareó una risita—. Es el lugar más sagrado de los kuitámin, sí, sí, sí, el más sagrado, vaya si lo es... No se puede ir allí.

—Pura curiosidad —respondió Kepler con una sonrisa—. Vamos, profesor, muéstrenos el camino.

* * *

Cuando abandonamos la choza de Untúru ya había dejado de llover y los kuitámin comenzaban a congregarse en la explanada central, hablando entre sí y formando corrillos donde, según pude comprobar, mantenían encendidos debates sobre vaya usted a saber qué. Sin embargo, nada más vernos aparecer enmudecieron bruscamente; de hecho, la mayor parte de ellos corrió a ocultarse en sus casas y sólo permanecieron en el exterior un par de docenas de guerreros, unas cuantas mujeres y un puñado de niños.

Mientras seguíamos a Líbano, y dada mi condición de nuevo propietario de la tribu, procuré caminar solemnemente, con las manos entrelazadas a la espalda y el cuerpo muy erguido; aunque no debí de causar una gran impresión, pues no llegué a percibir en la mirada de ningún kuitámin el más mínimo rastro de respeto, sino, por el contrario, desconfianza, miedo, desdén o desafío.

De todos es sabido que los políticos desarrollan una repentina y casi patológica afición a besar niños cuando se avecinan elecciones, pues tal gesto —el besuqueo infantil— es muy apreciado por los votantes. Consciente de ello, mientras atravesábamos la explanada vi a un chiquillo que se encontraba sentado en el suelo, en pelota picada, jugando con unos huesos que espero no fueran humanos, y pensé que ésa era mi oportunidad de transmitirles un poco de simpatía a mis súbditos.

Así pues, al pasar al lado del chico, me incliné y le alboroté el pelo afectuosamente. Entonces, el niño me miró sorprendido, abrió mucho los ojos, profirió un alarido y se alejó a la carrera, aullando como alma en pena. De reojo, advertí que un par de guerreros me miraban con abierta censura, como si yo le hubiera retorcido el pescuezo a aquel maldito niño —cosa que, por cierto, bien se merecía—, así que aparté la mirada y adopté una irreprochable actitud de inocencia, pero no pude evitar fijarme una vez más en los tatuajes de los kuitámin.

—Profesor —pregunté—, ¿qué es ese tatuaje que llevan los guerreros en el pecho?

—La marca de las Sombras —respondió Líbano con una risita—. Ah, sí, sí, sí, el emblema de Bosán.

Salimos del círculo que formaban las chozas y nos encaminamos al extremo norte del claro, hacia la linde donde la jungla se alzaba de nuevo como una barrera infranqueable. Allí, entre medias de la maleza, había un sendero muy ancho y totalmente despejado de vegetación. A ambos lados del inicio del camino se alzaban sendos postes de unos tres metros de altura en cuya superficie podían verse una sucesión de filigranas talladas y, repetido varias veces, el emblema de Bosán. Junto a cada poste, un par de guerreros kuitámin armados con lanzas hacían guardia. Cuando nos detuvimos frente al sendero, torcieron el gesto y se quedaron mirándonos con abierta hostilidad.

—Éste es el camino que conduce al *Yákat Akásmatkamu* —dijo Líbano—. El último tramo del Sendero Fantasma, sí, sí, sí, el último tramo... Como pueden comprobar, caballeros, siempre está vigilado.

—¿A qué distancia se encuentra ese lugar? —preguntó Kepler.

—Oh, pues no lo sé a ciencia cierta... Pero yo diría que no muy lejos; unos mil metros, más o menos...

—Bueno —propuse—, ¿por qué no le echamos un vistazo?

—Porque no podemos —replicó Líbano—. Está prohibido, joven; ¿no lo recuerda?

—Pero ahora yo soy el jefe de la tribu y se supone que puedo hacer lo que me dé la gana.

Líbano se echó a reír.

—De eso nada, jovencito —dijo—. El jefe es Untúru, claro que sí.

—Pero se lo gané a las cartas...

—No, no, no —Líbano alzó el índice de su mano derecha y lo agitó delante de mis narices—; usted le ganó la tribu. Es propietario, por así decirlo, de los kuitámin en conjunto, incluyendo a su jefe, Untúru; pero usted no es el jefe, claro que no. Además, por si no se había percatado de ello, le recuerdo que usted no es un kuitámin y, por tanto, carece de derechos de ningún tipo, como, por ejemplo, el derecho a ir al *Yákat Akásmatkamu.*

—Pero puedo ordenarle a Untúru que nos lleve allí —repliqué—. Hará lo que yo le diga.

Líbano dejó escapar un largo y ruidoso suspiro. Luego, se quitó con los dedos un parásito que le merodeaba por las barbas y dijo:

—Si me permite expresarlo con crudeza, joven, Untúru es un imbécil; sí, sí, sí, vaya si lo es, un auténtico idiota. En realidad, nunca ha ejercido el mando, pues el poder en la sombra lo ostentaba Nunkui. Untúru hacía siempre lo que decía el hechicero, pero, claro, claro, claro, las cosas han cambiado y ahora Untúru hace lo que dice usted... —gorgojeó una cascada risita—. Pero eso, como es lógico, no le ha gustado ni un pelo a Nunkui. Para que entienda la situación, joven, le diré que el hechicero no se ha tragado sus truquitos de cartas y anda diciendo por ahí que los extranjeros, es decir, ustedes, son diablos y deben morir. Untúru, por su parte, cree que es usted un enviado de los dioses, joven, e insiste en que sus vidas deben ser respetadas. En cuanto a Kujancham, el jefe de los guerreros (que, por cierto, tampoco es una lumbrera), no sabe qué camino tomar. Por un lado, le debe obediencia a Untúru, claro está, es su jefe; pero, por otro, Kujancham odia a los extranjeros y está de acuerdo con Nunkui en que ustedes estarían mucho mejor muertos... En fin, el jefe de los guerreros está hecho un lío, pero anda con la mosca detrás de la oreja. Recuerden que fue él quien se negó a devolverles las armas —rió entre dientes—. De modo que la tribu está dividida; más o menos la mitad de los kuitámin creen que hay que acatar las órdenes de su jefe, mientras que la otra mitad es partidaria de Nunkui. Un lío, ya ven, un embrollo, un desbarajuste, una auténtica complicación, sí, sí, sí, vaya si lo es... De hecho, esta tarde se celebrará un consejo para intentar resolver el problema.

Debo reconocer que aquella disertación sobre política tribal me había mareado un poco, sobre todo porque el profesor Líbano, al hablar, se entregaba a una desenfrenada sucesión de muecas que incluía desde repetidos guiños de ojos hasta súbitos fruncimientos de ceño, pasando por risas, sollozos, gritos y toda clase de aspavientos. Si quieren conocer mi punto de vista, estimados lectores, al verle gesticular como un poseso, uno se preguntaba si aquel pobre tipo necesitaba la ayuda de un psiquiatra o más bien la de un exorcista.

De repente, sonó un trueno y comenzó a llover de nuevo; pero como ya estábamos más que acostumbrados a empaparnos, iniciamos el regreso al poblado con paso tranquilo.

—Allí hay otro sendero —dijo Kepler, señalando hacia el noroeste—. ¿Adónde conduce?

—A las lagunas —respondió Líbano al tiempo que reía tontamente—. Los kuitámin suelen ir allí a pescar.

El estampido de otro trueno hizo temblar la tierra y la lluvia se transformó en un manto de agua que apenas nos permitía ver; además, qué demonios, el contundente impacto de aquellos goterones resultaba doloroso, así que echamos a correr y buscamos refugio en la antigua choza de Untúru. Al llegar a ella, antes de entrar, Kepler miró a un lado y a otro y nos dijo:

—Voy a dar una vuelta. Volveré dentro de un par de horas.

Luego, tras despedirse rozando con la mano izquierda el ala del sombrero, desapareció bajo la lluvia.

* * *

La ausencia de Kepler me hizo sentir más desvalido de lo que ya me sentía (y me sentía muy desvalido, pueden creerme), aunque, dadas las circunstancias, no cabía confiar demasiado en la protección que aquel guardaespaldas alemán pudiese brindarnos en el caso de que los kuitámin decidieran finalmente pasarnos a cuchillo, pues poco podría hacer un hombre desarmado frente a centenares de guerreros.

Pasamos el resto de la mañana metidos en la choza; Yocasta y Reich en el interior y yo sentado en la entrada, donde me dediqué a contemplar lo que ocurría en el poblado. La tribu debía de contar con unos cuatrocientos o quinientos individuos; las mujeres jóvenes se dedicaban a recolectar fruta y vegetales, mientras las ancianas cuidaban de los niños más pequeños; luego, jóvenes y viejas preparaban juntas la comida. Los varones, por su parte, pescaban, cazaban y protegían el poblado, aunque ese día no fueron a cazar ni a pescar, pues andaban todos muy ocupados preparando el consejo tribal. Se palpaba en el ambiente una gran tensión, como durante esos momentos previos a la tormenta en que el aire se nota cargado de electricidad.

A la hora del almuerzo, Reich, Yocasta y yo comimos un poco de carne en conserva y fruta; lo hicimos en silencio, pensativos y creo yo que un poquito alarmados, pues Kepler dijo que volvería al cabo de un par de horas, y ya habían transcurrido casi cinco. Después de comer, y dado que los kuitámin no habían inventado aún la silla, Yocasta y yo nos sentamos en el suelo y Reich se puso a caminar de un lado a otro de la choza con aire ensimismado. Al cabo de un buen rato, Yocasta le propuso:

—¿Por qué no sigue contándonos la historia del Códice Anker, señor Reich?

Durante un largo minuto, el alemán siguió dando vueltas de un lado a otro, como si tuviera la misma intención de contarnos esa historia que de ponerse a bailar claqué; pero, de pronto, se detuvo, nos dedicó un resignada mirada, se sentó en una hamaca con la espalda todo lo erguida que puede estar cuando uno se sienta en una hamaca, y comenzó a hablar.

—Como les comentaba ayer —dijo—, mi hermano encontró el Códice Anker en la biblioteca que habíamos heredado de nuestro lejano pariente Carl Helsingborg y yo le ayudé a traducirlo. El manuscrito estaba fechado el doce de enero de 1308, en la ciudad portuaria sueca de Helsingborg, aunque evidentemente se comenzó a redactar con anterioridad a esa fecha. Lo había escrito Anker de Helsingborg para un caballero llamado Cristian de Smöla, aunque es posible que éste no llegara a leerlo nunca, pues en aquel momento se encontraba en Estocolmo y poco después moriría en una escaramuza contra los finlandeses. El Códice narraba una historia relacionada con la orden del Temple; de hecho, el propio Anker era un caballero templario —Reich hizo una pausa y preguntó—: ¿Qué saben acerca de los templarios?

—Eran unos monjes medievales, ¿no? —respondí, poniendo sobre el tapete la totalidad de mis conocimientos al respecto.

—Una orden militar —dijo Yocasta—; monjes y guerreros al mismo tiempo. Sólo soy una pobre negra inculta, pero mi anterior amo, el señor Bustamante, era un insigne medievalista y yo solía leerle libros sobre el tema...

Sinceramente, me hubiera gustado conocer al señor Bustamante de las narices; ese tipo sabía de todo.

—La orden del Temple —prosiguió Yocasta, encantada de poder demostrar lo lista que era—, se creó a comienzos del siglo XII, durante la primera cruzada. Fue fundada en Jerusalén por un noble francés, natural de la Champaña, llamado Hugo de Payns, y su objetivo era proteger los santos lugares, así como luchar contra los musulmanes. Con el paso de los años, el Temple, que realmente se llamaba orden de los Caballeros Pobres del Templo de Salomón, fue adquiriendo prestigio y poder, hasta convertirse en la hermandad de caballería más importante de la cristiandad. Y, junto con el prestigio y el poder, crecieron sus riquezas; de hecho, aunque muchos lo ignoren, el Temple fue también algo así como el antecedente del actual sistema bancario, pues emitía documentos de pago similares a los cheques y ofrecía préstamos con intereses. Además, el Temple poseía gran cantidad de encomiendas y contaba con innumerables tierras...

En fin, pacientes lectores, Yocasta estaba una vez más presumiendo de sus enciclopédicos conocimientos y así podría haber seguido toda la tarde, disertando sobre los templarios, de no ser porque Reich decidió interrumpirla.

—Sí, sí, muy bien, eso es el Temple. Pero, ¿sabe cuál fue su final?

—Por supuesto —repuso Yocasta, ofendida ante la simple

duda de que pudiera haber algo que ella ignorase—. Tras la caída de San Juan de Acre en 1291, los Estados Latinos de Tierra Santa desaparecieron y los templarios se retiraron a sus encomiendas de Europa. La más importante de dichas encomiendas era el Temple de París, lugar donde residía el Gran Maestre de la orden, cargo que por aquel entonces ostentaba Jacobo de Molay. Como ya he dicho, los templarios habían acumulado una ingente riqueza y realizaban frecuentes operaciones de préstamo. En concreto, Felipe IV, rey de Francia, mantenía una deuda tan enorme con ellos, que era el Temple quien controlaba la Tesorería Real. Como el rey Felipe no podía ni quería pagar la deuda y, además, recelaba del creciente poder de los templarios, decidió zanjar el asunto acabando con la orden. Así pues, reunió un abultado dossier de pruebas falsas y acusó de herejía al Temple, mandando detener por sorpresa a todos los templarios de Francia durante la madrugada del trece de octubre de 1307. Por cierto, ese día era viernes y de ahí proviene la superstición que considera de mal agüero los viernes trece —sin detenerse siquiera a tomar aire, Yocasta prosiguió—: Durante el juicio que siguió a la detención de los templarios, muchos de ellos confesaron haber cometido los crímenes y delitos por los que eran acusados, si bien, todo sea dicho, lo hicieron bajo tortura. Finalmente, fueron declarados culpables; en el Concilio de Vienne celebrado en 1312, el Papa Clemente V suprimió la orden del Temple y dos años más tarde su último Gran Maestre, Jacobo de Molay, moría en la hoguera.

Concluida la disertación, hubo un silencio que Reich disolvió al poco con un carraspeo.

—¿Ése fue el final del Temple? —preguntó—. ¿No ocurrió nada más?

—Oficialmente no, pero supongo que se refiere usted al episodio del carro de heno —dijo Yocasta, sonriendo con afectada suficiencia—. Hasta ahora, pensaba que sólo era una leyenda.

Justo en ese momento, Kepler entró en la choza. Aunque no había llovido durante toda la tarde, el alemán estaba empapado de agua y tenía las botas llenas de barro. Nos lo quedamos mirando expectantes y él, tras saludarnos con un cabeceo, dijo:

—No sé si se han percatado, pero el consejo de la tribu ya está reunido.

* * *

Salimos de la choza y comprobamos que, en efecto, los kuitámin se habían congregado formando un círculo en el centro de la explanada. Untúru, Nunkui y Kujancham presidían el consejo, pero todos, tanto los ancianos como los altos dignatarios tribales y los cabecillas guerreros, intervenían libremente en la discusión, aunque por lo que pude ver, quien más hablaba, y con mayor vehemencia, era el hechicero.

Pese a que no entendíamos nada de lo que decían, nos quedamos mirándolos en silencio, absortos en su incomprensible debate; pero como el espectáculo de unos indios medio desnudos charlando por los codos, por muy exótico que fuese, distaba mucho de resultar apasionante, a los pocos minutos regresamos al interior de la choza.

—¿Qué ha estado haciendo, Kepler? —preguntó Reich.

—Explorar los alrededores de la aldea. Y también le he echado un vistazo al *Yákat Akásmatkamu*.

Me quedé con la boca abierta.

—¿Ha ido al *Yákat*..., como se llame? —pregunté—. Pero si está vigilado.

—Sólo la entrada principal —respondió Kepler—, y yo he entrado por la puerta trasera. Cerca de aquí hay unas lagunas; la mayor de ellas está alimentada por varios riachuelos. Uno de estos arroyos fluye desde el noreste y pasa muy cerca del *Yákat Akásmatkamu*, así que basta con seguir su curso para llegar allí.

—¿Qué hay en ese lugar? —preguntó Reich.

—Es un claro en la selva; una explanada circular de unos cincuenta o sesenta metros de diámetro. En un extremo se alza un portal de piedra con el emblema de Bosán. Más allá del portal, hay un camino que se dirige al norte.

—¿Vio a alguien, señor Kepler? —intervino Yocasta.

—No, señora Massemba; el *Yákat Akásmatkamu* estaba desierto. Pero sólo permanecí allí unos minutos.

Kepler sacó un machete que llevaba oculto bajo una de las perneras del pantalón y lo guardó en su mochila.

—¿De dónde ha sacado eso? —pregunté.

—Lo he tomado prestado en el poblado —respondió Kepler mientras se tumbaba en una hamaca—. Por cierto, los kuitámin nos mantienen bajo permanente vigilancia. Logré despistar al que me seguía, pero siempre hay tres o cuatro indígenas espiándonos.

—¿Y qué se supone que vamos a hacer? —preguntó Reich en tono impaciente.

—Nada hasta que oscurezca —replicó Kepler.

Acto seguido, se caló el sombrero sobre los ojos y, en apenas un par de segundos, se quedó dormido como un bebé. La verdad es que era asombrosa la facilidad que tenía aquel hombre tanto para dormir como para permanecer despierto.

Del exterior nos llegaban las voces de los kuitámin discutiendo acaloradamente; asomé la cabeza y vi que, una vez más, era Nunkui quien parecía dirigir la reunión. Comprobé, además, que la mayor parte del consejo daba evidentes muestras de aprobación a lo que decía el hechicero, lo cual, dado que la máxima ambición de Nunkui consistía en matarnos, no era precisamente una buena noticia. Regresé al interior de la choza y comencé a dar vueltas de un lado a otro, sustituyendo en tal actividad a Reich, que en aquel momento se hallaba tumbado en una hamaca con la mirada perdida en el techo de hojas de palma. Al cabo de un rato, cansado de ir y venir de un lado a otro, me senté junto a Yocasta y dije:

—Bueno, ¿qué sucedió con los templarios? Los detuvieron y disolvieron la orden, de acuerdo; pero antes me pareció oír algo acerca de un carro de heno...

—Se trata de una vieja tradición —respondió Yocasta—. Según dicen, durante la noche de la detención, algunos templarios lograron huir de París ocultos en un carro de heno. Claro que, como no hay ninguna prueba histórica de este suceso, se pensaba que era una simple leyenda.

—Pero no lo es —intervino de pronto Reich, sin incorporarse ni apartar la mirada del techo—. A última hora de la tarde del doce de octubre, poco antes de la detención, nueve caballeros templarios fueron secretamente advertidos de lo que iba a ocurrir y abandonaron la ciudad llevándose consigo los archivos de la orden. Uno de esos caballeros era mi antepasado Anker de Helsingborg.

—¿Y adónde fueron? —pregunté.

—A la ciudad de Helsingborg, en Suecia, donde se encontraba el castillo de Anker.

Sobrevino un silencio que, cuando menos para mí, resultó de lo más inquietante, pues, al no hablar nadie, las cada vez más encrespadas voces de los kuitámin nos llegaban con toda claridad, y ese sonido, amigos míos, me ponía los pelos de punta.

—Bueno, ¿y qué pasó después? —pregunté.

—Anker era consciente de que ni siquiera en su ciudad natal estaría a salvo —respondió Reich—, pues sabía que el rey de Francia presionaría al Papa para que éste disolviera la orden y mandara perseguir a los templarios por toda la cristiandad, de modo que mi antepasado diseñó un insólito plan de fuga —Reich hizo una larga pausa antes de continuar—. Dentro de la orden del Temple —dijo finalmente—, existía un círculo oculto llamado el *Secretum Templi*. Estaba formado por nueve caballeros y su existencia sólo era conocida por el Gran Maestre.

—¿Los mismos nueve caballeros que escaparon de París en el carro de heno? —preguntó Yocasta.

—En efecto. Anker era su jefe, el maestre del *Secretum Templi*, un círculo invisible cuyo objetivo consistía en guardar y proteger el mayor secreto de la orden.

—¿El Santo Grial? —sugerí.

Reich esbozó una fría sonrisa.

—No, ni mucho menos; el *Secretum Templi* nada tenía que ver con el Grial. Se trataba de algo infinitamente más asombroso, de un secreto que habría proporcionado una riqueza y un poder sin precedentes a cualquiera que lo poseyese...

De pronto, una algarabía resonó en el exterior al tiempo que los tambores iniciaban un frenético tabaleo. Kepler, despertándose al instante, saltó de la hamaca y corrió a la entrada de la choza para ver qué estaba pasando. Los demás fuimos un poco más lentos en reaccionar, pero no tardamos mucho en seguir su ejemplo.

Al parecer, el gran consejo de la tribu había concluido y los kuitámin lo celebraban con un festejo; o al menos eso me pareció, pues los guerreros habían formado un círculo en el centro de la explanada y danzaban girando en el sentido de las agujas de un reloj, mientras las mujeres, describiendo un círculo más amplio, lo hacían justo en sentido contrario. Por lo demás, todo el mundo aullaba, saltaba y profería alaridos.

—¿Qué demonios pasa? —musité.

Entonces distinguí la figura del profesor Líbano aproximándose a nosotros a la carrera. Al poco, el hombrecillo entró en la choza como una exhalación, frenó en seco y dijo entre jadeos:

—Ya está, se acabó... El consejo ha tomado una decisión, sí, sí, sí..., vaya si lo ha hecho.

—¿Y bien? —pregunté, aunque no estaba nada seguro de querer escuchar la respuesta.

Líbano respiró hondo un par de veces antes de contestar.

—La cosa ha ido como era previsible, sí, sí, sí... Nunkui quería que les mataran a ustedes inmediatamente y Untúru se negaba. Al final, tras mucha discusión, mucha charla, que si esto, que si lo otro, han llegado a un acuerdo, vaya, claro, claro, un acuerdo. Una decisión salomónica, diría yo —profirió una risita y concluyó—: Les preguntarán a las Sombras qué hacer con ustedes.

—¿A las Sombras?... —musité.

—Eso creo haber dicho. ¿Acaso me expreso con poca claridad, joven? Los kuitámin siempre hacen lo que ordenan las Sombras... ¿Oye esos tambores? Pues suenan para avisar a las Sombras de que Untúru y Nunkui quieren entrevistarse con ellas, sí, sí, sí... Y lo que están haciendo ahora los indígenas, esos bailes y esos cánticos, forma parte de una ceremonia llamada la Invocación de la Sombra, eso es, por supuesto, la Invocación de la Sombra, claro está.

—¿Untúru y Nunkui se reunirán con las Sombras en el *Yákat Akásmatkamu*? —preguntó Kepler.

—Claro, claro, claro... ¿Dónde iba a ser si no?

—¿Cuándo?

—Esta noche, por supuesto. Una hora después de la puesta de sol, sí, sí, sí.

—¿Y la ceremonia durará hasta entonces?

—Oh, sí, claro, incluso más... Dentro de poco, los guerreros tomarán ayahuasca y entonces empezará la fiesta de verdad.

—¿Qué es ayahuasca? —pregunté.

—Una droga —respondió Yocasta—. Se obtiene de la corteza de una liana llamada *Banisteriopsis Inebrians*.

—¿Los kuitámin se van a drogar? —musité con creciente desánimo.

—Oh sí, por supuesto que lo harán, claro, claro, claro... —Líbano emitió una risita y guiñó repetidas veces el ojo izquierdo—. Forma parte de la ceremonia, así que todos los varones de la tribu mayores de catorce primaveras tomarán ayahuasca, claro que sí. Y se pondrán como locos, ya lo creo, lo he visto otras veces, sí, sí, como locos...

—Eso es bueno —comentó Kepler, pensativo.

—¿Cómo que bueno? —exclamé—. ¡No sé qué tiene de bueno un hatajo de salvajes drogados! ¡Es malísimo, maldita sea! —exhalé una bocanada de aire—. Además —musité—, las Sombras querían matarnos, así que cuando los kuitámin les pregunten qué hacer con nosotros, las Sombras dirán...

—Que debemos morir —concluyó Kepler—. Por eso, nos vamos a ir de aquí en cuanto empiece a anochecer.

—¿Y adónde se supone que iremos? —preguntó Reich.

—Quizá debiéramos dirigirnos al río y regresar a Iquitos en busca de refuerzos —sugerí, sintiendo por primera vez que no me quedaban fuerzas para seguir adelante con aquella empresa.

Kepler negó con la cabeza.

—Los kuitámin tienen puestos de vigilancia a lo largo de todo el sendero fantasma —dijo—. Si intentáramos ir por allí, acabarían con nosotros.

—Entonces, ¿qué hacemos?

Kepler señaló hacia el norte con un cabeceo.

—Ir a la Región de las Sombras —respondió.

* * *

El plan de Kepler eran tan sencillo como, en el fondo, desesperado; cuando comenzase a oscurecer, saldríamos sigilosamente de la choza, nos dirigiríamos a las lagunas y, desde allí, iríamos al *Yákat Akásmatkamu* para espiar la reunión entre los kuitámin y las Sombras. Después, entraríamos en Bosán e improvisaríamos sobre la marcha. Para qué engañarnos, esforzados lectores, era un asco de plan, es cierto, pero tenía la virtud de alejarnos de aquella tribu de salvajes, al tiempo que nos aproximaba al lugar donde habían desaparecido mi padre, Rasul y el barón von Reich.

Dado que nadie formuló objeción alguna, iniciamos inmediatamente los preparativos para la huida. Kepler se aproximó a la parte trasera de la choza y, con ayuda del machete que había robado, comenzó a abrir un agujero en la pared de cañas; es decir, la salida trasera por la cual escaparíamos. Entre tanto, Reich, Yocasta y yo nos dedicamos a preparar nuestras mochilas, aligerándolas lo más posible, mientras el profesor Líbano iba de un lado a otro guiñando los ojos, agitando las manos y murmurando palabras ininteligibles.

En ningún momento dejaron de sonar los tambores ni amainaron los gritos de los kuitámin; lejos de ello, los indígenas se mostraban cada vez más exaltados y enloquecidos, dando saltos, arrojándose al suelo como si sufrieran ataques de epilepsia o aullando como monos. Imagino que tan extravagante comportamiento se debía más a los efectos de la ayahuasca que a su —por otro lado patente— falta de modales. Eran unos bárbaros, pero al menos, me dije con maliciosa complacencia, iban a tener una resaca de mil pares de demonios al día siguiente.

El tiempo transcurrió lentamente; el sol salvó el último tramo de su recorrido e inició un calmoso declive, tomando carrerilla para saltar el burladero del horizonte. Media hora más tarde, cuando la esfera solar rozaba las copas de los árboles, Kepler dijo:

—Ha llegado el momento. Saldremos por detrás y retrocederemos hasta el límite del calvero, donde comienza la selva.

Luego, rodearemos el poblado por el oeste y nos dirigiremos al sendero que conduce a las lagunas. Si algún kuitámin mira en nuestra dirección, el sol le deslumbrará y no podrá vernos. Venga, vámonos.

Recogimos nuestras mochilas y nos congregamos en torno al boquete que Kepler había practicado en la pared trasera. Reich fue el primero en cruzarlo, intentando en vano conferir algo de dignidad al acto de desplazarse a cuatro patas; le siguió Yocasta —y reconozco que por un momento temí que su enorme trasero se atascara en el boquete—. Después, Kepler le indicó con un gesto a Líbano que era su turno de salida, pero éste hizo un par de muecas, puso cara de horror y retrocedió unos pasos.

—¡No, no, no! —dijo—. Yo me quedo, claro que sí. Todavía no ha llegado la hora de fugarme, por supuesto que no, menuda idea...

—¿Y cuándo llegará, profesor? —pregunté—. Ya lleva diez años prisionero de los kuitámin.

Desplegando un amplio catálogo de tics, Líbano reflexionó unos instantes y sacudió la cabeza con un revoloteo de sus mugrientos cabellos.

—Es que no tienen ustedes ninguna posibilidad —dijo finalmente—; no, no, no, claro que no, ninguna posibilidad... Los kuitámin les perseguirán y les matarán, por supuesto, qué duda cabe. Y si no son ellos, serán las Sombras.

—Pero usted quería ir a Bosán, profesor —señaló Kepler—. Ésta es su oportunidad.

Líbano pareció encogerse, como si un puño invisible le hubiera golpeado. Por un momento me pareció que iba a echarse a llorar.

—No puedo... —musitó—. He visto lo que les hacen los kuitámin a sus prisioneros, sí, sí que lo he visto, claro que sí, y es espantoso. No quiero que me arranquen la piel a tiras, no señor, de ninguna manera. Me quedo, sí, sí, sí...

Kepler se encogió de hombros y me indicó con un ademán que saliera, así que me puse a cuatro patas, crucé el agujero y me reuní con Yocasta y Reich, que aguardaban impacientes en el exterior. Cuando salió Kepler, echamos a correr hacia la linde de la explanada y, una vez allí, comenzamos a rodear el poblado procurando ocultarnos entre la vegetación. Nadie nos vio, aunque, dado su evidente estado de intoxicación, dudo mucho que los kuitámin fueran capaces de distinguir algo tres palmos más allá de sus narices.

El caso es que alcanzamos sin contratiempos el sendero que conducía a las lagunas y nos adentramos en él. Diez minutos más tarde, llegamos a un paraje donde cinco pequeños lagos reflejaban los colores de la puesta del sol. Sin detenernos ni un instante, rodeamos la mayor de las lagunas y comenzamos a seguir el cauce de un arroyo que fluía desde el noreste.

Con absoluto respeto a la verdad, puedo asegurar que fue una de las peores experiencias de mi vida. Imagínense, avispados lectores, un riachuelo serpenteando por en medio de la jungla amazónica; la vegetación crecía a ambos lados haciendo imposible avanzar por las orillas, así que caminábamos con los pies en el agua, enganchándonos en los espinos, enredándonos con las lianas y tropezando cada dos por tres. Para colmo de males, las últimas luces del ocaso no tardaron en desvanecerse y, pese a que enseguida salió la luna, continuamos la marcha inmersos en la oscuridad.

Fue agotador; y terrorífico también, pues pocas cosas hay más inquietantes que la selva en la oscuridad. Constantemente, mientras caminábamos, se percibía el estruendo de animales emprendiendo la huida; pero no eran éstos los que me preocupaban, sino aquellos que no hacían ruido ni huían, como por ejemplo los centenares de serpientes venenosas que sin duda pululaban por los alrededores.

Durante todo el rato, mientras proseguíamos nuestro penoso avance por el arroyo, los tambores kuitámin habían resonado incansables en la distancia; pero de pronto, al cabo de poco más de una hora, un nuevo tabaleo comenzó a sonar muy cerca de donde estábamos. Kepler se detuvo un instante y, orientándose por el oído, abandonó el cauce del arroyo y se internó en la maleza a través de una trocha por la que a duras penas se podía avanzar. Más tarde, distinguimos el resplandor de una fogata entre la espesura y poco después, manteniéndonos siempre ocultos entre las frondas, llegamos al lugar donde los kuitámin iban a encontrarse con las Sombras.

Tal y como nos lo había descrito Kepler, el *Yákat Akásmatkamu* era un claro circular de unos sesenta metros de diámetro. En el extremo norte, sostenido por dos grandes pilastras, se alzaba un arco de piedra con el emblema de Bosán tallado en la cúspide; más allá del arco, un camino se adentraba en la selva hasta perderse en la oscuridad. Los kuitámin habían encendido una hoguera en medio del claro. Untúru, Nunkui y dos ancianos permanecían de pie, pronunciando una especie de salmodia en su chocante lengua, mientras dos tipos, sentados en el suelo, batían unos tambores con frenética tenacidad.

—Es un arco ojival... —susurró Yocasta, señalando hacia el portal de piedra.

Durante cinco eternos minutos no sucedió nada; los tambores sonaban, los kuitámin salmodiaban y los mosquitos me picaban. Al cabo de ese lapso, el tabaleo enmudeció bruscamente y un sonoro silencio se adueñó de la selva. De repente, advertí el resplandor de un fuego hacia el norte, unas enormes llamaradas que ondulaban por encima de las copas de los árboles y se aproximaban lentamente al claro. Entonces, recortándose contra las llamas, apareció la Sombra.

Era, como había dicho Untúru, un gigante.

* * *

No podía dar crédito a mis ojos; la Sombra debía de medir unos siete metros de altura, tenía la piel negra, la cabeza coronada por una mata de pelo crespo y unos brazos descomunalmente grandes. Las piernas y los pies permanecían ocultos por la vegetación, pero me bastó con ver el resto de su cuerpo para sentir un asombro que rápidamente se convirtió en pavor. De pronto, la Sombra abrió la boca y exhaló una llamarada.

—¿Pero qué demonios es eso? —musité, anonadado.

—Shhhhhh... —siseó Kepler.

Guardé silencio y seguí contemplando la increíble escena. Nada más aparecer el gigante, los kuitámin se habían postrado en el suelo y allí permanecían, temblando con las narices incrustadas en la tierra. La Sombra extendió entonces sus desmesurados brazos y comenzó a hablar con voz tonante en la lengua de los jíbaros.

Entonces, me percaté de que los movimientos de aquel coloso eran muy rígidos y mecánicos, como si fuese... ¡Un muñeco articulado! Agucé la mirada y comprobé que, en efecto, aquella cosa, lejos de estar viva, era una especie de títere, un artificio semejante a los gigantes de feria, un enorme espantajo destinado a engañar a unos nativos que, además de ser muy supersticiosos, estaban ciegos de ayahuasca cada vez que lo veían. Era un truco, pensé, respirando aliviado; un fraude.

Cuando la Sombra acabó de hablar, Untúru alzó la cabeza y con voz trémula soltó una larga parrafada. Acto seguido, Nunkui tomó la palabra y habló largo y tendido, empleando un tono, por cierto, progresivamente indignado. Cuando acabó, tras un largo silencio, la potente voz de la Sombra —probablemente amplificada por una bocina— sonó de nuevo. Ignoro lo que dijo, mas, a juzgar por las reacciones de Untúru y Nunkui —el uno entristeciéndose y el otro sonriendo de oreja a oreja—, no debía de ser nada bueno para nosotros.

Cuando concluyó su parlamento, la Sombra exhaló un par de llamaradas y comenzó a alejarse lentamente; poco después, el fuego que la rodeaba se extinguió y su enorme figura pareció disolverse en la oscuridad. Inmediatamente, los kuitámin se levantaron del suelo donde habían permanecido postrados e iniciaron el regreso al poblado; Untúru caminaba cabizbajo, mientras que Nunkui lo hacía con el aire satisfecho de quien ha logrado salirse con la suya.

Al poco, los kuitámin se perdieron de vista, pero, por precaución, aún permanecimos un buen rato agachados y ocultos entre la maleza; al cabo de, quizá, cinco minutos, Kepler se incorporó, avanzó unos pasos internándose en el claro y, tras mirar a un lado y a otro, nos indicó con un ademán que nos reuniéramos con él. Abandonamos nuestro escondite y miramos en derredor para asegurarnos de que el *Yákat Akásmatkamu* estaba desierto. El único movimiento que se percibía era el tremolar de la hoguera que ardía débilmente en el centro del calvero, iluminando con su parco resplandor el portal de piedra.

—Huele a alcohol —comentó Yocasta en voz baja.

—Ése debe de ser el combustible que emplean para las llamas que expele la Sombra —respondió Kepler.

—¿Qué demonios está pasando? —musité—. ¿Qué era ese fantoche y..., y...? —extendí un brazo hacia Bosán—. ¿Quién hay ahí?

—¿Pero es que todavía no lo entiendes? —Yocasta señaló el portal con un cabeceo—. La respuesta está ahí, en ese arco.

Contemplé expectante el portal, como si sus piedras, desgastadas por la erosión y cubiertas de musgo y líquenes, ocultaran alguna clase de mensaje en clave.

—¿Qué le pasa a ese maldito arco? —pregunté, harto de tanto misterio.

—Es ojival —respondió Yocasta—, como los de las catedrales góticas. Y fíjate en el emblema de Bosán: se trata de una cruz, Jaime; una cruz paté...

De repente, un furioso grito taladró la calma de la noche. Nos dimos la vuelta en redondo y descubrimos que Nunkui se encontraba en el otro extremo del claro, acompañado por veinte guerreros kuitámin con cara de muy pocos amigos. Exhalé una bocanada de aire y musité:

—La hemos pifiado...

Por detrás de las filas de guerreros asomaba la escuálida figura del profesor Líbano.

—Lo siento... —gritó desde la distancia—. Los kuitámin descubrieron que ustedes se habían ido y me obligaron a revelar sus planes. Ha sido un acto lamentable por mi parte, lo reconozco, sí, sí, sí, pero amenazaron con arrancarme la piel y ya saben que no soporto el dolor...

—Lo comprendo, profesor —respondió Kepler—. ¿Qué se propone hacer Nunkui?

—Las Sombras han dictaminado que ustedes deben morir. Nunkui dice que si se entregan voluntariamente su muerte será rápida, pero que si se atreven a profanar el suelo de Bosán, sufrirán una atroz tortura... Eso dice Nunkui, claro que sí, y es una buena oferta, no vayan a pensar lo contrario.

Kepler esbozó una sonrisa burlona y repuso:

—Profesor, dígale a Nunkui de nuestra parte que se vaya a la mierda.

De acuerdo, quizá aquélla no fuese precisamente la respuesta más diplomática posible, pero dadas las circunstancias poco podía hacer la diplomacia por salvar nuestras vidas.

—¿Está seguro? —preguntó Líbano; aunque no podía verle bien a causa de la oscuridad y la distancia que nos separaba, estoy convencido de que no paraba de hacer muecas—. ¿En serio quiere que le diga eso?...

—Sí, profesor, dígaselo.

Líbano habló con el hechicero y éste, tras una estupefacta pausa, bramó una seca orden. Al instante, los veinte guerreros kuitámin prorrumpieron en gritos y echaron a correr hacia nosotros enarbolando sus lanzas.

De las muchas experiencias desagradables que he padecido en mi vida, afligidos lectores, la de ser atacado por una partida de salvajes cazadores de cabezas se lleva con mucho la palma en cuanto a terror se refiere. Me quedé paralizado, como si el miedo se hubiese transformado en una pesada losa que me impedía realizar el menor movimiento, incluyendo el acto de la respiración. De reojo vi que Kepler empuñaba el machete y recuerdo haber pensado que lo mismo le hubiera dado empuñar un boniato, porque, dado el obvio desequilibrio de fuerzas, estábamos irremediablemente muertos.

No fui capaz de reaccionar hasta que los kuitámin llegaron más o menos a la mitad de la distancia que los separaba de nosotros; entonces, sintiendo cómo mis glándulas suprarrenales comenzaban a bombear adrenalina con industrial empeño, parpadeé un par de veces y comencé a darme la vuelta, espoleado por la decidida intención de salir corriendo.

Y de repente, el seco estrépito de un disparo me dejó clavado donde estaba. De soslayo, vi al guerrero jíbaro que corría en cabeza caer abatido al suelo; casi al mismo tiempo, sus compañeros detuvieron la galopada y se quedaron mirando con ojos desorbitados algo que había a mi espalda.

—*Ságkuch!* —gritó, aterrado, uno de los kuitámin.

Acto seguido, los guerreros se dieron la vuelta y echaron a correr despavoridos en dirección al poblado. Incluso Nunkui y Líbano pusieron pies en polvorosa. Y ahí estaba yo, contemplando asombrado cómo los kuitámin se alejaban de nosotros, cuando de pronto recordé que, según nos había dicho el profesor, *Ságkuch* era un espíritu maligno de la selva.

Lentamente, giré la cabeza y contemplé estupefacto la figura que se aproximaba a nosotros. Era un hombre alto y, salvo por un sucinto taparrabos, estaba prácticamente desnudo; tenía la piel tintada de rojo y llevaba puesta una máscara de madera con grandes ojos y enormes dientes pintados. Tan perplejo estaba yo, que no me percaté de que mientras caminaba hacia nosotros, aquella aparición guardaba una pistola en una de las dos fundas que llevaba al cinto. Al llegar a nuestra altura, el desconocido se detuvo, hizo una breve pausa, se quitó la máscara y dijo:

—Hola, Jaime; hace tiempo que te esperaba.

Y yo, amigos míos, me quedé de piedra, mudo, atónito, estupefacto.

Porque el *Ságkuch* era, en realidad, Rasul Alí Akbar...

* * *

Creo que si hubiera visto a un conejo gigante con sombrero de copa no me habría sorprendido más. Ahí estaba Rasul, medio desnudo, con el cuerpo pintado de rojo, algo más delgado que la última vez que le vi y mirándonos con la misma expresividad que un bloque de tungsteno.

—No esperaba encontrarla aquí, señora Massemba —dijo Rasul—. Me alegro de verla.

—Más me alegro yo de verle a usted, señor Akbar —respondió Yocasta—. Nos ha salvado la vida.

De repente, el dique que había bloqueado mi sistema nervioso manteniéndome mudo y boquiabierto saltó hecho pedazos.

—¡Rasul! —exclamé—. Pero..., pero..., pero... ¿qué haces con esa pinta?

—Es para asustar a los kuitámin. Creen que soy un demonio.

—¿Mi padre está contigo? —pregunté.

Rasul negó con la cabeza.

—La última vez que le vi fue hace...

—¿Y Lothar? —le interrumpió Reich—. ¿Se encuentra bien?

Rasul le contempló en silencio durante unos segundos.

—Usted debe de ser su hermano —dijo—. Lo siento, no sé nada del barón. Hace dos meses, cuando recorríamos el sendero fantasma, los kuitámin acabaron con casi todos los miembros de la expedición. El barón, el señor Mercader y yo logramos escapar y llegar hasta aquí, pero los indígenas volvieron a atacarnos y, durante la huida, me hirieron con una lanza —Rasul señaló una fea cicatriz que le recorría el costado izquierdo y concluyó—: Entonces les perdí de vista. No sé qué ha sido de ellos; pero, si están vivos, se encuentran en Bosán.

—¿Ha estado en Bosán? —preguntó Kepler.

En vez de responder, Rasul le contempló con una muda pregunta en la mirada.

—Disculpe, no me he presentado: me llamo Oskar Kepler. He oído hablar mucho de usted, señor Akbar.

—Oskar Kepler... —repitió Rasul, pensativo—. *¿Okay Dutch?*

—Así me han llamado en alguna ocasión.

—En ese caso también yo he oído hablar de usted, señor Kepler. En cuanto a su pregunta, la respuesta es sí: he estado en Bosán.

—¿Y cómo es?

—Desconcertante.

—Un momento, un momento —tercié, interrumpiendo tan animada charla—. Vamos a ver si me aclaro... Dices que te hirieron, ¿no, Rasul? Bueno, ¿qué pasó? ¿Y qué has hecho durante todo este tiempo?

—Tardé varias semanas en recuperarme, Jaime. Luego, mientras te esperaba, he explorado la zona. Pero es una historia muy larga y no tenemos tiempo. Los indígenas pueden regresar en cualquier momento. Debemos irnos.

—¿Y adónde demonios se supone que vamos a...? —comencé a decir.

—Ya están ahí —me interrumpió Kepler, señalando hacia el camino que conducía al poblado.

Volví la mirada y vi un sinfín de antorchas brillando en la

oscuridad, como un enjambre de luciérnagas revoloteando por entre la maleza. A nuestros oídos, amortiguados por la distancia, llegaron los gritos enardecidos de los guerreros kuitámin.

—Creo que esta vez vienen todos —comentó Kepler.

—Tenemos que irnos —dijo Rasul.

—¿Adónde? —pregunté, sintiendo que se me revolvía el estómago.

—A Bosán. La ciudad queda a unos diez kilómetros de distancia, pero antes hay un lugar oculto donde podremos refugiarnos.

—¿Ciudad?... —pregunté, desconcertado—. ¿Qué ciudad?...

Nadie me contestó, básicamente porque Rasul, Kepler, Yocasta y Reich ya habían cruzado el arco de piedra y se internaban por el sendero que conducía al norte, así que me apresuré a reunirme con ellos. Al principio, nos limitamos a caminar con paso vivo, pero luego, conforme el griterío de los kuitámin iba sonando cada vez más cercano, echamos a correr. Procurábamos mantenernos agrupados —y comprobé que, a pesar del exceso de peso y la edad, Yocasta podía trotar como una gacela cuando era preciso—; pero correr en la oscuridad, amigos míos, tiene la tremenda desventaja de que no ves por dónde vas, de modo que no es de extrañar que al poco de iniciar la carrera me estampara de lleno contra un árbol.

Lo que sucedió durante los dos o tres minutos siguientes permanece en mi memoria envuelto en una especie de neblina, pues la contundencia del golpe me causó un profundo aturdimiento. Caí al suelo y creo que perdí el sentido durante unos segundos; luego, un intenso dolor en la frente se abrió paso a través de la conmoción, obligándome a ahogar un grito. Me apoyé en un codo para intentar levantarme y mi cabeza se puso a girar como un trompo. Durante un instante experimenté la tentación de quedarme allí tendido, descansando, pero los cada vez más cercanos gritos de los kuitámin me convencieron de que era mejor adoptar una postura vertical.

A duras penas, logré incorporarme. Me enjugué las lágrimas de los ojos y noté que un hilo de sangre me corría por la cara. Mascullé una maldición, me desprendí de la mochila y eché a andar, trastabillando y dando bandazos; no sabía adónde iba, sólo deseaba alejarme lo más posible de mis perseguidores. Entonces me di cuenta de que no veía por ningún lado a los demás. Rasul, Kepler, Reich y Yocasta habían desaparecido.

Estaba solo.

Los aullidos de los kuitámin sonaron alarmantemente cercanos.

Aceleré el paso hasta convertirlo en un rápido trote. Cien metros más adelante, el sendero se bifurcaba en dos ramales; sin pensarlo siquiera, tomé el de la izquierda. Las ramas me azotaban la cara y el cuerpo, y en más de una ocasión, al tropezar con una raíz o una piedra, estuve a punto de caer. Por desgracia, a los pocos minutos, comencé a quedarme sin resuello.

Y para colmo, el griterío de los guerreros resonaba cada vez más próximo.

Así que frené en seco, salté detrás de unos arbustos, me oculté entre el follaje haciéndome un ovillo y procuré sosegar el jadeo de mi respiración. A los pocos segundos, un grupo de guerreros cruzó a la carrera frente a mi escondite, haciendo ondear las llamas de sus antorchas y berreando como posesos. Afortunadamente, pasaron de largo y desaparecieron tras una curva del camino, pero aún permanecí escondido..., qué sé yo; se me antojaron siglos, pero no debieron de ser más de veinte o veinticinco minutos.

Al cabo de ese tiempo, cuando me convencí de que ya no había kuitámin por los alrededores, abandoné sigilosamente la protección de los arbustos y eché a andar por el sendero. No dejaba de preguntarme qué habría sido de Rasul y los demás, aunque debo confesar que en aquel momento lo que de verdad me preocupaba era qué iba a ser de mí.

Como si la suerte se empeñara en mostrarme su rostro más adverso, cada cien o ciento cincuenta metros el camino se bifurcaba, obligándome a elegir el rumbo de mis pasos por puro azar, de modo que al cabo de media hora más de deambular por aquel dédalo selvático decidí ser sincero conmigo mismo y reconocer que no tenía la más remota idea de dónde estaba.

Entonces, me adentré en una de esas zonas despejadas de

vegetación donde los árboles entretejían sus copas para formar un dosel que bloqueaba la luz del sol. Como es lógico, sagaces lectores, si aquel dosel bloqueaba los rayos solares, no digamos lo que hacía con el resplandor de la luna. No se veía absolutamente nada, salvo el contorno de los objetos más cercanos.

Me detuve e intenté reflexionar un poco, pero la cabeza me dolía demasiado para poder hilar dos pensamientos seguidos. Un rugido sonó a no excesiva distancia. El corazón me dio un vuelco y recordé que, aparte de los kuitámin, todo bicho viviente en aquella selva incluía en su lista de alternativas la posibilidad de matarme. Agucé los oídos y aguardé unos segundos, pero ningún otro rugido siguió al primero.

Entonces, justo cuando empezaba a relajarme, lo escuché. Eran pisadas, el estrépito de una bestia muy pesada aproximándose, cerca, ay, muy cerca. Sobrecogido, comencé a volver la cabeza, pero sólo tuve tiempo de percibir que algo muy grande se abalanzaba sobre mí antes de que un golpe anonadador impactara de lleno contra mi cráneo.

Sentí que las piernas me flaqueaban. Lenta, muy lentamente, casi como si flotara, comencé a caer, pero antes incluso de impactar contra el suelo, mi mente se precipitó por un oscuro pozo, zambulléndose de lleno en el mar de la inconsciencia.

Luego..., la nada.

Capítulo Diez

Donde se narra de una vez por todas
la historia del Códice Anker, descubrimos
el secreto de Bosán y protagonizo
un dramático Juicio de Dios

Si de algo les vale mi experiencia, afligidos lectores, estoy en condiciones de asegurar que, entre todas las formas posibles de despertarse, la más desagradable es la que se produce después de haber perdido el conocimiento a causa de uno o más impactos craneales.

Abrí los ojos y lo primero que vi fue el rostro de Yocasta mirándome con preocupación. De hecho, lo que vi fueron dos Yocastas, ya que a causa del traumatismo veía doble.

—¿Cómo te encuentras, Jaime? —preguntó mi negra sirvienta.

¿Que cómo me encontraba? Pues como si acabara de disputar un partido de balompié y yo fuese la pelota. Me dolían atrozmente la cabeza, la nariz y el estómago, eso por no mencionar la multitud de contusiones, arañazos y cortes que componían el mapa de mi anatomía. Intenté hablar, pero sentí como si un clavo al rojo vivo se me incrustara en la cabeza. Ahogué un gemido y musité:

—Agua...

Yocasta me acercó a los labios un cuenco de madera y bebí con fruición. Luego, cerré los ojos y me concentré en procurar que los diferentes órganos de mi cuerpo volvieran a colaborar entre sí. Al cabo de unos minutos, tras recobrarme un poco, abrí los ojos y miré a mi alrededor. Nos encontrábamos en una estancia rectangular de unos treinta metros cuadrados, con los muros de piedra y el techo muy elevado. El suelo era de baldosas grises y estaba cubierto por una pátina de polvo y serrín. Al fondo había una pesada puerta de madera reforzada con bandas de metal. Yo estaba tumbado sobre un banco, junto a Yocasta, mientras que Reich permanecía sentado en otro banco situado enfrente, con los codos apoyados en las rodillas y el mentón en las manos. La única fuente de luz provenía de un ventanuco situado a unos dos metros de altura.

—¿Dónde estamos?... —pregunté, lo reconozco, con escasa originalidad.

—En Bosán —respondió Yocasta.

Cerré los ojos y me esforcé en exprimir mi maltrecha memoria, logrando, poco a poco, evocar las imágenes del ataque de los kuitámin y mi posterior huida por la selva. Lo último que recordaba antes de perder el sentido era una cosa enorme abalanzándose contra mí. ¿Qué era? ¿Un hombre a caballo, quizá?

Trabajosa y dolorosamente, me incorporé hasta quedarme sentado con la espalda apoyada en el muro. Me palpé la cabeza y descubrí que tenía dos chichones; uno en la frente, producto de mi tropiezo con un árbol, y otro en la nuca, consecuencia de mi tropiezo con Dios sabe qué.

—¿Cuánto tiempo he estado inconsciente? —pregunté, contemplando los rayos de sol que se colaban por el ventanuco.

—Te trajeron a eso de la medianoche, un par de horas después de que nos capturaran. Ahora deben de ser las nueve o nueve y media de la mañana.

—¿Quién me trajo? —pregunté de nuevo.

—Los mismos que nos apresaron a nosotros —respondió Yocasta—. Mientras huíamos de los kuitámin, el señor Reich y yo nos separamos del grupo y acabamos perdiéndonos. Poco después, las Sombras nos encontraron y nos condujeron a esta prisión. Luego te trajeron a ti inconsciente, Jaime; me tenías muy preocupada.

—Ya, ya, muy bien, pero ¿qué demonios son las Som...? —di un respingo que repercutió en mi cerebro como un martillazo—. ¡Un momento! —exclamé—. ¿Y Rasul?

—No lo sabemos, Jaime. Y tampoco sabemos qué ha sido del señor Kepler.

Dejé escapar un largo suspiro No sólo me sentía dolorido, sino también agotado y confuso.

—¿Quiénes son las Sombras? —pregunté con voz cansada—. ¿Y qué es este lugar?

—¿Ya te has repuesto, Jaime? —preguntó a su vez Yocasta—. ¿Tienes la cabeza despejada?

—Tengo la cabeza como un bombo y veo doble. Por lo demás, me duelen hasta las pestañas; pero, sobre todo, estoy harto de no enterarme de la misa la mitad, así que te aseguro, Yocasta, y a usted también, señor Reich, que agradecería infinitamente que alguien se tomara la molestia... ¡de explicarme qué está pasando, maldita sea!

—De acuerdo, tienes razón —Yocasta se aclaró la garganta con un carraspeo antes de proseguir—. Supongo que recuerdas la historia del Códice Anker; los templarios fueron detenidos en París el trece de octubre de 1307, pero nueve caballeros lograron escapar ocultos en un carro de heno. Entre ellos estaba Anker de Helsingborg, que se dirigió a su ciudad natal en Suecia...

—Sí, sí —la apremié—, eso ya lo sé.

—También recordarás que los nueve caballeros templarios que escaparon en el carro de heno eran los miembros de un círculo hermético llamado el *Secretum Templi,* cuya misión era salvaguardar el mayor secreto de la orden...

Yocasta enmudeció y se quedó mirando a Reich. Éste, que había permanecido todo el tiempo silencioso y meditabundo, totalmente ajeno a nuestra existencia, tardó unos segundos en darse cuenta de la expectación que, de repente, había levantado.

—¿Qué pasa? —preguntó, alzando la cabeza.

—¿Le importaría decirle a Jaime cuál era el secreto del Temple?

Reich asintió con un distraído cabeceo y respondió:

—*Hy Brazil.*

—¿*Hy Brazil*? —repetí con un parpadeo—. ¿Qué es *Hy Brazil*?

—Una leyenda medieval —terció Yocasta—. Como sabes, en aquella época muchos creían que la Tierra era plana y que más allá del océano Atlántico se encontraba el borde del planeta. Pero incluso quienes sabían que la Tierra era esférica, sostenían que al otro lado del Atlántico estaban las costas más orientales (u occidentales, según se mire) de Asia, sin nada entre medias. No obstante, una antigua leyenda, probablemente de origen celta, sostenía que en mitad del océano existía una inmensa isla llamada *Hy Brazil*.

—Pero no existe —repuse.

—Claro que existe —dijo Reich—. Sólo que ahora la llamamos América.

De repente, mis ojos y mi boca se pusieron a competir para ver cuál lograba formar el círculo más dilatado.

—¿Qué? —musité, estupefacto—. ¿El secreto del Temple era... América?

—Los Helsingborg siempre fueron hombres de mar —dijo Reich—. Anker conocía la historia de *Hy Brazil* y la de San Brandán, un ermitaño irlandés que supuestamente navegó hasta unas islas situadas en medio del Atlántico, así como otras muchas leyendas relacionadas con tierras situadas al otro lado del océano. Pero no sólo se trataba de leyendas. Anker había leído las crónicas de dos navegantes vikingos que aseguraban haber llegado a territorios situados en los confines del Atlántico. Según dichos relatos, el noruego Bjarni Herjolfsson avistó unas costas boscosas al oeste de Groenlandia a comienzos del siglo XI y, quince años más tarde, Leif Eriksson llegó a lo que ahora conocemos por Terranova y que entonces él llamó Vinland.

—Tierra de Viñas —tradujo Yocasta, siempre bien dispuesta a desplegar el amplio abanico de sus conocimientos.

—Además —prosiguió Reich—, Anker conoció personalmente a un náufrago portugués, cuyo barco, desviado por una tormenta, llegó a unas costas situadas más allá del Atlántico, sólo que esta vez muy al sur de los avistamientos vikingos. De todo ello, Anker dedujo que tenía que haber una cadena de islas, o quizá un continente, en medio del océano, así que, financiándola personalmente, organizó una expedición que alcanzó las costas de América el diecisiete de septiembre de 1305. A su regreso, Anker notificó el descubrimiento a Jacobo de Molay, el Gran Maestre del Temple, quien, consciente de la importancia del asunto, decidió mantenerlo en secreto mientras preparaban los planes para la exploración de las nuevas tierras. Para ello, creó el *Secretum Templi,* del que nombró maestre a Anker de Helsingborg.

—Pero entonces —señaló Yocasta—, antes de poder llevar adelante sus planes, se produjo la detención de los templarios y la disolución de la orden.

—Exacto. Anker se refugió en su castillo, pero ni siquiera allí estaba a salvo, pues el rey de Francia no sólo había dictado una orden de detención contra él y sus ocho compañeros, sino que además había enviado agentes por toda Europa para aprehenderles —Reich hizo una pausa—. En realidad —prosiguió—, los preparativos para la exploración de los nuevos territorios estaban ya muy avanzados. Anker disponía de una flotilla de dieciocho navíos listos para la singladura, de modo que decidió escapar al único lugar del mundo donde los sicarios de Felipe IV jamás podrían encontrarle: a *Hy Brazil.* A América. En ese viaje le acompañarían los otros ocho caballeros que componían el *Secretum Templi,* así como sus familias, criados y un buen número de guerreros, además de varios cientos de colonos; de hecho, su propósito era fundar una colonia en el nuevo mundo. El doce de enero de 1308, la flotilla de Anker partió del puerto de Helsingborg con mil doscientos ochenta y seis hombres y mujeres y cincuenta caballos a bordo y puso rumbo sur con destino a Portugal, para luego dirigirse hacia el oeste. Desde entonces, no ha vuelto a saberse de ellos. Previamente, Anker había confiado el códice al mayordomo de su castillo para que éste se lo entregara a Cristian de

Smöla, un noble amigo suyo y gran simpatizante del Temple, pero Cristian murió poco después y el manuscrito quedó olvidado en la biblioteca. Hasta que, seis siglos más tarde, Lothar lo encontró.

Sobrevino un silencio que dediqué enteramente a asombrarme.

—¿Quiere decir que los templarios descubrieron América doscientos años antes que Colón? —musité.

—Ciento ochenta y cinco, para ser precisos.

—Pero... ¿Qué fue de la expedición de Anker?

—Esa pregunta se convirtió en la obsesión de mi hermano. Desde que encontró el códice, comenzó a buscar indicios de la presencia de occidentales en América antes de Colón. Viajó al continente repetidas veces, investigó en viejos archivos, visitó bibliotecas y museos, pero no encontró nada. Hasta que apareció la obsidiana inca.

—¿Y qué tiene esa piedra de especial? —pregunté—. ¿El caballo?

—Así es —intervino Yocasta—. Los incas no vieron un caballo hasta el siglo XVI, a menos que antes se toparan con la expedición de Anker de Helsingborg. Pero no se trata sólo de eso: la imagen de un caballo con dos jinetes era uno de los emblemas del Temple, símbolo de fraternidad y compañerismo. Y, según las falsas acusaciones de Felipe IV, también de sodomía, por cierto.

Poco a poco, había ido dejando de ver doble hasta que, finalmente, mis ojos accedieron casi a regañadientes a ofrecerme una única imagen de la realidad, si bien tampoco demasiado nítida; la cabeza seguía doliéndome como si tuviera dentro un pájaro carpintero picoteándome el cerebro, y más ahora con todo aquel exceso de información.

—Entonces —musité—, el mapa de piedra que encontramos en la ciudadela inca...

—Lo tallaron los expedicionarios de Anker de Helsingborg, o quizá sus descendientes. ¿Recuerdas las letras que había en el punto del mapa que marcaba este lugar?

—No.

—Eran «OPCCTS», Jaime. Son las iniciales del nombre latino del Temple: *Ordo Pauperum Commilitonum Christi Templique Salomonici*. Orden de los Pobres Caballeros de Cristo y del Templo de Salomón. Pero hay más, Jaime; ¿recuerdas el tatuaje que llevan los kuitámin en el pecho?

Yocasta se inclinó hacia delante y trazó un dibujo con un dedo sobre el serrín del suelo:

—Éste es el emblema de Bosán —dijo—. Ahora fíjate...
Yocasta dibujó un nuevo grafismo:

—Esto es una cruz paté, o cruz patada —prosiguió—. Es decir, la cruz de los templarios. Si te fijas, Jaime, verás que el emblema de Bosán y la cruz templaria son exactamente el mismo símbolo, sólo que el primero es una estilización del segundo. Y aún queda un detalle más; este lugar, la Región de las Sombras, el *Núgka Wakani*, no se llama Bosán, sino *Baussant*, que era el nombre del estandarte blanco y negro de la orden del Temple.

Pese a que mi cerebro no se encontraba precisamente en sus mejores momentos, la conclusión que se desprendía de todo aquello era evidente, aunque, eso sí, absolutamente descabellada.

—Así pues... —balbucí—, eso quiere decir que los... Es decir, que... Pero..., pero..., no puede ser...

—Mira por el ventanuco —sugirió Yocasta—. Si te subes al banco, llegarás con facilidad.

Al incorporarme experimenté un leve mareo, pero logré sobreponerme y, aunque un tanto inseguro, me subí al banco. El ventanuco era muy pequeño, apenas un cuadrado de treinta centímetros de lado, pero ofrecía una amplia y asombrosa panorámica del exterior. Nos encontrábamos en lo alto de la torre de un castillo, rodeados por una miríada de casas de madera con tejados de pizarra a dos aguas. El poblado no estaba emplazado en la selva, pues el bosque había sido desbrozado a lo largo y ancho de una amplísima extensión de terreno, convirtiendo lo que antes era jungla en una vasta pradera. A lo lejos, mirando hacia el norte, vislumbré campos de labranza, un rebaño de cabras y un molino junto al pequeño río que serpenteaba por entre los prados.

Mas no fue nada de aquello lo que capturó mi atención, sino un edificio que estaba situado a unos ciento cincuenta metros de distancia. Era una iglesia inmensa; la parte más baja de la nave central era de piedra, pero el resto había sido erigido empleando otro material muy distinto. Arcos ojivales, arbotantes, pináculos, contrafuertes, cada detalle seguía fielmente los cánones del arte gótico..., salvo por el hecho de que todo estaba construido con madera.

Aparté la mirada de aquel inverosímil templo y contemplé la plaza cuadrangular que se extendía enfrente. Por ella, al igual que por las estrechas callejas, deambulaban algunas personas; los hombres vestían jubones y calzas, mientras que las mujeres llevaban vestidos largos hasta los pies. Todos tenían rasgos occidentales y muchos de ellos eran rubios. Un soldado a caballo cruzó la plaza armado con espada y ballesta; una capa blanca bordada con la cruz del Temple ondeaba a su espalda.

Aquel lugar, me dije asombrado, era una villa medieval y quienes allí moraban no podían ser otros que los descendientes de la expedición de Anker de Helsingborg.

* * *

Bajé del banco y volví a sentarme. Asombro es una palabra que se queda corta para describir lo que sentía.

—¿Cómo es posible que sigan aquí después de seiscientos años? —musité.

—Cuesta creerlo —asintió Yocasta—. Y más teniendo en cuenta que no siempre han vivido en este lugar. Sin duda, establecieron contacto con el Imperio Inca, como prueban los restos de su presencia en la ciudadela de las montañas, y eso significa que, en algún momento, después de desembarcar en la costa atlántica, tuvieron que atravesar de lado a lado todo el continente. Es extraordinario que hayan conseguido sobrevivir.

—¿Y por qué nadie me contó nada de todo esto? —pregunté en tono dolido.

—Hasta ahora no lo sabía a ciencia cierta, Jaime —respondió Yocasta—. Reconozco que comencé a sospechar algo cuando estuvimos en la ciudadela, pero la idea se me antojaba tan disparatada que no me atreví a exponerla.

—¿Y usted, señor Reich? —insistí, indignado—. ¿Por qué demonios no nos dijo desde el principio adónde nos dirigíamos?

—Porque no tenía ni la más remota idea —replicó el alemán—. Ni siquiera había oído hablar de *Baussant* antes de llegar a América; mi único propósito era, y es, encontrar a mi hermano, no buscar a los herederos del Temple. Y cuando se dirija a mí, joven, no emplee ese tono —frunció el ceño y agregó—: Lothar y yo pensábamos que la colonia templaria debía de haber desaparecido hace mucho; que, en el mejor de los casos, los expedicionarios se habrían mezclado con los nativos hasta perder todo recuerdo de sus orígenes, pero jamás nos planteamos siquiera que la colonia siguiese existiendo.

—Entonces, ¿qué buscaba su hermano?

—El Santo Grial —respondió Reich.

—Ah sí, la copa, no me acordaba... —dejé escapar un cansado suspiro—. ¿Qué narices pinta aquí el Grial?

—En el año 1205 —intervino Yocasta—, Wolfram von Eschenbach escribió un relato artúrico llamado *Parzival*, donde sostenía que quienes custodiaban el Grial eran los *Templeisen*, es decir, los templarios.

—Y, según Anker de Helsingborg, era cierto —dijo Reich—. En su códice, asegura que los templarios encontraron el Grial en Jerusalén a principios del siglo XII y lo llevaron al Temple de París, donde lo conservaban como su más preciada reliquia. Más tarde, cuando huyó en el carro de heno, Anker se llevó con él la copa para evitar que cayera en manos del rey de Francia. Por ello, aunque mi antepasado no lo diga expresamente, es de suponer que el Grial viajó con la expedición y llegó a América. Eso es lo que buscaba mi hermano: el Cáliz Sagrado.

De todas las historias absurdas que me han contado en mi

vida, y puedo asegurar, apreciados lectores, que he escuchado muchas y muy absurdas, aquélla era sin duda la más disparatada de todas. De no ser por la aldea medieval que acababa de ver, allí, en medio de la Amazonia, creo que me hubiera reído abiertamente del asunto; pero ahí estaba la aldea, con sus templarios y todo, demostrando mediante su mera existencia la veracidad de unos hechos tan improbables como un repóquer de ases. Además, para ser franco, en aquel momento no tenía demasiadas ganas de reírme.

—¿Y ahora qué va a pasar? —dije, aunque por supuesto se trataba de una pregunta retórica.

—No lo sé, Jaime —murmuró Yocasta; y, tras un suspiro, repitió—: No lo sé...

Pocas veces la palabra «sepulcral» ha sido tan apropiada para adjetivar un silencio como en aquella ocasión. Yocasta se recostó contra el muro y cerró los ojos, Reich extravió la mirada..., y ahí nos quedamos, mi dolor de cabeza y yo, solos y desmoralizados. Maquinalmente, me llevé una mano al bolsillo de la camisa para coger la baraja, pero no estaba allí; de hecho, tras registrarme todos los bolsillos, comprobé que lo único que llevaba encima era la cartera. La abrí y examiné su contenido: un puñado de dólares, mi documentación y un macabro recuerdo de mi estancia en El Callao.

Guardé la cartera en un bolsillo. Probablemente había extraviado la baraja durante mi huida por la selva, pensé; y aunque pueda parecer absurdo, me sentí más indefenso que nunca, como si con la pérdida de aquellos naipes se hubieran esfumado también mis únicas armas. Suspiré e intenté relajarme, pero la jaqueca, el silencio y la espera acabaron por ponerme muy, pero que muy nervioso.

Procurando distraerme, cerré los ojos, imaginé un tablero de ajedrez, desplegué las piezas y comencé a jugar una partida contra mí mismo. Creo no haberlo comentado antes, pero cuando mi padre me instruyó en el arte del juego, no olvidó el ajedrez. Él podía considerarse un más que correcto jugador y yo no le ando a la zaga, así que era —y soy— perfectamente capaz de disputar incluso cinco partidas simultáneas sin tablero, ni fichas, ni más recursos que la memoria y la imaginación.

En aquella ocasión jugué tres consecutivas y las tres terminaron en tablas, como si el juego se empeñara en recordarme el callejón sin salida en que estábamos metidos. Acababa de empezar la cuarta partida, cuando llegó a mis oídos el sonido de unos pasos aproximándose.

Al poco, la puerta se abrió y dos soldados entraron en la celda apuntándonos con sus ballestas. Llevaban yelmos, cotas de malla y largas espadas enfundadas en sus vainas; uno de ellos era rubio y tenía cara de imbécil, mientras que el otro, moreno y ceñudo, parecía algo más avispado que su compañero. A continuación, entraron otros dos soldados, ayudando a caminar a una persona que cojeaba a causa de una pierna entablillada.

Era Oskar Kepler.

* * *

—Buenos días —nos saludó—. ¿Están todos bien?

—¿Qué le ha ocurrido, señor Kepler? —preguntó Yocasta, señalando la pierna entablillada.

—Un pequeño accidente, señora Massemba —respondió el alemán mientras se acomodaba en un banco—. Caí por un terraplén y me fracturé la pierna.

Tenía muchas preguntas que formularle a Kepler, pero antes debía aprovechar la oportunidad de entrar en contacto con los primeros habitantes de Baussant que tenía cerca, así que me aproximé al soldado moreno y le espeté:

—No pueden tenernos aquí encerrados como animales. Exijo hablar con su jefe ahora mis...

Instantáneamente, el soldado me apuntó con su ballesta y bramó:

—*Noli unum passum progredi, horride canis, aut cor tuum transfigam!*

Me detuve en el acto; no porque le hubiese entendido (que no le entendí), sino porque el lenguaje de las armas es universal, y la suya estaba diciendo que me quedase quietecito.

—Dice que no te muevas o te matará —tradujo Yocasta.

No tenía la más mínima intención de hacer nada que pudiera irritar a aquel tipo, así que no moví ni un músculo hasta que los soldados abandonaron la celda. Una vez que cerraron la puerta, exhalé una bocanada de aire y exclamé:

—¡Hablaba en latín!

—Se me olvidó comentártelo, Jaime —dijo Yocasta—. Al parecer, la lengua oficial de Baussant es el latín.

En fin, a esas alturas ya pocas cosas podían sorprenderme. Me volví hacia Kepler.

—¿Cómo le capturaron, Oskar?

—Cuando huíamos de los kuitámin me perdí —respondió—. Luego aparecieron los soldados y comenzaron a rastrearme. Logré burlarles durante unas horas, pero la noche era muy oscura y, no mucho antes del amanecer, caí por un terraplén y me rompí una pierna. Al poco, me encontraron y... aquí estoy.

—¿Le han entablillado ellos? —preguntó Yocasta.

—Sí; tienen un galeno muy competente.

Bueno, pensé, si se molestaban en curarnos, eso significaba que no pretendían hacernos daño; aunque, por su puesto, a esa frase había que añadirle un inquietante «por el momento».

—¿Y Rasul? —pregunté.

—Todavía no le han encontrado —respondió Kepler—. Continúan buscándole.

Me invadió una oleada de alivio. Mientras Rasul siguiese libre, aún nos quedaba margen para la esperanza; la verdad es que estaba tan acostumbrado a que Rasul me salvase la vida que ya lo daba prácticamente por hecho.

—Debo informarle, Kepler —dijo de pronto Reich—, que estoy muy descontento con usted. Se supone que debía ocuparse de mi seguridad y aquí me tiene, encerrado en una prisión. ¿Qué se propone hacer ahora?

Kepler se le quedó mirando durante largo rato, haciendo, creo yo, acopio de paciencia.

—¿Que qué voy a hacer, Herr Reich? —dijo al fin con una fría sonrisa—. ¿Que qué voy a hacer ahora, mientras estamos encerrados en una cárcel y custodiados por un pequeño ejército? ¿Que qué voy a hacer, desarmado y con una pierna rota? —respiró profundamente—. Nada, Herr Reich, no voy a hacer absolutamente nada.

—Pero...

Kepler le silenció apuntándole amenazadoramente con el índice de la mano derecha.

—Mejor dicho —concluyó—: voy a descansar un rato, así que cállese.

Acto seguido, se tumbó en el banco y se quedó dormido. Reich torció el gesto y masculló algo, Yocasta volvió a recostarse contra el muro con los ojos cerrados y, en lo que a mí respecta..., bueno, comprensivos lectores, reanudé la cuarta partida de ajedrez por donde la había dejado interrumpida y así distraje el tiempo mientras esperaba que algo sucediese.

* * *

Poco después del mediodía, los soldados nos trajeron la comida. En concreto, una cesta de frutas y un puchero que contenía un guiso de tubérculos con algo indescriptible que, quizá, fuese carne, aunque ignoro de qué animal en concreto. Sabía a rayos, pero estaba tan hambriento que hubiera sido capaz de ingerir con entusiasmo un potaje de grillos.

Una vez lleno el estómago me sentí algo mejor; incluso noté cierto alivio en el terrible dolor que me taladraba la cabeza. No obstante, la espera y el silencio hicieron mella en mi ya de por sí bastante baqueteado sistema nervioso. Kepler dormía como un bebé, Yocasta permanecía con los ojos cerrados, ignoro si despierta o no, Reich se mantenía altivamente impasible y yo me mordía, metafóricamente, hasta las uñas de los pies. Tensas horas de espera más tarde, cuando faltaba poco para la puesta de sol, los soldados regresaron a la celda. Eran diez, todos armados con espadas y ballestas. El tipo moreno y malencarado, que al parecer era el jefe de la guarnición, nos espetó:

—*Surgite; nobiscum vos venire debetis.*

—¿Qué dice? —pregunté.

—Que debemos acompañarlos —contestó Yocasta.

—¿Adónde?

—*Quo nos portare vultis?* —le preguntó mi negra sirvienta al soldado.

—*Sile, depilata simia!* —bramó éste—. *Oboedite, si non vultis ut hinc pedum ictibus vos eiciamus!*

—¿Qué ha dicho? —pregunté.

—Que soy una mona sin pelo, que cerremos la boca y que le sigamos —repuso Yocasta—. Qué hombre más desagradable...

Abandonamos la celda y, custodiados por los soldados, nos encaminamos hacia la salida del castillo. Kepler tenía dificultades para desplazarse y, pese a que yo le ayudaba sirviéndole de apoyo, caminábamos muy despacio, de modo que tuve tiempo de echarle una buena mirada al lugar. La torre donde estaba la celda era de piedra, pero, como pude comprobar conforme nos desplazábamos por corredores y escaleras, la mayor parte de la fortaleza estaba construida con madera. No nos cruzamos con nadie durante el trayecto, hasta que, al salir al patio del castillo, pasamos por delante de un grupo de soldados que montaban guardia junto al puente levadizo. De soslayo, advertí que al fondo del patio se alzaba el gigantesco muñeco que aquellos tipos usaban para asustar a los kuitámin; estaba situado sobre una carreta y a la luz del día tenía un aspecto más grotesco que inquietante.

Dejamos atrás la fortaleza y descendimos por una rampa que llevaba al pueblo. Mientras recorríamos las estrechas callejuelas flanqueadas por casas de apariencia incongruentemente medieval, los habitantes de Baussant se detenían para vernos pasar y hacían comentarios en voz baja (y en latín). Al menos, pensé, no nos tiraban piedras como habían hecho los kuitámin. Tras cruzar el centro de la villa, llegamos a la plaza, la atravesamos y remontamos las escaleras que conducían a la catedral.

El interior del templo era impresionante; salvo la nave central, que estaba construida con piedra, el resto del edificio, incluyendo los arcos, las columnas, el altar mayor y las estatuas, era de madera policromada. Fijados a las pilastras que se alzaban a los lados, dos filas de hachones iluminaban la iglesia. Al fondo, a ambos lados del gran crucifijo que presidía el altar, colgaban dos pendones; uno era ajedrezado, con cuadros negros y blancos, mientras que el otro ostentaba una cruz paté roja.

Sin embargo, lo que más me sorprendió no fueron tanto las

peculiaridades del templo como los feligreses que en él se congregaban. Debía de haber unos doscientos caballeros desplegados a lo largo de la nave central, todos puestos en pie —pues no había bancos—, todos cubiertos con las níveas capas del Temple, todos armados con espadas, todos barbudos y todos con el pelo muy corto. Frente al altar mayor, presidiendo la reunión, un caballero de barba canosa nos contemplaba con severidad. Los soldados nos escoltaron a lo largo de la nave central hasta detenerse frente a él. Tras un largo silencio, el tipo de las canas nos dijo:

—*Sum Hieronymus a Sancto Martino, architriclinus summus Ordinis Templi. Hic manetis ut iudicemini. Ad iudicium adducitur vos Baussantinos fines transiluisse et sex nostros ministros Kuitamin interfecisse.*

—Dice que es Jèrôme de Saint-Martin —susurró Yocasta—, senescal mayor del Temple. Nos van a juzgar por haber violado la frontera de Baussant y por haber matado a sus servidores kuitámin.

—*Fratres commilitones* —prosiguió Saint-Martin, dirigiéndose a los demás caballeros—: *in nomine Domini nostri Iessu Christi, capitulum hunc apertum declaramus. Noster Magister Magnus et Secreti Templi Princeps conclave reget.*

—Se ha iniciado el cónclave —murmuró Yocasta.

Saint-Martin se apartó a un lado y cruzó los brazos sobre el pecho. Al cabo de unos segundos, un nuevo caballero entró en el templo a través de la puerta que se abría a la derecha del altar. Tendría treinta y tantos años, no más de cuarenta; era alto y fornido, con el pelo castaño, rapado casi al cero, ojos azules y una cuadrada barba cubriéndole el mentón. Igual que el resto de sus compañeros, vestía un largo jubón ceñido por un cinto, mallas, calzas de cuero y una capa blanca; la única diferencia era que no portaba la cruz paté en esta última prenda, sino en el pecho. El recién llegado se aproximó a nosotros y, tras mirarnos largamente, dijo:

—*Ankerius Helsingborgensis appellor et Ordinis Templi Summus sum Magister.*

—Dice que es Anker de Helsingborg —susurró Yocasta—, el Gran Maestre del Temple...

—No puede ser... —musité—. Anker de Helsingborg debe de llevar siglos muerto.

En ese momento, Reich avanzó un digno paso y, dirigiéndose a Helsingborg, dijo en latín (al parecer, allí todo el mundo hablaba latín menos yo):

—*Wolfganius Reichiensis sum et inter nos propinquitatis ligamina esse existimo.*

—Puede hablar en español si lo prefiere, señor Reich —le interrumpió Helsingborg—. Conozco ese idioma.

Reich alzó una ceja y, tras aclararse la garganta con un carraspeo, dijo:

—Supongo que usted desciende del Anker de Helsingborg que descubrió este continente.

—Soy su décimo octavo sucesor —asintió el Gran Maestre—. En mi familia, todos los primogénitos reciben el nombre de Anker.

—En tal caso, usted y yo estamos unidos por lazos de parentesco. Mi madre se llamaba Greta Helsingborg y...

—Lo sé —le interrumpió el templario—. Me lo dijo su hermano, con quien, por cierto, guarda usted un gran parecido.

—¿Lothar está aquí? —preguntó Reich.

—¿Y mi padre? —intervine—. Se llama Fernando Mercader y viajaba con...

—*Silete!* —bramó Saint-Martin, el senescal—. *Nolite loqui antequam vobis indicetur!*

No había que estar muy ducho en latines para entenderle, pues el tono de su voz era de lo más elocuente: que cerráramos el pico. Tras un breve silencio, Helsingborg volvió a hablar.

—Discutiremos esos asuntos más adelante —dijo—; ahora debemos centrarnos en el juicio. Los crímenes de que se os acusa son muy graves. En primer lugar, habéis dado muerte a seis de nuestros servidores indígenas. ¿Qué alegáis al respecto?

—Fue en defensa propia —dijo Kepler—. Los kuitámin pretendían matarnos.

—Al último lo asesinasteis cuando intentaba defender el *Yákat Akásmatkamu* —replicó Helsingborg—. Vosotros sabíais que ese lugar es sagrado para los kuitámin y, sin embargo, pese a estar prohibido para los extranjeros, fuisteis allí.

—Los kuitámin no han cesado de intentar matarnos desde mucho antes de que viniéramos aquí —le rebatió Kepler—. Y si nos hubiéramos quedado en el poblado, habrían acabado con nosotros. Pero eso usted ya lo sabe, ¿verdad? A fin de cuentas, los kuitámin no hacían más que obedecer sus órdenes.

Una leve sonrisa se perfiló en los labios del Gran Maestre.

—Es cierto —dijo—. Por otro lado, sé que no fue ninguno de los presentes quien disparó en el *Yákat Akásmatkamu* contra nuestro servidor, sino ese sarraceno llamado Akbar, aunque ello no os exculpa de ser cómplices del crimen. Pero discutiremos ese asunto después, porque la más grave acusación que pesa sobre vosotros es haber violado las fronteras de Baussant.

—Pero, excelencia, ni siquiera sabíamos que existía este lugar —intervine—. Lo único que pretendemos es encontrar a mi padre y al hermano del señor Reich y..., en fin, a los miembros de la expedición que vino aquí antes que nosotros.

—Ah sí, esa expedición... —la mirada de Helsingborg se oscureció—. De no haber aparecido la piedra de los dos jinetes nada de esto habría ocurrido.

El Gran Maestre le hizo una seña a su senescal; éste se aproximó a un relicario, sacó algo de su interior y lo depositó frente al altar. Era la obsidiana inca; llevaba tanto tiempo sin verla que casi no recordaba su aspecto, aunque siempre me pareció que no era gran cosa. De hecho, resultaba increíble que un objeto tan nimio pudiera haber desencadenado tantas muertes y problemas.

—Creíamos haber borrado todo rastro de nuestra existencia —prosiguió Helsingborg—. Pensábamos que el mundo se había olvidado de nosotros, cuando de repente apareció esa talla y fuimos descubiertos.

—Pero ¿por qué se esconden? —pregunté—. ¿Qué más da que la gente sepa que existen?

Helsingborg me contempló con gravedad.

—Cuando mi antepasado Anker huyó a este continente —respondió en tono sombrío—, ignoraba cuál iba a ser la suerte de la orden del Temple. Nunca lo supo, ni lo supieron sus hijos, ni sus nietos, ni los nietos de sus nietos. De hecho, todos permanecimos en la ignorancia hasta que mi tatarabuelo viajó fuera de Baussant y averiguó la verdad. Bajo las falsas acusaciones que había maquinado el rey de Francia, los hermanos templarios fueron encarcelados, torturados y muchos de ellos ejecutados. Finalmente, el mismísimo Papa disolvió la orden y condenó al Gran Maestre Jacobo de Molay a morir en la hoguera. ¿Acaso no son ésas buenas razones para ocultarse?

—Eso sucedió hace seiscientos años —terció Yocasta—. El Papa actual no tiene nada contra ustedes y ni siquiera hay ya reyes en Francia. Nadie les hará el menor daño.

—Es posible —aceptó Helsingborg—. Pero el mal puede presentarse de muchas maneras distintas. Hace años, cuando era joven, yo también quise conocer el mundo exterior. Viajé a Iquitos y a Lima, vi con mis propios ojos las supuestas maravillas del progreso, pero sobre todo vi ambición, crueldad, avaricia e hipocresía. El mundo del que procedéis es despiadado; el fuerte aplasta al débil y el único dios venerado es el becerro de oro, el dinero. De los valores que defendía el Temple ya no queda nada, ni siquiera el recuerdo. ¿Qué pasaría si se conociese nuestra existencia? Seríamos contemplados como una rareza, un vestigio del pasado, fósiles vivientes. Primero vendrían a estudiarnos, como si fuéramos una nueva especie de insectos; luego, llegarían los curiosos, los aventureros, los buscavidas y los explotadores. Nuestras tierras serían colonizadas, nuestra forma de vivir pervertida y nuestras costumbres tomadas a risa. Finalmente, acabarían destruyéndonos —sacudió la cabeza—. No, nuestra existencia debe seguir permaneciendo oculta, como siempre ha sido.

La verdad es que aquel tipo tenía razón; de conocerse su existencia, Baussant, ese anacronismo medieval, sería devorado por el mundo exterior igual que un tiburón se zampa una sardina.

—Lo único que queremos es encontrar a nuestros familiares —alegué—. No diremos nada sobre Baussant, guardaremos el secreto, se lo juro, excelencia. Le garantizo que no somos ningún peligro para ustedes.

—El mero hecho de estar aquí y saber que existimos —replicó Helsingborg— ya supone un peligro para Baussant. Y ésa es la principal acusación que pesa contra vosotros: haber venido a este lugar —se volvió hacia su senescal y dijo—: *Ceteri incusati huc conferantur.*

Saint-Martin ladró una orden. Al cabo de escasos segundos, cuatro soldados penetraron en el templo por la puerta norte del transepto escoltando a dos nuevos prisioneros.

Uno de ellos era Lothar von Reich y el otro mi padre.

* * *

—¡Papá! —exclamé al verle.

Y eché a correr hacia él. Uno de los soldados intentó sujetarme, pero le aparté de un empujón y me lancé a los brazos de mi padre.

—¡Estás vivo! —dije, alborozado.

—¿Qué haces aquí, Jaime, hijo mío? —respondió él, abrazándome con fuerza—. ¿Es que estás loco? Te dije que te quedaras en Cartagena...

En fin, sensibles lectores, fue un encuentro de lo más emotivo; padre e hijo reuniéndose tras larga separación, una página selecta del más selecto de los folletines. Y así hubiera seguido la cosa, todo abrazos y sonrisas, de no ser por lo que sucedió a continuación. Al igual que yo había corrido en pos de mi padre, Wolfgang von Reich también corrió hacia su hermano Lothar, sólo que, en vez de abrazarle, le derribó al suelo mediante el expeditivo procedimiento de propinarle un puñetazo en el mentón. Acto seguido, gritó en su idioma:

—*Endlich finde ich dich, du verdammter Hurensohn! Du bist ein Betrüger, ein Dieb und ein Lügner!*

Luego, sin solución de continuidad, se arrojó sobre su hermano y, rodeándole el cuello con las manos, comenzó a estrangularle al tiempo que profería toda suerte de insultos en alemán. Y, sinceramente, creo que le hubiera matado allí mismo de no ser por la intervención de los soldados; aunque, todo sea dicho, para conseguir que soltara la garganta de Lothar hicieron falta tres hombres de robusta constitución.

—¡Bastardo! —le gritaba Wolfgang a su hermano mientras pataleaba y se debatía intentando liberarse de los soldados—. ¡Te mataré, maldito embustero!

Vacilante, Lothar se puso en pie, se frotó el cuello, señaló a Wolfgang y exclamó:

—¡Está loco! Lo han visto todos, ¿no es cierto? ¡Ese salvaje me ha agredido!

La totalidad de los presentes, incluyendo a los templarios, nos habíamos quedado pasmados ante el inesperado comportamiento de los hermanos Reich. Wolfgang vociferaba como un poseso y pugnaba por abalanzarse de nuevo contra Lothar, mientras que éste desgranaba una retahíla de reproches y agravios. Vamos, una locura.

—¡Basta ya! —exigió Helsingborg—. ¡Respetad este sagrado recinto!

Al instante, Lothar dejó de quejarse y Wolfgang de berrear.

—No alcanzo a comprender las razones de tan absurda conducta —prosiguió el Gran Maestre, dirigiéndose a los hermanos Reich—, pero no toleraré otro alboroto semejante, así que guardad la compostura —con el ceño fruncido, paseó la mirada por nuestros rostros—. Nunca debisteis venir aquí —dijo—, y haberlo hecho constituiría vuestro principal pecado de no ser porque habéis cometido una falta aún mayor: confraternizar con el enemigo.

Arqueé las cejas, confundido.

—¿A qué enemigo se refiere exactamente, excelencia? —pregunté.

—A los sarracenos —respondió Helsingborg—. Sois amigos del mahometano llamado Rasul Alí Akbar.

—Ya no hay guerras entre cristianos y musulmanes —intervino Yocasta—. Eso es cosa del pasado.

—Siempre habrá una guerra entre la fe verdadera y las falsas creencias —replicó el Gran Maestre—. La orden del Temple se creó en Tierra Santa para luchar contra los sarracenos y tal será nuestra misión mientras Baussant siga existiendo. Vosotros trajisteis aquí a un seguidor de Mahoma, lo cual ya de por sí es una grave traición; además, ese sarraceno ha matado a muchos de nuestros servidores y, pese a que le creíamos muerto, sigue vivo y, lo que es peor, en libertad. Así pues, os voy a dar una oportunidad de enmendar vuestros errores: quien revele dónde se oculta Akbar será perdonado.

Ninguno de nosotros tenía la más mínima idea de dónde estaba Rasul, aunque, al menos en lo que a mí se refiere, aun en el caso de haberlo sabido, nunca lo habría revelado. Entonces, en medio de aquel silencio abrumador, sucedió una de esas cosas que, siendo en apariencia insignificantes, acabó acarreando catastróficas consecuencias: bajé la mirada y descubrí que tenía la bota izquierda desatada. Así que, sin pensar siquiera en lo que hacía, me incliné hacia delante y comencé a atármela. El problema fue que, al bajar la cabeza, la media luna de plata que me había regalado Rasul se deslizó por el cuello de la camisa y quedó colgando de la cinta de cuero.

Y el Gran Maestre la vio. Y entrecerró los ojos. Y se puso rojo de ira. Y ordenó:

—*Iuvenem hunc apprehendite!*

Dos soldados me inmovilizaron sujetándome por los brazos. Helsingborg se aproximó a mí, me arrancó el colgante de un tirón y lo sostuvo en alto.

—¡Llevas el símbolo de Alá! —exclamó—. ¿Acaso tú también eres mahometano?

—¡No, no, no, de ninguna manera! —protesté—. Sólo es un adorno que me regalaron.

—Mi hijo está bautizado —intervino mi padre—. Puedo asegurárselo; yo estaba allí, en la iglesia, cuando le echaron el agua bendita. Es un buen cristiano, créame; quizá un poco pecador, pero ¿quién no comete algún que otro desliz de vez en cuando?

—Soy católico y voy a misa todos los domingos, excelencia —mentí con desvergüenza—. Y rezo el padrenuestro y el ave...

—¡Silencio! —clamó el Gran Maestre con cara de pocos amigos—. Quien porta el emblema del Islam sólo puede ser un enemigo de la Cruz. Tú serás el primero en morir —se volvió hacia sus hombres y les ordenó—: *Extra ecclesiam eum vehite et eius cervicem praecidite.*

En fin, aunque el latín nunca fue mi fuerte, me pareció entender que aquel tipo había ordenado que me sacaran del templo y me rebanaran el gaznate. Y así debía de ser, pues los soldados desenvainaron sus espadas y comenzaron a arrastrarme hacia la salida. Mi padre, exigiendo a gritos que me soltaran, se abalanzó sobre ellos en un vano intento de protegerme, pero le derribaron propinándole un golpe con el pomo de una espada.

Y entonces, justo cuando creía que mi fin era inminente, una voz ordenó:

—Soltadle. Fui yo quien le dio la media luna.

Todos sin excepción volvimos la cabeza hacia el hombre que acababa de aparecer por la puerta situada a la derecha del altar. Era Rasul Alí Akbar, con sus dos pistolas Mauser apuntando directamente a la cabeza de Anker de Helsingborg.

* * *

No se pueden hacer una idea, expectantes lectores, de lo mucho que me chiflaban aquellas melodramáticas apariciones de Rasul. Siempre entraba en escena en el último instante, cuando todo parecía perdido... Aunque, bien pensado, teniendo en cuenta el exagerado desequilibrio de fuerzas —uno contra doscientos—, todo seguía estando perdido.

Tras unos segundos de estupor, los soldados apuntaron a Rasul con sus ballestas al tiempo que los caballeros templarios desenvainaban las espadas; pero, antes de que nadie hiciera nada, Helsingborg los contuvo con un ademán.

—Tú debes de ser el árabe llamado Akbar —dijo, mirando fijamente a Rasul.

—Lo soy —respondió éste sin dejar de encañonarle.

—¿Y qué crees que vas a conseguir? Mis hombres te matarán en cuanto yo se lo indique.

—Lo sé, pero no podrán impedir que antes te mate yo a ti. Si muero, tú mueres.

—Comprendo... —asintió el Gran Maestre, pensativo.

—No obstante —prosiguió Rasul—, existe otra opción: si ordenas a tus hombres que tiren las armas, te juro por mi dios que respetaré vuestras vidas. En caso contrario, hoy moriremos juntos.

Rasul y Helsingborg permanecieron en silencio, mirándose fijamente a los ojos durante no sé cuánto tiempo, como si practicaran una especie de duelo óptico. Creo haber hablado ya de la mirada de Rasul; era una mirada capaz de romper cocos a cien metros de distancia, una mirada que erizaba el vello de la nuca y te revolvía el estómago, una mirada que podía acobardar al más pintado... Sin embargo, esa vez no funcionó. Lejos de intimidarse, el Gran Maestre esbozó una tranquila sonrisa y, sin apartar los ojos de Rasul, soltó una larga parrafada en latín. Al instante, los ballesteros volvieron sus armas contra el grupo que formábamos mi padre, Yocasta, Kepler y yo.

—¿Crees que me importa morir? —repuso tranquilamente Helsingborg—. Pues te equivocas; la fe me libra de ese temor. Les he ordenado a mis hombres que, si no tiras las armas antes de que cuente diez, maten a tus amigos y luego te maten a ti —hizo una pausa y comenzó a contar lentamente en latín—: *Unus..., duo..., tria..., quattuor...,*

Un silencio abisal se había enseñoreado del templo; todos, tanto prisioneros como soldados y caballeros, aguardábamos con el ánimo suspendido el desenlace de aquella situación.

—*Quinque..., sex...,*

Rasul se mantenía completamente inmóvil, siempre apuntando al Gran Maestre con sus pistolas. Su rostro no traslucía la menor expresión.

—*Septem..., octo...,*

El sudor me corría por la espalda mientras una sucesión de escalofríos iban y venían a lo largo de mi columna vertebral.

—*Novem...*

Entonces, cuando el conteo estaba a punto de concluir, Rasul bajó sus pistolas y las arrojó al suelo. Sentí que el corazón me daba un vuelco; porque si Rasul no hubiera tirado las armas, nos habrían matado los ballesteros; pero también es verdad que al desprenderse de ellas se esfumaba la última esperanza de sobrevivir que nos quedaba, así que mi corazón tenía muy buenas razones para dar todos los vuelcos que le vinieran en gana.

El caso es que, nada más quedar desarmado, los soldados se precipitaron sobre Rasul y le inmovilizaron atándole las manos a la espalda. Entonces, Helsingborg volvió a tomar la palabra.

—Los hechos y las pruebas son concluyentes —dijo—.

Habéis violado nuestras fronteras, habéis profanado el secreto de Baussant, habéis dado muerte a nuestros servidores y, lo más abyecto de todo, habéis mantenido trato con los enemigos de la cristiandad. Por ello, os declaro culpables de cuantos cargos pesan contra vosotros —hizo un pausa y agregó—: Las vidas de Lothar y Wolfgang von Reich, debido a los lazos familiares que les unen a los Helsingborg, serán respetadas, pero ellos deberán permanecer en Baussant por el resto de sus vidas. En cuanto a los demás inculpados, vuestro castigo será la muerte.

Mi padre intentó protestar, pero Saint-Martin le silenció con un enérgico y amenazador berrido. Tras esa interrupción, Helsingborg prosiguió su perorata enumerando todas y cada una de las razones por las que debíamos morir, pero yo dejé de prestarle atención.

Verán, abnegados lectores, mi cerebro adolece de una tremenda inercia; cuando está parado le cuesta mucho arrancar y cuando se pone en marcha no hay forma de pararlo. Desde que me aporrearon la cabeza en la selva, mi cerebro había estado tan inmóvil como un motor sin carburante, pero en aquel momento, una vez escuchada la sentencia, la adrenalina se convirtió en un poderoso combustible que no tardó en poner en marcha las oxidadas bielas de mi mollera.

Cerré los ojos y me concentré. Tenía que haber alguna salida, algún modo de resolver aquella situación, una argucia, un truco, una artimaña, lo que fuese. ¿Acaso no era yo *Little Jim,* el príncipe de los jugadores de ventaja? ¿Es que no iba a ser capaz de ganarle una mano al destino y encontrar la forma de salir con vida de aquel embrollo? Pues sí, abnegados lectores, fui capaz. De repente, y aunque se trataba de una idea absurda, concebí un plan.

—¡Juicio de Dios! —grité a pleno pulmón, interrumpiendo el discurso del Gran Maestre.

—¿Qué has dicho? —preguntó Helsingborg, mirándome con extrañeza.

—¡Reclamo un Juicio de Dios! —insistí—. Una justa, una lid, una ordalía, como quiera llamarlo, excelencia. Me enfrentaré a uno de ustedes y, si logro vencerle, será señal de que

Dios ha decidido que nuestras vidas han de ser respetadas. Es así, ¿no? Lo he leído en las historias del rey Arturo; Lanzarote se enfrentó a Galván para probar ante Dios la inocencia de la reina Ginebra. Así que yo también puedo recurrir al Juicio de Dios, ¿verdad? Tengo derecho...

Helsingborg intercambió una mirada con su senescal y, aunque no parecía del todo convencido, asintió.

—En efecto, tienes derecho a reclamar el Juicio de Dios —dijo—. Pero supongo que sabes que estás desafiando al Temple, de modo que deberás enfrentarte al paladín de la orden.

—¡Juicio de Dios! —insistí, aferrándome a aquellas palabras cual náufrago a un madero—. Me importa un bledo el adversario.

Helsingborg se encogió de hombros.

—Como quieras —dijo y añadió en latín—: *Frater Gorami, ad aram accede.*

Al instante, uno de los caballeros que estaban congregados en la nave central se aproximó al altar. En fin, expectantes lectores, ¿cómo describirlo? ¿Acaso existen palabras capaces de plasmar con justicia las dimensiones del Everest? ¿Es posible reflejar las medidas de lo desmedido? Aquel tipo era el pedazo de bestia más grande que jamás me he echado a la cara; medía más de dos metros de estatura, debía de pesar ciento cincuenta kilos de puro y compacto músculo, tenía los bíceps más voluminosos que mis muslos y una espalda contra la que se podría haber jugado al frontón cómodamente; por lo demás, lucía una espesa barba rubia bajo la que se ocultaba una mandíbula tan cuadrada que hubiera servido para medir ángulos rectos.

—El hermano Göran de Hammarstrand es el paladín del Temple —dijo el Gran Maestre—. Con él habrás de medirte en un duelo a espada.

Miré a Göran de arriba abajo (lo cual llevaba su tiempo) y tragué saliva.

—No soy un caballero y no domino la esgrima —repuse—. Así que nada de espadas. Lucharemos desarmados.

Helsingborg contempló con escepticismo mi más bien exiguo cuerpo, le echó un vistazo a la desmedida anatomía de su paladín y me preguntó:

—¿En serio quieres luchar cuerpo a cuerpo con el hermano Göran?

Querer, querer, lo que se dice querer, no quería, comprensivos lectores, pero no me quedaba otro remedio, de modo que asentí con un cabeceo bastante menos firme de lo que hubiera deseado. Un coro de risitas recorrió las filas de templarios.

—Yo pelearé en su lugar —terció de repente Rasul.

El Gran Maestre negó con la cabeza.

—Los paganos no pueden acogerse al Juicio de Dios —dijo—, y tú eres un pagano.

—Entonces le sustituiré yo —intervino mi padre—. Aunque, personalmente, creo que podríamos solucionar este entuerto de una manera más civilizada. Soy cristiano viejo, así que puedo luchar contra su paladín en lugar de mi hijo.

—Sí, eso es posible —repuso el Gran Maestre—. Siempre y cuando el retador lo acepte.

Le dediqué a mi padre una sonrisa de agradecimiento y exhalé un suspiro. No habría tenido el menor inconveniente en consentir que Rasul me sustituyese, pues estoy convencido de que podría vencer al tal Göran sin tan siquiera despeinarse; pero mi padre tenía tantas posibilidades de salir triunfante como yo. Es decir: ninguna.

—No lo acepto —dije—. He sido yo quien ha elegido someterse al Juicio de Dios, así que seré yo quien luche.

Mi padre comenzó a protestar, pero Helsingborg le hizo callar.

—¡Silencio! —ordenó—. Uno de los reos se ha acogido a la ordalía y estamos obligados por nuestras costumbres a acceder a su deseo —extendió los brazos y proclamó—: Celebraremos el Juicio de Dios ahora mismo, en la plaza.

Acto seguido, impartió una serie de órdenes en latín y los soldados procedieron diligentemente a conducirnos hacia la salida del templo.

—Mira que eres insensato, Jaime, hijo mío... —musitó mi padre con el rostro transido de preocupación.

En efecto, afligidos lectores, mi plan parecía una insensatez. Nadie en su sano juicio habría apostado ni un centavo por mí.

No obstante, en aquella partida yo contaba con un as oculto en la manga.

* * *

Atardecía cuando salimos a la plaza. Los caballeros templarios formaron un círculo en torno a mi rival y a mí, frente a la iglesia, delimitando de ese modo el terreno del combate. Göran se despojó de la capa, del cinto, de la espada y del jubón hasta quedar con el torso desnudo y, acto seguido, comenzó a hacer ejercicios de calentamiento, flexionando los brazos y efectuando vigorosas torsiones de cintura. Al contemplarle de esa guisa creí que volvía a ver doble, pero no era así; lo que ocurría es que aquel animal parecía tener muchos más músculos de lo acostumbrado. Al cabo de unos minutos, Helsingborg se adelantó hasta situarse en el centro del círculo y comenzó a hablar, estableciendo, adiviné, las reglas del combate; pero como lo hacía en latín y, además, yo tenía otras cosas de qué ocuparme, no le hice mucho caso.

Ahora, afligidos lectores, ha llegado el momento de hacer memoria. Retrocedamos mentalmente al capítulo cinco del volumen que en este momento sostienen entre las manos: ¿recuerdan lo que sucedió después de que Kepler y yo saliéramos del almacén de Epifanio Palanque en El Callao? Los asesinos misteriosos —es decir, los kuitámin— intentaron matarnos; uno de ellos me lanzó un dardo envenenado con curare que fue a clavarse en la baraja que llevaba en el bolsillo de la camisa. ¿Se acuerdan? Pues bien, ¿qué ocurrió con ese dardo?

No hace falta que se expriman la cabeza, dilectos amigos: lo guardé en mi cartera y ahí había estado durante toda nuestra travesía por los Andes y la selva, y ahí precisamente seguía estando en ese momento. Así que, mientras todo el mundo prestaba atención al discurso del Gran Maestre, saqué disimuladamente la cartera y extraje de ella el pequeño proyectil. ¿Cuál era mi plan? Bueno, por un lado estaba esa especie de gorila hipertrofiado dispuesto a hacerme papilla, y por otro estaba yo con un dardo ponzoñoso en la mano. Así pues, ¿qué demonios creen que me proponía hacer?

Paseé la mirada por los rostros de quienes se congregaban a nuestro alrededor y, tras el círculo que formaban los caballeros templarios, vi a mi padre y a Yocasta mirándome con profunda preocupación. Rasul permanecía inexpresivo y Kepler mantenía sus ojos fijos en mí, con una sonrisa que, supongo, pretendía darme ánimos. En cuanto a los hermanos Reich, parecían totalmente ajenos al drama que estaba a punto de desencadenarse y se dedicaban a contemplarse el uno al otro con mutuo resentimiento; de hecho, tenían que estar constantemente vigilados por dos soldados, pues Wolfgang no cesaba de intentar agredir a su hermano.

Súbitamente, Helsingborg concluyó su discurso, se retiró a un extremo del círculo y proclamó:

—*Dei Iudicium incipiat!*

Eso debía de significar que daba comienzo el combate, pues de pronto Göran se abalanzó sobre mí y comenzó a lanzarme unos puñetazos tan vertiginosos que hacían zumbar el aire.

La verdad es que yo había esbozado mi plan muy superficialmente, sin detenerme a considerar los detalles, pues de algún modo supuse que no tendría ningún problema en acercarme tranquilamente a aquel paquidermo para, mientras se estaba quieto (quizá para estrecharme deportivamente la mano), clavarle el dardo envenenado. Lo que no había previsto es que el muy bestia era perfectamente capaz de matarme mucho antes de que lograra acercarme lo suficiente para clavarle nada.

Esquivé a duras penas el primer puñetazo y, aunque el segundo apenas me rozó la mandíbula, vi las estrellas, así que di media vuelta y eché a correr. A los pocos metros, choqué contra la fila de caballeros templarios. Intenté escabullirme, abandonar el círculo del combate, pero ellos me lo impidieron. Entonces, de reojo, vislumbré que algo masivo se cernía sobre mí y vi cómo un puño enorme centelleaba hacia mi rostro. Soy rápido de reflejos, así que alcé el brazo derecho y bloqueé el golpe; pero, ay, no sirvió de nada, pues el impacto fue tan brutal que me arrojó al suelo hecho un guiñapo. De esta guisa descubrí simultáneamente dos cosas: en primer lugar, que aquel puñetazo me había dejado el brazo hecho polvo y, en segundo lugar, que a causa de ello no sólo había perdido el dardo, sino que además no tenía ni la menor idea de dónde estaba.

Comencé a incorporarme, pero ya era demasiado tarde. Göran me aferró con sus descomunales manazas y, alzándome por encima de la cabeza, me estampó contra el suelo. Reboté tres veces antes de quedar tirado allí, en medio de una nube de polvo, sin aliento e indescriptiblemente dolorido. La cabeza me daba vueltas; por entre las lágrimas que me nublaban la vista vi que Göran se aproximaba lentamente, con los puños apoyados en las caderas y una sonrisa triunfal en el rostro. Patéticamente, comencé a arrastrarme, igual que un gusano, intentando alejarme de aquel gorila rubicundo.

Entre sonoras risotadas, el paladín del Temple permitió que hiciera el ridículo un poco más y luego me propinó una bárbara patada que, aparte de poner a prueba la consistencia de mis costillas, me hizo rodar por el suelo un par de metros. Entonces, amigos míos, tiré la toalla. Me había quedado sin fuerzas, ya no podía hacer nada, salvo entregarme sin resistencia a lo que el destino y aquel animal quisieran hacer conmigo. Proferí un quejido, escupí un trozo de diente, abrí poco a poco los ojos... Y allí estaba, atribulados lectores, tirado en el suelo delante de mis narices: el dardo envenenado.

Sintiendo que la llama de la esperanza volvía a arder en mi interior, lo cogí apresuradamente..., y justo en ese momento, unas zarpas de acero me alzaron por el aire. Göran, sosteniéndome en vilo, me rodeó con sus brazos y comenzó a apretar con todas sus fuerzas, que eran realmente muchas. ¿Han oído alguna vez hablar del abrazo de un oso?, pues eso no es nada comparado con lo que me estaba haciendo aquel hotentote.

El aire escapó de mis pulmones igual que el jugo abandona una naranja exprimida y noté cómo mis costillas comenzaban a ceder, avanzando alegremente hacia la fractura múltiple. Me debatí con denuedo, intentando clavarle el dardo, pero sus brazos, llenos de músculos y tendones, eran un cepo de acero que me impedía realizar el menor movimiento, salvo los estrictamente necesarios para morirme.

Sintiendo que, literalmente, estaba a punto de reventar, contemplé el rostro de Göran; el muy bestia tenía los dientes encajados y las facciones contraídas por el esfuerzo, pero sus ojos ardían como los de un tigre a punto de merendarse a un cervatillo. A mis oídos, por detrás del acelerado latir de la sangre, escuché el griterío de los templarios animando a su paladín.

Como si aquel animal necesitara que le animasen, pensé.

Entonces, en un postrer acto de desesperación, reuní las escasas fuerzas que me quedaban, eché la cabeza hacia atrás y descargué con toda mi alma un cabezazo contra la nariz de Göran. Ah, tolerantes amigos, qué alegría sentí al notar cómo el cartílago se quebraba, con cuánto entusiasmo vi manar la sangre por las fosas nasales de aquel bruto. Al instante, noté que Göran aflojaba su abrazo y, sin dudar un segundo, le clavé el dardo.

Bueno, en realidad no pude clavárselo, sino tan sólo hacerle un rasguño en el costado, pues Göran, tras recibir el cabezazo y proferir un rugido de dolor, me sacudió un golpe que, una vez más, dio con mis baqueteados huesos en el suelo.

Yo, para qué negarlo, estaba hecho un asco: dolorido, jadeante y conmocionado. Pero Göran cometió un error: en vez de acabar conmigo de una vez por todas, se detuvo un momento para intentar enderezar su maltrecha nariz, circunstancia que aproveché para ponerme en pie y recobrarme un poco. Unos segundos más tarde, cuando el aturdimiento comenzó a disiparse, descubrí que, una vez más, había perdido el dardo, así que me puse a buscarlo, pero entonces escuché un alarido aterrador y vi de soslayo que Göran se abalanzaba de nuevo contra mí.

Eché a correr, amigos míos, como un conejo asustado, sólo que esta vez no lo hice en línea recta, sino a lo largo del círculo que formaban los templarios. La verdad es que debíamos de ofrecer una imagen muy ridícula, ahí, dando vueltas como un tiovivo; yo huyendo despavorido y Göran persiguiéndome con los ojos inyectados en sangre y la nariz tumefacta. Por desgracia, el agotamiento comenzó a hacer mella en mi maltrecho organismo; estaba exhausto, al límite de mis fuerzas, el pecho me ardía y mis pies eran de plomo. Volví la cabeza para ver dónde estaba Göran y comprobé con sorpresa que aquel salvaje, en vez de correr detrás de mí, caminaba vacilante, dando bandazos. ¡Los efectos del curare!, pensé, alborozado, al tiempo que frenaba mi carrera.

Göran dio un par de traspiés y se detuvo jadeante, con la mirada perdida, los brazos caídos y el rostro sumido en el estupor. Hilos de saliva le corrían por las comisuras de los labios, mezclándose con la sangre que le empapaba la barba. Su piel iba adquiriendo una tonalidad progresivamente violácea, le costaba respirar y se bamboleaba hacia delante y hacia atrás, como si fuera a caer en cualquier momento.

Pero no cayó. Al parecer, la dosis de curare que había logrado administrarle no bastaba para acabar con él, aunque sí para dejarle hecho una piltrafa. Al cabo de un larguísimo minuto, al comprender que aquel mamut no pensaba caer por sí mismo, me aproximé a él lentamente, con mucha precaución. Göran fijó en mí su extraviada mirada e intentó darme un puñetazo, aunque lo único que consiguió fue manotear blandamente el aire. Entonces, apreciados lectores, respiré hondo y descargué contra su mandíbula el más demoledor puñetazo que he propinado en mi vida.

Göran ni pestañeó.

Le aticé tres veces más, poniendo en cada golpe lo mejor de mí mismo, pero el maldito mastodonte siguió de pie, babeando impertérrito, y yo casi logré romperme la mano.

—¡¿Es que no te vas a caer nunca?! —grité, exasperado.

Como es natural, no me respondió; así que retrocedí unos pasos para tomar carrerilla, di tres rápidas zancadas y, como un jugador de balompié lanzando un penalti, le estampé a Göran una briosa patada en la entrepierna. Instantáneamente, el paladín del Temple desorbitó los ojos, formó con los labios un patético círculo, profirió un gemidito y se derrumbó cuan largo era.

Enjugué el sudor que me bañaba la frente con el dorso de la mano y dejé escapar un largo suspiro de alivio. Una quietud sepulcral reinaba en la plaza. Los templarios contemplaban estupefactos el inmóvil cuerpo de su paladín mientras que mi padre, Rasul, Yocasta y Kepler me miraban a mí con idéntica estupefacción. Los hermanos Reich, ajenos a todo, se fulminaban entre sí a base de miradas de odio. Me volví hacia el Gran Maestre, alcé los brazos y exclamé:

—¡He ganado! ¡Dios ha dictaminado que somos inocentes!

Helsingborg estaba demasiado atónito para responder y yo demasiado hecho polvo para regodearme con el triunfo, así que ninguno de los dos añadimos nada más. De pronto, tras un prolongado silencio, todo el mundo pareció reaccionar a la vez. Un grupo de templarios se aproximó a Göran, que yacía inconsciente en el suelo, para atenderle; otros comenzaron a hablar entre sí, supongo que comentando la pelea, aunque como lo hacían en latín no puedo asegurarlo. Mi padre corrió hacia mí y me dio un abrazo que, a causa del lamentable estado en que me encontraba, me hizo ver las estrellas.

Y es que, compasivos lectores, estaba fatal; jamás en mi vida me habían dolido tantas cosas a la vez. No obstante, pese al aturdimiento, advertí algo que me heló la sangre en las venas: Saint-Martin, el senescal, recorría con la mirada clavada en el suelo la zona donde había tenido lugar el combate, como si buscara algo. De pronto, se agachó para coger un pequeño objeto oblongo y lo contempló fijamente, primero con sorpresa y luego con indignación.

Era el dardo ponzoñoso.

Tan fúnebre como un verdugo, Saint-Martin se aproximó al Gran Maestre y, mostrándole el proyectil, le susurró algo al oído. Helsingborg cogió el dardo, lo miró, me miró a mí, volvió a mirar el dardo, me miró a mí de nuevo y musitó:

—Has empleado un ardid... —su rostro se contrajo de ira y agregó con voz tonante—: ¡Has envenenado a nuestro paladín!

¿Qué podía decir en mi descargo? Me habían pillado, no tenía sentido negar las evidencias y, además, estaba demasiado agotado y dolorido para intentar defenderme, así que mantuve la boca cerrada.

—Con tu abyecta artimaña —dijo entonces el Gran Maestre en tono admonitorio—, no sólo has ofendido al Temple, sino que también, y sobre todo, has injuriado a Dios. Por tanto, vuestro castigo será el más severo posible —se volvió hacia los soldados y ordenó en latín—: *Advenae in flammis comburentur, eos deprehendite.*

Al instante, los soldados se abalanzaron sobre nosotros y procedieron a inmovilizarnos.

—¿Qué ha dicho Helsingborg? —le pregunté a Yocasta mientras me ataban las manos a la espalda.

Mi negra sirvienta dejó escapar un suspiro y repuso:

—Que moriremos en la hoguera.

Entonces, aprovechando la confusión, Wolfgang von Reich, como un jaguar furioso, saltó sobre su hermano, le derribó, le agarró el cuello con ambas manos y, al tiempo que profería una sarta de insultos en alemán, comenzó a aporrear el suelo con su cabeza.

* * *

Los soldados se llevaron a los hermanos Reich al castillo y los encerraron en celdas separadas, para que no se mataran (o, mejor dicho, para que Wolfgang no matara a Lothar). Entre tanto, un grupo de diligentes peones clavó cinco postes en medio de la plaza y procedió después a amontonar en torno a ellos grandes pilas de leña. Cuando acabaron la tarea ya había anochecido, así que los caballeros templarios encendieron antorchas y formaron un semicírculo en torno al patíbulo. Mientras esto ocurría, los habitantes de la villa comenzaron a congregarse en la plaza para contemplar la ejecución.

Una vez concluidos los preparativos, los soldados nos ataron a los postes; a Kepler lo amarraron en el que estaba situado más a la izquierda, seguido de Rasul, Yocasta, mi padre y yo. Ninguno de nosotros intentó defenderse; ¿para qué, si no teníamos la menor posibilidad? Aunque bien es cierto que mi padre trató de persuadir al Gran Maestre de que era muy poco caritativo andar quemando a la gente, pero de nada le valieron sus mañas de embaucador. Helsingborg se mostró absolutamente indiferente a sus argumentos. En cuanto a mí, ya ni siquiera me quedaban fuerzas para protestar.

Tras atarnos a los postes, los soldados se situaron a ambos lados del patíbulo. Con aire ceremonioso, Helsingborg se adelantó unos pasos y lanzó un prolijo discurso en latín que yo ni siquiera me molesté en escuchar. Mi padre, que estaba situado justo a mi derecha, giró la cabeza hacia mí y me dijo en tono contrito:

—Lo siento mucho, Jaime, hijo mío. Esta vez la culpa es enteramente mía.

Sí, la culpa era suya; pero eso ya no tenía ninguna importancia, así que le dediqué una fatigada sonrisa y, en silencio, me encogí de hombros.

—Cuando murió el señor Bustamante —murmuró entonces Yocasta—, yo sabía que las cosas sólo podrían ir a peor, pero jamás imaginé que fueran a irme tan mal...

En ese instante, Helsingborg concluyó su alocución y se encaró con nosotros.

—La sentencia va a cumplirse —dijo—. Es el momento de que supliquéis perdón a Dios, pues vuestras almas están a punto de reunirse con Él para ser juzgadas. Recemos por tanto un padrenuestro.

El Gran Maestre, imitado por el resto de los templarios, hincó una rodilla en tierra y todos juntos comenzaron a desgranar una oración.

Pater noster, qui es in cælis: sanctificétur nomen tuum; advéniat regnum tuum; fiat volúntas tua sicut in cælo et in terra...

A lo largo de mi por aquel entonces aún corta vida, había padecido gran cantidad de percances y peligros: naufragios, secuestros, duelos, intentos de asesinato, linchamientos, avalanchas de rocas... No obstante, nada podía compararse con aquello, pues lo último que alguien espera es concluir sus días quemado por una panda de chalados empeñados en seguir viviendo en la Edad Media.

Panem nostrum cotidiánum da nobis hódie; et dimítte nobis débita nostra, sicut et nos dimíttimus debitóribus nostris...

De reojo, advertí que Kepler tenía una expresión extraña en el rostro, como si hubiera advertido algo inusual. Volvió la mirada hacia Rasul y le preguntó con un susurro:

—¿Los ha visto, señor Akbar?

Rasul, siempre inexpresivo, asintió con un cabeceo. ¿De qué demonios estaban hablando?...

...et ne nos indúcas in tentatiónem; sed líbera nos a malo. Amen...

Entonces, desolados amigos, sucedió lo inesperado: coincidiendo con el final de la oración, resonó un estampido y una estela de fuego rubricó la oscuridad de la noche, elevándose por encima de nuestras cabezas hasta convertirse en un intenso resplandor que trocó las tinieblas en claridad.

Era una bengala de magnesio.

Parpadeé, momentáneamente deslumbrado. Luego, cuando mis ojos se acostumbraron a la intensa luz, el fulgor de la bengala me permitió ver algo extraordinario: había un montón de hombres —cincuenta o sesenta en total— apostados en torno al perímetro de la plaza; algunos montaban a caballo y todos llevaban armas automáticas. Debía de ser la partida que nos seguía desde que cruzamos los Andes, pensé. Me había olvidado completamente de ellos...

—Estáis rodeados —gritó una voz—. Si tiráis las armas y os agrupáis pacíficamente en el centro de la plaza, no os pasará nada.

Un silencio basáltico siguió a aquellas palabras, al tiempo que la bengala caía a tierra y las tinieblas volvían a cernirse sobre nosotros. Sonó otro estampido y una nueva bengala destelló en las alturas. Y en ese preciso momento, como si el retorno de la luz fuera una señal acordada, los templarios desenvainaron sus espadas y, profiriendo gritos de guerra, se lanzaron en pos de los invasores.

El tabaleo de unas ametralladoras retumbó en la plaza como un redoble mortal y ardientes ráfagas de balas segaron las primeras filas de los caballeros. ¿Qué podía hacer un puñado de espadas y ballestas frente a un nutrido arsenal de modernas armas de fuego? Nada; fue una carnicería.

Los habitantes del poblado, hombres, mujeres y niños, echaron a correr despavoridos para buscar refugio en sus hogares, mientras que templarios y soldados intentaban avanzar hacia sus enemigos; en vano, pues o bien caían abatidos por las balas, o bien tropezaban con los cuerpos de sus camaradas muertos.

Tras unos segundos de sangre y confusión, la voz de Helsingborg se impuso al estrépito de las armas ordenando algo en latín. Al instante, los caballeros y los soldados que todavía permanecían en pie retrocedieron, arrojaron al suelo sus armas y alzaron los brazos en gesto de rendición. El tiroteo cesó.

Confieso que, en aquel momento, experimenté un amplio catálogo de emociones, algunas de ellas decididamente contrapuestas. De entrada, sorpresa; después, alegría por el inesperado aplazamiento de nuestra muerte, y temor a que me alcanzara alguna de las balas perdidas que silbaban a mi alrededor; pero también un profundo desagrado por aquella matanza.

No obstante, apenas tuve oportunidad de repasar mis sentimientos, porque de pronto sucedió algo que no me gustó ni un pelo. Cada vez que una bengala se consumía, los asaltantes lanzaban otra, con el objeto, supongo, de facilitar la puntería de sus tiradores; pues bien, resultó que una de esas bengalas fue a caer precisamente en la pila de madera sobre la que yo estaba. Cierto es que el magnesio apenas ardió un par de segundos antes de apagarse, pero ese tiempo bastó para prender la leña.

Después de todo, pensé con creciente consternación, iba a morir achicharrado. Mientras las llamas crecían me debatí como un poseso, intentado liberarme, pero las ligaduras eran demasiado fuertes. De reojo, vi que las fuerzas invasoras abandonaban el perímetro de la plaza y se dirigían al centro empuñando sus rifles.

—¡¿Alguien tendría la amabilidad de desatarme?! —grité.

No me hicieron ni caso. Al poco, las llamas comenzaron a acariciarme los tobillos.

—¡Maldita sea! —aullé—. ¡Que me estoy quemando!

Los asaltantes, sin prestarme la menor atención, agruparon a los templarios y, siempre apuntándolos con sus armas, formaron un amplio círculo a su alrededor. Entonces, un hombre a caballo, cuyas facciones, a causa de la oscuridad, no pude distinguir bien, se aproximó lentamente hasta detenerse frente a mí. El jinete bajó de la montura, apartó con el pie los troncos que ardían a mis pies y, tras dedicarme una cordial sonrisa, dijo:

—*Bonsoir, monsieur* Mercader. Es un placer volver a encontrarme con usted.

Sí, era Pierre Menard, el tratante francés de maquinaria agrícola.

Capítulo Once

Donde asistimos a los lamentables sucesos
que acontecieron en Baussant y se narra
cómo realicé un insospechado
descubrimiento

Los hombres de Menard, una partida de mercenarios tan malencarados como competentes, encerraron a los templarios en la iglesia y dejaron allí un destacamento de guardia para custodiarlos. Luego, mientras unos instalaban su centro de operaciones en la plaza, otros procedieron a distribuirse por los cuatro puntos cardinales de la villa para controlar las entradas y salidas. Unos cuantos pueblerinos, obligados bajo amenazas, comenzaron a trasladar los cadáveres de los templarios a una zanja situada en las afueras de la población. Más adelante supe que durante el escaso tiempo que duró el combate murieron treinta y dos hombres, y más de sesenta resultaron heridos.

En cuanto a nosotros, tras desatarnos, los asaltantes nos condujeron a una de las casas situadas frente a la iglesia y allí nos dejaron encerrados, bajo la atenta vigilancia de un tipo de expresión pétrea y torva mirada que en ningún momento dejó de apuntarnos con su rifle. Dado mi precario estado físico, me senté en un sillón e intenté acomodarme buscando la forma de que al menos alguna parte de mi anatomía no me doliese. Al poco rato, mi padre se aproximó a mí, me pasó un brazo por los hombros y, estrechándolos con afecto, preguntó:

—¿Qué tal te encuentras, hijo mío?

Me mordí los labios para no gritar de dolor y repuse:

—Bien, papá; pero contén la efusividad, por favor, porque no estoy para achuchones.

—Claro, claro; disculpa, Jaime, te dejo descansar.

Permanecimos en silencio..., no sé, quizá media hora; transcurrido ese tiempo, Menard entró en la choza, todo sonrisas y cordialidad.

—*Pardon, pardon, pardon...* —dijo—. Les he hecho esperar, lo siento. Es que hay *beaucoup de choses* por hacer, espero que lo comprendan... ¿Qué tal están? ¿Se encuentran bien?

—Sí, gracias a su feliz intervención —respondió mi padre—. Nos ha salvado la vida, caballero, y le estoy inmensamente agradecido; pero, disculpe la franqueza, no acabo de entender quién es usted ni, por así decirlo, qué pinta en todo esto.

Menard le dedicó una resplandeciente sonrisa.

—Usted debe de ser Fernando Mercader, el padre del joven Jaime, *n'est-ce pas?*

—Un momento —intervine—. ¿No me había dicho que conoció a mi padre en Panamá?

Los ojos de Menard me contemplaron con picardía.

—*Oui*, se lo dije —respondió—; *mais...*, *pas vrai*. Era mentira.

—¿Y en qué más me ha mentido? ¿Quién es usted, señor Menard?

Sin perder la sonrisa, el francés se acomodó en una silla y sacó una petaca de plata del bolsillo interior de la chaqueta.

—¿Quieren un poco? —ofreció—. Es auténtico coñac francés; *Napoleón* de 1871, una maravilla.

Nadie aceptó su ofrecimiento, así que Menard dio un traguito de la petaca y, tras paladear el licor como si fuera hidromiel, chasqueó la lengua y dijo:

—Me llamo Pierre Menard, eso es cierto, *mais...*, no me

dedico a vender maquinaria. En realidad, pertenezco a la *Sûreté Nationale*.

—¿A la qué?... —pregunté.

—La *Sûreté* es el servicio de seguridad de *mon* país. El primer cuerpo de policía del mundo —dijo con orgullo—, creado a comienzos del siglo pasado por el gran François Vidocq. También es, por supuesto, una central de espionaje y contraespionaje.

—¿Es usted un agente secreto?

—*Et bien, oui,* podríamos decirlo de ese modo.

—¿Y qué ha venido a hacer aquí?

Menard arqueó las cejas y extendió los brazos, como si la respuesta a mi pregunta fuera obvia.

—¿Pues qué va a ser, *mon ami*? He venido a recuperar lo que le robaron a Francia hace siglos.

—¿El Grial? —pregunté.

—Oh no, *mon Dieu!* El Grial sólo es una leyenda y lo que yo busco es muy real.

—Bueno, ¿y qué es? —insistí.

Menard me miró con perplejidad.

—¿De verdad que no lo sabe?

—No, ¡maldita sea!, no tengo ni idea.

Kepler, que permanecía tumbado en la cama con los ojos cerrados, abrió la boca y dijo:

—El tesoro del Temple.

—¿Tesoro? —parpadeé—. ¿Qué tesoro?

Menard dio un traguito de coñac antes de responder.

—Como quizá sepa, *cher ami,* antes de su disolución, la orden del Temple custodiaba el tesoro de Francia. Pues bien, durante la madrugada del trece de octubre de 1307, cuando los soldados del rey entraron en el Temple de París, descubrieron que el tesoro había desaparecido. *Pas d'or.* Se lo llevaron los nueve caballeros del *Secretum Templi,* así que eso es lo que he venido a buscar: el tesoro que los templarios le robaron a *la France.*

—¿Y es muy valioso ese tesoro? —pregunté.

Menard hizo un gesto vago.

—Nadie sabe con exactitud su valor, *mais* podemos estar

hablando de *cinq millions* de florines de oro en metales preciosos y joyas, como mínimo, lo que traducido a dinero moderno se convertiría en decenas de millones de francos.

—Pero ese dinero no era de Francia, sino del Temple —intervino Yocasta—. El rey se lo debía a la orden.

—*Peut-être, madame;* pero el Temple fue disuelto y sus bienes confiscados, así que *l'argent* pertenece legalmente a mi país.

Me rasqué la cabeza, pensativo.

—¿Quiere decir entonces —pregunté— que esa policía suya, la *Sûreté Nationale,* lleva seiscientos años buscando el tesoro?

Menard se echó a reír.

—*Oh non, cher ami!* —dijo—. No hace tanto tiempo que existe la *Sûreté.* Sin embargo, la desaparición del tesoro de Francia es un asunto de Estado, y los asuntos de Estado no prescriben *jamais.* El dossier del Temple llegó a manos de la *Sûreté* en 1845 e inmediatamente se comenzaron a aplicar métodos científicos a la búsqueda del tesoro. Dos años más tarde, nuestros agentes descubrieron en los archivos municipales de Helsingborg un manuscrito del siglo XIV donde se relataba la partida de Anker con dieciocho navíos rumbo a una lejana isla de ultramar llamada *Hy Brazil.* Poco después, al revisar la documentación incautada al Temple, salió a la luz la existencia de un capítulo oculto dentro de la orden, el *Secretum Templi,* y de ese modo, relacionando el manuscrito sueco con la sociedad secreta, se llegó a la conclusión de que Anker de Helsingborg había llevado el tesoro de Francia a América —hizo una pausa para dar otro sorbito de coñac y prosiguió—: Nuestros agentes en el nuevo mundo fueron alertados, *mais* durante décadas no hubo ni la menor noticia al respecto. Hasta que, hace menos de un año, *inespérément,* descubrimos que en Alemania había sido vendida una *antiquité* inca que mostraba uno de los emblemas del Temple, *le cheval avec deux chevaliers.* Por desgracia, iniciamos *plus tard* las pesquisas, pues *monsieur* Lothar von Reich ya había partido para América. No obstante, investigamos el origen de la piedra inca y rastreamos los pasos del barón von Reich, aunque *infortunément* perdimos su rastro en La Oroya.

—Entonces —apuntó Kepler, que seguía tumbado en la cama con los ojos cerrados—, decidieron espiarnos a nosotros.

—*Exactement* —asintió Menard—. Dado que *monsieur* Jaime Mercader pretendía encontrar a *son père* y *monsieur* Wolfgang von Reich a su hermano, pensamos que lo más prudente sería seguirles a distancia y ver hasta dónde lograban llegar. Sabia decisión, pues gracias a ustedes hemos encontrado *cet incroyable lieu* —dejó escapar un suspiro y concluyó—: Baussant..., qué sitio más extraño, *nes pas?*

—Realmente extraño —asintió mi padre—. Pero bueno, finalmente todo ha acabado. Así que, como ya no nos necesita para nada, supongo que podremos irnos cuando queramos.

El rostro del francés mostró una (exagerada) desolación.

—¡Oh, cuánto lo siento! Eso es imposible. Me temo que deberán permanecer aquí durante una temporada.

—¿Por qué? —protestó mi padre.

—Porque lo que el señor Menard pretende hacer es ilegal —intervino inesperadamente Rasul—. El tesoro del Temple, si existe, se encuentra en territorio peruano y, por tanto, pertenece legalmente al gobierno de Perú.

Menard esbozó una sonrisa traviesa, como un niño pillado en falta.

—*Monsieur* Akbar tiene razón —asintió—; aunque, en mi opinión, eso no es más que un tecnicismo *sans importance*. En cualquier caso, debemos ser prudentes y mantener este asunto dentro de la más estricta confidencialidad, *et pour tant* ustedes tendrán que ser nuestros huéspedes hasta que el tesoro salga del país.

—Querrá decir sus prisioneros —señaló Kepler, siempre con los ojos cerrados.

—¡Oh no, no, no! —exclamó Menard, consternado—. Mañana mismo a más tardar, en cuanto nos hayamos instalado debidamente, ustedes podrán deambular con entera libertad, aunque, *naturellement*, siempre sin sobrepasar los límites de la villa —dio un último sorbo de coñac, guardó la petaca en el bolsillo y se puso en pie—. Ahora, amigos míos, no tengo más remedio que dejarles, pues debo entrevistarme con ese extraño hombre, Anker de Helsingborg.

—¿Para interrogarle sobre el tesoro? —pregunté.

—*Effectivement* —asintió el francés.

Me sentía como si una apisonadora hubiera pasado repetidas veces por encima de mí, estaba exhausto y tenía todo el cuerpo tumefacto a causa de la paliza que me había propinado Göran; lo único que deseaba era tumbarme en un catre y dormir veinticuatro horas seguidas, pero la curiosidad, comprensivos lectores, acabó imponiendo su férrea dictadura.

—Disculpe, señor Menard —dije—; pero, dado que le hemos ayudado a llegar aquí, y que al parecer nos vamos a quedar un tiempo, lo justo sería que nos permitiese asistir al desenlace de la historia.

El francés se me quedó mirando con el ceño fruncido.

—*Et bien, pourquoi pas?* —resolvió finalmente con una sonrisa—. Si lo desean, *son père* y usted, Jaime, pueden acompañarme.

Y así fue, prudentes lectores, cómo mi padre y yo nos dirigimos al encuentro del legendario tesoro de la orden del Temple.

* * *

Gran parte de la iglesia estaba ocupada por los soldados y los caballeros heridos durante el combate. El galeno de la villa, un anciano de blanca barba, intentaba atender, con la ayuda de un grupo de mujeres, a los numerosos pacientes que yacían sobre el suelo del templo, pero eran demasiadas las víctimas y el lugar, más que un hospital improvisado, parecía una escena del Infierno de Dante. Mientras nos adentrábamos en la iglesia, los gritos de dolor se mezclaban con las quedas oraciones de los moribundos; el olor a sangre era tan intenso que tuve que tragar saliva varias veces para contener las arcadas.

Al fondo, los templarios que habían resultado ilesos se congregaban en torno al altar, sentados en el suelo o apoyados contra los muros con aire abatido. Menard, escoltado por seis de sus mercenarios, caminó hacia ellos y se detuvo al llegar a la altura del Gran Maestre.

—Usted es *monsieur* Helsingborg, *n'est-ce pas?*

El jefe de los templarios se cruzó de brazos y contempló al francés con altiva dignidad.

—Soy Anker de Helsingborg —dijo—, Maestre de la orden del Temple.

—*Ah, très bien;* pues yo soy Pierre Menard, representante plenipotenciario del gobierno francés, y debo informarle, *monsieur*, que desde hace quinientos noventa y ocho años existe una orden de detención contra ustedes.

—¿Para eso habéis venido aquí? —escupió, más que dijo, el Gran Maestre—. ¿Para eso habéis cubierto de sangre Baussant y habéis profanado este templo? ¿Para detenernos?

—Oh no, *monsieur,* no tengo la menor intención de arrestar a nadie. Y, créame, lamento mucho haber tenido que recurrir a la violencia, pues, como decía el gran Molière, *jamais par la force on n'entre dans un coeur* —se encogió de hombros—. Sin embargo, les dimos la oportunidad de rendirse y ustedes nos atacaron.

—Porque habíais invadido nuestras tierras.

—*Oui, c'est vrai.* Vinimos aquí sin ser invitados; *mais* por una buena razón, *monsieur*: restituir a Francia lo que le fue robado. Y ahora seamos razonables: ustedes no quieren que estemos aquí y nosotros no deseamos quedarnos ni un minuto más de lo estrictamente necesario, así que en cuanto me entreguen lo que he venido a buscar, nos iremos y les dejaremos en paz. *D'acord?*

Los labios de Helsingborg compusieron una sonrisa amarga.

—El tesoro del Temple —murmuró—. Así que es eso...

—*Oui, le trésor du roy Philip.* ¿Dónde está?

Helsingborg desvió la mirada y la paseó por los heridos que yacían en el otro extremo del templo. Tras un larguísimo silencio, cerró los ojos y asintió.

—De acuerdo —dijo—; os lo mostraré.

A continuación, se dirigió a la parte derecha del coro y presionó una de las piedras del muro con ambas manos. El sillar comenzó a hundirse y una puerta oculta se abrió poco a poco en la pared, mostrando una escalera que descendía hacia el subsuelo. Helsingborg cogió una antorcha y, sin decir nada, comenzó a bajar los peldaños. Menard le siguió, acompañado por uno de sus guardaespaldas —que llevaba un rifle en una mano y una linterna de queroseno en la otra—, y mi padre y yo fuimos tras ellos.

La escalera acababa desembocando en una cripta octogonal de unos veinte metros cuadrados. Al principio creí que el recinto estaba vacío, pero luego el resplandor de la tea me reveló que un relicario de madera dorada descansaba sobre un resalte del muro. Helsingborg se aproximó a él, lo abrió y señaló con un gesto lo que había en su interior: una copa de oro adornada con ocho rubíes. Menard se quedó mirando aquel objeto con las cejas levantadas.

—*Qu'est-ce que c'est ça?...* —preguntó.

—El tesoro del Temple —respondió Helsingborg—. La copa que contuvo la sangre de Nuestro Señor Jesucristo. El Santo Grial.

Menard cogió la copa de oro y la examinó bajo la luz de la linterna que portaba su guardaespaldas.

—Se trata de una broma, *N'est-ce pas?* —repuso con el ceño fruncido—. Esto es orfebrería medieval; un cáliz del siglo XI o XII y no el Grial. ¿Dónde está el resto del tesoro?

—No hay más —respondió Helsingborg—. Eso fue todo lo que mi antepasado Anker se llevó del Temple de París.

De repente, los ojos de Menard, por lo usual chispeantes de cordialidad, se transformaron en dos cuchillas de acero.

—No juegue conmigo, *monsieur* —dijo en un tono tan afilado que cortaba el aire—. Recuerde que si usted me lo pone difícil a mí, yo puedo ponérselo *très difficile* a usted. ¿Dónde está el tesoro?

—No hay más tesoro —replicó el Gran Maestre.

Hubo un silencio, tenso como la cuerda de un violín e igual de chirriante.

—*Très bien*, como quiera —dijo al fin Menard—. Ahora escúcheme con atención: le concedo ocho horas para reflexionar, *monsieur;* mañana al amanecer volveré a preguntarle por el tesoro y, si persiste en su negativa, no me quedará más remedio que interrogarle de forma mucho menos amable. Y si aun así no me revela el paradero del tesoro, *monsieur* Helsingborg, tenga por seguro que lo encontraré yo mismo, aunque para ello deba derribar cada casa de este insignificante pueblucho.

Dicho esto, Menard echó a andar escaleras arriba. Una vez en la iglesia, el francés, visiblemente contrariado, nos dijo a mi padre y a mí:

—*Lamentablement*, nuestra estancia en este lugar se va a prolongar algo más de lo previsto. Vuelvan con sus amigos, *s'il vous plait*.

Menard se alejó en dirección a la salida y uno de los mercenarios nos indicó con un gruñido que nos pusiéramos en marcha. Mientras cruzábamos la iglesia de regreso a la cabaña, mi padre sacudió la cabeza y murmuró:

—Esto no me gusta nada, Jaime, hijo mío. Nada de nada...

Tenía razón; a mí tampoco me gustaba.

* * *

Permanecimos en Baussant tres semanas más. Dado que Helsingborg siguió negando la existencia del tesoro, Menard puso en marcha una especie de proceso inquisitorial durante el que fueron interrogados tanto el Gran Maestre como el resto de los templarios. Aunque no asistí a ninguna de las sesiones, no me cabe duda de que los métodos empleados durante aquellos interrogatorios distaban mucho de ser civilizados. Al mismo tiempo, grupos de mercenarios batían la villa y los campos en busca del supuesto escondite donde supuestamente se ocultaba el supuesto tesoro.

Entre tanto, aproveché aquel largo período de inactividad para reponerme de mis múltiples contusiones. Milagrosamente, no me había roto ningún hueso, así que no tardé más de cuatro o cinco días en sentirme razonablemente en forma, si bien los moratones siguieron cubriendo mi epidermis durante varias semanas más.

Mientras me restablecía, mi padre me puso al tanto de los pormenores de su viaje. Me contó que, después de entrevistarse con Epifanio Palanque en El Callao, se dirigieron a Pucará siguiendo el mismo trayecto que nosotros recorrimos después. Tras descubrir el mapa de piedra en la ciudadela inca, Lothar von Reich les ofreció duplicar su salario a cambio de que le acompañaran a la Amazonia.

—Nunca debí aceptar su oferta —dijo mi padre con aire contrito—. Pero eran casi doscientos mil dólares, hijo mío, y jamás he visto tanto dinero junto...

Luego, me narró el encuentro con los kuitámin y la posterior huida por las selvas de Baussant hasta que las Sombras los capturaron, a él y al barón.

—Nos hubieran matado, de no ser porque Reich le dijo a Helsingborg que eran parientes. A pesar de ello, nos mantuvieron encerrados en una celda hasta que llegasteis vosotros.

A continuación, yo le conté todo lo que había sucedido durante su ausencia (bien, de acuerdo, todo, lo que se dice todo, no, pues tuve buen cuidado en no mencionar mi aventura con Guadalupe Altagracia ni el duelo con su marido). Cuando le informé de la muerte de Nathaniel Byron Smart, mi padre adoptó una expresión filosófica y comentó:

—Pobre Nathaniel, era un buen socio, aunque lo cierto es que como persona dejaba bastante que desear. En realidad, llevaba mucho tiempo buscándose que alguien lo matara —se encogió de hombros y concluyó—: Al final lo consiguió.

También hablé con Rasul, aunque esto nunca resultaba una tarea fácil, pues el circunspecto *Sirio* era como un avaro al que le cobraran por cada palabra que pronunciase. No obstante, me contó, si bien con mucha parquedad, cómo se las había ingeniado para reponerse del lanzazo recibido durante el ataque de los kuitámin y sobrevivir en la selva, así como su posterior decisión, una vez restablecido, de disfrazarse de demonio para mantener asustados y alejados a los indígenas hasta que yo llegase.

—¿Y cómo sabías que iba a venir a buscaros? —pregunté.

Las comisuras de los labios de Rasul se curvaron casi imperceptiblemente, dibujando lo más parecido a una sonrisa que podía producir su rostro.

—Porque te conozco, Jaime —respondió—, y sé que estás loco.

Entre tanto, Yocasta, siempre ávida de conocimientos, se dedicó a recorrer la villa interrogando a la gente acerca de su vida cotidiana. Los habitantes de Baussant, como es lógico, se mostraban muy reticentes a la hora de tratar con los forasteros, pero Yocasta contaba a su favor con el hecho de ser negra, pues los baussanitas (si es que podemos llamarlos así) jamás habían visto a una persona de color, lo cual, por pura curiosidad, contribuyó a difuminar sus reservas. De ese modo, mi negra sirvienta averiguó que Baussant contaba con casi dos mil habitantes, la mayor parte de ellos dedicados a la agricultura, la ganadería y la caza. También descubrió que, a causa de la constante mezcla de sangres con ascendencia común, había entre ellos muchos deficientes mentales y que sus costumbres eran tan endogámicas como sus genes.

—Son muy religiosos —nos dijo Yocasta— y han conservado todas las tradiciones y fiestas medievales. De hecho, viven exactamente igual que los europeos de hace seiscientos años, como si todavía se encontraran en plena Edad Media. Son increíblemente inocentes.

—Pues a mí no me parecieron tan inocentes la otra noche —repliqué—, cuando nos iban a quemar vivos.

—¿Y tú qué hubieras hecho en su lugar? Nosotros suponíamos un peligro para su seguridad y ellos sólo intentaban protegerse. O si no, fíjate en lo que están haciendo los hombres de Menard: registran los hogares, amenazan a la gente, arrasan los campos... Nuestra llegada aquí ha sido una catástrofe.

Bueno, tolerantes lectores, supongo que Yocasta tenía razón, pero jamás he simpatizado con quienes se empeñan en matarme y aquella gente había intentado acabar conmigo en demasiadas ocasiones como para ponerme de repente a sentir lástima por ellos.

En cualquier caso, aún quedaba por resolver el misterio de los hermanos Reich. Los mercenarios de Menard se habían visto obligados a mantenerlos aislados en diferentes celdas, porque en cuanto les quitaban la vista de encima, Wolfgang agredía a Lothar. Así pues, dos días más tarde nos reunimos con ellos en una de las salas del castillo para intentar averiguar las razones de aquel insólito comportamiento. Al principio, ambos se enzarzaron en una enconada discusión a gritos y en alemán, así que mi padre intentó poner orden.

—Por favor, caballeros —dijo—, guarden la compostura. Si hablan los dos a la vez será imposible aclararse. Veamos, barón, ¿cuál es el problema?

—Que mi hermano está loco —repuso Lothar—; ése es el problema.

—¡El loco lo serás tú, maldito bastardo! —bramó Wolfgang.

Y ambos comenzaron de nuevo a insultarse. Finalmente, tras denodados esfuerzos, mi padre consiguió que, al menos, se respetaran mutuamente el turno de palabra.

—La cuestión es que yo no soy Wolfgang —declaró Wolfgang—, sino Lothar —señaló a su hermano y agregó—: Él es Wolfgang.

—¡Eso es mentira! —vociferó Lothar.

—Un momento, un momento —les interrumpió mi padre, evitando que volvieran a discutir—. ¿Cómo que usted no es Wolfgang?

Wolfgang aspiró una bocanada de aire y la contuvo unos segundos en los pulmones, supongo que intentando refrenar la ira que ardía en su interior.

—Como es fácil comprobar, mi hermano y yo somos gemelos idénticos —dijo tras resoplar entre dientes—. Sin embargo, yo nací un minuto antes que él, razón por la cual soy el primogénito y, por tanto, el heredero de la familia. Y así era hasta que, al cumplir diecisiete años, fui vilmente traicionado —hizo una pausa y prosiguió—: Desde muy pequeños, mi hermano y yo jugábamos a intercambiar nuestras identidades: él decía ser Lothar y yo fingía ser Wolfgang. Nos divertía comprobar que ni siquiera nuestros padres eran capaces de diferenciarnos; un juego inocente que dejó de serlo el día de nuestro decimoséptimo cumpleaños. Aquella mañana, al despertarnos, Wolfgang me propuso que cambiáramos de nuevo los papeles; de ese modo, dijo, cada uno recibiría los regalos del otro. Me pareció divertido así que, sin considerar las consecuencias que pudiera tener aquello, acepté su propuesta y, como habíamos hecho tantas veces, intercambiamos nuestras identidades. Entonces, ese mismo día, mientras jugaba al bádminton con nuestro padre, mi hermano tropezó, cayó al suelo y se hizo una profunda herida en el mentón. Al principio, no me di cuenta de lo que eso significaba, pero luego, mientras nuestra madre atendía a mi hermano, comentó que aquella herida iba a dejarle una fea cicatriz, pero que, al menos, así resultaría posible distinguirnos al uno del otro, pues la cicatriz identificaría ya para siempre a Lothar —Wolfgang encajó la mandíbula y apretó los puños; parecía una olla a presión a punto de explotar—. Protesté, les dije a mis padres la verdad, que había sido una broma, que cada uno había fingido ser el otro, que en realidad yo era Lothar... Pero mi hermano, mi queridísimo hermano, lo negó todo y aseguró con absoluta desvergüenza que Lothar era él. Entonces lo comprendí: nada de aquello era casual. Mi hermano había planeado una sucia estratagema para suplantarme; su propuesta de intercambiar identidades, el fingido accidente, la providencial herida que le identificaba para siempre como Lothar, el heredero de los Reich, todo fríamente calculado para apropiarse de lo que me pertenecía por derecho, para robármelo todo, incluso la identidad.

—Eso es una sarta de embustes —repuso Lothar con glacial desdén—. Fue él quien intentó suplantarme a mí. Parecía haberse vuelto loco; estaba empeñado en asegurar que él era yo, y no dejaba de insultarme y agredirme. Su comportamiento se volvió tan violento y perturbado que nuestros padres se vieron obligados a enviarle a estudiar fuera de Alemania, a un internado inglés.

—Es cierto, me exiliaron... —masculló Wolfgang con amargura—. Los tenías bien engañados, maldito usurpador, como a todo el mundo. Conseguiste que me apartaran de la familia, ése fue tu mayor triunfo —se volvió hacia nosotros—. Luego, cuatro años más tarde, mientras me encontraba estudiando en Oxford, nuestros padres murieron en un accidente ferroviario y mi hermano se convirtió en el nuevo barón von Reich, heredero de todos los bienes familiares. Y así el fraude quedó definitivamente consumado.

—Me demandaste —replicó Lothar—, y el juez falló a mi favor. Yo soy el único y legítimo Lothar von Reich, y cuento con una resolución judicial que así lo atestigua.

—Porque no conseguí demostrar mi verdadera identidad, sucia sabandija —Wolfgang respiró hondo y expulsó el aire lentamente—. Al final no me quedó más remedio que resignarme —prosiguió—. Mi hermano había ganado y yo había perdido, no podía hacer nada por evitarlo. A fin de cuentas, mi padre me había dejado en herencia una renta mensual de por vida que me permitía vivir con comodidad, aunque sin lujos. Así que acepté lo inevitable. Entonces, de repente, hace un año, el dinero dejó de llegar. Cuando fui al banco, me informaron de que la cuenta carecía de fondos. Investigué las finanzas familiares y descubrí que el imbécil de mi hermano había conseguido arruinarnos, que en vez de atender debidamente los intereses familiares, había dilapidado la herencia, invirtiendo hasta el último marco en su estúpida afición a las antigüedades. Se lo había gastado todo, absolutamente todo, en estatuas mohosas, raídos pergaminos, viajes y expediciones —se encaró con mi padre y le preguntó—: ¿Cuánto dinero le ha prometido mi hermano a cambio de sus servicios?

—Ciento noventa mil dólares...

Wolfgang (¿o era Lothar?) profirió una seca carcajada.

—Pues lo mismo podría haberle ofrecido ciento noventa millones, porque mi hermano está sin un centavo. Ya puede ir despidiéndose del dinero.

Mi padre miró alternativamente a los Reich y le preguntó a Lothar:

—¿Es cierto eso?

Visiblemente azorado, el barón apartó la mirada.

—Bueno, últimamente he sufrido ciertos contratiempos financieros —aceptó—. Pero, por supuesto, pienso afrontar mis deudas.

—¡¿Cómo?! —aulló Wolfgang—. ¿De dónde narices piensas sacar el dinero, maldito imbécil?

—Del tesoro del Temple —repuso Lothar—. Y del Grial —irguió la cabeza con aire desafiante—. Lo que no puedes soportar es que al final se haya demostrado que yo tenía razón. Estaba convencido de que aún quedaban vestigios de la expedición de Anker de Helsingborg y aquí están, los he encontrado.

—¿Qué has encontrado, estúpido botarate? —le espetó Wolfgang, cada vez más irritado—. ¡Un miserable pueblucho habitado por paletos, eso es lo que has encontrado! ¡No hay ningún tesoro y el Grial es falso! ¡Todo esto es un fraude, igual que lo eres tú!

—Permítame una observación, Herr Reich —le interrumpió Kepler—: si su hermano está arruinado, usted también lo está, ¿no es cierto?

—Por supuesto —contestó Wolfgang—. El escaso dinero que me quedaba lo he empleado en venir aquí.

—¿Y cómo piensa pagarme?

Wolfgang arqueó las cejas, mostrando una momentánea confusión que no tardó en disipar con un gesto de desdén.

—Eso ahora carece de importancia —declaró.

Acto seguido, se volvió hacia su hermano y siguió increpándole con progresiva exaltación. Kepler, perplejo, se quedó mirándole hasta que, inopinadamente, se echó a reír.

—¡Qué hijos de puta! —exclamó entre carcajadas—. ¡Nos han engañado a todos!

Y nadie dijo nada más, pues en ese preciso instante, Wolfgang se arrojó sobre su hermano y, aferrándole por el cuello, comenzó a estrangularle. Así que no nos quedó más remedio que volver a encerrarlos en celdas separadas.

* * *

Los días transcurrieron con exasperante lentitud, sumergiéndonos en una monotonía que sólo se veía rota por las periódicas tormentas que se desataban sobre la Amazonia. Entre tanto, yo me restablecí definitivamente, Yocasta siguió investigando la historia y la vida de Baussant, Kepler pasó casi todo el tiempo durmiendo y Rasul se mantuvo aún más hierático, solitario y silencioso que de costumbre. En cuanto a mi padre, descubrir que no tenía la menor posibilidad de cobrar el dinero prometido por Reich le sumió en una profunda melancolía que le hacía vagar por la villa como un alma en pena, triste y cabizbajo; por fortuna, la optimista naturaleza de su carácter acabó por imponerse y, al cabo de unos días, volvió a ser el hombre animado y jovial que siempre había sido. A partir de entonces pasamos juntos la mayor parte del tiempo, jugando a las cartas, charlando, paseando o haciendo extravagantes planes para el futuro.

Apenas veíamos a Menard; el francés estaba muy ocupado

supervisando el interrogatorio de los templarios y la búsqueda del tesoro, pero cada vez se mostraba más adusto y reservado, lo cual no era de extrañar, pues los días pasaban y la fortuna del Temple seguía sin aparecer.

Una noche, diecinueve días después de la llegada de los mercenarios a Baussant, la iglesia ardió por los cuatro costados. Según oí decir, Menard había amenazado a Helsingborg con quemar el templo si no le revelaba de una vez por todas el paradero del tesoro y, como el Gran Maestre siguió manteniendo la boca cerrada, el francés cumplió el ultimátum.

Mientras veía enroscarse las inmensas llamas en torno a los muros, columnas y arbotantes de aquella extraña arquitectura gótico-tropical, sentí un regusto amargo en los labios, como si el fuego que devoraba el edificio ardiese, de algún modo, también en la boca de mi estómago. Recuerdo haber pensado que, a fin de cuentas, aquellos tipos, Anker y su gente, también habían quemado nuestra casa y nuestro negocio, pero ni siquiera eso me confortó, pues la venganza es un plato demasiado indigesto para mi gusto; además, como solía decir mi padre, la violencia no es más que el subproducto que se obtiene después de desconectar el cerebro.

Al día siguiente, muy temprano, Menard se presentó en nuestra cabaña para comunicarnos que el Gran Maestre quería hablar con nosotros.

—Si logran sonsacarle algo, *messieurs* —nos ofreció—, tendrán su parte del botín.

Cuando acudimos a la celda del castillo donde estaba encerrado Helsingborg, lo encontramos sentado en un banco, con los hombros caídos y la cabeza gacha. Tenía un labio partido, una ceja rota, el ojo derecho tumefacto y el rostro cubierto de contusiones. Aquello, pensé, sólo podía deberse a los «interrogatorios» de Menard.

Al vernos llegar, el Gran Maestre irguió la espalda y alzó dignamente la cabeza, contemplándonos como si, pese a estar sentado, nos mirara por encima del hombro. Tras un prolongadísimo silencio, comenzó a hablar a media voz, con gran serenidad.

—Quiero que escuchéis la historia de mi pueblo —dijo—:

Al cabo de tres meses de haber partido del puerto de Helsing-borg, después de hacer escala en Lisboa y las islas Canarias, los dieciocho barcos que componían la expedición de mi antepasado Anker llegaron a alguna de las islas del Caribe, ignoro cuál, y allí hicieron un alto para avituallarse y descansar de la larga travesía. Luego, cruzaron las aguas del golfo y alcanzaron las costas de lo que hoy es México. Mientras los colonos aguardaban en los barcos, un grupo de hermanos templarios comenzó a explorar el territorio. Descubrieron que allí habitaban diversas tribus, como los mexicas, los xochimilcas o los culhuas, diferentes culturas que luchaban constantemente entre sí. Los exploradores entraron en contacto con los mexicas y éstos, al ver a aquellos hombres barbudos, con armas de acero y montados a caballo, los tomaron por seres sobrenaturales y los acogieron hospitalariamente, permitiéndoles establecerse en su territorio. Allí residió la colonia durante once años. Pasado ese tiempo, en el año de Nuestro Señor de 1319, los culhuas atacaron a los mexicas y, tras derrotarlos, los esclavizaron. Por ello, la expedición templaria tuvo que regresar a los barcos y emprender la huida —se humedeció los labios con la lengua y prosiguió—: Durante su estancia en tierras de los mexicas, los caballeros templarios habían oído hablar de un inmenso océano situado al oeste del continente, así que mi antepasado Anker decidió poner rumbo sur con el objeto de encontrar un paso entre ambos mares. Pero tal paso no existe y la flotilla estuvo casi dos años recorriendo las costas atlánticas del centro y el sur de América. Finalmente, tras numerosos avatares, llegaron al Cabo de Hornos y prosiguieron hacia el Pacífico.

—¿Cruzaron el Estrecho de Magallanes? —musité, asombrado.

—Así es —repuso el Gran Maestre—; lo hicieron doscientos años antes de que los europeos llegaran allí. Por desgracia, una tormenta hundió cuatro de los barcos y dañó seriamente el resto de la flotilla. Tras reparar las naves, pusieron rumbo norte y abandonaron aquellas gélidas aguas. Dos meses después, alcanzaron las costas de lo que hoy es Chile y allí, en un lugar cercano a donde hoy está Antofagasta, se establecieron, fundando la primera Baussant. Al cabo de los años, Anker murió y su hijo, el segundo Anker, le sucedió en el mando. Y así, los descendientes de los primeros colonos sucedieron a sus padres, y a éstos, sus hijos, y la colonia prosperó durante ciento cincuenta años. Pero, entre tanto, una gran civilización florecía muy al norte, en el Valle del Cuzco; era el Imperio del Inca, aunque ellos preferían llamarse a sí mismos *Tahuantinsuyo*. Durante la segunda mitad del siglo XV, la expansión del imperio llegó hasta la colonia; los incas y el Temple entraron en contacto y los primeros se maravillaron al contemplar las armas y los caballos de los segundos. No obstante, el Imperio del Inca era muy belicoso; ya había sometido a las pacíficas tribus de la zona y la seguridad de Baussant peligraba. Entonces, Anker, el quinto de su linaje, ofreció a los incas ayudarles en su guerra contra los huancas a cambio de que respetaran la colonia. El gobernador inca aceptó y doscientos cincuenta templarios partieron a una lejana fortaleza situada en las faldas occidentales de los Andes.

—Pucará —dijo Yocasta.

Helsingborg asintió con un leve cabeceo.

—Durante ocho décadas —prosiguió—, los templarios lucharon al servicio del Inca. Pero, en el año de Nuestro Señor de 1530, las disputas dinásticas entre los príncipes Huascar y Atahualpa desencadenaron una guerra civil. Como Huascar controlaba el sur del imperio, donde se encontraba Baussant, el Temple tuvo que luchar a su lado; mas Atahualpa ganó la guerra y esa victoria puso una vez más en peligro a la colonia. Pero entonces, inesperadamente, llegaron alarmantes noticias procedentes del norte del imperio: unos misteriosos hombres blancos habían aparecido en Cajamarca, donde estaba acampado el ejército del emperador, y habían hecho prisionero a Atahualpa. Eran los españoles: Francisco de Pizarro y sus hombres —el Gran Maestre cerró los ojos y movió la cabeza de un lado a otro—. Ése era el principal peligro del que advertían las crónicas que escribieron nuestros antepasados: si los europeos llegaban al nuevo continente, los colonos debían huir y esconderse en el lugar más recóndito e inaccesible que pudieran encontrar. Así pues, el Temple se reunió en concilio y tomó la decisión de abandonar las tierras del Inca antes de que llegaran los europeos. Mas, ¿adónde ir?... Uno de los caballeros, Galand de Orleans, recordó haber oído decir a los indígenas que al norte de Pucará, más allá de las montañas, se extendía una enorme e impenetrable floresta. Nuestros antepasados pensaron que el corazón de una selva sería un buen lugar donde ocultarse, de modo que una partida de veinte caballeros se dirigió a Pucará, que por aquel entonces ya estaba abandonada, y luego al norte con el objeto de explorar el terreno y encontrar un sitio donde poder asentarse. Meses después, los exploradores regresaron e informaron al Gran Maestre de que la única manera de llegar a aquel inmenso bosque era siguiendo el curso de los ríos. Así dio comienzo un largo y terrible éxodo para la colonia. Por aquel entonces, los habitantes de Baussant rondaban las tres mil almas; se dividió la población en cuatro grupos que viajarían escalonadamente y se fijó el punto de reunión en Pucará. En el caso de que alguno de los grupos se retrasase, los demás continuarían el viaje, pero dejarían en la ciudadela las indicaciones necesarias para llegar al destino final.

—El mapa de piedra —observó Yocasta.

—Sí, el mapa de piedra. Un mes más tarde, los colonos prendieron fuego a la primera Baussant para así no dejar rastro de su presencia e iniciaron la peregrinación. Primero, cruzaron las montañas; después, al llegar a los ríos, construyeron decenas de balsas y navegaron corriente arriba, internándose en la selva. Fue un periplo duro y peligroso; tanto, que al concluir el éxodo, sólo habían sobrevivido poco más de mil personas. Dos de cada tres colonos murieron en el camino y, en concreto, el último grupo que partió de Baussant jamás llegó a su meta; nunca hemos sabido qué fue de ellos. En cuanto a los supervivientes, después de catorce meses de viaje llegaron a este lugar, donde encontraron a una tribu de salvajes, los antepasados de los kuitámin, que los acogieron con deferencia, pues una vez más confundieron a los colonos con seres sobrenaturales. También encontraron una cantera de piedra, aunque por desgracia acabaría agotándose antes de poder concluir la iglesia y el castillo. Así pues, en el año de Nuestro Señor de 1535, el Temple fundó su segunda colonia, la nueva Baussant, y aquí, en el corazón de esta selva, hemos vivido tranquilos y en paz durante los últimos trescientos cincuenta años. Hasta que llegasteis vosotros —Helsingborg nos contempló en silencio durante unos segundos—. Supongo que os preguntaréis por qué he contado esto; pues bien, lo he hecho para que seáis conscientes de lo dura que ha sido nuestra existencia. Hemos padecido guerras, persecuciones, plagas, enfermedades y toda clase de catástrofes antes de encontrar la tranquilidad y el aislamiento que esta selva nos ha brindado. Y todo ello, tanta lucha y esfuerzo, se ha desvanecido en un instante por vuestra culpa —clavó los ojos en Yocasta y prosiguió—: Tú, negra, asegurabas que no nos perseguían, que nadie pretendía hacernos daño; pues mira lo que está pasando. De nuevo el Temple se enfrenta a juicios injustos, otra vez padecemos persecución y tortura. Supongo que no tardaré en seguir la suerte de Jacobo de Molay y pronto me veréis arder en la hoguera.

—¿La misma clase de hoguera a la que usted nos condenó? —terció Kepler en tono burlón.

Helsingborg titubeó.

—Invadisteis nuestro territorio —objetó—. Teníamos derecho a defendernos.

—No insista —le interrumpió el alemán—, porque no va a conseguir conmoverme. En esta historia nadie es inocente, de acuerdo; pero el menos inocente de todos es usted. ¿Acaso no tiene engañados a esos pobres salvajes, los kuitámin, para que les protejan las fronteras? O quizá prefiera que hablemos de toda la gente que han matado para proteger el secreto de su maldita colonia; eso por no mencionar los innumerables intentos de asesinato que hemos sufrido —sacudió la cabeza—. No, amigo, pierde el tiempo si intenta que nos sintamos culpables, porque, al menos en lo que a mí respecta, me importa un bledo lo que les pase. Se lo tienen bien merecido.

Kepler se levantó del banco donde estaba sentado. Aunque ya se había quitado las tablillas que le aprisionaban la pierna, aún necesitaba apoyarse en el bastón para caminar, así que cojeó directamente hacia la puerta; pero, antes de salir, se volvió hacia el Gran Maestre y agregó:

—De todas formas, voy a darle un consejo: si quiere acabar con sus problemas de una vez por todas, será mejor que le entregue el tesoro a Menard.

—No hay ningún tesoro —sentenció Helsingborg.

Kepler se encogió de hombros.

—Como quiera —dijo.

Y abandonó la celda, dejando tras de sí un profundo silencio. Al parecer, Helsingborg ya había dicho todo lo que tenía que decirnos.

—Si logramos encontrar este sitio —intervino de repente Yocasta—, fue gracias al mapa de piedra. ¿Por qué no lo destruyeron?

—Al principio —respondió el Gran Maestre—, porque el mapa debía guiar al cuarto grupo, el que fatalmente se perdió, en su viaje hacia la nueva Baussant. Luego, cuando la expedición de Lothar von Reich llegó aquí, los kuitámin intentaron dar con el mapa para destruirlo, pero lo buscaron en el interior de la ciudadela y, al parecer, se encontraba en una cueva situada en el exterior. Desgraciadamente, vosotros lo encontrasteis antes que ellos.

Un nuevo silencio siguió a sus palabras.

—Aunque nunca hubiéramos venido —dijo Yocasta tras un suspiro—, tarde o temprano otros los habrían hecho. El mundo es cada día más pequeño, señor Helsingborg, y cada vez quedan menos sitios donde poder ocultarse.

Yocasta esbozó una sonrisa un poco triste, se levantó y salió de la celda; a continuación, mi padre, Rasul y yo seguimos sus pasos, dejando a Anker de Helsingborg, Gran Maestre del Temple, solo, pensativo y taciturno.

* * *

Cuando le comunicamos a Menard que Helsingborg seguía negando la existencia del tesoro, el francés se llevó un gran disgusto, lo cual demostraba cuán desesperado estaba. De hecho, como descubrimos poco después, nosotros habíamos sido su última baza. En efecto, al día siguiente, después de comer, los mercenarios comenzaron a levantar el campamento.

—Partiremos en tres horas —nos comunicó Menard con aire sombrío—. Pasaremos la noche en el poblado kuitámin y mañana nos dirigiremos al río para regresar a Iquitos.

—¿Han encontrado el tesoro? —preguntó mi padre.

Menard exhaló un resignado suspiro.

—Me temo que *il n'y a pas de trésor*. Los interrogatorios han resultado infructuosos y mis hombres, tras escudriñar palmo a palmo este horrible lugar, no han encontrado nada. Al parecer, Helsingborg dice la verdad: no hay tesoro —el francés volvió a suspirar y luego, recuperando su afable sonrisa, agregó—. Pero, como decía el gran Dumas, *à tous les maux, il est deux remèdes: le temps et le silence*. Si el tesoro del rey Felipe no se encuentra aquí, eso quiere decir que estará en otro lugar, así que sólo es cuestión de tiempo que la *Sûreté* acabe encontrándolo —dio una palmada y se frotó las manos con renovado optimismo—. *Et bien, mes amis*, como les he dicho, nos iremos dentro de tres horas. En el caso de que deseen acompañarnos de regreso a la civilización, les ruego que estén preparados para entonces.

¿Que si queríamos regresar a la civilización? Por supuesto, aunque fuera acompañados por el mismísimo Satanás. Así que, a las cuatro y media de la tarde en punto, iniciamos el regreso al poblado kuitámin. Menard marchaba en cabeza, montando un caballo negro y rodeado por otros seis jinetes que, al parecer, componían su guardia personal. Los seguían a pie los mercenarios y en último término íbamos nosotros. Como Kepler aún se desplazaba con dificultad, mi padre y yo nos turnábamos para ayudarle a caminar; entre tanto, Rasul vigilaba a los hermanos Reich para evitar que se matasen entre sí.

Cuando dejamos atrás los lindes de la villa, volví la cabeza y contemplé por última vez aquellas inauditas construcciones medievales erigidas en mitad del trópico. Y recuerdo haber pensado que todo lo ocurrido durante los últimos meses, desde la cadena de crímenes e incendios que se había desatado en Cartagena hasta nuestra llegada a Baussant, pasando por la travesía de los Andes y la visita a la ciudadela inca, todo aquello, insisto, parecía más un sueño que la vida real.

Al atardecer, cruzamos el arco del *Yákat Akásmatkamu* y

poco después llegamos al poblado kuitámin. Lo que allí encontramos me dejó horrorizado; la mayor parte de las chozas había ardido y por doquier se distinguían señales de lucha y destrucción. Aparte del retén de diez hombres que Menard había dejado en ese lugar para vigilar su retaguardia, sólo quedaban en la aldea unos cuantos ancianos que se ocultaban atemorizados entre las ruinas. Jebedías Líbano se encontraba en un extremo del poblado, sentado sobre una piedra con aire abatido, así que me aproximé a él y le pregunté:

—¿Qué ha pasado, profesor?

El hombrecillo me miró con ojos opacos.

—Hace tres semanas aparecieron esos hombres —respondió, señalando con un vago ademán a los mercenarios—. Atacaron de improviso e incendiaron el poblado.

—¿Dónde están los kuitámin?

—Murieron muchos guerreros. El resto de la tribu, hombres, mujeres y niños, huyó a la selva. Supongo que allí estarán ocultos hasta que esos diablos se vayan —Líbano dejó caer la cabeza y agregó sin mirarme—. Todos creen que estoy loco, y quién sabe, quizá tengan razón. Pero ahora me pregunto quién está más loco: alguien como yo —señaló las ruinas del poblado—, o los que hicieron esto...

Nunca le había visto comportarse tan cuerdamente, ni decir cosas tan razonables; era como si aquella desgracia le hubiese devuelto la lucidez. Sin decir nada —¿qué podía decirle?—, regresé al lugar donde se encontraba el resto de la expedición. Poco después, Kepler encontró nuestro equipaje en la choza del jefe Untúru y nuestras armas ocultas en la de Kujancham, el cabecilla de los guerreros. Menard torció el gesto al vernos armados, pero debió de considerar que no éramos una amenaza para él, pues no dijo nada al respecto.

La noche ya había caído cuando los mercenarios acabaron de instalar el campamento. Mientras cenábamos —tasajo y pan ácimo—, me senté en el suelo, apoyé la espalda contra el tronco de un árbol y perdí la mirada en las llamas de la hoguera. Durante unos minutos no pensé nada en concreto y permití que mi mente divagara evocando los acontecimientos pasados.

Entonces, de pronto, cuando estaba a punto de hincarle el

diente a una lonja de carne seca, comprendí que en aquella historia había algo que no encajaba. Dejé el plato de estaño en el suelo y, mientras contemplaba, sin fijarme en lo que veía, cómo las hormigas se abalanzaban sobre mi comida, reflexioné largamente; pero lo que no encajaba siguió sin encajar. Me incorporé y caminé hasta donde se encontraba el agente secreto francés.

—Disculpe, señor Menard —le pregunté—, ¿sus hombres no encontraron nada de oro en Baussant?

—Ni un gramo, por desgracia —respondió—. *Seulement* esa copa que nos mostró Helsingborg, *le faux Grial...*

—¿Y archivos? Me refiero a libros, rollos o algo así.

—No, ningún archivo —Menard me miró con repentina suspicacia—. *Pour quoi, mon ami?*

—Por nada, por nada. Simple curiosidad.

Regresé a mi lugar y me senté de nuevo. La comida del plato se había convertido en una hirviente masa de bichitos asquerosos, pero no me importó, pues en lugar de hambre lo que en aquel momento sentía era perplejidad. El profesor Líbano nos había contado que, periódicamente, las Sombras les daban oro a los kuitámin para adquirir ciertas mercancías en Iquitos. Por tanto, en algún lugar tenía que haber oro. Por otro lado, la última vez que hablamos con Helsingborg, el Gran Maestre mencionó unas crónicas que habían escrito sus antepasados. Así pues, en algún lugar debían de estar esas crónicas...

Poco a poco, los hombres de Menard, salvo los que hacían guardia, se fueron retirando a sus tiendas. Mi padre y Yocasta no tardaron en imitarlos; Kepler llevaba más de una hora durmiendo y Rasul estaba tumbado en una hamaca, siempre vigilando a los hermanos Reich. Al cabo de un rato, yo también me retiré a mi tienda, pero no podía dejar de darle vueltas a la cabeza, así que no logré conciliar el sueño. En el fondo, me sentía como una rata en un laberinto buscando denodadamente un trocito de queso que ni siquiera sabía si existía.

Mi padre solía decir que los problemas no son más que una cuestión de óptica, pues sólo parecen irresolubles si los contemplas de la forma equivocada; así que comencé a examinar la cuestión desde diversos puntos de vista. El problema, me dije, consistía en un oro y unos libros que debían de estar en algún sitio, pero no estaban. Ese problema, reflexioné, tenía que ver con Baussant y con los herederos del Temple.

—Y con los kuitámin... —murmuré.

Luego, silabeando muy despacio, repetí:

—Kui-tá-min...

¿Qué había dicho Lázaro que significaba esa palabra?...

Me incorporé tan bruscamente que conseguí atizarme un buen golpe en la cabeza contra el palo transversal de la tienda. Mascullando un rosario de maldiciones, me calcé las botas sin detenerme siquiera a comprobar si había algún engendro venenoso en su interior. Salí a toda prisa de la tienda, corrí hacia la cabaña donde dormía Líbano y le desperté sacudiéndole por los hombros.

—¿Qué-pasa-qué-sucede-qué-ocurre?... —exclamó el hombrecillo, guiñando los ojos tan rápido que a punto estuvieron de desprendérsele las retinas.

—Todo va bien, profesor —le tranquilicé—. Sólo quiero hacerle una pregunta: ¿qué significa «kuitámin»? ¿«Guardián»?

Líbano me fulminó con la mirada.

—Oiga, joven, ¿cree que éstas son horas para preguntarme tonterías?

—No es una tontería, profesor; de hecho, es muy importante. ¿«Kuitámin» significa «guardián»?

Líbano masculló algo ininteligible y respondió:

—Bueno, más o menos, sí, sí, sí... Aunque, personalmente, yo lo traduciría por «custodio».

—¿Custodio?...

—Eso es lo que he dicho, diantre. ¿Acaso hablo en chino?

—¿Y qué custodian los kuitámin? ¿Bosán?

—No, no, no, de ninguna manera —Líbano sacudió la cabeza en medio de un torbellino de pelos grasientos—. Para los kuitámin, Bosán es un mundo mágico situado en una especie de realidad paralela, claro que sí, por supuesto, qué duda cabe; y no necesita ser custodiado, menuda idea más tonta, porque las Sombras ya se ocupan de eso.

—Entonces, ¿qué demonios custodian los kuitámin?

—¿Pues qué va a ser, joven? El enclave más sagrado de la tribu, el lugar donde se encuentran con las Sombras, el *Yákat Akásmatkamu*, claro que sí.

Me quedé mirándole de hito en hito, tan sorprendido que fui incapaz de articular palabra.

—¿Por qué pone esa cara de tonto, joven? —me espetó Líbano, malhumorado—. ¿Y a qué vienen todas estas preguntas?

Tragué saliva y compuse una boba sonrisa.

—Disculpe que le haya despertado, profesor —dije—. Le dejo en paz, siga durmiendo. Buenas noches.

Abandoné la cabaña y, sumido en turbulentas reflexiones, eché a andar lentamente de regreso a mi tienda, pero a mitad de camino cambié de idea. Cogí una linterna de queroseno, la encendí y me encaminé hacia el sendero que conducía al *Yákat Akásmatkamu*. Uno de los mercenarios que estaban de guardia me preguntó adónde iba; le contesté que necesitaba urgentemente aliviar el vientre y el tipo, comprensivo con las debilidades humanas, me permitió pasar sin más reparos.

Apenas tardé diez minutos en recorrer el sendero. Pese a la oscuridad de la noche, los amenazadores ruidos de la selva y el incontrovertible hecho de que los kuitámin rondaban cerca, ocultos en la espesura, lo cierto es que no experimenté ningún temor durante el trayecto (de hecho, ni siquiera tomé la precaución de coger un arma), pues mis pensamientos se centraban al cien por cien en una pequeña teoría que acababa de pergeñar y cuya comprobación pretendía llevar a cabo en aquel preciso momento.

Cuando llegué al *Yákat Akásmatkamu*, me detuve en el centro del claro e, iluminado por la lechosa claridad de la luna, miré a mi alrededor. Allí no había nada, salvo el sendero que llevaba al poblado kuitámin y, en el extremo opuesto, el camino que conducía a Baussant. Y, claro, también estaba el pórtico de piedra.

Me aproximé a la construcción y la examiné alumbrándola con la linterna. El arco se alzaba unos cinco metros por encima del suelo; sin embargo, pese a su considerable altura, las pilastras que lo sustentaban se me antojaron demasiado grandes, pues debían de medir bastante más de un metro de anchura. Inspeccioné la columna de la derecha, pero no encontré en ella nada extraño, así que procedí a hacer lo mismo con la de la izquierda, en cuya cara frontal tampoco descubrí ninguna anomalía. No obstante, la parte trasera se hallaba oculta por las ramas de unos arbustos, de modo que me deslicé entre el follaje y escudriñé cuidadosamente la superficie posterior de la pilastra.

Tardé un poco en darme cuenta, pero al final lo descubrí. Las junturas entre las piedras estaban cubiertas de verdín, salvo por una línea que recorría la pilastra formando un amplio rectángulo vertical, como si las piedras se hubiesen movido recientemente. También había un cuadrado libre de verdín en la parte superior, así que, recordando el modo en que Helsingborg había abierto la cripta de la iglesia, dejé la linterna en el suelo y presioné con ambas manos sobre el sillar cuadrado.

Poco a poco, la piedra cedió y, conforme lo hacía, una abertura rectangular se fue abriendo en la cara trasera de la columna. Con el corazón palpitándome como un motor de bencina sobrealimentado, cogí de nuevo la linterna y dirigí el haz de luz hacia el hueco que acababa de desplegarse ante mis atónitos ojos...

Y en el interior de aquella columna hueca, expectantes lectores, vi una estrecha escalera de caracol que se adentraba profundamente en el suelo de la selva.

* * *

Huelga señalar que no es precisamente la prudencia el factor determinante de mi personalidad, y que si algo me caracteriza es cierta propensión a meter las narices allí donde nadie me llama. Así pues, no es de extrañar que no dudara ni un instante en atravesar —si bien a duras penas, pues era muy angosta— la abertura que se había abierto en la pilastra.

La escalera de caracol era sumamente estrecha, de modo que tuve que bajar de lado y un tanto encogido. Descendí..., no sé, alrededor de cinco o seis metros y acabé desembocando en una pequeña cámara, al fondo de la cual había una puerta de madera sellada mediante una gruesa cerradura de hierro; tan simple y primitiva, por otra parte, que sólo tardé unos segundos en forzarla. Al otro lado de la puerta se extendía una cripta octogonal de techo abovedado y muros de piedra. Estaba tan oscura que apenas podía distinguir sus dimensiones, pero, a juzgar por el eco que levantaron mis pasos mientras me adentraba en ella, debía de ser muy grande. El aire olía intensamente a moho y humedad.

La luz de la linterna me desveló que en el centro del recinto había un candelero lleno de velas. Prendí un fósforo y comencé a encenderlas. Conforme lo hacía, el creciente resplandor de los cirios fue imponiéndose poco a poco a aquellas tinieblas subterráneas, permitiéndome distinguir lo que me rodeaba.

La cripta estaba llena, atestada, abarrotada de arcones y cajas de madera, y las paredes cubiertas por largos anaqueles, en algunos de cuyos estantes vi libros y rollos de pergamino; pero, ay, amigos míos, la inmensa mayor parte de las repisas se hallaban repletas de tesoros. Copas, candelabros, búcaros, estatuillas, bandejas, crucifijos, toda suerte de objetos de oro se alineaban como trofeos en una sala de exposiciones.

Abrí el arcón que tenía más a mano y comprobé que estaba lleno hasta arriba de monedas de oro, igual que lo estaban las tres siguientes cajas que examiné. La quinta contenía diamantes, la sexta rubíes y la séptima un montón de joyas finamente labradas. Dejé de abrir arcones y miré en derredor. Allí había centenares de cajas, pensé, anonadado, y en cada caja una fortuna.

Había encontrado el tesoro del Temple.

Era rico.

Asquerosamente rico.

Exhalé una bocanada de aire y, de pronto, experimenté una explosión de alegría tan intensa que a punto estuve de desvanecerme. Fue algo muy similar a un trance místico; creo incluso, aunque no podría jurarlo, que durante unos segundos llegué a levitar un par de palmos por encima del suelo.

Respiré hondo varias veces para intentar contener los ríos

de adrenalina que amenazaban con desbordar mis venas. Ladeé la cabeza y, entonces, por pura casualidad, lo vi; era un relicario de madera dorada, muy similar al que se encontraba en la cripta de la iglesia. Al igual que aquél, estaba situado sobre un resalte del muro, como presidiendo el recinto.

Me aproximé al relicario y lo abrí. Al principio, cuando vislumbré lo que contenía, me pareció que se trataba de un simple cáliz, pero luego, al fijarme mejor, comprendí que estaba equivocado. En realidad, era un viejo cuenco de barro engarzado a un pie de oro, sin adornos ni pedrería. Extendí la mano y lo rocé con la yema de los dedos; e, ignoro por qué, al tocar aquella superficie áspera y resquebrajada, sentí en la piel una especie de descarga eléctrica. Por desgracia, no pude meditar mucho sobre aquel fenómeno, pues de repente una voz dijo (dándome de paso un susto de muerte):

—La copa de un humilde carpintero, un sencillo tazón de barro.

Di un bote que, probablemente, batió alguna marca gimnástica, me giré en redondo y exclamé:

—¡Helsingborg!...

Porque, en efecto, allí estaba el Gran Maestre y, junto a él, Saint-Martin, su senescal, mirándome con aire torvo mientras mantenía una mano amenazadoramente cerrada en torno al pomo de su espada.

—Esto ha sido una casualidad... —balbucí, buscando desesperadamente algún argumento capaz de salvarme la piel—. No pretendía fisgar, se lo juro, sólo pasaba por aquí y... bueno, encontré este sitio... Pero no he visto nada, de verdad, puede fiarse de mi palabra... Y si he visto algo, seguro que se me olvida, porque...

—En el fondo tienes suerte —me interrumpió Helsingborg—, pues has logrado contemplar el Grial antes de morir.

—¿Morir? —protesté—. Vamos, vamos, no hace falta llegar a esos extremos. Podemos hablarlo civilizadamente, ¿no le parece?...

—¿Conoces la historia del Grial? —prosiguió el Gran Maestre sin hacerme el menor caso—. Estuvo perdido durante diez siglos; o al menos eso se creía. Pero doce años después de la conquista de los Santos Lugares, en 1111, el caballero cruzado Hugo de Payns descubrió la existencia en Jerusalén de una secta secreta de maronitas; es decir, seguidores árabes de las enseñanzas de Cristo que habían mantenido ocultas sus creencias y sus prácticas para evitar el castigo del Islam. Los maronitas, aquella secta en concreto, conservaban desde hacía siglos la reliquia más sagrada de la cristiandad, el cuenco que usó Jesús durante la Última Cena, y se lo entregaron a Payns con el objeto de que lo conservase y protegiese. Por eso se fundó la orden del Temple, para custodiar el Grial, y tal es la misión que hemos venido desempeñando los templarios desde entonces.

No era preciso conocerle mucho para darse cuenta de que Helsingborg tenía una melodramática tendencia a soltar discursos a la primera de cambio. A decir verdad, en aquel momento apenas le hice caso, pues bastantes problemas tenía yo como para encandilarme con una conferencia sobre arqueología bíblica; y menos atención le presté cuando vi que, a sus espaldas, un hombre entraba sigilosamente en la cripta.

—Una historia apasionante, Helsingborg —dijo el recién llegado.

El Gran Maestre y su senescal se giraron en redondo y contemplaron atónitos a Oskar Kepler, que a su vez los contemplaba a ellos con la mano izquierda apoyada en su bastón de puño plateado y la derecha empuñando una carabina Winchester. Saint-Martin comenzó a desenvainar su espada, pero Helsingborg le contuvo con un gesto.

—Puedes matarnos si quieres —le dijo el Gran Maestre al alemán—, mas será inútil, pues nunca saldréis vivos de aquí.

—¿Lo dice por los tres soldados que se ocultan fuera? —preguntó Kepler con fingida inocencia—. Yo que usted no contaría con su ayuda, porque en este preciso instante se encuentran atados, amordazados e inconscientes.

Helsingborg palideció y sus hombros cayeron unos centímetros. Por primera vez advertí que la solemnidad de su rostro se desvanecía para dar paso a una abatida expresión de derrota.

—¿Cómo ha llegado aquí, Oskar? —pregunté.

—Le vi hablando con Menard y con el profesor Líbano, y luego le vi dirigirse al *Yákat Akásmatkamu*. Tuve un presentimiento y decidí seguirle.

Supongo, fieles lectores, que más de uno estará pensando que la historia de mi vida es una sucesión de momentos en los que estoy a punto de morir, pero finalmente aparece alguien y me salva. Y es cierto, no voy a negarlo; mas no debemos olvidar que poseo un innegable talento para meterme en líos, pero no tanto para salir de ellos sin ayuda.

—Así que éste es el famoso tesoro... —comentó Kepler, paseando la mirada por el oro, las piedras preciosas y las joyas que se amontonaban en los arcones que yo había abierto.

—Pertenece al Temple —dijo Helsingborg en tono casi suplicante—, y no podéis imaginar siquiera cuánto sufrimiento y esfuerzo ha requerido su preservación...

—Vamos, vamos —le interrumpió el alemán—, ¿otra vez recurriendo a la compasión? —chasqueó la lengua—. Ya le he dicho que no me da lástima, Helsingborg. Si no hubieran intentado matarnos, nada de esto habría ocurrido.

El Gran Maestre y Saint-Martin intercambiaron una afligida mirada y guardaron silencio. Kepler se aproximó entonces al arcón que contenía los diamantes, cogió un puñado, los sopesó y luego los dejó caer lentamente, convirtiéndolos durante un instante en una lluvia de luz. De pronto, inesperadamente, se echó a reír, y así siguió durante un buen rato, riéndose a carcajadas con los ojos bañados en lágrimas.

—¿Qué pasa? —pregunté.

Kepler se enjugó las lágrimas con el dorso de la mano y exhaló un largo suspiro.

—¿Cuánto cree que vale todo esto, Jaime? —preguntó.

—No lo sé. Una barbaridad.

—Suficiente como para vivir diez vidas con todo lujo —Kepler volvió a reír, sacudió la cabeza y concluyó—: Pero no podemos llevárnoslo.

Arqueé las cejas, confundido.

—¿Por qué?

—Porque no hay forma de hacerlo sin que se entere Menard. Y si Menard se entera, se quedará el tesoro.

Me quedé mudo. No había pensado en eso; de hecho, concentrado como estaba en revolcarme en la codicia, no había pensado absolutamente nada. Pero era penosamente cierto: resultaba imposible trasladar el tesoro sin que Menard lo descubriese.

Un descorazonador silencio invadió la cripta. Kepler se sentó sobre uno de los cajones y reflexionó durante unos segundos; luego, dedicándole al Gran Maestre una deslumbrante sonrisa, dijo:

—Bueno, Helsingborg, creo que ha llegado el momento de que usted y yo hablemos largo y tendido...

* * *

Los hombres de Menard levantaron el campamento una hora antes del amanecer. Yo no había dormido casi nada, así que tardé un buen rato, y cuatro tazas de café, en despejarme. Después, tras plegar la tienda y empaquetar mi escaso equipaje, fui en busca de Líbano y le dije:

—¿Está preparado, profesor? Partiremos enseguida.

El hombrecillo me dirigió una mirada huidiza y desgranó un vertiginoso rosario de guiños y muecas.

—La verdad..., bueno, qué quiere que le diga... —balbució—. Me parece que no iré con ustedes, no, no, no, claro que no iré. Me quedo aquí, por supuesto.

—¿Se queda? —pregunté, estupefacto.

—¿Ya estamos sordos otra vez? Creo haber dicho claramente, y con buena pronunciación, que me quedo, ¿no es así, joven?

—Pero ¿por qué?

Líbano recorrió todo su repertorio de aspavientos, muecas y mohínes antes de contestar.

—Porque me he acostumbrado a vivir aquí, sí, sí, sí... —dijo—. Echaría de menos esta selva si me fuese, la añoraría, claro que la añoraría. Y los kuitámin me necesitan ahora más que nunca, por supuesto. Pero es que además... —se me quedó mirando con una expresión soñadora y preguntó—: ¿Ha estado en Bosán?

Asentí.

—¿Y cómo es?

—Un pueblo medieval. En realidad, se llama Baussant.

—¡Igual que el estandarte del Temple! —los ojillos de Líbano se iluminaron—. Entonces, allí viven los..., los...

—Los descendientes de los templarios, sí.

—¡Qué increíble! Vaya, vaya, vaya... Algún día tendré que ir allí, claro que sí, seguro que lo haré. Y, dígame joven, ¿lo tienen?

—¿El qué?

—Pues qué va a ser, hombre: el Grial. ¿Tienen el Grial en su poder?

—Eso creen ellos.

—Pero, ¿usted lo ha visto?

Medité unos instantes la respuesta. ¿Acaso el cuenco de barro que vi en la cripta era el auténtico Grial, si es que existía un Grial auténtico? No tenía ni idea, aunque lo más probable es que fuera una falsificación. Sin embargo, aún recordaba el extraño sobresalto que experimenté al rozarlo con los dedos...

—Sí, lo he visto —contesté.

—¿Cómo es?

—Un viejo cuenco de barro.

Líbano perdió la mirada, maravillado.

—Un cuenco de barro... —musitó—. Claro, claro, es lógico... Cielo santo, cómo me gustaría verlo, sí, sí, sí, me encantaría.

Los hombres de Menard habían comenzado a agruparse para iniciar la marcha. Desde la distancia, mi padre me llamó agitando un brazo.

—Tengo que irme, profesor. ¿De verdad no quiere regresar con nosotros a la civilización?

Líbano clavó en mí una mirada repentinamente cuerda.

—¿La civilización? —dijo—. ¿En serio cree que el lugar adonde se dirigen puede llamarse «civilizado»? —cacareó una risita—. Los kuitámin son unos bárbaros, sí, pero al menos son bárbaros inocentes. Sin embargo, en el mundo exterior... Verá, joven, alguien dijo que la civilización no acaba con la barbarie, sino que la perfecciona. Bueno, pues así es el mundo al que van, un mundo de perfectos bárbaros —hizo una mueca, guiñó alternativamente los ojos y concluyó—: Me quedo, claro que sí, por supuesto, qué duda cabe. Y usted, joven, váyase de una vez. Vamos, márchese, adiós, adiós, adiós...

Tardamos día y medio en recorrer el *jínta-wakán*, el sendero fantasma, esta vez en sentido opuesto a Baussant. Llegamos al río a mediodía; allí, anclados frente a la playa fluvial, nos aguardaban doce lanchones de vapor. Recuerdo haber pensado en la considerable fortuna que debía de haberse gastado Menard para equipar aquella expedición; y todo para nada, me dije con íntimo regocijo.

El viaje de vuelta por el río Mamón fue más rápido que el de ida, pues nos desplazábamos en embarcaciones de motor y, además, teníamos la corriente a favor, así que sólo tardamos dos días y medio en llegar a Iquitos. Aunque, realmente, no llegamos a Iquitos; o, mejor dicho, no llegamos todos juntos ni de la misma manera. A media tarde del tercer día de navegación, ya en las aguas del Amazonas, el lanchón que nos transportaba, y en el que también viajaba Menard, aminoró la marcha, se desvió a estribor y encalló suavemente en la orilla.

—*Et bien, messieurs* —nos dijo Menard, después de que uno de sus hombres tendiera una pasarela por la borda—; ha llegado el momento de las despedidas —señaló un sendero que corría paralelo a la orilla—. Si siguen ese camino, llegarán a Iquitos en tres horas como mucho.

—¿Por qué no continuamos el viaje con ustedes? —pregunté.

—Es mejor que no nos vean desembarcar juntos —respondió el francés, sonriente—. Como decía el gran Napoleón Bonaparte, *il faut laver son linge sale en famille*.

Menard se echó a reír. Al poco, la risa cesó bruscamente y sus ojos se tornaron fríos y distantes.

—Escúchenme con atención —dijo—: nada de lo sucedido en Baussant ha ocurrido realmente. De hecho, Baussant no existe *et pour tant* ninguno de nosotros ha estado allí jamás. Por lo demás, ustedes y yo no nos conocemos. ¿Está claro? —recuperó la sonrisa y agregó—: *Très bien, messieurs*, de acuerdo entonces; *et maintenant, au revoir...*

Bajamos a tierra y, mientras los lanchones se alejaban río arriba, nosotros iniciamos la caminata. Tardamos dos horas y media en recorrer el sendero; durante el trayecto, apenas intercambiamos palabra, salvo los hermanos Reich, que no paraban de discutir e insultarse en alemán.

Cuando, al anochecer, llegamos a Iquitos, ya no había rastro de Menard y sus hombres, pero eso era de esperar. Mientras nos encaminábamos al hotel Roma —el mismo donde nos habíamos alojado la primera vez que llegamos a la ciudad—, nos cruzamos con varias personas que estaban al tanto de nuestro viaje al corazón de la selva. Todos ellos nos contemplaron con asombro, como si fuéramos fantasmas, y más de uno se dirigió a nosotros para preguntarnos cómo habíamos logrado sobrevivir, pero estábamos demasiado agotados para contestar.

Todo lo que queríamos —al menos, todo lo que yo deseaba— era descansar tranquilamente, así que fuimos directos al hotel, nos inscribimos y, sin cenar siquiera, nos retiramos a nuestras habitaciones. Yo me derrumbé en la cama —la primera cama que veía desde hacía más de un mes— y me quedé instantáneamente dormido, dispuesto a no moverme de allí durante veinticuatro horas seguidas.

Por desgracia, el estrépito de unos disparos me despertó a primera hora de la mañana.

* * *

El primer disparo hizo que me incorporara bruscamente en la cama. Al oír el segundo —que sonó alarmantemente cercano—, salté del lecho y corrí a abrir la puerta para ver qué ocurría. En ese preciso momento, uno de los Reich (¿Lothar?) pasó a la carrera por delante de mí y bajó a toda prisa la escalera que conducía a la recepción. Al cabo de un instante, apareció el otro (¿Wolfgang?) armado con un revólver y persiguiendo al primero. Unos segundos después, ambos desaparecieron de vista.

Corrí a la ventana más cercana y vi a través de los cristales cómo Lothar —si es que era Lothar— salía al exterior, saltaba encima de un caballo que se hallaba amarrado frente al establecimiento (y que, como es lógico, no era suyo) y partía a galope tendido. Instantes después, Wolfgang —si es que era Wolfgang— salió del hotel, robó otro caballo y partió en pos de su hermano al tiempo que le disparaba repetidas veces, si bien con escasa puntería. Entonces me di cuenta de que Rasul se encontraba a mi lado, contemplando la escena con aire indiferente.

—¿Qué ha pasado? —pregunté.

—Uno de los Reich ha conseguido un revólver e intenta matar al otro —respondió.

—Eso ya lo veo. ¿No tenías que vigilarlos?

—Si quieren matarse, que se maten —respondió Rasul, regresando tranquilamente a su habitación—. No es asunto mío.

Miré de nuevo a través de la ventana; los dos jinetes se perdían en lontananza, en medio del polvo que levantaban los cascos de sus monturas. Los disparos sonaban cada vez más lejanos.

Ésa fue la última vez que vi a los hermanos Lothar y Wolfgang von Reich.

Capítulo Doce

Donde, a modo de epílogo, se cuenta
cómo regresamos a Cartagena de Indias
y, finalmente, asistimos al último
e inesperado incidente de esta, por lo
demás, extraña historia

Ese mismo día, el siguiente a nuestra llegada a Iquitos, iniciamos el regreso a Colombia. Como no tengo la menor intención, pacientes lectores, de aburrir a nadie relatando de nuevo un largo viaje, me limitaré a señalar que nos embarcamos en un vapor fluvial, llamado *Tigrillo,* que se dirigía primero al sur, siguiendo el trazado del Amazonas, para continuar luego hacia el oeste por el Marañón. Tras cruzar toda la selva peruana, alcanzamos las estribaciones de los Andes y llegamos a la región de Bagua, donde nos vimos obligados a desembarcar, pues a partir de ahí las aguas del río ya no eran navegables.

Atravesamos las montañas a caballo, siguiendo el camino que conducía a Chamaya, Pomahuaca y Olmos, para luego dirigirnos hacia el sur, bordeando el desierto de Sechura, hasta llegar a Chiclayo, el segundo puerto marítimo de Perú, donde nos embarcamos en el *Salaverry*, un vapor de la *Pacific Mail*

Line cuyo destino era Panamá. En total, el viaje de regreso nos llevó treinta y seis días.

Por fortuna, nada desagradable ocurrió durante ese tiempo. El paisaje de la selva acaba por tornarse fastidioso de puro verde y, después de tantos meses de viaje, hasta las montañas pierden su belleza para convertirse en lo que realmente son: un maldito obstáculo que hay que sortear con esfuerzo y sudor. Como solía decir mi padre, la madre naturaleza es una clara demostración de que cuando Dios creó el mundo lo tuvo en cuenta todo menos la comodidad.

Durante el trayecto, primero a bordo del *Tigrillo* y luego en el *Salaverry,* mi padre y yo nos entretuvimos jugando amigables partidas de póquer con los demás pasajeros, lo cual nos permitió matar el aburrimiento y, de paso, incrementar un poco el volumen de nuestra escuálida bolsa. A Kepler apenas le veíamos, pues pasaba la mayor parte del tiempo en su camarote, durmiendo, y Yocasta se tiraba todo el día en la cubierta, enfrascada en sus libros y escribiendo Dios sabe qué en una libreta. En cuanto a Rasul..., bueno, lo cierto es que Rasul estaba muy raro. Ya, ya sé que, por naturaleza, era reservado y taciturno, pero es que, desde que nos reencontramos en Baussant, qué demonios, parecía haberse vuelto mudo.

Un atardecer, mientras navegábamos por el Marañón entre Puerto América y Ayar Manco, le encontré en la proa del barco, acodado en la barandilla, con la mirada perdida en el horizonte.

—¿Qué te pasa, Rasul? —le pregunté—. Últimamente pareces un zombi.

Rasul tardó muchísimo en contestar y cuando finalmente lo hizo fue para soltarme el discurso más largo que jamás le había oído pronunciar.

—Cuando los kuitámin me hirieron en la selva —dijo—, estuve a punto de morir y, aunque otras veces me he enfrentado a la muerte, aquella ocasión fue distinta. Perdí mucha sangre, estaba débil y la herida se infectó. Recordé que los indios usan moho de las cuevas para desinfectar las heridas y eso hice. El moho me salvó la vida, pero durante dos días y dos noches la fiebre me hizo delirar. A lo largo de esas cuarenta y ocho horas, Jaime, me enfrenté a mis demonios, vi lo que había en mi interior y no me gustó lo que encontré.

—Venga, hombre —dije, intentando animarle—; sólo eran alucinaciones.

—Estaba oculto en una cueva, como un animal —prosiguió él sin prestarme atención—, temblando de fiebre, y me pregunté por qué el destino había decidido que muriese en aquella selva tan distinta a los desiertos de mi país. Y sólo encontré una respuesta: por dinero, iba a morir allí por dinero...

—El dinero es una razón tan buena como cualquier otra —observé—, y mejor que muchas.

Rasul negó lentamente con la cabeza.

—Vale la pena morir por honor —dijo—, o por amor, o por odio, pero no por dinero. Eso es... vulgar —exhaló un largo suspiro—. Creo que llevo tanto tiempo viviendo entre occidentales que me estoy volviendo como vosotros.

—Pero en realidad no perseguías el dinero por el dinero en sí —objeté—. Eso lo hago yo; tú querías una granja y el dinero sólo era el medio para conseguirla.

—Sí, una granja... —Rasul se encogió de hombros—. Qué estupidez.

—¿Ya no quieres una granja?

—Las personas como yo no echamos raíces, Jaime.

Rasul extravió de nuevo la mirada y no volvió a pronunciar palabra.

Vaya por Dios, pensé; ahora resultaba que, después de tantos líos, *El Sirio* no quería una granja. Qué voluble se estaba volviendo nuestro misterioso guerrero oriental.

* * *

Cuando finalmente llegamos a Panamá, al poco de desembarcar en el puerto, Kepler nos comunicó que no regresaría a Cartagena con nosotros.

—Voy a quedarme aquí —dijo—. Ahora que la construcción del canal se ha reanudado, Panamá ofrece muchas oportunidades.

Kepler se despidió de nosotros allí mismo, en el muelle, primero estrechándole la mano a mi padre y después a Rasul. Cuando llegó el turno de Yocasta, el alemán le dijo:

—Ha sido un honor conocerla, señora Massemba. Es usted la persona más inteligente que he conocido, un orgullo para su raza.

Creo que si hubiera podido sonrojarse, mi negra sirvienta se habría puesto roja como un tomate. Farfulló un torpe agradecimiento y, por segunda vez en su existencia, no supo qué decir. Kepler se volvió entonces hacia mí y, con un apretón de manos, me dijo:

—Adiós, Jaime. Viajar con usted ha sido cualquier cosa menos aburrido.

—Hasta la vista, Oskar —repuse—. Y muchas gracias por todas las veces que me ha salvado la vida.

—Sólo estaba cumpliendo con mi trabajo. Aunque debo reconocer que los conflictos siempre le rodean, Jaime.

—Es un imán para los problemas —comentó Rasul con aire ausente.

—¡Eh, que esta vez no me los he buscado yo! —protesté.

—Tiene razón —intervino mi padre—. La culpa ha sido enteramente mía, me dejé cegar por la ambición —suspiró—. Y al final, después de todo, no hemos sacado nada, pues ninguno de nosotros va a cobrar el dinero que nos prometieron los Reich.

—Sí, nos engañaron —asintió Kepler—. Pero, según reza cierto refrán español, no hay mal que por bien no venga, de modo que no me extrañaría que al final, de un modo u otro, obtengamos alguna clase de recompensa —cogió su equipaje y se lo cargó sobre el hombro—. *Auf Wiedersehen*, amigos. Espero que tengan un buen viaje de regreso.

Dicho esto, se dio la vuelta y, con una leve cojera, comenzó a alejarse en dirección a la ciudad al tiempo que hacía repicar la contera de su bastón-estoque contra el suelo. Entonces pensé que no volveríamos a vernos, pero me equivoqué, pues en el futuro nuestros caminos se cruzarían de nuevo. Pero eso, amigos míos, es otra historia.

Después de un rápido refrigerio, tomamos el tren que conducía a Colón, lugar donde adquirimos cuatro pasajes para el

San Jacinto, un vapor con destino a Cartagena de Indias. El buque soltó amarras a las seis de la tarde y, dejando atrás una blanca estela de humo, comenzó a internarse en las aguas, entonces calmadas, del Caribe. Mientras Panamá se perdía en la distancia, di un paseo por la cubierta y vi que Yocasta estaba sentada en una tumbona, escribiendo en su libreta. Me aproximé a ella y le pregunté:

—¿Qué haces?

—Escribir, amito Jaime —contestó sin levantar ni la vista ni la pluma del papel.

De acuerdo, una pregunta idiota se merecía una respuesta idiota.

—¿Y qué escribes?

Yocasta concluyó la frase que había comenzado a redactar y dejó la pluma en el brazo de la tumbona, junto al tintero.

—Sería una pena que se perdieran todos los conocimientos que he adquirido en Baussant —respondió—. Por ejemplo, como recuerdas, Helsingborg nos contó que los mexicas confundieron a los templarios con dioses y, como bien sabes, los mexicas fueron los antepasados de los aztecas. Pues bien, cuando Hernán Cortés llegó a México, los aztecas creyeron que era Quetzalcóatl, un dios barbudo y de piel clara que, según sus leyendas, les había visitado en el pasado. ¿Y sabes lo que creo?, que la leyenda de Quetzalcóatl es un recuerdo remoto y deformado del encuentro de los mexicas con los templarios —sonrió con suficiencia y concluyó—: Cosas así son las que estoy poniendo por escrito.

—¿Vas a publicar un libro? —pregunté en tono burlón.

Se encogió de hombros.

—Sólo soy una pobre negra inculta, amo Jaime —dijo con petulante modestia—. Pero sé escribir y también sé algunas cosas que nadie más sabe, de modo que sí, quizá publique un libro. O puede que pienses que la oscuridad de mi piel es un reflejo de la oscuridad de mi intelecto. ¿Crees que una negra no está capacitada para escribir un libro, amito Jaime?

Touché. No, no pensaba nada de eso; pero tampoco tenía ganas de entablar (y perder) un debate dialéctico con Yocasta, así que opté por escabullirme.

—Seguro que será un gran libro —dije—. Bueno, no te molesto más...

Comencé a alejarme, pero ella me contuvo.

—Espera, Jaime, no te vayas. Hace tiempo que quería hablar contigo. Anda, siéntate un momento a mi lado.

Me acomodé en una tumbona contigua a la suya.

—¿Sabes? —prosiguió Yocasta tras un largo silencio—, ésta ha sido la primera vez que he salido de Colombia. De hecho, creo que nunca me había alejado más de cien kilómetros de Cartagena. Todo lo que sé acerca del mundo lo he aprendido en los libros. La verdad es que la mayor parte de mi vida la he invertido en leer, primero para el señor Bustamante y después para mí. He leído muchos libros, sí, pero he vivido muy poco —suspiró—. Al principio, cuando comencé a trabajar para ti, pensé que eras un insensato. Y lo sigo pensando, por supuesto, pero antes creía que nada de lo que hacías tenía sentido. Siempre estabas metiéndote en líos, cayendo en un error tras otro, emprendiendo proyectos absurdos y embarcándote en las más locas aventuras. Demasiada acción y muy poca reflexión, pensaba yo; y, lo reconozco, no dejaba de contemplar con cierto desdén tu forma de comportarte —hizo una pausa—. Pero ahora que he viajado contigo —prosiguió—, me he dado cuenta de lo equivocada que estaba. Tu vida es divertidísima, Jaime.

Me la quedé mirando asombrado, incapaz de creer lo que estaba oyendo.

—¿Quieres decir que te has divertido? —pregunté.

—Jamás me lo había pasado tan bien.

—Pero si nos hemos deslomado viajando. Y hemos estado a punto de morir no sé cuántas veces. ¡Nos iban a freír en una hoguera, demonios, como si fuéramos pinchos morunos!

—Ya lo sé, Jaime; pero ha valido la pena. He comprendido que tú vives la vida apurándola sorbo a sorbo, disfrutando de cada momento como si fuera el último. Y eso es magnífico.

Me quedé mudo. ¿Qué podía decirle? Yo no disfrutaba con el riesgo y la aventura; lo único que le pedía a la vida era un poco de dinero —bueno, un poco no: mucho—, una buena partida de cartas y entrelazar el talle de alguna dama hermosa. Los líos, las peleas, los disparos, los viajes a lugares remotos, los duelos, los enigmas y las persecuciones, nada de eso era premeditado, sino las indeseadas consecuencias que se abatían sobre mí a causa de mi desmedido amor por el dinero, los naipes y las mujeres. Pero no me gustaba viajar, ni las peleas, ni el riesgo, ni los conflictos, y el hecho de que mi vida corriese peligro era algo que, sencillamente, me ponía enfermo. No obstante, Yocasta parecía tan encantada con su romántica aventura que desengañarla hubiera sido un acto de crueldad.

—Sí —acepté con escasa convicción—; mi vida es fantástica.

Yocasta posó la mirada en el horizonte, allí donde el sol, convertido en un disco rojizo, estaba a punto de ocultarse tras las cada vez más lejanas costas de Panamá.

—Algún día, Jaime —dijo con aire soñador—, dejaré de leer sobre el mundo y lo veré con mis propios ojos...

En fin, fervientes lectores, yo guardaba un secreto, sabía algo que Yocasta ignoraba, pero no se lo iba a decir. No, aún tendría que esperar un poco más. Me despedí de ella y me encaminé al camarote que compartía con mi padre y con una ruidosa familia de cubanos. Veinte horas más tarde, después de meses de ausencia, llegamos al puerto de Cartagena de Indias. Podría decirse que regresábamos al hogar, pero lo cierto es que nuestro hogar, y con él todo lo que poseíamos, había sido pasto de las llamas.

Decididamente, amigos míos, mi vida era fantástica...

* * *

Lo primero que hicimos fue ir al Banco de Cartagena y sacar todo el dinero que teníamos guardado. No era mucho, poco más de novecientos dólares, pero de momento esa cantidad debería servirnos para solventar nuestras necesidades más perentorias, entre las que se encontraba en primer lugar la vivienda.

A última hora de la mañana, encontramos y alquilamos una pequeña casa situada en la calle de Tumbamuertos, en el barrio de San Diego. Se trataba de una construcción de dos plantas, con muros de adobe encalado y techumbre de teja; no era precisamente el colmo del lujo, pero, aunque las paredes necesitaban con urgencia un par de manos de pintura y los muebles parecían un restaurante de termitas, de momento tendríamos que conformarnos con que ése fuera nuestro hogar. En cualquier caso, tuvimos que abonar por adelantado un par de mensualidades, lo cual mermó aún más nuestro ya escaso peculio.

Mientras mi padre, Rasul y yo deshacíamos el equipaje y ocupábamos las habitaciones, Yocasta preparó unas arepas acompañadas de arroz con coco y frijoles. Después de comer, cuando nuestra negra criada sirvió el café, mi padre le pidió que se quedase, pues tenía algo que comunicarnos a todos.

—Yo también quiero deciros una cosa... —intervine.

—Después, hijo mío, después —me interrumpió mi padre; y, tras aclararse la voz con un carraspeo, prosiguió—: Como sabéis, pues lo he manifestado en repetidas ocasiones, asumo toda la responsabilidad sobre lo sucedido durante los últimos meses. De no haber aceptado la proposición del barón von Reich, nada de esto habría sucedido, pero la codicia me poseyó y ello nos ha causado graves quebraderos de cabeza, pues no sólo hemos estado a punto de morir, sino que además nos encontramos en la ruina económica.

—Papá...

—Tras meditarlo largo y tendido —prosiguió mi padre sin hacerme caso—, he llegado a la conclusión de que el auténtico problema, la causa de todos nuestros desvelos, reside en que mis actividades, por qué no reconocerlo, siempre han estado muy próximas a lo delictivo. A fin de cuentas, la empresa que fundé con el difunto Smart se dedicaba al contrabando de antigüedades y así fue como se cruzó en nuestras vidas esa maldita piedra inca. Pues bien, deseo comunicaros que he decidido reformarme.

—¿Me dejas hablar un momento, papá?

—Espera a que acabe, Jaime, no seas pesado... Como iba diciendo, a partir de ahora seré un hombre enteramente honrado. Se acabaron las estafas, el contrabando y el juego; nada de apuestas ilegales, ni combates de boxeo, ni ninguna otra clase de actividad que no esté amparada por las leyes...

—Papá, había un tesoro.

—Desde hoy, todos mis esfuerzos estarán dedicados al trabajo honesto... —mi padre se interrumpió bruscamente y me miró de hito en hito—. ¿Qué has dicho, Jaime, hijo mío?

—Que en Baussant había un tesoro. Y yo lo encontré.

A continuación, procedí a contarles cómo había descubierto la cripta oculta en el *Yákat Akásmatkamu* y les describí el portentoso tesoro que había en su interior. Luego, narré la aparición de Helsingborg y Saint-Martin y la posterior entrada en escena de Kepler.

—El problema era que no podíamos llevarnos el tesoro sin que Menard se enterase, así que Oskar le hizo una propuesta a Helsingborg. Le dijo que si revelábamos el escondite del tesoro, Menard nos daría una recompensa. Sin embargo, añadió, a él le daba igual que dicha recompensa procediese del francés o del Gran Maestre.

—¿Y Helsingborg os dio esa... recompensa?

Asentí con una radiante sonrisa. Luego, parsimoniosamente, saqué del bolsillo un pañuelo doblado y lo desplegué sobre la mesa del comedor. Contenía una joya medieval, un collar de gruesos eslabones de oro del que pendía un pinjante cuajado de zafiros y esmeraldas. Mi padre se lo quedó mirando boquiabierto. Luego lo cogió con gran cuidado, como si temiera que pudiese esfumarse al menor contacto, y lo examinó atentamente.

—Madre del amor hermoso... —musitó—, esto vale una fortuna... —se volvió hacia mí y me preguntó—: Pero, Jaime, hijo mío, ¿por qué no nos lo has dicho antes?

—Le prometí a Oskar que no contaría nada hasta que llegáramos a Cartagena —respondí—. Dijo que la mejor forma de proteger algo valioso es mantenerlo en absoluto secreto.

—Sin duda, el señor Kepler es un hombre precavido; pero deberías haber confiado algo más en nosotros... —mi padre me dedicó una severa mirada y examinó de nuevo el collar—. Debe de valer más de cien mil dólares —dijo, tras un rápido cálculo mental; y, con ojos soñadores, añadió—: Con ese dinero podríamos instalar una casa de juegos... Qué digo casa de juegos, un casino, ¡el mejor casino de todo el Caribe!

Poco le habían durado a mi padre las buenas intenciones de

mantenerse alejado del pecado; exactamente lo que tardó su bolsa en pasar de la consunción a la opulencia. Pero mejor así, me dije, pues seguía sin gustarme ni un ápice la idea de ver a mi padre convertido en un honrado ciudadano. Tanto él como yo éramos jugadores de ventaja y eso es lo que seríamos hasta el día de nuestra muerte.

En fin, comprensivos lectores, mi padre examinaba el collar y hacía planes, Rasul permanecía mudo e impasible (¿qué otra cosa podía esperarse de él?) y Yocasta, tras mirarnos con cierta ironía, había comenzado a recoger la mesa. Por una vez, parecía que todo iba a acabar bien... Entonces, unos golpes sonaron en la puerta. Yocasta fue a abrir y regresó al poco; se la veía preocupada.

—Es el señor Mateos con seis agentes de policía —anunció—. Dice que quiere hablar con usted, don Fernando.

Mi padre arqueó una ceja, guardó el collar en un cajón de la cómoda que tenía al lado y dijo:

—Hágale pasar, Yocasta, por favor.

Por si algún despistado lector lo ha olvidado, recordaré que Teodomiro Mateos era el jefe de policía de Cartagena de Indias. Pues bien, el tipo entró en el comedor acompañado de Yocasta y nos saludó con una seca sacudida de cabeza. Luego, tras sentarse muy rígido en una silla, dijo:

—He venido a verles nada más enterarme de que habían regresado a Cartagena —sacó un papel plegado del bolsillo interior de su chaqueta y anunció—: Esto es una orden de captura dictada contra don Fernando Mercader, su hijo Jaime y un árabe llamado Rasul Alí Akbar. Me temo, caballeros, que estoy obligado a detenerles para proceder a su ingreso en la prisión del fuerte de San Fernando, lugar donde permanecerán hasta que sean juzgados.

* * *

—Debe de tratarse de un error —protestó mi padre, irradiando inocencia y consternación a partes iguales—. Somos honrados ciudadanos totalmente incapaces de cometer el menor delito. ¿De qué se nos acusa, si puede saberse?

—De contrabando de antigüedades y joyas —respondió Mateos.

—¡Pero eso es absurdo, nosotros nunca...!

El policía interrumpió las excusas de mi padre con un seco ademán y declaró:

—No se moleste en negarlo, señor Mercader. Las pruebas en su contra son abrumadoras. Hace unos meses, al remover los escombros del incendio que asoló su almacén, encontramos entre ellos una gran colección de restos arqueológicos precolombinos, algo que, evidentemente, no pintaba nada en una compañía frutera. Así que interrogamos a uno de los peones del almacén, un tal Pancho, y el sujeto no tardó en confesarlo todo. Sabemos, por tanto, que la empresa fundada por usted, señor Mercader, y por el fallecido Nathaniel Byron Smart, la Compañía Frutera del Bajo Magdalena y del Caribe, no era más que una pantalla destinada a encubrir el verdadero objetivo de su negocio, es decir, el tráfico ilegal de antigüedades con destino a Estados Unidos y Europa —me señaló con un acusador dedo—. Usted, Jaime Mercader, era capataz de la empresa y, por tanto, cómplice del delito —se volvió hacia Rasul—. En cuanto a usted, señor Akbar, sabemos que trabajaba para el señor Mercader como jefe de seguridad, de modo que también es usted cómplice. Ah, por cierto, no crea que ignoro su fama y, por si se le ocurriera emprender alguna acción violenta, le recuerdo que seis de mis hombres se encuentran fuera dispuestos a intervenir a la menor provocación.

Bueno, amigos míos, todos sabemos que para *El Sirio* media docena de agentes eran tan sólo una molestia sin importancia, pero Rasul no hizo nada, salvo quedarse mirando inexpresivo al policía. Y es que, amigos míos, la situación estaba meridianamente clara. Si Mateos hubiese querido detenernos, ya lo habría hecho, pero con toda aquella charla, con aquel pomposo montón de acusaciones y amenazas, lo que el jefe de policía pretendía era algo muy distinto, y también muy simple de definir: soborno. Aquel tipo estaba pidiendo a gritos que le untásemos el bolsillo. Y así debió de entenderlo mi padre, pues compuso su más cordial sonrisa y declaró:

—Vamos, vamos, no saquemos las cosas de quicio. Sigo insistiendo en que se trata de una confusión, pero no le quepa duda de que estamos dispuestos a colaborar con las autoridades. Y como muestra de buena voluntad, nos gustaría hacer un donativo al Patronato de Viudas y Huérfanos de la Policía —sacó de la cartera todo el dinero que teníamos y lo dejó sobre el mantel—. ¿Le importaría entregar este dinero en nuestro nombre, señor Mateos?

El policía contempló con desdén los escasos quinientos dólares que yacían, lacios como hojas de lechuga, entre los platos y las tazas.

—No existe ningún Patronato de Viudas y Huérfanos —dijo, arrugando levemente la nariz.

Lo cual significaba que quería más dinero. Pero no lo teníamos...

Mi padre extravió la mirada, cerró los ojos, exhaló un suspiro tan largo como resignado y preguntó con voz cansina:

—¿Está usted casado, señor Mateos?

—Desde hace catorce años —respondió el policía.

—Ah, perfecto, perfecto. Porque, verá usted, hace poco ha llegado a nuestras manos una exquisita joya y nos preguntábamos si sería adecuada para lucir en el cuello de una dama —mi padre sacó de la cómoda el collar y se lo entregó a Mateos—. Quizá su señora pueda ayudarnos a resolver esa duda.

El policía examinó el collar, primero con abierto recelo, mas luego, al comprobar la autenticidad del oro y las piedras preciosas, con creciente asombro y entusiasmo. Tragó saliva, se puso en pie, deslizó el collar en un bolsillo y declaró:

—Mi mujer estará encantada de dar su opinión al respecto, caballeros.

—Se lo agradeceremos mucho —repuso mi padre—. En cuanto a esos cargos que hay contra nosotros...

Mateos sonrió amigablemente.

—Oh, eso... —dijo, como si habláramos de una fruslería—. La verdad es que me han convencido sus argumentos, señor Mercader —sacó de nuevo la orden de captura, la rompió y arrojó los trozos de papel sobre la mesa—. Como usted dice, se trata sin duda de un error, de modo que les ruego que acepten mis disculpas. Ahora debo irme; no, no hace falta que me acompañen a la salida, conozco el camino. Que pasen un buen día, caballeros.

Y se largó. Pero antes de irse, aquel corrupto funcionario, rebosante de codicia y desvergüenza, cogió los quinientos dólares que descansaban sobre la mesa y se los guardó en el bolsillo, junto al collar.

Los segundos que siguieron a la marcha del policía estuvieron cargados de desolación. De pronto, pálido y demudado, mi padre se incorporó, se aproximó a una pared y comenzó a darse de cabezazos contra ella. Entre golpe y golpe musitaba «qué estúpido soy», o «seré imbécil», o «menudo idiota estoy hecho»... Corrí a su lado y le sujeté por los hombros.

—Cálmate, papá. Vas a hacerte daño.

—¿Cómo quieres que me calme si al final he conseguido perderlo todo?

—No podías hacer otra cosa. A fin de cuentas, has evitado que fuéramos a la cárcel.

Abrumado por la culpa y la impotencia, mi padre dejó caer la cabeza sobre el pecho.

—Preferiría la cárcel, hijo mío, o incluso la horca, a la miserable bancarrota en que nos encontramos.

—Bueno, bueno, ea, no te pongas así —le tranquilicé como si fuera un niño—. Escucha, tengo algo más que contaros, de modo que no digas ni hagas nada hasta oírme, ¿de acuerdo? Ahora espérame un momento; vuelvo enseguida. Y no se te ocurra seguir aporreando la pared con la cabeza, ¿eh?

Corrí a mi cuarto, cogí cierta bolsa que había ocultado en el fondo del armario y regresé con ella al comedor.

—Pues resulta —dije, mirando alternativamente a mi padre, a Rasul y a Yocasta—, que la recompensa consistía en algo más que el collar —le entregué la bolsa a mi padre y concluí—: También cogí esto del tesoro del Temple.

Mi padre miró la bolsa con desconcierto, la desató, contempló lo que contenía, parpadeó varias veces, abrió la boca, la volvió a cerrar, tragó saliva y musitó:

—Pero... —y repitió—: Pero...

E, incapaz de articular palabra, vació el contenido de la bolsa sobre la mesa.

Cientos de diamantes de toda forma y tamaño rodaron por el mantel. Fue una lluvia de estrellas, un chaparrón de luz, una marejada de cristal iridiscente. Mi padre estaba mudo, Yocasta boquiabierta e incluso Rasul arrugó levemente el entrecejo, lo que en su roqueño rostro equivalía a una demostración de profundo asombro. Atónito, mi padre cogió uno de los diamantes y lo contempló al trasluz.

—Son purísimos... —dijo, miró el resto de las gemas y añadió—: Y hay muchos... —luego, me miró a mí y, frunciendo repentinamente el ceño, preguntó—: ¿Por qué no nos enseñaste los diamantes junto con el collar?

—Bueno, cada cosa a su tiempo —repuse en un tono que hasta a mí mismo me sonó poco convincente—. El collar, por así decirlo, era el aperitivo y los diamantes el plato principal.

Aunque parecía imposible, la mirada de mi padre se volvió aún más acusadora, convirtiendo su rostro en la faz de un juez severo.

—Jaime, hijo mío —dijo—, ¿no estarías pensando en quedarte con los diamantes para ti solo?

Al instante, adopté una muy lograda expresión de dignidad ofendida.

—¿Cómo puedes pensar eso, papá? —dije en tono herido—. Lo único que pretendía era daros una sorpresa después de otra.

Mi padre me miró con abierta desconfianza, pero luego, al contemplar de nuevo los diamantes, la gravedad de su rostro se distendió con una sonrisa.

—No soy un experto en diamantes —dijo—, pero esto debe de valer una fortuna —reflexionó unos instantes y exclamó—: ¡Qué demonios, claro que soy un experto en diamantes!

Acto seguido, tras proveerse de lápiz y papel, se sentó frente a las gemas y comenzó a calcular su valor. Veinte minutos más tarde, se reclinó contra el respaldo, se pasó una mano por los cabellos y musitó:

—No puede ser...

—¿Qué sucede, papá? —pregunté.

—Pues que, según mis cuentas, y pese a haberlo calculado tirando por lo bajo, estos diamantes deben de valer entre tres y cuatro millones.

—¿Millones de qué?... —musité con un hilo de voz.

—De dólares.

El impacto emocional fue tan grande que casi me caigo de espaldas. Sabía que los diamantes valían mucho, pero ni en sueños hubiese imaginado una cantidad así.

—¿Estás seguro?... —logré preguntar.

—Probablemente más —respondió él.

Exhalé una bocanada de aire.

—Somos millonarios... —musité; y luego, a voz en cuello, grité—: ¡Somos nauseabundamente ricos!

Reconozco, indulgentes lectores, que perdí la compostura. Di saltos, proferí gritos de alegría, abracé a mi padre, abracé al estoico Rasul y planté dos besos en las orondas mejillas de mi negra sirvienta.

—¡Estamos podridos de dinero, Yocasta! —le espeté—. ¡Vas a ser la negra más rica de toda Colombia!

El rostro de Yocasta mostró un atisbo de desvalimiento del todo inesperado en una mujer tan segura de sí misma como era ella.

—Sólo soy una negra vieja e inculta, amito Jaime —dijo—, pero no te burles de mí...

—No me burlo; te corresponde una parte de los diamantes.

Yocasta me contempló con incredulidad y luego volvió la mirada hacia mi padre, como aguardando a que él confirmase mis palabras.

—Mi hijo tiene razón, Yocasta. Usted formó parte de la expedición y padeció tantos riesgos y penalidades como cualquiera de nosotros. Por tanto, la cuarta parte de los diamantes es suya.

Yocasta tragó saliva.

—Y esa cuarta parte —dijo con voz trémula—, ¿vale alrededor de un millón de dólares?

—Ajá —asintió mi padre—. Puede que algo más.

Entonces, de repente, Yocasta puso los ojos en blanco y se desmayó. Algo muy inoportuno, porque dado su manifiesto sobrepeso, mi padre, Rasul y yo tuvimos que esforzarnos al máximo para conseguir levantarla del suelo y depositarla sobre el sofá de la sala. Unos minutos más tarde, cuando nuestra negra ex sirvienta recuperó el conocimiento, mi padre sugirió llamar a un médico, pero ella rechazó la propuesta.

—Enseguida me pondré bien —dijo débilmente—. Ahora, sólo quiero quedarme tumbada un ratito y disfrutar a solas de estos momentos...

De modo que mi padre, Rasul y yo regresamos al comedor y nos quedamos de pie, contemplando silenciosos los diamantes que destellaban sobre la mesa.

—Bueno, Rasul —comenté—, ahora podrás comprarte todas las granjas que quieras. ¿Qué tal te sienta ser millonario?

Siempre imperturbable, *El Sirio* tardó mucho en contestar.

—En mi tierra —sentenció al fin—, hay un proverbio que reza: cuando el dinero habla, la verdad calla. El dinero sólo trae problemas.

—Tienes razón —repuse—. Y como amigo que eres, mi deber es quitarte problemas de encima, así que estoy dispuesto a cargar con tu parte de los diamantes.

Rasul clavó en mis ojos su impávida mirada y, al cabo de unos segundos, alzó casi imperceptiblemente una ceja.

—¿Quiere eso decir que no me cedes tu parte? —pregunté con fingida inocencia.

Rasul profirió un leve gruñido y, sin decir nada, salió del comedor. Pero no me cedió su parte, amigos míos, porque, como solía decir mi padre, no hay nada que hermane tanto a los seres humanos como el amor. El amor al dinero, claro está.

—Qué raro es el señor Akbar, ¿verdad, hijo? —comentó mi padre.

—Más que un político honesto —asentí.

Mi padre se acercó a la mesa y comenzó a guardar los diamantes en la bolsa.

—Creo que voy a llevar esto al banco —dijo—. No es prudente guardarlo en casa.

—Buena idea. Pero que te acompañe Rasul, no vaya a ser que te asalten por el camino.

—¿Tú no vienes?

—No, papá, estoy un poco cansado. Voy a echarme una siesta.

Mi padre introdujo los últimos diamantes en la bolsa, se aproximó a mí y me dio un fuerte abrazo.

—Bien hecho, Jaime, hijo mío —susurró con sincero afecto—, bien hecho...

Y así, conmovidos lectores, arrullado por el orgullo paterno, floté escaleras arriba camino de mi habitación.

* * *

Y ya hemos llegado al final de esta historia, amigos míos, es el momento de las despedidas. Pero antes de decirnos adiós, o mejor hasta la vista, aún me queda por añadir un pequeño detalle más.

Aquel mismo día, una vez en el dormitorio, mientras mi padre y Rasul se dirigían al banco para guardar allí nuestra fortuna, cerré la puerta con llave y me quedé unos segundos de pie, evocando la mañana en que Napoleón fue en mi busca para decirme que mi padre y unos forasteros querían hablar conmigo. Aquello me resultaba tan infinitamente lejano, tan remoto y ajeno, que a duras penas lograba identificarme con el Jaime Mercader de entonces. Entre otras cosas, pensé, porque aquel joven era un pobretón y el actual Jaime era un potentado.

Sacudiendo la cabeza para espantar tales ensoñaciones, me aproximé al armario, lo abrí y me agaché con el objeto de coger algo que permanecía oculto al fondo del estante inferior, entre los pantalones y las camisas. Era una bolsa, idéntica a la otra, sólo que ésta no contenía diamantes.

Me senté en la cama, abrí la bolsa y derramé lentamente su contenido sobre la colcha. Jirones de fuego crepitaron en el aire, lágrimas de sangre empaparon el lecho. Rubíes, cientos de rubíes, tantos como diamantes había en la otra bolsa. Era increíble, pensé, lo generoso que se había mostrado Helsingborg a la hora de comprar nuestro silencio.

Luego, absorto en el archipiélago escarlata que se extendía sobre el algodón de la colcha, reflexioné largo rato acerca de si debía o no comunicarles a los demás la existencia de los rubíes. Y, tras darle muchas vueltas, comprensivos lectores, decidí que no, que de momento era mejor mantenerlo en secreto.

A fin de cuentas, como solía decir mi padre, lo que los demás ignoren jamás podrá perjudicarte.

NOTA DEL AUTOR

La idea central de *La piedra inca* —que los templarios descubrieron América antes que Colón— no es sólo una especulación literaria, sino también una teoría que algunos imaginativos autores —entre ellos el francés Jacques de Mahieu— proponen como explicación de ciertos enigmas históricos. Por ejemplo, el origen de la fortuna del Temple —según ellos, sería la plata y el oro de América— o las leyendas de los dioses blancos y barbados Quetzalcóatl (azteca), Kukulkán (maya) y Viracocha (inca). Una teoría fascinante, sin duda, pero que por desgracia no cuenta con ninguna prueba sólida a su favor. Jamás se ha encontrado rastro de presencia europea en América anterior a 1492, la fortuna del Temple puede explicarse sin necesidad de recurrir a viajes transoceánicos y el mito de Quetzalcóatl es similar a muchos otros que reflejan la aparición, en un pasado legendario, de seres sobrenaturales. No obstante, existe en Escocia una vieja leyenda familiar que, si bien tampoco prueba nada, resulta muy sugerente.

La caída de la orden del Temple se produjo, más o menos, como se narra en la novela, pero no todos los templarios fueron perseguidos y encarcelados. En Portugal, por ejemplo, el Temple se transformó en la orden de los Caballeros de Cristo, mientras que en España los templarios pasaron a formar parte de las órdenes de Montesa y Calatrava. En cuanto a las Islas Británicas, según una antigua tradición, un grupo de templarios se refugió en las posesiones escocesas de la familia Saint Clair. Al parecer, llevaban consigo gran parte de los secretos y tesoros del Temple, entre los que supuestamente se encontraba, sí, el Santo Grial. Y dicen que, precisamente para guardar el Grial, los Saint Clair construyeron cerca de Edimburgo una pequeña iglesia —la capilla Rosslyn— en cuyo interior estaría oculta la copa sagrada. La capilla Rosslyn, que todavía existe y es muy visitada por los aficionados al misterio, está plagada de símbolos esotéricos y algunos estudiosos la relacionan con el nacimiento de la masonería.

Pero eso es otra historia, porque lo que la leyenda familiar de los Saint Clair asegura es que en 1338, basándose en los secretos revelados por los templarios, el conde Henry Saint Clair partió con doce naves y trescientos colonos rumbo a América. Los expedicionarios llegaron a lo que hoy conocemos por las costas de Massachussets y ahí permanecieron hasta la primavera de 1339, momento en que regresaron a Europa.

Por desgracia, tampoco se han encontrado pruebas de la hipotética expedición Saint Clair. Pero eso, claro, no significa que Colón fuera el primer europeo en llegar a América. Los vikingos, como se afirma en la novela, visitaron mucho antes el norte del continente, y se especula que otros navegantes —como los hermanos Zeno o el obispo Gnupson— pudieron realizar algún que otro *tour* transoceánico previo al siglo XV. No obstante, lo incuestionable es que la exploración de América como empresa sistemática comenzó con el primer viaje de Colón y en eso no tuvo nada que ver el Temple.

Sin embargo, hay un par de hechos que mueven a la reflexión. En primer lugar, que en la decoración de la capilla Rosslyn aparecen talladas varias mazorcas de maíz; pero el maíz es una planta americana y la capilla Rosslyn se construyó en 1446, es decir, casi medio siglo antes del descubrimiento. El segundo hecho tiene que ver con Colón: la Pinta, la Niña y la Santa María llevaban en las velas una cruz; en concreto, una cruz de gules paté..., es decir, la cruz del Temple.

En cuanto a la leyenda del carro de heno, es auténtica; quiero decir que es auténtica como leyenda, porque una vez más no hay pruebas de que nadie lograra escapar del Temple de París durante la madrugada del trece de octubre de 1307. Con respecto al *Secretum Templi*, de nuevo no existen evidencias de que hubiera una sociedad secreta oculta en el interior de la orden (ni la que se propone en *La piedra inca*, ni, si vamos a eso, el famoso *Priorato de Sión*). No obstante, existe en los Archivos Nacionales de Francia un documento templario donde figura un sello con la inscripción «*Secretum Templi*» rodeando la figura de algo que parece un indígena con un arco. Según Mahieu, se trata de un aborigen amerindio, pero lo cierto es que puede ser cualquier cosa.

En resumen, es muy poco probable que los templarios descubrieran América; sin embargo, es casi seguro que alguien la descubrió antes que Colón. Resulta evidente, como los expertos ya sabían en su época, que Colón cometió numerosos errores a la hora de calcular la distancia que separa Europa de las Indias Orientales por el oeste (en realidad es el doble de lo que él afirmaba); no obstante, sabía con absoluta precisión que a 750 leguas de la isla de El Hierro había tierra firme (Antillas, Haití y Cuba) y, lo que es aún más insólito, conocía perfectamente las rutas marinas necesarias para utilizar los vientos alisios a la ida, así como los contralisios y la Corriente del Golfo para la vuelta. Y eso sólo podía saberlo si alguien se lo había contado previamente.

Por tanto, es muy posible que hubiera un predescubrimiento. Algunos autores afirman que Colón tuvo noticias de la existencia de tierras transatlánticas a través de los documentos de su suegro, don Diego Perestrello, insigne marino descubridor de Madeira. Otros, entre ellos Las Casas en 1527, hablan de un piloto desconocido (Garcilaso de la Vega aseguraba que su nombre era Alonso Sánchez de Huelva) cuyo barco fue arrastrado por una tormenta hasta las costas de América y que luego, a la vuelta, naufragó y fue recogido en casa de los Colón, donde murió poco después, no sin antes revelarle al futuro almirante «los rumbos y los caminos que había traído y llevado». Por otra parte, el investigador Gavin Menzies propone la teoría de que cuatro grandes flotas chinas circunvalaron el globo terráqueo, pasando por el Estrecho de Magallanes (al que llamaron *La Cola del Dragón*), entre marzo de 1421 y octubre de 1423. Según Menzies, es posible que Colón conociera los mapas del Nuevo Mundo elaborados por los cartógrafos chinos a través de Juan de la Cosa y de Toscanelli. Y también, claro, hay quien sostiene que Colón encontró el rastro de América en los archivos de la orden de los Caballeros de Cristo de Portugal, que, como hemos visto, descendía directamente del Temple.

En realidad, no lo sabemos. Alguien llegó a América antes que Colón, pero ignoramos quién, cómo y cuándo. Sin embargo, lo bueno de los misterios es que nos permiten soñar. Probablemente, los templarios jamás llegaron a América, pero nada nos impide fantasear que sí lo hicieron.

Dangerous
Liaisons

Dangerous Liaisons: Collaboration and World War Two

Peter Davies

Harlow, England • London • New York • Boston • San Francisco • Toronto
Sydney • Tokyo • Singapore • Hong Kong • Seoul • Taipei • New Delhi
Cape Town • Madrid • Mexico City • Amsterdam • Munich • Paris • Milan

PEARSON EDUCATION LIMITED

Edinburgh Gate
Harlow CM20 2JE
Tel: +44 (0)1279 623623
Fax: +44 (0)1279 431059
Website: www.pearsoned.co.uk

First edition published in Great Britain in 2004

© Pearson Education Limited 2004

The right of Peter Davies to be identified as author
of this work has been asserted by him in accordance
with the Copyright, Designs and Patents Act 1988.

ISBN 0 582 77227 3

British Library Cataloguing in Publication Data
A CIP catalogue record for this book can be obtained from the British Library

Library of Congress Cataloging in Publication Data
A CIP catalog record for this book can be obtained from the Library of Congress

10 9 8 7 6 5 4 3 2 1

Set by 3 in 9.5 pt Melior
Printed in China
EPC/01

The Publishers' policy is to use paper manufactured from sustainable forests.

Contents

Acknowledgements

I would like to thank the following people for their kind help during the preparation of this book: Paul Moklak, George Haralambakis, Bill Roberts, Tim Thornton, Gill Firth, Liz Trayte and Victoria Fanning. And a big thank you to Heather McCallum at Pearson Education for all her help and support.

We are grateful to the following for permission to reproduce copyright material:

CNN for an extract adapted from "The Papon Trial" taken from their web site www.CNN.com; Guardian Newspapers Limited for an extract adapted from "Middle East Report" by Peter Beaumont published in *The Guardian* 2 April 2000 © The Guardian 2000; and Jason Pipes for extracts adapted from his web site www.feldgrau.com

This book is dedicated to my beautiful four-year-old niece, Emily

Introduction

DUTCH CABINET RESIGNS OVER SREBRENICA MASSACRE
The fifteen members of the Dutch cabinet today resigned over the
massacre of 7,500 Bosnian Muslim men and boys in Srebrenica by Serb
forces in 1995. The prime minister, Wim Kok, who announced the
collective decision, said: 'We are going to visit the Queen. I will offer her
the resignation of the ministers and junior ministers.' A report published
last week blamed the national government, army and UN for the
slaughter, which was the biggest act of genocide in Europe since the
Holocaust ... The report gave what is likely to be the definitive account
of the most traumatic event in recent Dutch history, which has left a
residue of anguished guilt about collaboration with ethnic cleansing.
The Guardian[1]

This book explores the complex phenomenon of collaboration during World War Two. Between 1939 and 1945, Hitler formed working relationships with a myriad of leaders around Europe and beyond. At the time, these people were described as 'satellites' and 'allies'. Their political opponents went further and called them 'puppets'. Since then, they have acquired all kinds of monikers: 'quislings', 'jackals', 'henchmen', 'lackeys'.

The wartime period witnessed the most notorious type of collaboration in history, but it would be wrong to imply that this is the only instance of collaboration ever recorded. Far from it, in fact. The reality is that collaboration, as an idea, a notion, is an ever-present theme in world history. Examples of the strategy in action are legion.

Between 1272 and 1368, Mongol invaders collaborated with Chinese elites after they had occupied China. In the Balkans, in the fifteenth century, a number of Bosnian rulers and noblemen gained infamy by collaborating with their Turkish governors, when other Bosnians were reacting in different ways.[2] And in the seventeenth century, Serb forces collaborated with representatives of the 'hated' Habsburgs against the forces of the Ottoman Empire.[3]

The concept of 'collaboration' and 'collaborating' has always existed, and continues to exist. In the modern era, the word still has currency. It has come to denote any form of 'secret' or 'unethical' political relationship. In early April 2002, *The Guardian* reported on political developments in the Middle East:

> *Iyad Ab Ishab and Walid Radwan did not stand a chance. When their guards – fellow Palestinians – at the main jail in Qalqiliya heard that Israeli forces were about to enter the city in the early hours of yesterday, Ishab, 20, and Radwan, 22, alleged collaborators, were bound, stood up against a wall and shot.*
>
> *Their bodies were dumped in a side street as a gruesome warning to anyone else contemplating spying for Israel against their own people.*
>
> *The killings were not an isolated incident. In what bore the hallmarks of coordinated effort, almost a dozen alleged collaborators were yesterday dragged out of their cells and shot in three locations on the West Bank, as Israeli troops and armour pushed deeper into West Bank towns and cities. Nine were prisoners being held in Palestinian jails.*
>
> *Some had been held for months. None had been tried – although past trials of collaborators have been cursory affairs. In the besieged Palestinian territories even suspicion of collaboration carries the death sentence.*
>
> *Also seven alleged collaborators were killed in Tulkaram – 'the deadliest attack on suspected collaborators since the start of the Palestinian uprising 18 months ago'.*
>
> *The Palestinian attacks on collaborators have been based on well-founded suspicions about the level of penetration by the Israeli intelligence agencies of Palestinian society.*
>
> *Confessions by arrested collaborators in the last 18 months have revealed the extent of the use of paid informers – often working for no more than a few hundred dollars – who have been recruited either through blackmail after being arrested by the Israelis, or because they were known to have a grudge against key militant figures.*

About two weeks ago, attempts to hang the body of an alleged
collaborator from a rooftop overlooking the square in Bethlehem were
stopped by police.
The incident followed the first public display of the corpse of an
accused collaborator, a few days earlier. The bullet-riddled body of Raed
Naem Odeh was left swinging by the ankles in a traffic circle in the
centre of Ramallah. He had been accused of participating in the Israeli
killing of a local militant.
In the last intifada, from 1987–93, more than 800 suspected
collaborators were killed by fellow Palestinians.[4]

Other newspapers were interested in developments. *The Independent*
stated:

Ariel Sharon's declaration of 'war' yesterday sent the Israeli army
storming into more Palestinian towns and brought execution to eight
convicted Palestinian collaborators, who were coldly taken from their
prison in Tulkarm and gunned down by hooded men only hours before
the Israelis arrived . . .
The eight men accused of collaboration by the Palestinian Authority
– Mr Arafat has always been better at rounding up Israeli agents than
Palestinian suicide bombers – were apparently abandoned by their
guards as the Israeli army prepared to enter the city. Presumably
anxious to prevent the eight from starting work once more for their
Israeli masters, the two hooded gunmen who dragged the prisoners from
the building shot them all together in cold blood.
The executions brought to 11 the number of collaborators shot dead
in under 24 hours.[5]

The *Daily Mail* also reported on the same events. It announced: 'Eleven
Palestinians were executed by Palestinian gunmen who suspected them
of collaborating with the Israelis ... Residents said the victims had
been held in a Palestinian jail for a year on suspicion of being collaborators.'[6] These were not isolated examples. In March 2002, *The
Guardian* stated that a group of Palestinian militants had 'lynched a
suspected collaborator in the West Bank'.[7] And a month later, the
Palestinian leadership was still on the look-out for suspected or actual
collaborators.

The collaboration of a small number of Palestinians with the Israeli authorities is, arguably, the most controversial form of collaboration in recent times. That said, in 2002, *The Spectator* reported on another vivid example of collaboration in action. The front cover of Issue No. 9062 of the magazine featured a cartoon of Zimbabwe's black president, Robert Mugabe, being lifted up and carried by four middle-aged white men in suits. The accompanying text read: 'MUGABE'S WHITE COLLABORA-TORS'. Inside, there was a banner headline: 'THE COWARDLY WHITES WHO HELP MUGABE'. The article was extremely critical of the Mugabe regime. Part of it read as follows:

> And then there is a host of other names which are cursed on the
> verandas of anti-Mugabe households. These are the white businessmen,
> who have connived, actively or passively, in keeping the mad old
> tyrant in power ... Our strategy so far has been to bellow at Mugabe
> from afar; but he has no difficulty in turning purple-faced British
> denunciations to his advantage. Might it not be time to direct our wrath
> – and penalties – at his silent white collaborators?[8]

Elsewhere in today's world, collaboration of one sort or another is almost a commonplace. In Nigeria, where successive army coups have weakened the state structure, the military have paid tribute to their allies: 'We couldn't have done it [gained power through illegal means] without collaborators in the civil society – collaborators in the media, collaborators among people who have the means.'[9] Meanwhile, in Lebanon there is the phenomenon of Franco-Sunni collaboration, although it has been pointed out that any Sunni Muslim engaging in this kind of accommodation did so at his or her own risk.[10]

In 1999 a new movement, International Solidarity with Workers in Russia (ISWR), condemned the then-current political situation in Russia, pointing to 'unprecedented collaboration between (Russian Communist) leaders and openly fascist parties such as Russian National Unity'. It claimed that the labour movement in Russia was in danger of being 'swept away by an avalanche of genocidal racism and "communist" and fascist collaboration'.[11] In Kosovo, in the 1990s, there were reports of collaboration between Albanians and Serbs – supposed to be deadly enemies – and Gypsies and Serbs.[12] It is also claimed that, a few years before, when Dutch peace-keeping forces turned a blind eye to the Serb massacre of Muslims at Srebrenica, during the Bosnian crisis of the mid-1990s, *they* were engaging in a policy that was, all things considered, tantamount to collaboration.[13]

Many other examples and instances could be quoted – a fact which goes to prove that collaboration, as a means of doing business, boasts a long and not very glorious history, even before World War Two. What does the frequent use of the word tell us? Primarily, that politics is, and always has been, a dirty, unethical business. It is also the case that, whatever the specific context, people who use the word – whether they be ordinary citizens, political leaders, journalists or historians – are acutely aware of its historical resonances and emotive connotations. In most cases, it is not by coincidence or chance that the word is used.

Collaboration and collaborators during the period 1939–45 are the exclusive focus of this book. Of course, we will enquire into the origins of collaboration (taking a look at developments prior to 1939) and explore its undoubted legacy (in the decades following 1945), but our main interest is the reality of collaboration during the wartime years. Why did collaboration become such a dirty word? And why did collaborators acquire such infamy?

Although Chapter 1 is devoted to the meaning and varieties of collaboration, it is important to offer a broad, working definition of the term here. In the most basic of terms, 'collaboration' can be defined as 'working traitorously with the enemy'. But this definition tends to underestimate the complexity of the phenomenon and its nuanced nature. As a historical topic collaboration is also rich, exciting and dramatic. What other subject area encapsulates sex (the phenomenon of 'horizontal collaboration'), war (the backdrop, 1939–45) and high treason (the ultimate verdict on many collaborators)? It might also be said that, while individual examples of collaboration have their various historians, collaboration as a theme is an understudied, slightly neglected area. On a rather more trivial note, it is unusual to find the word in book indexes, even where the books in question are histories of World War Two.

This book has several main aims. The first objective is to fill a void – the void mentioned above. There are endless historical studies of Hitler and Nazism. There are also many surveys of collaboration, collaborators and collaborationist government in action in specific countries. However, the literature on collaboration as an *issue* or *theme* is small.[14] Second, the aim is to provide a popular and accessible guide to a 'dark' and 'sinister' historical topic that continues to fascinate and provoke people. Third, with the legacy of collaboration still so vivid, the intention is to update the story, reassess the debate and add topicality to the subject. Finally, we are interested in what *was* collaboration, and what *was not* collaboration, but we are also interested in the margin. A fine line separated dubious from non-dubious behaviour. There were degrees of collaboration, and many different types.

The main contention of the book is that collaboration, as a historical phenomenon, is best understood when it is dealt with as a global theme, rather than assessed on a country-by-country basis. Similarly, there are advantages in studying collaboration as much from the point of view of the periphery (the satellite states and puppet regimes) as from the centre (Berlin). Thus, Hitler-centric views of collaboration will be supplemented by others.

The fact of the matter is that in the post-war years, some states had difficulty in coming to terms with their 'past'. It was painful, harrowing, unpleasant. This is part of the narrative of collaboration, but at the same time, it is an indicator. It says that the nature of collaboration was unique.

At this juncture, it is worth making a couple of technical points. First, the language of collaboration. A whole new range of words and terms came into circulation with the Nazi occupation of large swathes of Europe: 'puppet' (a leader who rules on behalf of Germany), 'satellite' (a glorified ally), 'quisling' (after Vidkun Quisling, head of the Norwegian government for periods during the war, who not only acted as a puppet, but also colluded with Hitler prior to this over Germany's plans to invade Scandinavia).

Second, it should be noted that the three Axis powers – not just Germany – involved themselves in 'collaboration' relationships. When Mussolini invaded and occupied Greece and Albania in 1941, it was merely a prelude to collaboration between Italian troops and local forces. Similarly, when Italian troops occupied parts of Yugoslavia, they hooked up with the nationalist-royalist Chetniks in Serbia, and actually proclaimed their hostility to the Germans and the Ustashe (Hitler's puppet rulers in Croatia)![15]

Likewise, when Japan invaded China, there occurred the spectacle of Chinese elites accommodating Japanese forces and Japanese demands. During the war, China was divided into four zones. In the south-west was the Guomindang's free zone, centring on Chongqing. In the north was the Communist zone, based around Yan'an. The rest of the country – around the coast and the big cities – was under Japanese control. It was governed by two collaborating regimes: the Reformed Government (1938–40) and the Reorganised National Government (1940–5) led by Wang Jingwei. Traditionally, historians of the Chinese experience were black and white in their analysis of the wartime years: collaboration was deemed to be 'bad', resistance 'good'. However, in recent years scholars have sought to understand and rationalise the actions of those who collaborated.[16]

So, wherever Italy, Japan and Germany chose to operate, there was the possibility, perhaps probability, of compromises and agreements being struck with local elites. This was not necessarily collaboration *per se*, but it was a variation on the theme.

All these types of relationships are interesting, but our main focus remains Hitler. Some individuals and states 'accommodated' him; others 'collaborated' with him. There were other options too. This will be our focus in the book: the variety of relationships which ordinary people and governments struck up with Nazi Germany and its representatives. Generalisations do not apply – this is a theme that will crop up again and again.

As regards the scope of this investigation, we will be exploring 'pre-collaboration' (the developments in the period 1918–39 that anticipated collaboration) and 'post-collaboration' (the implications and legacy of collaboration), as well as the wartime period itself. Chapters 1–3 will consider the big general issues. What does collaboration mean? What happened? And why did people collaborate? Chapters 4–7 are more thematic in nature. In sequence, they assess the controversies surrounding political collaboration, collaboration and society, economic collaboration and collaboration and the Jews. Chapter 8 brings the story up to date – what has been the legacy of collaboration?

For now, though, we will turn our attention to collaboration as an idea. What does it connote, and how should we interpret it?

Notes and references

1 Tuesday 16 April 2002.

2 N. Malcolm, *Bosnia: A Short History* (London, Macmillan, 1996), p.21.

3 M. Glenny, *The Fall of Yugoslavia: The Third Balkan War* (London, Penguin, 1992), p.4.

4 P. Beaumont, *The Guardian*, 2 April 2002.

5 R. Fisk, *The Independent*, 2 April 2002.

6 M. Kalman, *Daily Mail*, 2 April 2002.

7 *The Guardian*, 16 March 2002.

8 *The Spectator*, 13 April 2002, pp.12–13.

9 K. Maier, *This House has Fallen: Nigeria in Crisis* (London, Penguin, 2000), p.59.

10 D. Gilmour, *Lebanon: The Fractured Country* (London, Sphere, 1987), p.38.

11 www.llb.labournet.org/uk/1999/february/int13.html.

12 This is a common theme in T. Judah, *Kosovo: War and Revenge* (London, Yale University Press, 2000).

13 This was the general tone of media reportage.

14 Gerhard Hirschfeld, a historian of the Dutch experience, states that collaboration is rarely studied as a theme. That said, do refer to I. Deák, *Essays on Hitler's Europe* (Lincoln, Neb., University of Nebraska Press, 2002).

15 T. Judah, *The Serbs* (London, Yale University Press, 2000), p.128.

16 See D.P. Barrett and L.N. Shyu (eds), *Chinese Collaboration with Japan 1932–1945: The Limits of Accommodation* (Stanford, Stanford University Press, 2000). For a very different type of relationship (post-war), see A. Roadnight, 'Sleeping with the Enemy: British, Japanese Troops and the Netherlands East Indies 1945–1946', *History*, Vol.87, No.286 (April 2002).

CHAPTER 1

· · · · · · · · · · · · · · · ·

What was collaboration?

Give me your watch and I'll tell you the time.

German view of collaboration[1]

The Nazis' newspaper in Jersey, *Insel Zeitung*, was keen to publicise the fact that the islanders were enthusiastic about the occupation and keen to be Germanised:

> *In the course of a band concert given in the Royal Square and largely*
> *attended by children and young people, at a given moment, the*
> *bandmaster attracted the attention of his juvenile audience by calling*
> *out that he had a question to ask them. He then enquired, with an*
> *insinuating air, if they liked chocolate, requesting those who did to raise*
> *their right arms. There naturally arose a forest of eager arms. That was*
> *the moment at which the waiting photographer pressed the button. The*
> *following day the current number of the* Insel Zeiting *contained a*
> *picture showing young Jersey standing at the Nazi salute while, the*
> *caption stated, the band was playing the Horst Wessel Song, or some*
> *other patriotic air.[2]*

Of course, some types of collaboration were bogus. Others, by contrast, were very real.

Governmental elites engaged in political collaboration with the Reich. Ordinary women formed sexual relationships with occupying German soldiers. And there were many other forms of 'improper' behaviour – some that could be described as collaboration, some that could not, and some that nestled somewhere in between. In time, collaboration enveloped huge chunks of Europe, aided the Nazis in their quest to eradicate the Jewish community, and since 1945 it has left an unpleasant legacy.

But what, fundamentally, did collaboration mean? What different varieties of collaboration existed? And how have historians viewed it? These are important questions to dwell on before we start to explore collaboration in any greater depth. We should also be aware that collaboration, as a historical phenomenon, looks very different from different angles. In the post-war period, it has been very easy, and very natural, for historians and commentators to talk in terms of 'black' and 'white' – the collaborators were the 'baddies', the resisters were the 'goodies'. We know the outcome of the war, we are aware of the horror of the Hitler regime, and we can now come to some fairly definitive judgements.

But, *at the time*, things were much more complex and difficult. Ordinary people and governments had no idea how the war was going to develop and had few clues about how their decisions and choices were going to be viewed, and judged, in retrospect. This is a crucial point to make. Areas were greyer during the war, and this needs to be acknowledged.

According to the *Concise Oxford Dictionary*, to collaborate is to 'work jointly . . . cooperate traitorously with the enemy'. However, this standard definition requires a lot of unpacking. Some political leaders who threw in their lot with Hitler, or were forced to, genuinely believed that they could, indeed, 'work jointly' with the Führer. This was an illusion, and was proven to be so when new political arrangements and relationships – not all identical – began to develop in the early years of the war, and then when they reached 'maturity' towards the end of the conflict. The notion of 'partnership' was stillborn, and it says a lot about the mental state of some 'puppet' leaders – those individuals who headed pro-Hitler regimes across Europe – that they actually believed they could engage the Reich in genuinely 'joint' ventures. What happened in reality was quite the reverse: the Germans exploited the 'partner' states and trampled all over their independence – both political and economic. Michael Burleigh reveals that the Führer had difficulty pronouncing the word, '*Kollaboration*'. This was highly symbolic because he did not actually conceive of collaboration in the same way that others conceived of it. For him, 'domination' was the key word. This is an important preliminary point to make.

Moving on, to what extent, and in what ways, *did* politicians and other figures, 'cooperate traitorously with the enemy'? Clearly, this is a matter of interpretation. Only a minority of people collaborated as self-confessed 'traitors'. Some intellectuals, some informers, did so, but they were imbued with the most warped of ideas and ideology. Most people did not 'cooperate traitorously', but rather dealt with the occupiers because they had to and because there was no alternative. They were not 'born collaborators'; they were just ordinary folk who had to develop some kind of survival mechanism, however risky and questionable in ethical terms. This is why collaboration is such a fascinating theme. It was like a spider's web that eventually trapped significant sections of the population. Some *were* genuine collaborators, but a sizeable proportion were not.

We must distinguish between 'official' and 'unofficial' histories of collaboration. This adds to the complexity of the subject. Sweden, Switzerland and Spain were officially neutral powers, but this has not halted the flow of post-war innuendo regarding the behaviour of governments and ordinary people in these countries. In the Balkans, it is the numbers game. Today, if you're a loyal Croat, you would probably claim that the Ustashe-run Independent State of Croatia (NDH) – Hitler's puppet administration in Zagreb – killed 'only' tens of thousands of Serbs between 1941 and 1944; if you're a Serb, you would reckon the figure to be in the hundreds of thousands. Official history, unofficial history.

In France, the situation is similar. General Charles de Gaulle, the man who came to personify the new liberated nation, was keen to foster the view that France was 'a nation of resisters', even though he and everyone else knew that this was not the case and that many French people had compromised with the Germans in a variety of spheres – either as full-blown collaborators or wait-and-see 'accommodators'. Unashamedly, de Gaulle was trying to manipulate public opinion in an effort to stabilise and solidify the post-war political settlement.

Who collaborated with the Nazis and their proxies? There is no simple answer to this question. It was anybody and everybody – a genuine cross-section of the population. This is a random sample: anti-Zionist Muslims in the Balkans and the Middle East; peasants in

Ukraine and Belorussia; right-wing zealots such as Ferenc Szálasi in Hungary; workers in various countries who were subject to 'labour transfers'; high-ranking civil servants in the Netherlands; Norwegian women in search of love and affection; senior Catholic churchmen like Archbishop Alojzije Stepinac in Croatia; learned French intellectuals. And an ex-resistance fighter in Serbia called Colonel Dragoljub-Draža Mihailović. Phyllis Auty says that the Germans met Mihailović at an inn near Valjevo and decided that they could use him, even though they didn't trust him fully.[3] Yes, collaboration was as secretive, sinister, dirty and amoral as this. *Why* this man and others collaborated is a complex question – one that will be dealt with in full in Chapter 3.

'Narrow' and 'broad' definitions

Gerhard Hirschfeld explains that, for the most part, collaboration has been defined and interpreted (perhaps mistakenly) in fairly narrow terms. In essence, it was a political relationship between victor and vanquished, between occupier and occupied. It was exemplified best by the agreement reached by Hitler and Marshal Philippe Pétain, the French head of state, at Montoire in October 1940.[4] Here were two leaders, both attired (significantly) in military uniform and both committing themselves to a new type of political 'alliance'. Philippe Burrin says that Pétain's speech 'was formulated with great prudence: the government was "entering upon the path of collaboration" and this must at once be "sincere" and also "exclude any thought of aggression"'.[5]

According to Rab Bennett, the Marshal's government was the only one in Europe to adopt 'state collaboration' as official policy.[6] In one sense, Pétain had no choice, but in another, he genuinely believed that he was doing the right thing. Given the predicament that France found itself in, he viewed collaboration as a most 'honourable' path to tread. Hence his sincerity and pride at Montoire – symbolised by his military garb.

In one sense, Vichy France was a puppet state; in another, it was an 'independent' government. After October 1940, the ramifications of its position were significant. As Rupert Butler argues, once the 'principle' of collaboration had been conceded – and whether it meant dependence or independence in practice – Pétain was forced 'to keep going the extra mile'.[7] Some historians would argue that Vichy's policy towards the Jews

– the measures enacted *without* German encouragement – was the most compelling proof of this position. One view is that because Pétain was willing to go 'the extra mile', the terms of Germany's occupation of his country were less brutal, relatively speaking, than elsewhere.

Other regimes, of course, engaged in collaboration, without formalising it in such a grand manner as Pétain did. In the early years of the war, Mgr Jozef Tiso in Slovakia, Dr Ante Pavelić in Croatia, Vidkun Quisling in Norway and General George Tsolakoglu in Greece all took on the role of puppet leaders, which basically meant that they were Hitler's proxies in their respective states. In other countries – like the Netherlands and Denmark – Hitler exerted a considerable administrative and political influence, thanks in no small part to the pro-German position taken up by some local officials. These individuals felt they were doing the right thing in working with the Führer, but some would have a fight on their hands in trying to convince others of this fact.

So far, we have viewed collaboration in fairly narrow terms, as a phenomenon that had its major impact in politics and government. Such a view is understandable. It could be argued that it was in the corridors of power that collaboration was most visible and controversial. Gerhard Hirschfeld, however, is keen to broaden the definition, to give it more depth and meaning. In 1989 he wrote: 'In the majority of cases, "collaboration" has been understood to describe political and ideological co-operation between Nazi occupiers and Fascist or semi-Fascist factions among the native population. Economic, social and cultural issues are dealt with only peripherally or are largely left to specialised studies.'[8] As will become apparent in due course, this book also seeks to analyse collaboration as a broad, multi-faceted phenomenon rather than as something with stricter parameters.

Up until now, we have focused almost exclusively on collaboration at the 'top' of society. However, in many states, the reality of the wartime situation was that ordinary people, groups and institutions, as well as political leaders and governments, had to wrestle with the ethical dilemma that could be summarised in the following question: to collaborate or not? Alternatively, they could take up a position somewhere in between.

Ordinary people going about their normal everyday lives were forced to address the most terrible of quandaries. To frequent café bars used by German soldiers, or not? To form relationships, whether platonic or sexual, with representatives of the Nazi regime, or not? To trade with, and make money out of, the occupiers, or not?

Likewise, across Europe, social groups and institutions had to examine their collective consciences. The Church: should it grant any legitimacy at all to Hitler and his puppet leaders? Trade unions: should they simply make way for Nazi-style industrial relations? The press: should it simply toe the line of (or put less kindly, 'sell out to') the rigorous censorship regime imposed by the occupying authorities? At the time, these were major dilemmas, and from the relative comfort of the twenty-first century, with hindsight on our side, we should not belittle their scale and gravity. The end result was a lot of 'grey'. Only a minority of people engaged in full-blown collaboration; only a minority could claim to have avoided any contact with the Germans.

And what of national governments? Should they work with Hitler in an effort to ease the burden of occupation (the notion of the 'shield' – protecting their country) or should they go into exile and fight the fight from the safety of abroad (the notion of the 'sword' – attacking the Nazis)? This issue was of particular pertinence in France. Pétain made a virtue out of his decision to stay in the country and deal with the occupiers, while de Gaulle was keen to exploit the fact that he had left to resist. Both men claimed that they had done the 'courageous' and 'patriotic' thing; the reality of course was that, in a strange and ironic way, the Marshal and the General needed each other. In Greece and Yugoslavia, the same kind of situation played itself out. The Germans invaded, occupation followed, the 'legitimate' governments went into exile, and a small group of collaborators held the fort at home.

Another way to think about collaboration is to consider the spheres in which relations between the victor and the vanquished developed. In politics there was joint action in governmental affairs and in foreign and military policy, not forgetting the posturings of the assorted 'Naziphiles' around Europe. In society collaboration infected everything from literature to sex. In economics, it may be seen in trade, finance and labour transfers. And the Holocaust was the ultimate in organised race hate. All these areas will be examined in greater detail in Chapters 4–7.

But, however much we try to understand collaboration, and try to compartmentalise it, some examples of it almost defied the laws of political gravity.

Communists and collaboration

The Nazi-Soviet Pact, signed on 23 August 1939, is one of the most infamous diplomatic manoeuvres in modern history. Even though it was signed eight days before German forces invaded Poland (the event which marked the beginning of World War Two), it is a prime example of collaboration, or a very specific kind of collaboration, in action. The Pact, formally known as the Treaty of Non-Aggression Between Germany and the Union of Soviet Socialist Republics, was signed on behalf of Germany by Ribbentrop and on behalf of the Soviets by Molotov.[9] The main themes of the treaty were clear: cooperation, non-aggression and mutual guarantees. It created a situation in which the USSR (a Communist state) and Germany (a fascist state) agreed not to make war on each other. This, for most observers, was tantamount to the most insidious kind of collaboration. In essence it was a holding operation, a stalling tactic, a Machiavellian ploy designed to serve the rather crude short-term interests of both sides. As such, it can be seen as an example of 'pre-collaboration', collaboration in advance of the term actually being coined.

Quite predictably, the Pact had tortuous consequences for Communist parties around Europe. In France, the Parti Communiste Français (PCF) was flummoxed and bemused. Its political reputation was built on its anti-fascist militancy, yet here was the Soviet leadership – the 'wise men' in Moscow – getting into bed with Hitler. For many, the manoeuvre was almost beyond comprehension.

In Norway, the situation was not dissimilar. Between 1939 and 1941, the Norwegian Communist Party (NKP) displayed a genuine affection for the occupiers and kow-towed to them willingly, with very little interest in the ethics or morality of what it was doing. Eric Lee takes up the story:

> the small and declining NKP hailed the pact as a masterpiece of Soviet diplomacy ... Recognising that a New Order was emerging in Europe, with Germany at its centre, the Norwegian Stalinists were making the case that it was in the best interests of the workers to stay at their jobs, to cease fighting, and to link Norway's economic fortunes to those of greater Germany ... The Communists called for a conciliatory approach toward the German authorities.[10]

This must have been a difficult period for the Norwegian Stalinists. In June 1941, Germany invaded the USSR, thereby consigning the Pact to the dustbin of history. This was a grave and momentous event, but at least it freed up Communists in France and elsewhere to act in line with their instincts once again. By the end of the war, the PCF was claiming that it alone had been at the vanguard of the French Resistance and, likewise, that the liberation of the country was due almost exclusively to its efforts. Likewise in Norway: 'The Communists were not involved in and could not be involved in resistance activity before June 22, 1941, when Germany invaded the Soviet Union. But from that moment on, the Comintern ordered a one hundred and eighty degree turn in the party line. The "imperialist war" had suddenly become a "great patriotic war".'[11]

Thus, in France and Norway – and elsewhere – we witness the strange sight of Communists collaborating with Hitler. It was a short-term, temporary phenomenon, but intriguing nevertheless. In France, the process seemed to cause the PCF untold torment; in Norway, if Lee's account is to be believed, it caused the NKP only the minimum of discomfort. The fact that Communist activists in both countries were quick to execute a *volte-face* in June 1941 simply adds to the picture of collaboration as, in the most part, a convenient, ideology-free position.

During the war, even Tito, the great Yugoslav resistance leader, considered collaborating with the Germans to gain ground politically. Nothing came of this, but it does illustrate the crazy things that were going through people's heads at the time.

Religious elites and collaboration

If high-ranking Communists had a case to answer, so too did senior religious figures. In the Balkans and the Middle East, Islam stands accused. Many ordinary Muslims went to fight for Hitler, and the Grand Mufti of Jerusalem, Haj Amin al-Husseini, forged a close political alliance with him. Haj Amin might have been expected to stand up to the Nazis, but he saw them as a key ally in his anti-Zionist crusade. For their part, the Germans welcomed his support:

Ministry of Foreign Affairs
Berlin, April 28, 1942

Your Eminence
[The Grossmufti of
Palestine Amin El Husseini]

In response to your letter and to the accompanying communication of
His Excellency, Prime Minister Raschid Ali El Gailani, and confirming
the terms of our conversation, I have the honour to inform you:
The German Government appreciates fully the confidence of the
Arab peoples in the Axis Powers in their aims and in their
determination to conduct the fight against the common enemy until
victory is achieved. The German Government has the greatest
understanding for the national aspirations of the Arab countries as have
been expressed by you both and the greatest sympathy for the sufferings
of your peoples under British oppression.
I have therefore the honour to assure you, in complete agreement
with the Italian Government, that the independence and freedom of the
suffering Arab countries presently subjected to British oppression, is
also one of the aims of the German Government.
Germany is consequently ready to give all her support to the
oppressed Arab countries in their fight against British domination, for
the fulfilment of their national aim to independence and sovereignty
and for the destruction of the Jewish National Home in Palestine.
As previously agreed, the content of this letter should be maintained
absolutely secret until we decide otherwise.
I beg your Eminence to be assured of my highest esteem and
consideration.
(Signed) Ribbentrop[12]

This was an unusual link-up – one founded on opportunism and a
mutual distrust of the Jews. Haj Amin did not represent a state, but as the
Grand Mufti he was a significant figure in moral and political, as well as
religious, terms. His links with Hitler tell us that alliances were as much
about common enemies as anything else.

There is disturbing evidence linking the Catholic Church to the Nazi
regime. The accusation is that across Europe, the Church, or elements
within it, condoned Nazism because it did not condemn it strongly
enough. In some contexts, the value system of the Church coalesced with

that of the Nazi-backed authorities; in others, individual priests or orders helped to protect war criminals in the post-war years. In Slovakia, there was the bizarre spectacle of a cleric – Tiso – heading up the puppet regime. But it is difficult to generalise: there was no *one* across-the-board response.

The issue of the Jewish Councils, and their behaviour during the wartime period, is also of considerable interest. The Nazis established Councils in Germany and also in other countries. They were representative bodies, staffed by members of the Jewish community. Hitler regarded them as 'intermediaries' in the Final Solution. Clearly, those Jews who became involved in the work of the Councils did all they could to obstruct the Nazis in their policy of persecution, but simply by taking up an 'official' role in the Holocaust, these people were leaving themselves open to criticism and condemnation. They were placed in a terrible situation and the charge that was eventually thrown at them was grave: they aided and abetted the Nazis' programme of genocide against their own.

There was also collaboration *within* the Reich. As Daniel Goldhagen makes plain in his path-breaking work, *Hitler's Willing Executioners*, ordinary Germans invested a lot in Nazism and played their part in making the regime work, sometimes quite enthusiastically.[13] Economic and military elites had an interest in accommodating Hitler after 1933. The religious authorities also found themselves in a quandary. D.G. Williamson argues that their chief interest lay in maintaining their independence rather than opposing the Reich.[14] Of course, there were individual priests of all denominations who executed heroic deeds in the name of anti-Nazism, but church leaders, on the whole, were hamstrung. Stephen Lee is even more disparaging: 'The Protestant Churches were prepared to welcome the arrival of the Nazi regime, regarding the Weimar Republic as un-German and ungodly ... The Catholic Church was also willing to collaborate with Hitler in 1933. The Centre Party, still a political arm of Catholicism, had supported Hitler's Enabling Act (March 1933) in return for certain religious guarantees from the government.'[15]

The conclusion must be that few religious groups and institutions had a totally clean conscience.

Justifying collaboration

For those who engaged in collaboration, of whatever type, the key questions were these: how could they rationalise their behaviour and how could they justify it to themselves and to the wider world? It was a big challenge, but strenuous attempts were made to square the circle, to explain what many commentators considered to be the unexplainable. There was a constant refrain: the circumstances of war and occupation had brought with them new and unpleasant dilemmas.

Ordinary men and women in occupied countries claimed they couldn't help but acknowledge, and thus accept, the German presence. They were not collaborating as such; merely trying to 'survive', 'get by' and 'earn a living'. At times, it was difficult for these people to sound convincing. Was it not the writer Simone de Beauvoir who stated, 'In Occupied France the mere fact of being alive implied acquiescence in oppression'?[16] Of course, in an ideal world, all members of society would have stuck to the straight and narrow, and kept their principles intact; but the situation between 1939 and 1945 was not ideal, and attitudes and behaviour varied accordingly.

In a similar manner, civil servants such as Hans Max Hirschfeld in the Netherlands implied that they had no alternative but to work with their German masters. They were doing a job, filling a void, and – in their own minds, at least – not compromising themselves *too much* by working with the Germans on a purely administrative level.

There is also the interesting case of the Ustashe and the Chetniks in Yugoslavia. As the puppet government, the Ustashe ruled Croatia with an iron fist; the Chetniks in Serbia also ended up collaborating with the Germans. Brian Hall, exploring the politics of Yugoslavia in the 1990s, says:

> *The Croats had been right when they said many more Serbs were now openly calling themselves Chetniks than there were Croats calling themselves Ustashas. But although Tito's post-war government had demonised both of its former enemies, the Chetniks had had, on the whole, a more understandable rationale for their actions. Whereas the Ustashas had been enthusiastic collaborators with the Nazis from the beginning, and had begun the ethnic slaughter, the Chetniks, though anti-Croat – especially after what they considered the Croatian betrayal*

of their Yugoslavia – concentrated at the beginning on fighting the Germans. However, they viewed as their sacred mission the preservation of the Serb nation, so when the Germans started shooting fifty Serb peasants for every dead German, they pulled back [and began to collaborate].[17]

It is as if there were 'good' collaborators (the Chetniks – preserving Serb lives) and 'bad' collaborators (the Ustashe – doing Hitler's dirty work with vim and vigour). This is another interesting perspective on the issue.

Hall goes on to liken the collaboration of Mihailović's Chetniks – originally a resistance force – to the collaboration of the Danes. He says there was a common philosophy: 'We will accomplish nothing by fighting so powerful an enemy except our own destruction.'[18] This was one important rationale for colluding with the erstwhile enemy (in the case of the Chetniks – the Germans and the puppet government of General Milan Nedić).

Then there were political leaders like Pétain who argued that by collaborating with Hitler on a governmental level, they were in fact 'shielding' their countries from the worst excesses of Nazism, and thus should be admired rather than castigated.

The case of General Tsolakoglu in Greece is pertinent. He surrendered to the Germans in April 1941 and thereafter 'proclaimed his readiness to serve the "Führer of the German people"; a government that he headed, he assured the Germans, would be supported by all the senior generals of the Greek army'. And in a manner reminiscent of Marshal Pétain in France, he began his first public proclamation as leader with the words: 'We are known to you as soldiers and patriots.'[19]

Thus, here were two men who had 'sacrificed themselves' to their respective nations at a time of national disaster. There was gentle irony in the fact that two military men had emerged as 'saviour figures' in the aftermath of military defeat and humiliation, but not unexpectedly, the blame was shifted rather adroitly to the politicians of the 1930s, whose policies and politics had been misguided, and who had 'failed' in their own primary duties.

Gerhard Hirschfeld, however, ridicules the type of thinking that high-level collaborators, like Tsolakoglu and Pétain, engaged in, and the justifications they attempted to put forward. He says that collaboration did not moderate suffering, but actually increased it.[20] He refers to Vichy's contribution to the Holocaust and its commitment to sending French workers to Nazi Germany and says that this is evidence that tends to validate the 'extra mile' thesis we mentioned earlier.

At the same time, however, we must recognise that some political leaders all too easily pigeon-holed as collaborators *did* engage in 'spoiling tactics'. Tiso, the man who Hitler regarded as his puppet in Slovakia, wanted to establish a strongly religious state, complete with corporatist element, regardless of the Nazis' plans for his country. As such, in power he proved to be anything but a soft touch. Rather, he was difficult to deal with and independent in his thinking.

In France, Pierre Laval – Pétain's chief minister – prided himself on his awkwardness. Throughout the years of occupation, he was quite open in the way that he talked about his close relationship with Otto Abetz, the German Ambassador to France. But he did not want to go down in history as compliant in all spheres, and the testimonies of some of his colleagues do give the impression that he tried to obstruct the Germans. Henry Cado, director-general of the French police, has revealed what Laval said to him when he (Cado) took up his post: 'They will make demands; you must make demands.'[21]

There were other types of collaborators who did not feel the need to apologise for their actions, or seek to justify them. The 'collaborationists' – those who bought into the ideology of Nazism – believed passionately in what they were doing, and were committed to 'long-term and unlimited cooperation'.[22] The truth is that these people wished to glorify their actions rather than excuse them. Perhaps the collaborationists were the *real* collaborators.

Understanding collaboration

As might be expected given the contentiousness of collaboration as a political strategy, commentators have spent a lot of time and energy developing their own perspectives on the subject. There are many and various approaches – individual writers and historians have their own personal emphases – but there is also an element of agreement and consensus.

Rupert Butler focuses on Hitler's allies in Eastern Europe. He labels them 'jackals'; in other words, leaders who assisted 'another's immoral behaviour'. On balance, he concludes that individuals like King Boris in Bulgaria and Admiral Miklós Horthy in Hungary were 'moderates' when compared to the fanatics who succeeded them in the later stages of the war.[23] In fact, there is an argument that says 'Hitler's allies' were not collaborators at all. Rather, we should view them as what they actually were: sovereign states that were neither occupied nor subjugated by Hitler. According to this line of thinking, allies were allies, not collaborators.

According to Bennett, collaboration – *proper* collaboration, pursued by out-and-out collaborators, not allies – was about the 'national interest'. During the wartime period, this phrase was utilised frequently by Quisling, Pétain and other collaborators. They believed that the 'national interest' – a vague, abstract concept at the best of times – gave political leaders like themselves the right to treat individuals (especially Jews) as pawns in (what they viewed as) a complicated but absorbing political game. Needless to say, policies based on 'national interest' were almost totally devoid of moral and ethical considerations.

For his part, Primo Levi, the Italian anti-fascist writer, has talked about a 'grey zone' in which collaboration took place – a notion that seems to capture the ambiguities and dilemmas implicit in pro-German behaviour.[24] Here we have to remember that there were different varieties and degrees of collaboration, and that sometimes it was simply a last resort or a 'front'. Nothing was ever cut and dried. Peasants and members of the intelligentsia in Ukraine engaged in military collaboration, but claimed that they were inspired by hatred of the Soviets rather than admiration for the Nazis. It is alleged that the French socialist, François Mitterrand, worked for the Vichy regime; yet four decades later he was elected his country's president and served for two full terms (1981–95). How do we explain and rationalise these two very different scenarios?

The experience of occupation forced 'choices' on *all* individuals, argues J.F. Sweets.[25] In his work, Istvan Deák explores the same theme. He says that for ordinary people there was a choice – accommodation or opposition – but for some communities, like the Jews and Gypsies, there was no choice.[26] This line of thinking highlights the enormous moral consequences of Nazi supremacy. It impacted on the lives of everyone. Men, women and children had to stand up and be counted. In reality, even some Jews had a choice. In Germany, the Jewish Councils opted to cooperate with the Nazi authorities, to help in the round-up of Jews. For some observers, this was easily the most disgusting form of collaboration.

During the post-war period, collaboration became a political football. As we will discover in Chapter 8, those on the left demonised it; some on the right and far right sought to justify it.

Varieties of collaboration

As we have noted, collaboration is an umbrella term, and we should therefore think of it as embracing many forms. 'Unpacking' the term, however, brings its own problems. How many sub-varieties of collaboration are there? Where are they quite distinct and where do they merge? What common threads are there? At a push, it is possible to delineate six main variants of collaboration.

'Heart-and-soul' collaboration

This is closeness to Nazism ideologically – not *doing* anything, just *believing* that Hitler and Nazism were the future. This is the same as Werner Warmbrunn's concept of 'voluntary' collaboration and Werner Rings' notion of 'unconditional' collaboration:

> A strange and motley crew rallied beneath the banner of unconditional collaboration: Marcel Déat, the socialist professor of philosopher; Kaminsky, the Russian general; Fritz Clausen, the Danish doctor; Vidkun Quisling, the ex-staff officer and diplomat; Jacques Doriot, the ex-Comintern official; Léon Degrelle, the Catholic fascist; and numerous others – a bewildering assortment of characters, motives, ambitions, and political bankrupts. It is nonetheless possible to generalise. 1. In no occupied country were extreme collaborators granted the recognition and authority they had banked on. 2. Whether as supernumeraries, soldiers, aids to administration and repression, or political pawns in the hands of the occupying power, they were always in the minority and always on the sidelines. 3. Under German occupation, their average support amounted to no more than 2 percent of the indigenous population.[27]

In essence, this type of collaboration is about conviction and belief, *genuine* collaboration perhaps. In colloquial terms, we would talk about a 'meeting of minds'.

In the context of the Netherlands, Warmbrunn talks about 'collaboration with the Germans to the detriment of humanitarian considerations or Dutch national interest, motivated by National Socialist convictions or by a desire for personal gain'. For him, this kind of collaboration is akin to treason.[28] In the context of France, historians now distinguish between 'collaborationism' (this 'unconditional' ideological closeness) and 'collaboration' (working with the enemy on a purely practical and logistical level). It could be said that any phenomenon that gives birth to a new piece of terminology has to be taken seriously.

The 'shield' philosophy

Bennett talks about collaborators who wanted to 'protect' their country and 'avert the worst'.[29] Others refer to 'neutral' or 'reasonable' collaboration. Rings uses the first term and Warmbrunn the second in trying to describe the same kind of attitude – in effect, retaining a handle on local administration for the 'greater good'. In practice, this meant working faithfully with the occupiers and putting into effect all routine edicts that emanated from them. The Jews who served on Jewish Councils – the administrative bodies set up by the Nazis – believed in protecting their own kith and kin. They weren't staffing these organisations because they wanted to speed up the Holocaust, but because they wanted to minimise it in whatever way possible.

Governments in Holland, Norway and Belgium all made a point of carrying out administrative duties, but not legislating.[30] This was the 'shield' philosophy in action. It could be argued that Hans Max Hirschfeld, a senior civil servant in the Netherlands (he held the post of secretary-general for economic affairs), personified this type of collaboration, or *non-collaboration* as it should be known perhaps. He attracted much flak, but he always maintained that it was important for his country to carry on functioning properly during the occupation. He argued that if he had a role to play in this, so be it. In France, Pétain and Laval put great faith in the 'shield' philosophy, but Gerhard Hirschfeld is not convinced; he argues that France, more than any other country, actively supported the German war effort.[31]

'Conditional' collaboration

This was a shrewd strategy, a halfway house between resistance and total collaboration: 'The conditional collaborator says: "I cooperate with the occupying power although I endorse only some, not all, of the National Socialist doctrines. Subject to that proviso, I am ready and eager to collaborate faithfully because I wish to change the circumstances that dictate my attitude'."[32]

Whether they were conscious of it or not, many ordinary people would have played the role of 'conditional collaborators'. Their instincts told them to obey the new authorities in place; their consciences told them that the new rulers were illegitimate. This was the dilemma. They hoped that the liberation, when it came, would vindicate their pragmatic positioning *vis-à-vis* the occupying power.

According to Rings, there were many excellent examples of conditional collaboration: in Norway, where ordinary folk followed a 'third way' between resistance and collaboration; in Holland, where the Netherlands Union – a new body – blended pro-German and anti-German sentiments; and in Denmark and France, where the governments made it official policy. He also highlights the case of 'Red Army officials and Communist Party officials' who engaged in this specific type of collaboration after they had been taken prisoner.[33]

'Tactical' collaboration

This almost merged into conditional collaboration. Bennett calls this 'the double game', a manipulative and duplicitous tactic. In a sense, tactical collaboration was about out-bluffing the Germans. The strategy was used in the Protectorate of Bohemia and Moravia and Denmark. John Wuorinen portrays the Danish attitude as intelligent: 'Realistic adaptation to existing circumstances called for collaboration. The five years of the occupation offered repeated tests of the Danes' adaptability and capacity for defining the limits of their accommodation of the Germans. Much had to be yielded between 1940 and 1945, but a great deal was saved.'[34]

Whether the Danes knew it or not, they were engaging in tactical collaboration. When Stalin signed the Nazi-Soviet Pact in 1939, he was doing so as part of a strategy – even if it backfired in the end. Likewise, when the Jewish Councils cooperated with the Nazis, they were making a calculation, however mistaken and ill-judged. In France, René Bousquet made his name as a minister in the pro-Nazi Vichy government, but in 1949, when he came before the High Court of Liberation Justice, he was given a light sentence because of the help he had also given to the Resistance. Thus, as a ploy, tactical collaboration could be viewed as both cynical and smart. It was one of the many 'grey' zones between the 'black' and 'white' of collaboration and resistance.[35]

'Submission . . . on the grounds of superior force'

This type of collaboration was about coming to terms with reality, about recognising outright political and military superiority. Warmbrunn argues that this position was equivalent to 'accommodation', accepting the status quo, however unpleasant. In turn, Gerhard Hirschfeld says that 'accommodation' was a kind of staging-post on the road to collaboration proper.[36] He goes on to argue that one of the most accomplished exponents of 'accommodation' was Dr Hendrik Colijn, a noted Dutch politician. After his country had been invaded by the Germans, he set up the Netherlands Union, a body that envisaged working with the occupiers rather than instinctively opposing them. Colijn's philosophy was based on realism and practicalities, and when it looked as if Hitler might win the war, the Union's recruitment figures started to increase. We could also mention the Dutch Calvinist newspaper, *De Standaard*. It adopted a policy of 'non-resistance' during the war, and paid the price afterwards.[37]

This variant of collaboration links into the attitude known as 'passive acquiescence'. This was the reality of the wartime experience for many people, and is one that the French novelist, Simone de Beauvoir, wrote about in extremely vivid terms.[38] Some civil servants and some newspaper editors were susceptible to this kind of collaboration.

Attentisme

In reality, *attentisme* was not dissimilar to the position taken up by Colijn, the Netherlands Union and other 'accommodators'. In the early years of the war, *attentisme* was probably the most common attitude on display. Gerhard Hirschfeld defines it as 'a cautious waiting approach, a form of playing for time'.[39] As such, it has little in common with 'full-blown' collaboration.

There is a good example of this attitude in action in Belgium. In 1940, King Leopold III capitulated to the Germans, and throughout the post-war years he was ridiculed for his 'gutless wait-and-see policy'. As Els Witte, Jan Craeybeckx and Alain Meynen have argued, those on the left had plenty to go on: 'They criticised the pre-war policy of neutrality ... his visit to Hitler in Berchtesgaden, the frequent and close contacts of his entourage with collaborating circles ... the deportation of the royal family ahead of the liberation, the fact that the king had not condemned the persecution of the Jews and the forced labour deportations in public, and his refusal to back the resistance.'[40] In short, the monarch was over-cautious and unheroic in his wartime stance, and by 1951 the fall-out from his actions, or non-actions, forced him to abdicate.

In summary, it would be accurate to say that, whatever the dictionary definition of the word, collaboration has been interpreted, at the time and since, in widely differing ways – from an 'honourable' course of action (Quisling, Pétain) to a callous, sinister and Machiavellian operation (the view of most historians and twenty-first century observers). It took many forms. There was genuine collaboration but also forms of collaboration that weren't really collaboration at all. In the end, the activity of collaboration was subject to gradations (some individuals were executed for their wartime behaviour; others were simply let off).

We could actually go further and suggest that there were as many types of collaboration as there were individual collaborators. Everyone had their own, very personal way of 'doing business'. Haj Amin, the Grand Mufti of Jerusalem, was obsessed by the issue of the Jews; Stalin sought a diplomatic breathing-space; the ideological collaborators wished to make a statement of political intent; Dr Colijn of the Netherlands Union and officials of the various Jewish Councils were determined to work alongside the Germans in an effort to 'tone down' the harshness of their rule; puppet leaders like Quisling and Pavelić wanted a taste of power, however hollow and derivative. Many collaborators, many different types of collaboration.

Now that we have explored the meaning, or meanings, of the term, it is time to move on to the 'story' of collaboration. What actually happened? When did collaboration emerge as a discernible phenomenon? What were the main landmarks in its history?

Notes and references

1 R. Butler, *Hitler's Jackals* (London, Pen and Sword, 1998).

2 R.C.F. Maugham, *Jersey under the Jackboot* (London, W. H. Allen, 1946), p.40.

3 P. Auty, *Tito: A Biography* (London, Pelican, 1974), p.230; R.D. Kaplan, *Balkan Ghosts: A Journey Through History* (New York, Vintage, 1996), p.20.

4 G. Hirschfeld and P. Marsh (eds), *Collaboration in France. Politics and Culture during the Nazi Occupation 1940–1944* (Oxford, Berg, 1989), p.2.

5 P. Burrin, *Living with Defeat: France under the German Occupation* (London, Hodder Headline, 1996), p.101.

6 R. Bennett, *Under the Shadow of the Swastika: The Moral Dilemmas of Resistance and Collaboration in Hitler's Europe* (New York, New York University Press, 1999), p.55.

7 Butler, p.59.

8 Hirschfeld and Marsh, p.3. The point is echoed in G. Hirschfeld, *Nazi Rule and Dutch Collaboration: The Netherlands under German Occupation, 1940–1945* (Oxford, Berg, 1988), p.3.

9 For the full text, see the Avalon Project (www.yale.edu/lawweb/avalon/avalon.htm): Nazi-Soviet Relations 1939–1941 – Treaty of Nonaggression Between Germany and the Union of Soviet Socialist Republics.

10 www.geocities.com/CapitolHill/2808/norway.html.

11 www.geocities.com/CapitolHill/2808/norway.html.

12 www.eretzyisroel.org/~jkatz/nazis.html.

13 See D.J. Goldhagen, *Hitler's Willing Executioners: Ordinary Germans and the Holocaust* (New York, Knopf, 1996).

14 D.G. Williamson, *The Third Reich* (London, Longman, 1995), p.87.

15 S.J. Lee, *European Dictatorships* (London, Routledge, 2000), p.185.

16 S. de Beauvoir, *The Prime of Life* (London, Penguin, 1965), p.470.

17 B. Hall, *The Impossible Country: A Journey Through the Last Days of Yugoslavia* (London, Penguin, 1994), pp.108–9.

18 Hall, p.109.

19 M. Mazower, *Inside Hitler's Greece: the Experience of Occupation, 1941–44* (Yale, Yale University Press, 1993), pp.18–19.

20 Hirschfeld and Marsh, pp.12–14.

21 Quoted in *France during the German Occupation, 1940–44*, Vol.II (Stanford, Cal., Hoover Institution, *c*.1947).

22 Hirschfeld and Marsh, p.10. *See* Chapter 4 of this book for more on the collaborationists.

23 See Butler.

24 Bennett, pp.56–7.

25 See J.F. Sweets, *Choices in Vichy France* (New York, OUP, 1994).

26 See www.columbia.edu/~id1/832new.htm.

27 W. Rings, *Life with the Enemy: Collaboration and Resistance in Hitler's Europe, 1939–1945* (London, Doubleday, 1982), pp.104–5.

28 W. Warmbrunn, *The Dutch under German Occupation, 1940–1945* (Stanford, Stanford University Press, 1963).

29 See Bennett.

30 www.black-schaffer.com/info/classes/hist53/paxton_chapter_14.html.

31 Hirschfeld and Marsh, pp.12–14.

32 Rings, p.106.

33 Rings, pp.106–7.

34 J.H. Wuorinen, *Scandinavia* (Englewood Cliffs, NJ, Prentice-Hall, 1965), p.75.

35 Hirschfeld, p.7.

36 Hirschfeld, p.57; Hirschfeld and Marsh, p.8.

37 See Chapter 5.

38 www.black-schaffer.com/info/classes/hist53/paxton_chapter_14.html.

39 Hirschfeld and Marsh, p.7.

40 E. Witte, J. Craeybeckx and A. Meynen, *Political History of Belgium: From 1830 Onwards* (Brussels, VUB University Press, 2000), p.179.

CHAPTER 2

....

The story of collaboration

*Norwegian and German interests are the same. Germany's struggle is
Norway's struggle. Germany's victory is Norway's victory.*

Vidkun Quisling[1]

The story of collaboration is significant. Hitler was instrumental in the
origins of World War Two, and in the early years of the conflict, his
military strategy was based around invasion and occupation. In many
cases, collaboration followed on naturally from this.

Definite patterns do emerge: collaboration generally commenced in
1939 and 1940 and peaked in 1941, 1942 and 1943. Hitler then got desperate, and the period 1944–5 was one of great fluidity. Indeed, in many
states, the Führer altered the existing political arrangements in the latter
stages of the war, with the ultimate aim of re-oiling the German war
machine and increasing the overall efficiency of his genocidal policy
against the Jews.

But collaboration also has a pre-history and a legacy. Some historians would argue that the roots of collaboration are to be located in the
immediate aftermath of World War One, in the 1920s and 1930s. In
this period, Germany was already demonstrating upward mobility,
already dropping strong hints to the effect that it was not happy with
the post-Versailles settlement. It was out of this discontent that Hitler
emerged.

At the same time, Britain and France – the victorious powers in 1918
– were showing signs of complacency. After Hitler came to power in 1933,

they were happy to keep a low profile. Out of this attitude came the policy, or non-policy, of Appeasement. On another level, the suspicion is that fascist parties across Europe, and governments, were either encouraging Hitler, or moving into Germany's orbit, well before World War Two started.

So, the story of collaboration does not start in 1939. Neither does it finish in 1945. It could be argued that the aftereffects of collaboration were as powerful, and as important, as the wartime narrative itself. Indeed, the full significance of collaboration as a historical phenomenon can only be gauged fully when its post-history is examined.

In this chapter we will tell the story of collaboration: from the inter-war years through to the experience of war and the post-war legacy. The middle section (which covers the period 1939–45) is not a narrative of World War Two, but rather a narrative of collaboration – one specific, and very controversial, aspect of the conflict. This chapter will concentrate on high-level political developments, but in places it will allude to the social, economic and cultural context.

1918–39: 'Pre-collaboration'

In this section, we will focus on the fall-out of the Treaty of Versailles, German muscle-flexing in the pre-Hitler years and the era of the Third Reich. We will also consider the growth of fascism in inter-war Europe and the emergence of pro-Nazi governments in many countries.

The Versailles legacy

We invariably view collaboration as a policy that emerged as soon as the Allies locked horns with the Axis in 1939. In an 'official' sense, this is correct of course; in an 'unofficial' sense, however, collaboration dates from much earlier. It could be argued that the process whereby Germany became the major player in European diplomacy, and other powers kow-towed to it, began as soon as World War One was over.

The great and the good congregated in Paris in June 1919, and after an intense period of negotiations, put their signatures to the Treaty of Versailles. Their aim was to establish peace and security, and to guard against the prospect of another world war. Little did they know that their good intentions would count for nothing, and that in their anxiety to punish Germany, and also to create a just peace, they were actually sowing the seeds of future conflict, and ultimately, a diplomatic situation in which collaboration, in all its many forms, would emerge.

In September 1919, Hitler attended his first meeting of the German Workers' Party, and in Italy, Gabriele D'Annunzio, a nationalist poet, captured the city port of Fiume and staged what is now regarded as a 'dress rehearsal' for Fascist revolution. By the end of 1920, the German Workers' Party had metamorphosed into the National Socialist German Workers' Party (NSDAP) and D'Annunzio's occupation of Fiume had finished. In July 1921, Hitler became leader of the Nazi Party and Benito Mussolini founded the Italian Fascist Party. In retrospect, it could be argued that 1920–1 was a watershed period in the history of modern Europe. In Germany and Italy, the stage was now set for fascism.

The rest of the decade was full of interesting and important political developments. In 1922, Germany and the USSR signed the Treaty of Rapallo, regulating the relationship between the two countries. Three years later, in 1925, the Treaty of Locarno was agreed: Germany established security agreements with France, Belgium, Italy, Poland and Czechoslovakia but, significantly, did not make any guarantees regarding its eastern border. Fifteen years later, Hitler would go on the offensive.

The German domestic situation was also fluid. In February 1925, the Nazi Party was re-founded after Hitler had spent a short time in jail. Two months later, Paul von Hindenburg became president. In 1926, the Hitler Youth was formed; in May 1928, the Nazis won 12 seats in Reichstag elections; and in 1929, Heinrich Himmler became head of the SS.

Two other key events took place in 1929. The Young Plan placed Germany's reparation payments on a fixed schedule – a move that prompted a ferocious outcry on the Nazi right – and the world economy was thrown into turmoil by the Wall Street Crash. The combined effect of these developments was massive. Hitler and the Nazis now had a huge 'stick' with which to beat the German political establishment. Not only was the country being squeezed dry by 'unjust' reparations payments, but it was now at the mercy of economic meltdown. The stability and future of the Weimar Republic was in serious danger.

The flowering of fascism

It is in the 1930s that fascism starts to flower not just in Germany and Italy, but in other European states. We see the emergence in this period of a variety of Naziphile movements. Some ultimately became Hitler's partners in collaboration; others had their dreams unfulfilled.

In Western Europe, there was a flurry of activity. The Dutch National Socialist Movement (NSB) was founded in 1931; the General Dutch Fascist Union was formed in the following year. In 1935, the NSB gained 5 per cent of the vote in national elections, and it remained a marginal force until the Nazis invaded. Fascism arrived in Belgium slightly later. The Rex movement, led by Léon Degrelle, was established in 1936, and in May of the same year it won 21 seats in parliamentary elections. Thereafter, Degrelle's ideas became more radical, and in 1938 he published his political testimony, *The Revolution of Souls*. When the Nazi occupation of the Low Countries began, the NSB and Rex found themselves in a similar situation: both movements were eager to collaborate, but neither did enough to inspire Hitler's confidence.

The first fascist *ligues* began to emerge in France in the mid-1920s. They were aggressive, thuggish groups that placed the emphasis firmly on extra-parliamentary activity. Their first assault on power – if that is not flattering what happened – came on 6 February 1934 when riots organised by the Jeunesses Patriotes, Action Française and Croix de Feu caused huge disruption and a change in prime minister. The discontent carried over into 1935; not unexpectedly, when the Socialists and Communists came to power in 1936, under the banner of the Popular Front, they banned the *ligues*. In the same year, ex-Communist Jacques Doriot founded the Parti Populaire Français (PPF) and proclaimed himself the 'French Führer'. By 1940, many *ligue* activists, and many of those involved in the events of February 1934, were collaborating with the Germans: either in Vichy, as representatives of Marshal Philippe Pétain's puppet government, or in Paris, as hardcore ideological collaborationists.

In Scandinavia, the key developments came in Denmark and Norway. In 1933, the year that Hitler gained power in Denmark, Fritz Clausen emerged as leader of the Danish Nationalist Socialist Workers' Party (DNSAP), but as with the Naziphile parties in Holland and Belgium, it was to play only a very minor role after Germany invaded the country in April 1940. In Norway, the Nasjonal Samling (NS) movement had a higher profile. It had been founded by Vidkun Quisling in 1933, just a year after he had been appointed to the Norwegian government as defence minister. Throughout the 1930s, Quisling attempted to endear himself to Hitler, but when the Führer did eventually turn to him, it was more out of desperation than anything else. Nevertheless, a relationship of sorts had been developing during the immediate pre-war years.

The situation was not dissimilar in Eastern Europe. In Croatia, the Ustashe was established in 1929. It was never a mass party in its early years, but it did cast an envious glance at the Nazi Party in Germany, and did try to ape some of its ritual.[2] Hungary saw itself as part of the German orbit and its internal politics reflected this. The Hungarian Hitlerite Movement was founded in 1932, and in the following July, the Hungarian leader, Gyula Gömbös, met Hitler in Berlin. In 1935, Ferenc Szálasi (the man who was to be installed as puppet leader in 1944) established the Party of National Will, which was renamed Arrow Cross in 1937. In 1938, the prime minister, Count Kálmán Darányi, announced a range of anti-Semitic measures, and the head of state, Admiral Miklós Horthy, had an interview with Hitler. In 1939, the Arrow Cross scored 37 per cent in national elections and the authorities enacted the 'Second Jewish Law'. This demonstrates that both the government and the far right were interested in furthering their relationship with the Führer. In Romania, future collaborator General Ion Antonescu become war minister in 1934 and Chief of General Staff in 1937. He was an authoritarian conservative rather than a fascist, but like many other political figures in inter-war Europe, he increasingly came under the influence of Hitler. By 1941, he was head of a *de facto* puppet state in Romania.

Hitler arrives in power

Back in Germany, the Nazis were on a roll. In September 1930, they had won 107 seats in Reichstag elections, and the year after, Hitler and Nationalist leader Alfred Hugenberg had formed an alliance. Further poll success followed: in April 1932, Hitler won 13,417,460 votes in presidential elections; in July, the Nazis won 37 per cent of the vote and 230 seats in a parliamentary poll; and in November, 196 seats in new elections.

In January 1933, Hitler was appointed Chancellor by President Hindenburg. The establishment of the Nazi State followed: the German Labour Front was founded, re-militarisation plans were outlined, and the Gestapo created. Joseph Göbbels became Nazi propaganda chief; Werner von Blomberg was appointed Minister of War; and the Enabling Law gave Hitler the right to rule by decree. By the end of the year, a one-party state had been created. In June 1934, Hitler met Mussolini in Venice, and in 1935 he condemned the disarmament articles contained within the Treaty of Versailles, while at the same time introducing compulsory military service to Germany. All these developments seemed to hint at forthcoming military activity.

Between 1935 and 1939, there were three main strands to Reich policy. First, dictatorship was consolidated and expanded: Hermann Göring took charge of Nazi economic policy, Himmler was appointed German police chief, and Hitler announced details of the Four Year Plan. Second, the campaign against the Jews was accelerated: in September 1935, the Nuremberg Laws on Citizenship and Race, including the Reich Citizenship Law, were introduced; and in November 1938, Nazi Brownshirts burned down 267 synagogues and 815 Jewish stores. Nazi policy was so severe that it was officially condemned by the Pope. Third, foreign policy became more dynamic and threatening. In 1936, the Rhineland was reoccupied by troops of the Reich, Germany and Austria signed the July Agreement, and Hitler and Mussolini united to sign the Axis Pact (expanded a year later to include Japan). The Führer's main interest was Central Europe; this was where his quest for European hegemony commenced. In March 1938, he annexed Austria (an event christened the *Anschluss*); six months later, he signed the Munich agreement on the partition of Czechoslovakia, and then almost immediately occupied the Sudetenland – a key move in his 'grand plan' for mastery of Europe. As Hitler spread his wings, the Allies sat back and placed their faith squarely in Appeasement, the belief that Hitler could be tamed by a policy of non-aggression rather than aggression.

All the time, Germany and Italy were edging closer together. Hitler had little regard for Mussolini as a political figure, but he knew that he could be an important ally. Thus, in May 1939, the Axis was strengthened via the 'Pact of Steel' – an alliance built around 'Friendship and Mutual Aid'. Thus, in a sense, Mussolini was the very first collaborator, the first man to put his faith exclusively in the Führer. In the late 1930s, he had already started to imitate Hitler, with his bizarre foreign policy escapades (Corfu, Ethiopia) and his growing interest in copycat anti-Semitic measures.

When, on 23 August 1939, Hitler and Stalin signed the Nazi-Soviet Pact – the ultimate in political collaboration and *realpolitik* diplomacy – the German invasion of Poland was only a matter of days away.

1939–45: Collaboration

The origins of World War Two may be a hotly debated topic, but no one is in any doubt about the preliminary moves of the conflict. On 15 March 1939, Germany invaded Czechoslovakia, or what was left of it after the seizure of the Sudetenland. One half – Slovakia – was granted pseudo-independence; the other half – the Protectorate of Bohemia and Moravia – became the German 'rump' state. On 1 September 1939, Hitler attacked Poland, and by October the country had ceased to exist as an independent entity.

Western Europe: invasion and occupation

Analysing the opening months of the war, Stephen Lee says: 'The Netherlands, Belgium and Luxembourg all fell to a renewed German onslaught in May 1940. This, however, was only the preliminary to Hitler's major objective – the conquest of France.'[3] This sets the scene nicely.

Across Western Europe events unfolded at a similar pace. First, the Low Countries, then France, suffered the ignominy of invasion. Thereafter, Hitler was entirely pragmatic in the way that he dealt with the three states; there was no *one* policy. In the Netherlands he relied on a system of 'administrative collaboration'; in Belgium he did likewise; and in France, the biggest and most important of the three countries, he pursued a policy of 'divide and rule'.

The Netherlands was the first state to surrender to the Germans. It had declared its neutrality when the war started, but on 10 May 1940 the Germans launched a concerted air attack on the major Dutch cities. The authorities capitulated, and on 14 May 1940 the Dutch monarch, Queen Wilhelmina, fled to Britain. Thenceforth, the country was run by Arthur Seyss-Inquart, the Reich's commissioner. He was based at the Rijsmuseum and administered the country in tandem with a network of Dutch civil servants. The occupation regime was harsh – a curfew was eventually imposed and the use of electricity banned – but resistance only began in earnest when the authorities started to target the local Jewish population, beginning in October 1941. The Dutch had a long-standing history of independence and came to pride themselves on their resistance efforts during the war. It was also a fact that only 1.5 per cent of Dutch people were seduced by the Naziphiles in the NSB.

In June 1944, Allied forces crossed the Dutch border and during the next 12 months German forces began to leave the country. On 5 May 1945, Germany formally surrendered at Wageningen. At the liberation, it was estimated that 270,000 Netherlanders had either been killed or starved to death. In addition, it is claimed that almost 50 per cent of the nation's industrial infrastructure had been destroyed and close on 15 per cent of its land flooded after dikes had been interfered with. Rotterdam was badly damaged, Amsterdam suffered much less.

The same kind of scenario ensued in Belgium. Even though the Germans had recognised the neutrality of the country in 1937, they invaded in May 1940. Within days, defeat for the Belgian forces looked inevitable. On 23 May, Hitler ordered his forces in Belgium and France to hold back, only for the message to be reversed two days later. King Leopold III ordered the unconditional surrender of his troops on 28 May amid accusations of treason. The monarch was taken prisoner by the Germans, and announced that he would not govern under the protection of the occupiers.

At this juncture, the political situation was fluid. While Leopold was being treated as a prisoner of war, the pre-war cabinet, led by Pierlot, had fled to London. On 19 November, the king met Hitler at Berchtesgaden and aimed to win a 'good deal for Belgium'. As things turned out, he won neither neutrality nor independence. In due course, the Germans installed a military authority, headed by General Alexander von Falkenhausen; its brief was to work in tandem with 'existing institutions'.[4]

Ordinary Belgians suffered enormously during the occupation. But all the commotion did not affect the private life of Leopold unduly. In September 1941, he travelled to Austria to get married for a second time. In 1944, he was taken to Germany, and a year later freed by the Allies.

In France, there was time for a complex political saga to be played out before military defeat was confirmed. On 20 March 1940, Paul Reynaud replaced Edouard Daladier as prime minister, and eight days later, the two major Allied powers, France and Britain, agreed not to sign unilateral peace agreements with Nazi Germany. In time, this issue was to completely undermine Anglo-French relations.

By 10 May, Hitler had launched his Western Offensive and invaded France. On 23 May, General Gerd von Rundstedt and the German Army had broken the French defences at Sedan, and four days later the evacuation from Dunkirk had commenced. The major German breakthrough came quickly. On 14 June, Gotthard Heinrici (later to be promoted to General) and the 12th Corps managed to cross the Maginot Line – the old-fashioned defence system that French leaders had believed in so passionately and so mistakenly – and on the same day the triumphant German forces entered Paris. This was a hugely symbolic event, one that Hitler and his propagandists would make sure they made the most of.

After military collapse came political crisis. The day after Paris fell, the USA rejected France's appeal for military help. Two days on, Pétain, France's most famous living soldier, took over the reins of power from Reynaud. Twenty-four hours later, Pétain began negotiations with the Germans. On the 22 June, the Franco-German Armistice was signed and sealed. France had broken its agreement with Britain and signed a separate peace with the Reich. For tactical reasons, Hitler divided France into two zones: one, covering the north and west, to be occupied; the other, in the south, to be unoccupied.

On 28 June 1940, Winston Churchill recognised General Charles de Gaulle as leader of the Free French. Thirteen days later, Pétain became leader of the 'independent' Vichy government in the south. Pétain appointed, and then sacked, Pierre Laval as his right-hand man. Laval was brought back into government on 18 April 1942, when Germany and Japan were in the ascendant (in parts of Africa and Asia especially). Hitler invaded the southern zone on 11 November 1942, and that, in effect, put an end to any notional independence that Vichy may once have had. By August 1944, Paris was liberated, and de Gaulle was strolling down the Champs Élysées.

Scandinavia: Quisling emerges

On 31 May 1939, Denmark signed a 10-year non-aggression pact with Germany. In the same year, Norway, Sweden and Finland said no to just the same kind of deal. On 9 April 1940, Germany launched 'Operation Weser', invading Denmark and Norway on the grounds that the war against the Allies had to be broadened out, and a safe passage for Swedish iron ore had to be secured. Denmark surrendered without a fight, but even though the country was nominally neutral, Hitler did not think twice about occupying it. He said the 'integrity and independence' of Denmark was guaranteed; but this statement had a hollow ring to it.[5]

Granted, in the early part of the war, the Danes were allowed a measure of autonomy. Thorvald Stauning, Vilhelm Buhl and Erik Scavenius headed up successive governments, and worked in conjunction with King Christian X, but on 29 August 1943 the Germans turned the screw: there was a military clampdown, key members of the government were arrested, and the monarch was seized. This was a watershed. The hardening of the German position helped to catalyse resistance, and Denmark started to develop significant relations with the Allies. On 5 May 1945, the country was finally liberated by British troops. In relative terms, Denmark suffered only slight material devastation.

When the war began, Norway was nominally neutral. But on 9 April 1940, German forces invaded the country, and by 10 June Norwegian troops had surrendered. The Norwegian king, Haakon VII, and his government fled to London, and on 25 September Hitler installed Quisling as prime minister.

Throughout the late 1930s, Hitler had been fishing around for a useful pro-Nazi party to latch on to, and even though he had his reservations about Quisling's Nasjonal Samling (NS) party, he was not exactly spoilt for choice. In many ways, Quisling – who idolised the Führer and national-socialism to the same degree that he detested Soviet Communism – had all the attributes of an ideal puppet leader. However, he lost his way in power, provoked far too much internal resistance for the Germans' liking and was dispensed with quickly. Hitler turned to other means of ruling the country. He established an Administrative Committee and a Provisional Council of State.

As the war went on, and as Germany became more and more desperate, Hitler resorted to Quisling once more in association with Josef Terboven, the Reich's most senior representative in the country. In January 1942, Quisling was appointed head of government once again, and in February he visited Berlin. By the summer, Quisling's zealous pro-Nazi attitudes were kicking in: on 21 July, the 'Norges SS', a key military unit, was renamed the 'Germanic SS Norway' – a hugely symbolic switch. Three years later, on 29 January 1945, Quisling met Hitler for the final time; by June the Norwegian king was back on home soil, and on 24 October Quisling was dead, executed for treason.

Sweden managed to remain neutral for the duration of the war, but Finland, because of its sensitive geographical location adjacent to the

Soviet border, was consumed with war against the Stalinist state. The Finns suffered puppet rule for a short period, but it was a Soviet puppet administration under the leadership of Otto Kuusinen.

Central and Southern Europe: puppets galore

The situation in Central and Southern Europe was mixed. Austria and a significant portion of Czechoslovakia had been incorporated into the Reich; Switzerland was neutral; and Italy – one half of the original Axis – was a key ally, but to all intents and purposes collapsed in 1943.

The Balkans was the key theatre. In March 1941, Germany signed the Tripartite Pact with Yugoslavia and Italy in an effort to stabilise the region. However, within a month, and even though the new Yugoslav government led by Vladko Maček pursued a 'conciliatory policy' towards Hitler, German forces, in tandem with Hungarian and Bulgarian troops, had invaded Yugoslavia and Greece.[6] On 12 April, General Paul von Kleist and the 1st Panzer Group entered Belgrade. Five days later, Yugoslavia surrendered.

After the Yugoslav king, Peter II, fled to London to form a government-in-exile, Hitler decided on a policy of divide and rule. He annexed territory for Germany (Lower Styria and areas of Carinthia), and also allowed Italy to take some land (Ljubljana, Montenegro and parts of Dalmatia). In Croatia, an 'independent' puppet state was established under Dr Ante Pavelić and his ferocious Ustashe movement, while Duke Aimone of Spoleto, an Italian, became king. One writer says the Nazi invaders left the city of Zagreb spotless because it turned 'quisling' so early and so easily![7] Meanwhile in Serbia, Hitler installed a military administration and a relatively unassuming puppet regime under General Milan Nedić. In Croatia and Serbia, the period 1941–4 was characterised by severe political repression and terrible inter-ethnic warfare. But on 18 October 1944, Tito's partisans forced their way into Belgrade, and the country was liberated under Soviet protection in the ensuing months.

Since 1936, Greece had been under the control of General Iannis Metaxas, a maverick figure intent on creating a fascist dictatorship. Surprisingly perhaps, he did not permit German troops to travel through his country in 1940. Within the space of months, he was to suffer the humiliation of a double invasion: Mussolini's forces entered Greece on 28

October 1940; Hitler's men did likewise on 6 April 1941. National capitulation and occupation – by both countries – soon followed.

Between 1941 and 1944, Greece was put under military administration, and Hitler governed the country via puppet leaders (in chronological order: General George Tsolakoglou, Constantine Lotothetopoulos and Ioannis Rallis). Collaboration was always a minority pastime in Greece: in due course, the Greek People's Liberation Army (ELAS), the Greek Liberation Front (EAM) and the Greek Democratic National Army (EDES) came to dominate resistance efforts. British forces eventually liberated Athens in October 1944, and the Axis powers formally surrendered on 4 November 1944.

Albania's wartime experience was not dissimilar to that of Greece. On 7 April 1939, Italy's forces invaded the country, and there was even talk of union between the two states. By 1943, on the back of military reverses elsewhere, Mussolini's influence was on the wane, and in September, Hitler's troops invaded and occupied the country. By December 1944, a Communist-led provisional government had been established, and German soldiers had been forced to withdraw.

Eastern Europe: friends and allies

Czechoslovakia had ceased to exist after 15 March 1939, when the German army had invaded. Hitler established the Protectorate of Bohemia and Moravia, and Slovakia (what remained of Czechoslovakia) was granted its independence. Or what it thought was its independence. German troops swiftly occupied the country and Mgr Jozef Tiso, who after a one-to-one meeting with Hitler had been charged with leading the new state, could do nothing but acquiesce. As regards long-term policy, Hitler was in two minds. He wanted Slovakia not just as an ally, but as a 'puppet'. But at the same time, he did not want to take too much of its sovereignty away, lest it scare other states in his orbit, or about to come into his orbit.

In some respects, Germany did exert a powerful influence. Berlin sent many advisers to Bratislava, and when Tuka became prime minister, and coined the expression 'Slovak National Socialism', Hitler was delighted. However, Tiso was an independent-minded leader and, in tandem with his Slovak Populist Party, he developed a unique ideology. He was first and foremost a nationalist and could not countenance a fully 'Nazified'

Slovakia. In this sense, he was a thorn in Hitler's side. Some of his ministers even talked about creating a 'neutral' Slovakia out of Germany's reach. In the end, it was a case of give and take, with Hitler being forced to compromise and water down his demands.

In time, the Slovak regime faced danger on all fronts – radicals wanting more 'Nazification', resisters wanting some kind of anti-Tiso revolution – but it survived. The Germans put down what came to be known as the Slovak National Uprising on 29 August 1944, but a year later, at the end of the war, the country was liberated, a prelude to the re-establishment of the state of Czechoslovakia.

Hungary had territorial designs on southern Slovakia, but had its work cut out to put its own house in order during the wartime period. At the start of the conflict, Hungary declared its neutrality (even though it had spent most of the 1930s in the orbit of the Axis powers); however, as time passed, Hungary found it extremely difficult to keep out of the conflict.

In September 1940, Hitler was given permission to send his troops across Hungarian territory on their way to Romania. This was a prelude to bigger things. On 20 November, Hungary signed a formal alliance with Germany, Italy and Japan, and was now firmly ensconced on the side of the Axis. In 1941, Horthy, the Hungarian leader, aided and abetted Hitler's invasion of Yugoslavia, and gained much sought-after territory as a reward.

There was no turning back for Hungary now, and even though it was gaining the reputation of a reluctant ally, it committed troops to the German invasion of the USSR in June 1941, officially declaring war on the Soviets on 27 June. Britain declared war on Hungary (and Finland and Romania) on 5 December, but as prime ministers came and went, and as the country incurred more and more losses on the battlefield, pressure grew for Hungary to switch sides and dump the Reich.

It was at this juncture that Hitler started to think about invading and occupying Hungary. The country was proving to be less and less reliable, and as the war had reached a critical phase, he needed to be sure of where he and everyone else stood. The Germans eventually moved into Budapest in March 1944; Horthy was deposed; in October, Hitler put his trust in the pro-Hitler Arrow Cross movement and Szálasi as prime minister.

The Soviets, who had killed around 40,000 Hungarians in January 1943 as the Red Army launched an anti-Axis counter-offensive, now moved in to drive out the remaining German troops. On 15 October 1944, Hungary signed an armistice with the USSR; on 21 December, a new Soviet-backed government was established; and by 4 April 1945 the country had been finally liberated from German occupation.

In 1939, Romania signed agreements with Germany (signalling economic cooperation) and the Allies (guaranteeing national independence). Initially, the country proclaimed its neutrality, but for geographical and political reasons, it eventually sided with Hitler. On 6 September 1940, the fascist Iron Guard, assisted by the forces of the Reich and led by Antonescu, overthrew King Carol, and in due course solidified the alliance with Germany; on 23 November, Romania formally joined the Axis.

On balance, Romania's most significant contribution to the war came between 1941 and 1943 when it supplied Hitler with both raw materials and troops for the confrontation on the Eastern Front. However, as the country started to suffer more and more, certain factions began to open a dialogue with the Allied side. On 23 August 1944, the new king, Michael I, coordinated a takeover of power. Antonescu was locked up. On 25 August, Romania declared war on Germany, its erstwhile ally, and by 31 August, the Soviets had begun their occupation of Bucharest. On 12 September, Romania signed an armistice with the Allies, and thereafter fought side by side with Allied troops until the war had been won.

Bulgaria, too, was in the German orbit, but it succeeded in keeping a fairly low profile for most of the conflict. When war broke out, Bulgaria declared its neutrality; for various political and diplomatic reasons it did not wish to become embroiled in the war. However, on 1 March 1941, with German troops at the door, the country signed a formal alliance with the Axis powers, Germany, Italy and Japan. Even though Bulgaria aided Germany and Italy in the invasion of Yugoslavia on 10 April (gaining Thrace and Macedonia as reward), and put its economy at the disposal of the Reich, the country prided itself on its generally passive role in the conflict.

For the people of Bulgaria, it was very important that friendly relations be maintained with the USSR. While the Nazi-Soviet Pact was still in operation, this was easily done; but when Germany opened up the

Eastern Front in June 1941 things became more complex. In the middle of 1944, Soviet troops moved into the Balkans, and on 8 September they invaded Bulgarian territory, just as Bulgarian leaders were about to switch sides and join the Allies. Eventually on 28 October, Bulgaria signed a peace treaty with Allied leaders.

Up to his death in mid-1943, the Bulgarian king, Boris III, played a shrewd and careful hand. He was in touch with what his people wanted and stood up to Hitler on two key issues: the Eastern Front (he sent virtually no troops to help the German effort) and the deportation of the Jews (he managed to worm his way out of some anti-Semitic measures that the Führer wanted him to introduce).

The Soviet Union: subjugation and military administration

On 23 August 1939, Hitler and Stalin signed the Nazi-Soviet Pact. Two years later, on 12 August 1941, the agreement was ended by the German invasion of the USSR. During the autumn, the Wehrmacht advanced through Soviet territory. It occupied land and annexed territory: Ukraine and the Crimea, Belorussia, and other western areas of the Soviet Union.

In addition to occupying these regions, Hitler decided to impose military administrations rather than establish puppet governments. This still placed native populations under considerable strain. Chris Ward feels that the Nazi-Soviet wars 'undoubtedly evinced levels of fraternisation with the enemy far in excess of those seen at any other period of Russian or Soviet history'. He says that in 1943–4 a range of nationalities – Balkars, Chechens, Ingushes, Karachais, Meskhetians, Crimean Tartars, Kalmyks and Soviet Greeks and Kurds – were accused of aiding and abetting the invaders by the Moscow authorities; and that after the war, groups of Estonians, Latvians, Lithuanians, Cossacks and Ukranians were punished too. The main charge? An 'inadequate response to fascism'.[8]

Collaboration definitely went on – if more out of spite for Moscow than love of the Germans – but the tide of the war was quick to turn. The 'Great Patriotic War' launched by Stalin in 1943 paid quick dividends. Kiev was liberated on 6 November 1943 and Sebastopol in May 1944.

Estonia and Latvia had both signed treaties of non-aggression with Hitler in the spring of 1939, but when Germany launched its invasion of the USSR, these two states, plus Lithuania, were soon to bear the brunt.

At first, the Germans were viewed as heroes; after all, Stalin was the prime enemy, and as a result of Hitler's invasion, his hold on the Baltic republics had ended.[9]

Hitler ruled the Baltics via military decree for the best part of three years (1941–4). He used local police units to stamp out dissent where necessary, and offered the odd 'carrot' to local collaborators – the promise of a brighter future for the states, for instance. But he did not attempt to establish puppet regimes in the region. In 1944–5, the Red Army reinvaded and put a stop to whatever moves towards autonomy were taking place. In 1941, Nazi repression had replaced Stalinist repression, but by the end of the war, Stalinist repression had replaced Nazi repression.

By the summer of 1944, the tide was beginning to turn in the Allies' favour. On 9 July, Caen in Normandy was liberated, and Toulon, Cannes and Calais soon followed. American troops entered Paris on 24 August, and within hours, de Gaulle, leader of the French Resistance, was strolling down the avenues of the capital. By 10 September, the Provisional Government in France had disbanded the pseudo-legislature used by the Vichy regime.

Events elsewhere were just as dramatic. On 1 August, the resistance in Poland took up the offensive against the German occupiers; on 4 September, British soldiers entered Brussels, and exactly a week later, Allied forces made their first incursions into Nazi Germany. In Eastern Europe, the Soviet Army was liberating and subjugating in equal measure. Czechoslovakia came under their wing on 6 October, Poland and Hungary in January 1945.

Inside Germany, things were becoming desperate. On 25 September 1944, Hitler called up all remaining males aged between 16 and 60 in Germany for military service. Erwin Rommel, Hitler, Göbbels and Himmler committed suicide in quick succession, and Belsen, Buchenwald and Dachau – three of the most infamous concentration camps – had been liberated. In May 1945, Germany offered its unconditional surrender.

1945–present day: 'post-collaboration'

The liberation took place at different times in different places, but wherever it happened, it brought freedom, salvation and joy. Collaboration was dead and buried and many of the most notorious collaborators soon followed. But the memory lingered on like a bad smell.

In 1945, the Nazi Party collapsed and the Nuremberg Trials opened. At last, Nazism was being brought to account. Two of Hitler's most assiduous and enthusiastic lackeys met their death in the same year: Quisling and Laval (both shot by firing squad). In 1946, Romania's Antonescu and Hungary's Count Béla Imrédy and Szálasi were executed (in the aftermath of war, Allied troops had returned Szálasi and his ministerial colleagues to stand trial for war crimes). And in 1947, Slovakia's Tiso was hanged for treason. Meanwhile, some noted collaborators committed suicide (Rost van Tonningen, Pierre Drieu la Rochelle) and some got away with prison sentences (Graaf de Marchant et d'Ansembourg, Pétain). This roll of dishonour is extremely poignant. Those who collaborated in the corridors of power, or actively yearned to, had no dignity left. Those who took their own lives did so because they knew what was coming, and they knew their time was up.

The search for justice continued. Two random examples: in the summer of 1945, Belgium put 50,000 people on trial for 'collaborating' during the war, and in 1961 Adolf Eichmann, the man who helped to mastermind the Holocaust in Eastern Europe, and worked with local political leaders in so doing, was tried by an Israeli court.

Different countries had different 'post-collaboration' experiences. In Greece, civil war broke out in December 1944. In Belgium, King Leopold had to fend off accusations that he committed treason when he surrendered in 1940. In France, Maurice Bardèche was the first collaborator to emerge out of hiding; incredibly, in the aftermath of the war, he tried to justify collaboration and the Holocaust once more, and was sent to prison for his troubles, only to re-emerge and become involved in the Union of National and Independent Republicans in 1951.[10]

There were other patterns and developments. Exiled leaders returned to base: Queen Wilhelmina of the Netherlands touched home soil again on 2 May 1945, and de Gaulle, after re-entering Paris in August 1944, came to dominate the world of French post-war politics right up until his death in 1970. In Eastern Europe, the states that had kowtowed to Hitler had to get used to the Soviets. In time, the Iron Curtain would go up, the Cold War would set in and Stalin and his successors would try to subjugate these countries in just the same way as Hitler tried to.

Some collaborators managed to survive the post-war purge. Degrelle fled to Spain in 1945 but remained a significant influence on post-war neo-fascism. Marcel Déat, head of the Rassemblement National Populaire, the French collaborationist movement, had a bizarre religious conversion in Italy and lived until 1955; and though Robert Brasillach, a leading French Nazi, was executed in 1945, his memory, and political ideas, lived on in the Society of Friends of Robert Brasillach, founded in 1960 by his brother-in-law, Bardèche.

And as the twenty-first century dawned, collaboration and its aftershocks could not stay out of the headlines. In 2002, Maurice Papon, one of Hitler's key agents in France, was released from prison on medical grounds. This decision caused a storm of protest. In so doing, it demonstrated that the issue of collaboration was still very much alive.

Notes and references

1 Quisling quoted in P.M. Hayes, *Quisling* (London, David & Charles, 1971), p.274.

2 See M. Tanner, *Croatia: A Nation Forged in War* (London, Yale University Press, 2001), Chapter 11.

3 S.J. Lee, *European Dictatorships* (London, Routledge, 2000), p.223.

4 E. Witte, J. Craeybeckx and A. Meynen, *Political History of Belgium* (Brussels, VUB University Press, 2000), pp.158 and 160.

5 J.H. Wuorinen, *Scandinavia* (Englewood Cliffs, NJ, Prentice-Hall, 1965), p.74.

6 N. Malcolm, *Bosnia: A Short History* (London, Macmillan, 1996), p.173.

7 B. Hall, *The Impossible Country: A Journey Through the Last Days of Yugoslavia* (London, Penguin, 1994), p.69.

8 C. Ward, *Stalin's Russia* (London, Edward Arnold, 1999), p.196.

9 See J. Caballero, C. Jurado and N. Thomas, *Germany's Eastern Front Allies* (London, Osprey, 2002).

10 The UNIR won four seats.

Why did collaborators collaborate?

From now on, independently of every foreign interest and guided only and solely by the purest of Greek interest, let us try to make Greece live and to ensure for its People peace and work. No-one should hesitate. Let us all contribute to it in all our strength. I am relying on the patriotism of each and every one of you.

General George Tsolakoglou[1]

The film, *Lacombe Lucien*, is set in wartime France. Its central character, Lucien, a young man who lives on a farm, is bored by his menial job, cleaning the floors of a local hospital. In his spare time he plays around with guns and shoots animals, and gets an enormous thrill from doing so. The sub-text seems to be this: Lucien wants excitement and wants a 'piece of the action'.

So, he takes a dead animal as a present to a man of his acquaintance, Peyssac, who also happens to be a key figure in the local resistance:

Lucien (giving Peyssac the dead animal): It's for you.

Peyssac: Thank you. Is that why you came?

Lucien: I want to join the Maquis [the name given to resistance units in rural areas].

Peyssac: How does that concern me?

Lucien: It's you who makes the decisions...

Peyssac: You're too young. We've enough people anyway. The Maquis is a serious business you know. It's like the army.

Lucien hopes that Peyssac will be suitably impressed by the gift and the skill that went into killing the animal. But he isn't and he rejects Lucien, implying in what he says that the resistance isn't open to 'just anyone'.

Spurned and slighted, Lucien sets off on a long bike ride. However, his journey is curtailed when he discovers he's got a flat tyre. So, he continues on foot, until he is intercepted outside a big mansion by a middle-aged man who accuses Lucien of 'spying' on those inside the house. Lucien is bemused by the allegation. He is taken inside for questioning, but almost immediately there is mutual affection. The people inside the house warm to Lucien, and Lucien certainly warms to his new environment.

Inside the house there are a variety of people – a famous former cyclist whom Lucien recognises, a number of other men, and a few women, some quite glamorous. There is also a lot of alcohol. People are having a good time and enjoying themselves. This is the 'excitement' that Lucien has been craving.

At first, in his naïvety, Lucien doesn't quite realise where he has ended up, but it gradually becomes apparent that he has entered the local headquarters of the Milice, the pro-German police. The people are French, but their daily business revolves around beatings and intelligence-gathering; Peyssac and his colleagues in the local resistance units are the 'enemy'. At one point, the young hospital worker is asked where he lives:

Lucien: ... in Souleillac.

Aubert [the famous cyclist]: Wait, I know someone there. Who's the woman who runs the grocery?

Lucien: Madame Cabessut.

Tonin [another pro-German informer]: Have a drink. So you're from Souleillac? It's pretty rough country around there. Any Maquis people there?

Lucien: They don't show themselves much.

Aubert: And how is Madame Cabessut?

Mademoiselle Chauvolot: What's the teacher's name?

Lucien: Peyssac ... Robert Peyssac. They say he's a Freemason. What does that mean?

Tonin: Are you sure he's in command?

Lucien: Yes, he uses another name. They call him Voltaire, Lieutenant Voltaire.

Thereafter there are many twists and turns in the story of Lucien, but at this point in the film it is clear that, after a lot of searching, he has found a welcoming 'home'. The fact that Lucien – a young hospital worker – finds himself among collaborators and informers does not seem to bother him, even though he had made strenuous efforts to join the resistance only shortly before. The underlying message seems to be that, in political terms, Lucien is naïve, impressionable and immature. It is as if he is look-ing for something to believe in – an ideology, *any* ideology.

Thus, *Lacombe Lucien* provides us with one striking insight into the origins of collaboration. The case of Lucien tells us that it was oppor-tunism, pragmatism, the need for excitement and the desire for friends in high places that propelled certain individuals into 'dubious' behaviour. Maurice Larkin says that those people who joined the French police did so for a variety of reasons: 'Some sought to avoid German labour service, or wanted to obtain a more privileged existence in a time of acute short-age; others saw the Milice as a bastion against anarchy. But the most dis-reputable found it an opportunity to settle scores or to indulge sadistic inclinations.'[2] It certainly wasn't ideological conviction that drove Lucien into collaboration with the hated Milice. (Here, note Lucien's comment about Freemasons – an astonishingly naïve and embarrassing question for a would-be collaborator to ask! On the right and among col-laborators, Freemasons were traditionally scapegoated, just as Jews were: they were viewed as 'alien', 'dangerous' and 'anti-national'. If Lucien had been a *true* collaborator, he would have known this.)

But *Lacombe Lucien* is certainly not representative. It is the story of one individual, a young man based in an extremely isolated part of France. It is illustrative and interesting, but it is merely scratching the surface. We now have to consider the bigger picture: why, on a global scale, did collaboration happen?

The historian faces a challenge. The 'why' question is not an easy one to resolve. Was it ambition, or a cynical political calculation, or something else? Or were collaborators such intrinsically warped or flawed people that they felt they didn't need to justify their behaviour? George M. Kren, reviewing Rab Bennett's book, argues that individuals were normally motivated by one of four factors: 'self-interest', 'belief in Nazi ideology', the view that collaboration was the 'lesser evil' or the conviction that, somehow, collaboration could tone down the 'excesses' of Nazism.[3] As we explore the issue of *why* individuals, organisations and governments engaged in different forms of collaboration, this assessment can help us greatly.

It has been argued that in Belgium there were 'committed' and 'pragmatic' collaborators. This covers, on the one hand, the zealots and the cynical careerists; and on the other, the wheeler-dealers and the impressionable.[4] John Campbell and Philip Sherrard argue that in Greece, a minority of the middle classes collaborated with the German occupiers, 'whether for reasons of personal gain or from a general belief that Germany would win the war and that Communism was a more permanent threat to Greece than the consequences of a probably temporary occupation; or from a mixture of these motives'.[5]

In Belgium and Greece, there is clearly a mixture of factors at play, and in Europe as a whole, there is the same array of motivations present. In this section, we will examine three main perspectives on the question of origins. First, we will ask whether collaboration, in social, economic and political spheres, was unavoidable once Germany had invaded and occupied territory. Then, we will consider the viewpoint of the Reich: how much did it actively *want* collaboration? Finally, we will analyse the thinking of individuals, groups and governments who cooperated and colluded with Hitler and Nazism.[6]

The inevitability of collaboration
Was there an alternative?

The islands of Jersey and Guernsey were occupied during the war. Thus, the 'official' view is that everyone *had* to collaborate to some extent. So, for example, the traditional government structures remained in place. But – and this is a big but – they tried to function as ineffectively as they could do without attracting the wrath of the Germans. This position was representative. Throughout the length and breadth of Europe, individuals, organisations and governments had very little choice but to collaborate, and in the end, many did so unwillingly.

Once the momentum was with Hitler on the military plane, once he was occupying land, and once armistices were being signed – in the years 1939, 1940 and 1941 – there was very little elbow room for both leaders and led. In Denmark, was it not inevitable that collaboration would commence once the Germans had sent the Danes an ultimatum regarding the 'futility' of resistance? (The answer has to be yes.) In Bulgaria, did King Boris have any option but to work with his ally, Hitler? (No. Even though he prevaricated on some issues, he regarded cooperation with the Reich as the 'lesser of two evils'; worse would be a Wehrmacht invasion of his country.)[7] In Norway, was it not on the cards that local women would pair off with Nazi soldiers? (The number of babies born of such liaisons would suggest it was.) In France, was it not in the nature of things that the writer Simone de Beauvoir, in the course of her Parisian wanderings, would patronise cafés also frequented by German soldiers? (She would answer in the affirmative, just as others would argue that their everyday activities were the product of circumstance rather than mischievous forethought or pre-planning.)

Similarly, did Marshal Philippe Pétain, France's wartime leader, have any real option but to sign the armistice, the document that heralded the dawn of collaboration as a policy of state? Did he have any alternative but to meet Hitler at Montoire and formally agree to collaboration? And did Pierre Laval – the Marshal's most senior minister – have any alternative but to engage in formal political collaboration *after* the armistice had been signed? He says not:

Why should I have committed treason? For money? That would be the most unspeakable crime. My accusers do not suggest it. Was it to satisfy my vanity or to fulfil an ambition? I have occupied eighteen ministerial posts and I was several times Prime Minister ... Was a meeting with Hitler [in October 1940] a mistake? Was it possible to avoid this meeting? When it is understood that my mission was to defend France's interests against the Germans the conclusion must be accepted that it was quite natural and desirable that I should meet the German leader to this end ...

*I had accepted the difficult role of defending our interests and had agreed
to maintain the contact with the German Government. How better could I
carry out my mission than in speaking to Hitler? And, to be absolutely
frank, how could I have escaped in the circumstances in which I found
myself, a meeting which had not been prepared by me and with regard to
which I had had no advance notice? . . . It is an easy thing, five years
afterwards, to refight the war and to disprove the arguments used at that
time. But it is a grave injustice to accuse of 'intelligence with the enemy'
those who, like myself, sought to defend our country and who had no
means of doing so save day-by-day negotiation. In a word, Montoire was
not the result of intrigue but the logical consequence of events.[8]*

It could be argued that, in this passage, Laval protests too much, that he
confirms his guilt by his over-forceful and over-zealous pleas of innocence. In many ways, this behaviour is understandable. His *Unpublished
Diary*, from which the extract is taken, was written in prison, in 1945, as
he awaited the trial that would (in a shambolic manner) send him to his
death. He maintained that the meeting with Hitler was unavoidable and
that collaboration, in the 'national interest', was thus 'logical', not to say
inevitable. Indeed, it could easily be argued that, although Franco-
German collaboration at a governmental level was formalised as late as
24 October 1940 when Pétain met Hitler at Montoire, it was to all intents
and purposes an inevitability after the Franco-German Armistice had
been signed in June of the same year. The Armistice contained 24 terms.
Article III is the key one:

*In the occupied parts of France the German Reich exercises all rights of
an occupying power. The French Government obligates itself to support
with every means the regulations resulting from the exercise of these
rights . . . All French authorities and officials of the occupied territory,
therefore, are to be promptly informed by the French Government to
comply with the regulations of the German military commanders and to
cooperate with them in a correct manner.'[9]*

This gave the French very little room for manoeuvre. The Armistice presaged collaboration directly.

For collaborators searching for a reasonable way to explain what to
many people was unreasonable behaviour of the highest order, 'national
interest' was a useful default position. Political leaders in France and

Greece resorted to it frequently. On 29 April 1941, just 24 hours before he was named as head of the puppet Greek government, General George Tsolakoglou addressed the populace:

> *Greek fighters, Greek People*
> *Those responsible for this national disaster left Greece and abandoned the soil of our homeland. Under the safe protection of the sea from enemy attacks, they are asking from all of us to continue the fighting, the vain nature of which all of those of you who stayed on home ground have understood. The harsh reality is that, after the take-over of Athens by the Germans and the fleeing of the English, nothing can longer be said of continuing the struggle. A fleeing government has no right to demand of the Greek sacrifices that are tantamount to slaughter and suicide. Greeks, we have a duty to take the destiny of the Country strongly in our hands and face the harsh reality straight in the eye. To rise up to the occasion, I have decided, in conjunction with all the Generals and the Officers of the Greek Army that has bravely fought, to form under my leadership a new government that will exercise authority.[10]*

When the new man at the helm uttered the words, 'Greeks, we have a duty to take the destiny of the Country strongly in our hands and face the harsh reality straight in the eye', he was making a direct and rather emotive appeal to 'national interest' (and the fact that 'Country' is spelt with a capital 'C' is highly significant).

For his part, Pétain recognised that France had to work with Germany for the 'greater good'. He spoke on this theme in May 1941:

> *FRENCHMEN:*
> *You have learned that Admiral Darlan recently conferred with Chancellor Hitler. I had approved this meeting in principle. The new interview permits us to light up the road into the future and to continue the conversations that had been begun with the German Government. It is no longer a question today of public opinion, often uneasy and badly informed, being able to estimate the chances we are taking or measure the risks we take or judge our acts. For you, the French people, it is simply a question of following me without mental reservation along the path of honor and national interest. If through our close discipline and our public spirit we can conduct the negotiations in progress, France*

will surmount her defeat and preserve in the world her rank as a
European and colonial power. That, my dear friends, is all that I have to
say to you today.[11]

Pétain said that he was acting in the 'national interest'. Ditto Laval. When
he worked closely with the German Ambassador to France, Otto Abetz,
and responded to Hitler's demand for 'labour transfers' by sending thousands of foreign Jews to their death (thus securing the safety of thousands
of French Jews), he explained that he was motivated, first and foremost,
by the 'national interest'.[12]

To some, the argument had credibility. Not everyone could 'do a de
Gaulle' and flee heroically abroad. Pétain's *curriculum vitae* was impressive – it was almost a statement of patriotism – so why would he suddenly
'flip', change sides, and lose sight of all his duties as a Frenchman and
statesman? This was the question that all supporters of the Marshal were
asking, and wanted answered. For these people, Pétain's career had not
'veered off' into duplicity, but had remained a 'straight line'. He was
doing what he felt had to be done, in the 'national interest'.

But at best, the 'national interest' argument is both nebulous and
vague. It was all very well for individuals such as Tsolakoglou and Pétain
to talk about 'the interests of the nation', but the words, repeated over and
over again, began to sound tired and insincere. How could compromise
and accommodation serve the nation? What example was it setting? And,
most worrying of all, where was it all going to end? Here, the collaborators were silent.

Long-term factors

So, one argument has it that collaboration was inevitable after the political and military events of 1939 and 1940. Another says that collaboration
had been on the cards ever since Britain and France had nailed their
colours to the mast of Appeasement in the 1930s. If 'Hitler's progress
towards war was unintentionally accelerated by Western leaders, para-
doxically, because of their very hatred of war', as Stephen Lee suggests,
could it not be argued that the seeds of collaboration were also sown in
this period?[13] According to this line of thinking, collaboration was the
outcome of a long historical process, not just of the outbreak of war and
the first military skirmishes.

In a number of countries, collaboration should not simply be viewed as a product of 1939–40. In the years between its formation (in 1933) and the German invasion (in 1940), Quisling's Nasjonal Samling (NS) party had gained notoriety on account of its pro-Hitler stance. It was the *only* party in Norway to sympathise openly with the Führer during the immediate pre-war years. Thus, when a period of 'pacifistic' government opened the door to Quisling at the beginning of the war, was it any surprise that Norway should shower Germany with propositions?[14] Not really.

With regard to the Netherlands, geography was the key factor. Throughout its history, the country has had to come to terms with the size and proximity of Germany, its 'aggressive elder brother' to the east. Of course, the Dutch National Socialist Movement (NSB) made great play of its idolatry of the Nazi regime during the 1930s, but when Hitler invaded and occupied the Netherlands in May 1940, it was the geographical closeness of the two countries, plus the obvious historical ties, that made collaboration at an administrative level an inevitability. In general terms, Germany administered the Netherlands as if it was an extension of the Reich.

The signs were present elsewhere. During the years 1933–8, the regime of Admiral Miklós Horthy in Hungary had been encouraging Hitler to do away with the Trianon agreement of June 1920 – which blamed Hungary in part for the outbreak of the First World War and took land away from it. Croatia, too, had always boasted strong links – Marcus Tanner alludes to its 'pro-German reputation'.[15] More specifically, the Ustashe (established in 1929) had exhibited strong pro-Nazi sentiments long before it emerged in power in 1941. It was already a past master at aping and imitating Nazi politics and Nazi-style ritual. Here again, it would appear that collaboration during the war was anything but a surprise. Next door in Serbia, the Chetniks of Kosta Pećanac had emerged in the 1930s. They prided themselves on their anti-Communist, pro-German ideology, so when Hitler invaded, and the puppet government of General Milan Nedić was established, they were natural collaborators, particularly in the military sphere. Even in the Middle East, Hitler was gaining admirers. Throughout the 1930s, the forces of Arab nationalism and Palestinian anti-Zionism were positioning themselves alongside Nazism.[16]

In France, Laval, appointed as foreign minister in 1934, followed a policy of *rapprochement* towards Italy and Germany. This was a definite shift in French foreign policy, based on the belief that Germany under Hitler was becoming stronger and France, for whatever reasons, was becoming slightly less confident and assertive in foreign policy matters. Laval felt it would therefore be beneficial for France to 'tag along' with the two formidable Axis powers, a decision, it could be argued, that presaged Pétain's infamous handshake with Hitler at Montoire.

In a different sense, there is also the view that political collaboration after 1940 was in some way an act of 'revenge' on the part of French fascists in the ongoing spat between right and left. The right had been in the doldrums since February 1934, when the revolution of the *ligues* – the rightist extra-parliamentary groups – had misfired; furthermore, the triumph of the united left in the elections of 1936, under the banner of the Popular Front, had sent shockwaves through the combined forces of the right, not least because one of the new government's first acts was to outlaw the *ligues*. It was all very petty, but real nevertheless.

In 1938, Chamberlain, on behalf of the Allies, had 'sold out' Czechoslovakia at Munich. If Lee's argument holds water, interesting light is shed on the phenomenon of collaboration.[17] Were not the Allies 'collaborating' with Germany in a technical sense by putting on such a passive front in the pre-war period? And was it any real surprise that after war broke out in 1939, France and some other European states felt that the best way to deal with Hitler was to suck up to him? Is it the case that the die had been cast many years earlier?

Berlin – indifference

On 3 August 1940, Hitler appointed Abetz as his ambassador to Vichy France. A memo written by Joachim von Ribbentrop outlined his functions:

1. To advise the military agencies on political matters
2. To maintain permanent contact with the Vichy Government and its representatives in the occupied zone.
3. To influence the important political personalities in the occupied zone and in the unoccupied zone in a way favorable to our intentions.

4. To guide from the political point of view the press, the radio, and the propaganda in the occupied zone and to influence the responsive elements engaged in the moulding of public opinion in the unoccupied zone.

5. To take care of the German, French, and Belgian citizens returning from internment camps.

6. To advise the secret military police and the Gestapo on the seizure of politically important documents.

7. To seize and secure all public art treasures and private art treasures, and particularly art treasures belonging to Jews, on the basis of special instructions relating thereto . . .

Signed: RIBBENTROP[18]

Obviously, after their run of military success in the early stages of the war, the Germans were in a position to dictate matters as regards the future course of their relationship with the other states of Europe. The instructions to Abetz clearly show that collaboration could have benefits for the Reich.

It is difficult to generalise across a number of very different countries, but suffice to say, there were some general motivating factors as far as Hitler was concerned. What were they?

First, there was prestige and power. Historians may debate the exact nature and extent of Hitler's megalomania, but there is no doubt that his medium-term aim was the establishment of a new Nazi order in Europe. This required invasion; then occupation; and, finally, the introduction of new practices of government. In some cases, the Führer could rely on *bona fide* allies and didn't have to establish formal processes of collaboration; in others, he *was* forced to install new pro-German administrations or new pro-German governments, and institute 'collaboration proper'.

The notion of a 'new German Empire' appealed to Hitler. He had a keen sense of history and, in his own mind, would have known that territory equated to political power. Herein lay the rationale for collaboration – at least from the point of view of Berlin. It was about making a statement and flexing muscles.

Second, there were material benefits to be gained. Here we must distinguish between occupation and collaboration. It is the case that occupation, *in itself*, brought major economic and military advantages the way of Berlin. For instance, when the Franco-German Armistice was signed in June 1940, Hitler was shrewd enough to occupy only 'useful' areas of the country, e.g. the north (where the majority of French industry was located) and the west coast (where there were a number of key ports and naval centres). So, *in its own terms*, occupation was beneficial to Hitler in both economic and military spheres.

When relationships started to develop between Hitler and puppet/satellite regimes, the material benefits to be had increased accordingly. In among the many and various link-ups, Norway and Croatia made special offers of assistance to the German war effort; Romania and Hungary sent tens of thousands of men to die on the Eastern Front; and the Netherlands and France coordinated 'labour transfers' to Germany. In many contexts, of course, the military rationale and the economic rationale almost fused.

The occupied states, especially the ones that were actively collaborating with Berlin, could be used by Hitler, almost continually, to oil the German war machine. With hindsight, we are able to say that the infrastructure of collaboration did not enable Hitler to win the war, but in the middle phase of the conflict, it did enhance his chances of victory, if only marginally. This fact explains to a large extent why he engaged in collaboration, often against his own better judgement. Nevertheless, it would be wrong to assume that the Nazis were over-interested in collaboration as a 'partnership'.[19]

The coming together of Quisling and the Nazis is often cited as *the* archetypal 'marriage', but this is a gross over-simplification of the matter. Paul M. Hayes says that at one point the Führer was 'not bothered who ruled Norway'. Indeed, in 1930, after the two men had met, Hitler had come to the conclusion that the Norwegian leader was of 'no use' to him. The situation deteriorated so much in fact that others had to speak on Quisling's behalf in an effort to convince Berlin of his utility. Only when the diplomatic tide started to turn against the Führer, or when he found himself desperately in need of Norwegian iron ore, did he wave the olive branch in Quisling's direction. On such occasions, the man himself tried to endear himself to Nazi officials by speaking in German.[20]

Thus, the Nazis were entirely and consistently pragmatic. Of course, the APA (the foreign policy office) was on the look-out for collaborators 'among the friends of Germany in Scandinavia', but even so, there was absolutely nothing inevitable about the NS-Nazi 'alliance'. The aim was to 'adapt a native party to their requirements', but this was not an easy task.[21]

It would be wrong to assume that Hitler was the moving force behind collaboration. Sometimes in fact he actively *didn't* want to occupy land. For instance, he initially wanted Norway to be neutral rather than anything else. But collaboration was easy come, easy go. If you fitted the bill, great – you could be assured of a place in Berlin's good books for a while. But when you ceased to be useful, you could be dumped unceremoniously. Dragoljub-Draža Mihailović, leader of the Serbian Chetniks, and others, could all testify to this. In Ukraine, things were even worse. The loyalty of the local intelligentsia was up for grabs, and some in Berlin wanted to befriend them. But on the ground in Kiev, Koch, the head of Reichskommissariat Ukraine, saw matters differently. He would 'rather shoot than recruit'.[22]

Occupied Europe – circumspection and enthusiasm

In some corners of Europe, collaboration, or cooperation, or collusion, was forced on ordinary people. A German proclamation dated 1 July 1940, and signed by the Commander of the German Air Forces in Normandie [*sic*], stated that there was no option for the Chief of the Military and Civil Authorities in Jersey but 'peaceful surrender'. The final three terms of the document read as follows:

> *6. All Radio traffic and other communications with Authorities outside the Island will be considered hostile actions and will be followed by bombardment.*
> *7. Every hostile action against my representatives will be followed by bombardment.*
> *8. In case of peaceful surrender, the lives, property, and liberty of peaceful inhabitants are solemnly guaranteed.[23]*

Thus, if a resident of Jersey 'surrendered' or desisted from 'hostile actions', he or she would be fine. But were islanders who agreed to abide by the Commander's instructions collaborating or not? Technically, perhaps they were; but by any other criteria, surely not. In this sense, collaboration was always a matter of definition. There was 'voluntary' collaboration and there was 'involuntary' collaboration. It would be extremely harsh to condemn the people of Jersey, or anywhere else, for merely complying with military orders, especially when they did so in such a grudging manner.

Being guilty of collaboration in a technical sense was probably common enough. But there were also a good number of people who exhibited an active desire to collaborate. Here there were many factors at play: the belief that individual countries were somehow 'missing out' if they didn't tie their destiny to that of Nazi Germany; the desire to impress the Führer; the ambition of certain political leaders; and also the obvious ideological affinities that linked some European regimes and the Hitler state. Underpinning everything was the reality of the situation: some countries, invaded and occupied, had absolutely no choice.

General willingness and the desire to impress

Whatever Hitler said went. If he wished for collaboration, he would get it, and sometimes it would be very one-way – so one-way that it is probably more accurately described as domination or subjugation.[24] Conversely, if he was uninterested in collaboration ... there was no collaboration. What Hitler's puppets and allies wanted was neither here nor there. But even so, it is interesting and important to consider the perspective of those on the 'periphery'.

Quisling – Norway's puppet premier – talked about the 'necessity' of occupation and collaboration, and explained 'how useful it would be'.[25] He declared that a government led by himself was required to 'save' the country, and was keen, perhaps over-keen, to 'convince Hitler he was a reliable ally'.[26] There was also the small matter of German financial aid, vital to Quisling's party after electoral setbacks in the 1930s.

In Greece, Tsolakoglu, the man who signed the surrender document in April 1941, said that his puppet government would be supported by the armed forces. Tsolakoglu was a realist. Given the demise of his country, he knew what he and the military had to do. Hitler regarded this state of affairs as 'a gift from heaven'.[27] Elsewhere in the Balkans, motivation was relatively petty: Albanians disliked the Serbs, and saw collaboration with the Germans and Italians as a way to get at them.[28]

Norway, Greece, Albania: three different countries, three different sets of motivations. A snapshot in the history of collaboration, a fascinating insight into the 'why' question.

Historians of the French wartime experience argue that the impetus behind collaboration originated, most definitely, with the French. According to Robert Paxton, Franco-German collaboration was anything but the product of pressure from Berlin. Small wonder that Paxton, a celebrated American historian of Vichy, calls Chapter 1 of his study, 'The French Quest for Collaboration, 1940–1942'.[29]

This view is reinforced by other sources. A cartoon in the *Daily Mirror* (dated 30 October 1940) depicted Laval as a frog just about to knock on the 'Germans' door'. The caption underneath said: 'A FROG HE WOULD A-WOOING GO!' At this time, Anglo-French relations were strained almost to breaking point, and in this respect, it could be argued that the image was fully representative of British attitudes and prejudices in 1940. France had not just suffered military defeat, but it had signed a unilateral armistice with Hitler – something France had promised never to do – and was now, quite willingly, entering into collaboration with 'the enemy'. Hence the vituperative nature of the cartoon.

In other contexts, European leaders wished to 'impress' the Germans, aid the Reich enthusiastically and thus get a 'better deal' out of Hitler in the short term and also, mindful of the likelihood of an ultimate German victory, in the long term as well. In France, a year on from his country's military defeat, Darlan was explicit in his thinking:

> To apply the armistice without trying to make its conditions better means
> maintaining that state of things from which you are suffering so much.
> Since the armistice was signed by Germany and us, we have got to
> negotiate with Germany if we want to modify it. The Marshal entrusted
> the negotiations to me. He approves the developments. You ask yourselves
> why the Germans agree to negotiate since they are the conquerors.
> Because Germany, which intends to reconstruct Europe, knows that this
> cannot be done feasibly unless the different European nations participate
> in this reconstruction of their own free will, Germany does not let victory
> run away with her to enable us to keep our heads above defeat. Let us
> know how to reduce the effects of defeat and think of the France of
> tomorrow. Do you think that the armies of occupation will consent to

reduce their requisitions if they have the feeling that our hostility persists? Do you think that they will permit our farmers to return to their farms if they feel France is still the hereditary enemy? Do you think our prisoners will be liberated if it appears that they will only increase Germany's enemy? [sic] Do you believe our farmers who were obliged to leave their farms could return if the Germans have the impression that France remains her hereditary enemy? These few examples suffice, I think, for you to understand the necessity for the negotiations which, on the Marshal's orders, I have been pursuing [for] several weeks to make your conditions better. That is the government's first task.[30]

Likewise, Pétain and Laval believed that if they cooperated fully with the Nazis, there was a chance that the armistice terms might be watered down. Vichy ordered Jews to wear the yellow star in certain zones and, as we will see in Chapter 7, played their part enthusiastically in the Holocaust. The people at the top of the regime hoped that behaviour such as this would help ingratiate them with the Germans. But there is no real evidence to suggest that 'terms' were relaxed as a consequence; indeed, after 1942, when the occupiers moved into the south of the country, the administration had even less room for manoeuvre, and became even more of a 'puppet' than it had originally been.

In the Baltic states and Ukraine, significant sections of the population believed that if they collaborated enthusiastically and efficiently, they would be rewarded with national independence some time down the line. This way of thinking may have been hopelessly naïve – a dream that was not going to happen – but it was genuine nonetheless.[31]

One warning: we should guard against ascribing rational, logical motives to all actors in the story of collaboration. In Ukraine, for example, it is clear that some individuals were either coerced into collaboration or knew no better. The German administration set up in the territory was severe in its rule. Some Ukrainians – especially those who lived and worked in the countryside – feared the repercussions of *not* collaborating (perhaps another Soviet invasion or a loss of national identity). And for others, collaborating was preferable to working as slave labour for the Nazis in some far-flung corner of Europe.

In addition, whatever the social standing of individuals, the aggressive propaganda emanating from the Germans and the Church was pervasive. Ukrainian peasants were particularly vulnerable to this kind of pressure. On the whole, they were uneducated and impressionable. Add to this a blissful lack of interest in, and knowledge of, political issues and events, and you have a mass of gullible would-be collaborators. They also believed that life under the Germans would be a lot more bearable than life under the Soviets. Hence their willingness to collaborate, specifically in the military sphere.

Ideology and ambition

Strong doctrinal affinities helped to oil the wheels of collaboration. Palestinians and Arab nationalists approved of Hitler's criticisms of the Treaty of Versailles, while at the same time lauding his anti-Jewish programme. As a result, they offered their support to the Führer. Across Europe, it was not leftist or centrist governments that collaborated with Hitler, but rather movements and regimes of a conservative, right-wing hue. Of course, the Nazi-Soviet Pact of 1939 was the most odious of all collaborative ventures, but thereafter, as a rule, the states that snuggled up to Hitler did so because, in ideological terms, they did not have to compromise themselves too much. In Western and Eastern Europe, regimes that had emerged in the wake of invasion, in the early part of the war, actively wished to collaborate on account of shared values and beliefs. In particular, a visceral anti-Communism proved to be a powerful common bond.

In Ukraine, some ordinary people welcomed the German occupiers as 'liberators', soldiers who had come to deliver the Ukrainian nation from the tyranny of Soviet Communism. Bohdan Krawchenko says this is more myth than reality, but it is certainly the case that the local population were more anti-Moscow than they were anti-Berlin.[32] Hence the many instances of Ukrainian-German collaboration during the period of military administration.[33]

The same is true of the Norwegian situation. Quisling was obsessed by the belief that Europe was mortally threatened by Bolshevism. He had studied the ideology, met Trotsky and other Russian leaders in person and was fully aware of Communist plans for 'World Revolution'. He even wrote *Russland Og Vi*, a powerful anti-Communist tract. It has been stated that anti-Communism was Quisling's primary driving force.[34] At the same time, he became more anti-democratic in his thinking, and encouraged by Aall and Viljam Hagelin, two of his advisers, he also added anti-Semitism to his evolving value system (even though the Jewish community in Norway was relatively small).[35] This more than anything suggests that the impetus behind Quisling's collaboration was overtly ideological.

Similarly, Serb nationalists – the Chetniks – engaged in collaboration with both German and Italian forces on account of their 'shared struggle'.[36] Dragoljub-Draža Mihailović, the leader of the Chetniks, had exactly the same enemies as the German authorities in the region: Communists, partisans, and anyone else connected with the resistance struggle.[37]

In France, Pétain saw the disaster of 1940 as the ideal launch-pad for an authoritarian right-wing revolution. According to this line of thinking, it was hugely convenient for the Marshal that Hitler had a similar agenda in Germany. The argument goes that this ideological closeness helped to propel France into collaboration. However, there is a major flaw in this argument. The consensus is that, in power, Pétain's political agenda was very much a native 'French' agenda, and paid only lip-service to Nazi ideas. Indeed, in many of its policy emphases, Vichy did not look to Nazi Germany for its inspiration, but rather harked back to a 'golden age', when agriculture, religion and village life formed the bedrock upon which the French nation was built. What is more, the Marshal owed a substantive ideological debt to Maurice Barrès and Charles Maurras, right-wing intellectuals who had come to prominence as anti-German propagandists in the aftermath of the Franco-Prussian War of 1870.

Of course, Vichy doctrine contained its Nazi-style elements. It put important stress on corporatism, youth groups and propaganda, and after 1942 (when the Germans invaded the southern zone) it lost what independence it had and almost totally succumbed to German demands. However, the point remains valid: in the period 1940–2, Vichy policy was not identical to that emanating from Berlin, and thus it would be misleading to say that Franco-German collaboration was based, primarily, on near-identical political doctrine.

It was not in Vichy but in Paris that the ideological thrust behind collaboration was most apparent. It was here that the French Nazis congregated, aping and glorifying all aspects of Hitlerite ideology. People like Pierre Drieu la Rochelle, Robert Brasillach and Louis-Ferdinand Céline were, by their very nature, ideological creatures. In quite authentic terms, they claimed that they shared the goals and value system of the Reich, and yearned for the day when France would be fused into a new Nazi Europe. However, during more pragmatic moments, they were also motivated by personal glory and advancement – in effect, the desire to ingratiate themselves with their masters in Berlin. Lurking at the back of these people's minds would have been the thought that a prestigious posting (either during the war or after a German victory) could follow on from their unconditional idolatry.

Those who collaborated in the western territories of the Soviet Union were imbued with an interesting mix of ideology. First and foremost, there was fear and hatred of Communism. This is a vital bond that linked almost all 'political' collaborators across the continent. (In Croatia, for instance, Archbishop Alojzije Stepinac of Zagreb was a supporter of the Ustashe–led puppet regime, especially during 1941–2, but as Robert D. Kaplan argues, he was never a Nazi 'or even trusted the Germans'. But the fact of the matter was that his fanatical anti-Communism pushed him into the collaborators' camp.)[38] Second, a significant portion of the Ukrainian intelligentsia took the view that Ukraine and the concerns of Ukrainians had been snubbed by the treaty-makers at Versailles, and two decades later, had been ignored by the Allies when Hitler and Stalin had carved up Eastern Europe via the Nazi-Soviet Pact. Thus, some Ukrainians viewed collaboration as retaliation – against Moscow and the West. That said, we should not jump to the conclusion that the population of Reichskomissariat Ukraine and Reichskommissariat Ostland consisted of hundreds and thousands of Nazis or would-be Nazis. There was little empathy for the aims and doctrine of the Reich; the main concern was to keep 'the Russians at bay'.[39]

It is no surprise to discover that the story of collaboration, one of the darkest historical subjects of the twentieth century, is frequented by governments and individual politicians of ambition and dubious motives. A number of leaders saw huge potential benefit in a close relationship with Germany. Pétain, for instance, 'expected collaboration to be repaid by better treatment for France, a better fate for prisoners, a reduction in the occupation costs, and a less rigid line of demarcation'.[40]

All politicians are ambitious – it is almost a qualification for the job – but amid the confusion and dislocation of World War Two, the secret ambitions that certain politicians had harboured for a lifetime came to the fore. Pétain, the man who 'offered himself to France as a sacrifice' when the Germans invaded, has long been suspected of making political capital out of defeat and disaster. Throughout the inter-war period he had traded on his legendary reputation as a soldier and had gradually become more and more interested in forging some kind of political career. In February 1934, as the fascist *ligues* rioted in Paris, he looked on knowingly as an interested, and increasingly involved, 'man of the right'. By 1936 a new government had been installed in France: not of conservatives, reactionaries or fascists, but of socialists and communists. The election of the Front Populaire was a triumph for those on the left and for those who had been frightened and alarmed by the embryonic fascist uprising in 1934.

Fast-forward to 1940. When Paul Reynaud left government, the country turned to the Marshal. He announced that he was giving his person to France in its hour of need as a 'gift' – and this sentiment may have been genuine. However, was it not also the case that Pétain saw a window of opportunity in France's humiliation? Was this not the ideal juncture at which to launch an overtly conservative revolution, the kind of revolution he had been dreaming about for most of his political and military career? The instinctive way in which he coined the slogan 'Work, Family, Country' – the credo of the 'National Revolution' launched by Vichy – and the speed with which he launched his own, *independent* campaign against the Jews, does suggest that in June 1940 he entered government with a ready-made agenda. Perhaps Pétain was able and willing to collaborate because he was given the necessary room to develop his own political platform.

The case of Laval is very different. A cartoon in *Punch* on 30 October 1940 depicted him as a circus performer. He was juggling bottles of wine (which represented Vichy), Swastikas (which represented Nazi Germany) and fasces (which represented Fascist Italy). The implication was clear. 'The Great Laval', as the cartoonist christened him, was a clever manipulator and, even though he had dropped a bottle of wine on the floor (symbolising, perhaps, his lack of real concern for 'France'), he was managing to carry on with his act successfully.

Unlike his boss, the Marshal, Laval was almost devoid of political ideology. He had spent the 1920s and 1930s ducking and diving; he was nominally a Socialist but had found it in him to serve a variety of coalition governments. Interestingly too, as foreign minister in the mid-1930s, his prime objective had been *rapprochement* with Nazi Germany. Laval was the ultimate pragmatist and, with the benefit of hindsight, it should come as no surprise to anyone that, as the Marshal's most experienced colleague, he was at the forefront of discussions with Hitler. He carried out these negotiations in a particularly cold, and emotion-free, manner. The result was that French workers were sent to Germany via the labour transfer scheme (Obligatory Labour Service – STO) and French Jews were bartered for non-French Jews in the most cynical of political manoeuvres.

Laval's ambition did not revolve around ideology, but rather career objectives. Early on in the war, he had calculated that Nazism, not Communism, would emerge triumphant. This was a big call, and it conditioned everything he did, and said, thereafter. His horribly opportunistic nature meant that during the war he was already looking *beyond* the war. If Nazism was victorious, as he ventured it would be, Hitler would require an able lieutenant in the 'French' part of the new Europe. Laval concluded that Pétain would be out of the running: he was going senile and was increasingly frail. That left one man – himself. This, it could be argued, was the ambition that drove Laval into ever-closer collaboration with Abetz, the German ambassador to France, and Hitler.

Even though the two men would subsequently deny it, the combined efforts of Pétain and Laval created a situation in which France was at the mercy of Germany. As early as December 1940, President Roosevelt indicated his concern in a letter to Admiral Leahy, his ambassador in France:

I have been much perturbed by reports indicating that resources of France are being placed at the disposal of Germany in a measure beyond that positively required by the terms of the armistice agreement. I have reason to believe that aside from the selfish interests of individuals there is unrequired governmental cooperation with Germany motivated by a belief in the inevitableness of a German victory and ultimate benefit to France. I desire that you endeavor to inform yourself with relation to this question and report fully regarding it. You should endeavor to persuade Marshal Pétain, the members of his Government, and high ranking officers in the military forces with whom you come into contact, of the conviction of this Government that a German victory would inevitably result in the dismemberment of the French Empire and the maintenance at most of France as a vassal state.

Roosevelt was not a neutral onlooker, but even so his words are very illuminating. Were the Marshal and his right-hand man 'over-collaborating' in an attempt to ingratiate themselves to Hitler? (Roosevelt was also fearful that the French fleet would become German property.) Whatever the specific circumstances, the truth is that individuals and states across Europe viewed collaboration, 'first and foremost as a useful means of achieving their own selfish and destructive goals'.[41]

In places like Ukraine, pro-German enthusiasm gradually turned to anti-German hostility. The occupation was tough, prisoners of war were treated badly, and labour deportations were cruel.[42] Nevertheless, in Ukraine and in many other countries, collaboration had been a reality for much of the wartime period and motivations had been many and various.

In this chapter, we have travelled far: from the naïve opportunism of Lucien in *Lacombe Lucien* to the outrageous ideological posturing of the various pro-Nazi groups across Europe. This survey emphasises the variety of factors that pushed people into collaboration of one sort or another. In the final analysis, for all these people, as for many others, Hitler was preferable to Stalin.

Nevertheless, we should not fall into the trap of thinking that collaborators were always motivated by powerful pro-Hitler sentiment. This was not true. Some were affected by boredom; others were provoked by the exigencies of survival and ambition. Most saw it simply as inevitable. Given the circumstances of the war and occupation, it was very difficult for ordinary people and governments *not* to collaborate.

And in reality, the most high-profile form of collaboration took place in the political sphere.

Notes and references

1 See Gazette of the Government, 1941.

2 M. Larkin, *France since the Popular Front* (Oxford, OUP, 1991), p.105.

3 *Shofar: An Interdisciplinary Journal of Jewish Studies*, Vol.19, No.3 (2001), pp.151–3.

4 E. Witte, J. Craeybeckx and A. Meynen, *Political History of Belgium: From 1830 Onwards* (Brussels, VUB University Press, 2000), p.160.

5 J. Campbell and P. Sherrard, *Modern Greece* (Oxford, Clarendon, 1964), pp.173–4.

6 It should be noted that specific factors pertaining to particular types of collaboration will be assessed in Chapters 4, 5, 6 and 7. In this section we will deal with more 'general' themes.

7 R.J. Crampton, *Eastern Europe in the Twentieth Century* (London, Routledge, 1994), p.207.

8 P. Laval, *The Unpublished Diary of Pierre Laval* (London, Falcon, 1948), pp.72–4.

9 Taken from: www.yale.edu/lawweb/Avalon/wwii/frgearm.htm (Avalon).

10 Gazette of the Government, 1941, Issue I, p.753. See Elia Kiriakopoulos, *The Constitutions of Greece* (Athens, National Press Editions, 1960), pp.468–9.

11 Speech to the French people, 15 May 1941.

12 See also the Norwegian example – H.F. Dahl, *Quisling: A Study in Treachery* (Cambridge, CUP, 2000), pp.3 and 5. See also http://uk.cambridge.org/history/features/quisling/intro.htm.

13 S.J. Lee, *Aspects of European History 1789–1980* (London, Routledge, 1991).

14 P.M. Hayes, *Quisling* (London, David & Charles, 1971), pp.210–11.

15 M. Tanner, *Croatia: A Nation Forged in War* (New Haven and London, Yale University Press, 2001), p.146.

16 R.S. Wistrich, *Anti-Semitism: The Longest Hatred* (London, Mandarin, 1992), pp.244–5.

17 Lee, p.228.

18 The memo was dated 3 August 1940.

19 See M. Burleigh, *The Third Reich: A New History* (London, Macmillan, 2000), p.426.

20 Burleigh, p.462; Hayes, pp.133, 136, 138–9 and 231.

21 See Dahl and Hughes.

22 Crampton, p.184.

23 R. Mayne, *Channel Islands Occupied* (Norwich, Jarrold, 1978), p.12.

24 Burleigh, Chapter 6 – this is the main theme.

25 See www.mnc.net/norway/quisling/htm.

26 Hayes, pp.217 and 289.

27 M. Mazower, *Inside Hitler's Greece: the Experience of Occupation, 1941–44* (Yale, Yale University Press, 1993), p.19.

28 T. Judah, *Kosovo: War and Revenge* (London, Yale University Press, 2000), p.28.

29 R. Paxton, *Vichy France: Old Guard and New Order 1940–1944* (New York, Columbia University Press, 1982), pp.51–2.

30 Speech of 10 June 1941.

31 See J. Hiden and P. Salmon, *The Baltic Nations and Europe: Estonia, Latvia and Lithuania* (Harlow, Longman, 1995).

32 B. Krawchenko, *Social Change and National Consciousness in Twentieth-Century Ukraine* (Oxford, Macmillan, 1987), p.155.

33 A. Reid, *Borderland: A Journey Through the History of Ukraine* (London, Phoenix, 2001), p.151.

34 See www.ety.com/HRP/booksonline/viking/viking-06.htm and www.nuav.net/personalitiesq.html.

35 Hayes, pp.130–1 and 309.

36 Judah, *Kosovo*, p.30.

37 P. Auty, *Tito: A Biography* (London, Pelican, 1974), p.230; T. Judah, *The Serbs* (London, Yale University Press, 2000), p.119.

38 R.D. *Kaplan, Balkan Ghosts: A Journey Through History* (New York, Vintage, 1996), p.16.

39 See www.balticsworldwide.com/news/features/brothers_at_war.htm.

40 P. Burrin, *Living with Defeat: France under the German Occupation* (London, Hodder Headline, 1996), p.101.

41 G. Hirschfeld and P. Marsh (eds), *Collaboration in France. Politics and Culture during the Nazi Occupation 1940–1944* (Oxford, Berg, 1989), p.11.

42 Reid, pp.160–1.

CHAPTER 4

• • • • • • • • • • • • • •

The scientist and the laboratory: political collaboration

Belarusian Corps of Self-Defence (BCS): An army formation of
Belarusian collaboration. It was created in June 1942. The chief
commandent was I. Yermachenko. The main goal was to assist German
and local police in the fight against partisans.

National Archives of Belorussia.[1]

I t is undeniable that collaboration took a multitude of forms, but in its basic, most fundamental guise, it was a raw political phenomenon. What did this mean in practice? A number of things: heads of state signed pacts with Berlin, Naziphiles across Europe made a career out of aping and imitating Hitlerite ritual and ideas, and ordinary people agreed to go and fight for Germany. These are the three areas we are going to explore: collaboration at a governmental level, on an ideological plane and in the military sphere.

It is helpful to delineate these three separate arenas in which political collaboration took place, but we would be fooling ourselves if we believed that every act of collaboration fitted neatly into one of these categories. Take the Norwegian leader, Vidkun Quisling, for instance. He headed two puppet administrations in Oslo during the wartime period, and at the same time he offered Hitler military support. And, in the way that he shaped his own political programme, he was also an excellent example of an ideological collaborator. In Quisling, therefore, the three main types of political collaboration coalesced.

Over the course of this chapter, we will examine each 'type' separately, but we will also note the connections and linkages. At this juncture, the key point to make is that political collaboration was a multifarious phenomenon. And in its wake, it enveloped both realists (those who saw no viable alternative to collaboration) and idealists (those who yearned for closer ties with Nazi Germany).

'The realists': collaborators in government

> In a forceful speech delivered on 30 October he set the seal of official approval upon the politics of collaboration. Public disquiet made it difficult for him not to explain his position. Montoire, he declared, was a free meeting in the course of which 'a collaboration between our two countries has been envisaged'. Pétain stressed that the honour of France was safe, that his objective had been to maintain French unity, and at the same time to take up a position 'within the framework of the constructive activity of the new European order'.[2]

This is how Philippe Burrin describes the origins of political collaboration in France. Marshal Pétain had signed an armistice with Germany in June 1940; now, four months on, he was going a step further.

The most obvious, and infamous, type of collaboration took place at the level of government. D.G. Williamson makes the point that there was nothing remotely 'homogenous' or 'uniform' about the political organisation of Nazi-occupied Europe; nor could there ever be.[3] The truth was that Hitler and his advisers had to deal with each state and each situation on its own merits. The search was for 'reliable regimes',[4] as the following list makes clear:

- Albania: occupied in turn by Italy and Germany.
- Austria: annexed by the Reich in 1938 (the *Anschluss*).
- Belorussia: under military administration as part of the Reichskommissariat Ostland (ruled by Hinrich Lohse). In July 1941,

the position of Reich Minister for the Occupied Eastern Territories
was created.

- Belgium: under the direct rule of the German military authority (the Militärverwaltung).
- Bulgaria: an ally of Hitler. Somehow, King Boris was able to avoid the excesses of the Holocaust and never found himself in danger of being replaced by a pro-Nazi puppet.
- Channel Islands: occupied and administered by the Nazis.
- Croatia: the Independent State of Croatia (NDH) was established in 1941 after the Germans invaded Yugoslavia. The repressive Ustashe, under Dr Ante Pavelić, led the puppet administration until Yugoslavia was liberated by Tito.
- Czechoslovakia: a large chunk was incorporated into the Reich; another chunk became the Protectorate of Bohemia-Moravia, which in theory at least was given some autonomy. Slovakia became independent and evolved into a slightly troublesome puppet state.
- Denmark: up until 1943, the Danes were allowed to govern their own country in association with a German military administration and plenipotentiaries of the Reich based in Copenhagen. After 1943, Hitler did not allow for a Danish prime minister and government.
- Estonia: under military administration as part of the Reichskommissariat Ostland (ruled by Hinrich Lohse). In July 1941, the position of Reich Minister for the Occupied Eastern Territories was created.
- France: northern and western regions were put under direct military rule from Berlin. The southern zone was given notional independence under Pétain. His Vichy regime functioned, basically, as a puppet administration.
- Greece: invaded by both Italian and German forces. In 1941, an unpopular puppet government took over the reins of power.
- Hungary: the pro-Nazi regime led by Admiral Miklós Horthy gave way to German rule in March 1944. By October, Ferenc Szálasi's Naziphile puppet administration had been installed in power on Hitler's recommendation. The Führer was disappointed by the 'inefficiency' of Horthy in the realm of anti-Jewish policy.
- Italy: key ally of Germany. After Mussolini fell from power in 1943, Germany invaded and occupied the country.

- Latvia: under military administration as part of Reichskommissariat Ostland (ruled by Hinrich Lohse). In July 1941, the position of Reich Minister for the Occupied Eastern Territories was created.
- Lithuania: under military administration as part of Reichskommissariat Ostland (ruled by Hinrich Lohse). In July 1941, the position of Reich Minister for the Occupied Eastern Territories was created.
- The Netherlands: ruled by a civilian Reich-appointed Commissar, Arthur Seyss-Inquart, in association with the existing Dutch civil service.
- Norway: ruled by a civilian Reich-appointed Commissar, Josef Terboven, who for periods was forced to work with Quisling as puppet leader.
- Poland: most of the country was incorporated into the Reich. What was left became the German-administered General Government of Poland. Hans Frank was the head of this new structure.
- Romania: an ally of Germany. Under General Ion Antonescu, it aided the German war effort, but eventually moved over to the Allies.
- Serbia: the state was created in 1941 after Hitler's invasion of Yugoslavia. Administered by Germany, but also home to a puppet regime under General Milan Nedić.
- Ukraine: under military administration. Reichskomissariat Ukraine 'was never given definitive borders' because of the war situation.[5]

Sometimes, Hitler didn't get his own way or was disappointed (Bulgaria, Hungary); at other times, he couldn't find anyone appropriate to collaborate with (in Poland, Boleslaw Piasecki made himself available, but his offer was not taken up).[6] In some cases (Norway, Denmark, Hungary), the specific form of collaboration that Berlin engaged in changed and evolved over the course of the wartime period. In others, Hitler and his associates had to weigh up the merits of competing arrangements. For instance, should Ukraine be ruled by a military administration or a puppet state? This matter led to much debate:

> Among the Nazis there were important differences of opinion on the formal state structures which were to replace the union republics. Alfred Rosenberg, a Russophobic Baltic German who was the Nazis' 'theorist' on matters of race and Minister for the Occupied Eastern Territories (the

Ostministerium), *favoured the establishment of a series of buffer states (Ukraine, Belorussia, Central Asia, etc.) dependent on the Reich but exercising a measure of self-government, as a* cordon sanitaire *against Russia . . . His concepts, however, clashed with the views of the Nazi establishment, which wanted only to colonise and exploit the East. Hitler himself had spoken against the creation of any kind of Ukrainian state and advocated direct Nazi control over this and other Eastern territories.*[7]

The same kind of debate would have ensued about almost every other conquered state.

'Puppet' regimes

What is a puppet leader? According to the *Concise Oxford English Dictionary*, it is a 'person whose acts are controlled by another'. Likewise, a puppet state is described as a 'country professing to be independent but actually under the control of some greater power'. This was *genuine* collaboration in action.

In a sense, the notion of a political leader in one capital city being 'on a string', and being 'manipulated' by another, stronger, political leader in another capital city, is strange to contemplate. What circumstances could give rise to such a bizarre relationship? In such a situation, what motivates the puppeteer and what is the psychological effect on the puppet administration? And how does the arrangement work in practice, with what consequences?

In some places, the 'puppet' had emerged, almost naturally, in the early period of the war (here, Pétain – in 1940 – is a good example). In other places, Hitler imposed a 'puppet' late on in the war as he became more and more frustrated with events (for instance, Szálasi – in October 1944 – in Hungary). This is an important distinction for it changes the nature of the 'collaboration' that was going on. Pétain had a tightrope to walk because he had put himself forward, and ultimately wanted to 'maintain' France in some shape or form; Szálasi, by contrast, was a stooge and had no pretensions to anything bar complete and utter sycophancy. There is a subtle but significant difference between the two cases.

Hitler's aim was to establish a group of proxy, or at least subordinate, regimes across Europe.[8] Where pre-war governments had gone into exile

(Yugoslavia, Norway, Greece), there were voids to fill, and he had to make sure that this was done to Germany's satisfaction. Where possible, he installed suitable local leaders as puppets, and then gave them some notional independence to play around with, though he would always reserve the final word for himself. (He was helped by the fact that, sometimes, the puppet leaders and their supporters were unintelligent and unsophisticated enough to believe that they did have *real* power.)

The Führer had very little trust in the native fascist parties in some states; where this was the case, he had no one to work with. He viewed the pro-Nazi groups in France, for instance, as a rabble, and the Dutch National Socialist Movement (NSB) as unreliable. Elsewhere, he was stumped before he started because there were no prospective suitors at all. Carole Rogel explains that in Slovenia, there was no-one available to 'manage' a would-be puppet state, and so Germany, Italy and Hungary decided on partition instead.[9]

Let us begin our survey of 'Puppet Europe' in Scandinavia.

Norway

This country presents us with a problem. Quisling talked about 'protecting Norwegian interests' and being an 'independent partner' of Hitler, but this was pie in the sky. The reality was that at times during the war, Norway was ruled through a German-imposed administration; at times it stood as the archetypal puppet state; and at times it was treated simply as a German ally. Thus, there was instability and confusion, but in its prime it was a 'text-book' example of a puppet state in action.

Norway was occupied like other countries, but the presence of Quisling and his party, Nasjonal Samling (NS) – the only political grouping allowed to exist – affected matters considerably. With the Germans, Quisling was flavour of the month one minute, and then out in the cold the next. Just to add to the mix, there was also a bitter rivalry between Quisling and the German Reichskommissar for Norway (Hitler's most senior representative in the country), Terboven. This means that it is notoriously difficult to classify Norway's exact status in Hitler's Europe.

Having said all this, Norway is still one of the best examples of a wartime puppet state. To some, Quisling's government may have been a 'fiction'. It is true that he was forced out of power for a period. For us, though, as we examine the essence of collaboration as a historical theme, these details are not over-important. The key point is that for most of the war, Quisling was under the 'delusion' that he was an equal of Hitler, was eager to create a situation of 'permanent union' between the two countries, and was a 'willing partner to any decision the Germans may take'.[10] The fact that he took on the title 'Minister-President' when he was in power no doubt added to his self-importance.

Right up until his death, Quisling, in his warped way, argued that he had committed no crime. He was blinkered to the very end. Quisling had never been a nationalist in a traditional sense. He was more interested in the 'Nordic Principle' and the notion of a 'Nordic World Federation' than any kind of narrow Norway-centred ideology. This could have put him on a collision course with Berlin, but as it turned out, he could not flatter Hitler, the Germans and the concept of 'Nazification' enough.[11]

However, 'puppet' arrangements were sometimes problematic. Soon after the German invasion of Norway, on 9 April 1940, Quisling was removed from power by the Nazis. Berlin did not view him as the right man for the job – whatever his own protestations – and, furthermore, his assumption of power had acted as a catalyst for the forces of the internal resistance. Quisling returned to the premiership in February 1942, but in the intervening period, Hitler preferred to rule in pragmatic fashion via Terboven, a Nazi Party stalwart, as Reichskommissar.

On reflection, Hayes says it was almost impossible simply to 'export' Nazism to Norway. There were many problems. What was the best way to 'Nazify' the country? Was Quisling or the king in charge? And what about the tensions that developed between Quisling, Terboven and Dr Curt Brauer, the Reich Plenipotentiary in Oslo?[12] The Germans were aware of the difficulties, but they were still happy to establish governments-by-proxy in Eastern Europe and the Balkans, and in France.

Eastern Europe and the Balkans

At the same time as incorporating Bohemia into the Reich, Hitler created a German protectorate in Slovakia. One author views Slovakia as a 'client state' rather than a 'puppet', but this may well be exaggerating and misrepresenting the situation. Slovakia was a problem. Its leader, Jozef Tiso, developed his own creed of 'Catholic Solidarism' and, whatever his post-war detractors might argue, he did make some efforts to halt Jewish deportations. Even so, he still sent around 70,000 Jews to their deaths.[13]

Richard J. Crampton states that, overall, the Slovakian regime was 'never as compliant as the Nazi rulers would have wished'.[14]

Hitler attempted to flood Slovakia with 'German advisers'. He was aware that key individuals like Alexander Mach, Ferdinand Ďurčanský and Vojtěch Tuka were explicitly pro-German in their thinking, but all the time knew that while Tiso was in charge he could never 'Nazify' the country.[15] Some observers have argued that the Tiso-led state had 'independence under German protection',[16] but the fact is that the 'Slovak Rising' of August 1944, when the population revolted against the wartime authorities, was a direct retort to the notion of 'puppet government'.[17] By the following month, Slovakia had been 'brought under direct German military administration'. Stefan Tiso (brother of Mgr Jozef) and the SS assumed control; the country was now definitively a 'puppet of, and executioner for, the German occupation force'.[18] By the end of the war, Hungary and Bulgaria were also being ruled by *de facto* puppet administrations. In Budapest, Szálasi became leader on Hitler's orders, and in Sofia Prince Cyril succeeded the ever-prevaricating King Boris. Both regimes were extreme and fanatical, but neither lasted long.

In the Balkans, Hitler installed four puppet regimes. General Ioannis Metaxas had come to power in Greece in 1936 and was determined to maintain national independence, even though he had definite ideological sympathy with the Axis powers. But interestingly, Stephen Lee says that at first the General's main aim was 'to *avoid* becoming a mere puppet' of Germany and Italy.[19] However, the fate of Greece was sealed in 1941. Metaxas died and the Germans launched an invasion to help rescue Benito Mussolini, who had made a failed bid to occupy the country himself. Thereafter, 'the country was partitioned between Germany, Italy, Albania and Bulgaria, and ruled by puppet regimes led by General George Tsolakoglou, Constantine Lotothetopoulos and Ioannis Rallis. Like Metaxas, these men were ideologically sympathetic to Nazism. Unlike Metaxas, however, they lacked the Hellenic drive which placed Greek nationalism above all other considerations.'[20]

It was Tsolakoglou who had surrendered to the Germans, and he 'was rewarded for his treason by the honour of becoming the first prime minister of occupied Greece'.[21] But there was no grand vision, just *ad hoc* experimentation. The monarchy was officially abolished and the country came to be known, rather ominously, as the 'Hellenic Polity'.

Berlin was also low-key in its aims. No-one believed that Tsolakoglou and his cronies could rally the country effectively. Ultimately, the situation descended into chaos. Collaborators were arrested and jailed – what one commentator calls a 'frenzied settlement of accounts'.[22]

Albania hosted Italian *and* German puppet regimes during the war. Mussolini had long coveted Albania, and in April 1939 he invaded the country. Thereafter, Albania came under the 'direct rule' of Rome, 'and the diplomatic corps and army were united with those of Italy'.[23] Moreover, Mussolini attempted to create 'a miniature version of the Italian fascist state' in the country: there was a 'puppet Albanian legislature' and a 'Quisling prime minister' (Shefget Verlaci). The Italians exerted their influence in other ways as well: every Albanian legislator was shadowed by an 'Italian adviser' and the Albanian Fascist Party, founded in 1939, was controlled directly by Rome.[24]

In the autumn of 1943, in the wake of Italy's surrender, Hitler's forces installed themselves in Albania. Within a year, the new 'German-sponsored regime' had fallen, but for a short period the country was forced to endure its second puppet administration of the wartime era.[25]

After invading Yugoslavia in April 1941, Hitler found it politically expedient to create puppet administrations. He placed General Milan Nedić in charge of the 'rump of Serbia'.[26] The new man had limited powers, mainly in the area of local administration, but his appointment four months after the German invasion was an interesting and significant step. Noel Malcolm describes Nedić as a 'non-fanatical but cooperative quisling administrator'; Tim Judah says he saw his role as similar to that of Pétain in France – 'to save as many Serbian lives as possible'.[27]

However, it was elsewhere in Yugoslavia, in Croatia, that the most ferocious puppet regime was established. Power passed into the hands of the pro-Nazi Ustashe soon after the invasion. On the recommendation of Mussolini, Pavelić was ushered in as *Poglavnikm* (or Führer). The new regime was known as the 'Independent State of Croatia' (NDH) but it gained notoriety for its dependence on, rather than its independence of, Nazi Germany.[28] Pavelić was Hitler's willing proxy in Croatia. His regime of 'fanatics' created extermination camps for Serbs, Jews and Communists, and went so far in its excesses that it actually alienated some German and Italian officials – quite an achievement given the circumstances.[29]

However, in its early days, the Ustashe had a very different stand-point. Throughout the 1930s, it declared that its primary aim was to 'liberate Croatia from alien rule and establish a completely free and independent state over the whole of its national and historic territory'.[30] Owing to the circumstances of World War Two, and Germany's invasion of Yugoslavia, this objective disappeared, and in power the authority of the NDH was entirely derived from the Nazis. Moreover, the puppet regime had to take account of Italy: in May 1941, it ceded various portions of Croatian territory to Mussolini, and also had to deal with his designs on Dalmatia.

Pavelić himself was excessively private and secretive, constantly on the watch for would-be assassins. He wore Nazi-style uniform and met Hitler on more than one occasion. But was collaboration compatible with 'independence'? This is the key question that has to be asked regarding Ustashe rule.

France

The Franco-German Armistice of June 1940 established occupied and unoccupied zones. For the two years following, the Vichy government – which administered the unoccupied zone in the south – had a small amount of independence. It was able to launch a 'National Revolution', upholding and glorifying the triptych 'Work, Family, Country', and in certain spheres it was even able to hinder and obstruct the Germans. But at bottom it was a puppet regime. Soon after the ceasefire had been signed, a cartoon emerged in the British press. It depicted Hitler being given a piggy-back by Pétain, the head of the Vichy administration. The implication was clear: Pétain was Hitler's accomplice and was willing, if not exactly happy, to be playing a supporting role.

Perversely, some at Vichy viewed collaboration as an 'achievement' that France should be proud of. Take, for example, Admiral Darlan:

FRENCHMEN:
You have already heard our Chief, Marshal Pétain, tell you that it was with his approval that I went at the invitation of Chancellor Hitler and that conversations between the Chief of the German Reich and myself had been approved by him and by the Government . . . Germany began the war alone and judges herself able to end it alone against no matter what

coalition. At no moment in the conversations was there any question of France abandoning in any way her sovereignty. France freely is choosing the road she is taking . . . In June, 1940, the victor could have refused us an armistice, beaten us and wiped France off the map of the world. They did not do it. In May, 1941, the victor has agreed to negotiate with the French Government. Since the Montoire interview, during which the principle of collaboration was decided, France has shown by acts her desire to continue that policy. These are acts which determined Chancellor Hitler to grant us ameliorations of the consequences of defeat and of the conditions of the armistice which you just learned. Listen well to my words. On the result of the negotiations in course directly depends the future of France. It is necessary for her to choose between life and death. The Marshal and the Government have chosen life. Your duty is clearly traced: follow the Marshal, aid him with all your force, as I am doing in his work of national restoration. Like him and like me, in your thoughts and in your acts, be inspired only by the interests of France.[31]

Was France *really* making a free choice about the 'road' it was taking? Only the most unstable minds could believe this to be true.

At certain junctures, Pétain seemed to recognise the problematic nature of collaboration. In August 1941 he called it 'a long-term labour and [it] has not yet been able to bear all its fruits. We must be able to overcome a heavy heritage of distrust handed down by centuries of dissensions and quarrels and to turn ourselves towards broad perspectives that can open up a reconciled continent to our activity.' This sounds like part-justification, part-spin. He continued: '[This] is an immense labour, which requires on our part as much will as it does patience. Other tasks absorb the German Government, gigantic tasks in developments to the east in defence of a civilization and which can change the map of the world.'[32] As we have noted, Pétain did have some freedom for manoeuvre before 1942. It was not a massive amount of leeway, but it did give him some limited scope in the policy-making sphere. If he is generally regarded as a 'poodle' in this period, when he did have some notional independence at his disposal, there should be no debate whatsoever about his status during the second half of the war.

After 27 November 1942, the Marshal became a *de facto* prisoner. In the south, the occupiers took complete control of everybody and everything. The economy, in particular, was hijacked. A new technological drive was launched in order to aid the German war effort. And it is for these reasons that Philippe Burrin uses the phrase 'Puppet Vichy' to describe political arrangements in the southern zone after 1942.[33]

One final caveat is required. France had some measure of independence. It retained its large colonial empire and its powerful navy. Moreover, French people who obeyed Pétain were not *collaborating* as such; they were merely paying heed to their established national authority (*not* to some kind of occupation authority). Thus, logic says that those individuals who did more than this – those who demonstrated a genuine allegiance to Nazism – were the ones who were *really* collaborating. And clearly, Pétain and Laval also stand accused on account of their high-level negotiations with Hitler.

In retrospect, the creation of puppet regimes must be viewed as one of the most novel features of the wartime situation, and also one of the most sinister. The Ustashe engaged in genocide, while Tsolakoglou, Pétain and others all lost their sense of political gravity. They saw themselves as 'super-patriots', yet in power they displayed a warped set of values and were driven by dubious, ulterior motives.

In itself, the word 'puppet' conjures up all kinds of negative images – of manipulation, superficiality and behind-the-scenes skullduggery – and with the benefit of hindsight we can say that for the manipulators and the manipulated, failure was almost inevitable. In 1945, Hitler committed suicide, Quisling was executed and Pétain was sentenced to live out his life on a small deserted island off the west coast of France. This is just a snapshot, but it tells us enough about the puppeteer and the puppets, and the consequences of high-risk political collaboration.

It is easy to understand why Berlin believed in the usefulness of puppet regimes, but the conclusion must be that, in practice, the various arrangements were fraught with difficulties for both sides.

Allies, satellites, administered states and neutral states

In certain parts of Europe, the installation of puppet regimes served the Nazis' needs precisely. In other areas, they were content to work with allies or 'satellites', or to 'administer' states direct from Berlin. Strictly speaking, this was not collaboration *proper* – allied states had their own government, administration, judiciary, army and police, and were neither defeated nor occupied – but it was an interesting variant, and does require some examination. What exactly was going through Hitler's mind as he negotiated with the 'allied states'? He didn't want to over-stretch himself, but at the same time, he was determined to establish a Reich-friendly continent. We will deal first with allies and satellites, and then move on to administered states and neutral powers.

Allies and satellites

Italy and Finland were key states. During the latter part of the 1930s, Italy had been one half of the Axis – albeit a not very impressive half – and Hitler's number-one ally. However, after the fall of *Il Duce* in 1943–4, it reverted to being a puppet of Berlin. Finland, by contrast, was a co-belligerent rather than an ally of Germany. It went to war with the USSR – just like Germany – but the two countries did not do so as 'partners'. There was also Slovakia – part ally, part puppet. This leaves a trio of 'friendly' states, all in Eastern Europe: Hungary, Romania and Bulgaria.[34]

The relationship between the Reich and these countries was akin to a partnership between allies, at least initially.[35] All three had been friends of Germany during World War One and, in a broader sense, had always felt themselves to be part of Germany's 'sphere of influence'. With regard to the boundaries of Europe, they also shared Berlin's 'revisionist' philosophy. It is for these reasons that Williamson actually prefers to describe Hungary, Romania and Bulgaria as German 'satellites', i.e. they were more than allies (in the conventional sense) but less than 'puppets'.[36]

For the most part, this definition fits the Hungarian experience well. Because of its close relations with Berlin, Budapest won additional territory in the early phase of the war (Transylvania and parts of Slovenia). However, in Hitler's closest circles, the consensus was that Hungary was not pulling its weight. Thus, in 1942, the Germans made it known that they wanted more from Horthy, the Hungarian leader. Two years later, they lost patience, imposing Edmund Vessenmayer as Reich Plenipotentiary in March 1944 and allowing Szálasi and his fascist Arrow Cross to assume power in October.[37] Hungary had thus evolved from satellite to puppet state within a couple of years.

Romania's situation was different. At the start of the war, it was a less than enthusiastic ally of Germany. But, with Antonescu as leader, it became a 'willing partner' in the fight against the USSR after the Nazi invasion of 1941, and gained both land and material wealth as a consequence.[38] However, too many Romanians died on the Eastern Front (approximately 300,000), and by August 1944 the country had switched sides and moved into the Soviet orbit.

For a variety of reasons, Bulgaria was able to avoid the worst excesses of the war, even though it was, in theory at least, an Axis partner. It had to put up with Germany sending 'advisers' to Sofia, but, like Hungary and Romania, it also won territory as a result of its German alliance (Macedonia, Thrace and South Dobrudia). However, following the death of King Boris in 1943, the Nazis established a firm grip over the country. Prince Cyril, who assumed power in succession to Boris, transformed the country 'from an autonomous dictatorship into a puppet regime under full Nazi control'.[39]

Strictly speaking, 'allies' were not 'collaborators', but the fact that three allied states – Hungary, Romania, Bulgaria – had evolved into puppets by the latter stages of the war says a lot about the nature of the new German empire, the fluctuating course of the military conflict, and the increasing desperation of the Führer. Perhaps this was 'indirect collaboration' – which occasionally led to full collaboration.

German-administered states

So there were allies or 'satellites', and also 'German-administered states'. The Germans imposed a new administration on a variety of territories after invasion and occupation: most notably, Ukraine ('Reichskommissariat Ukraine' under Erich Koch), Poland ('The General Government of Poland'), Ostland ('Reichskommissariat Ostland'), Belgium (the Militärverwaltung), the Netherlands, Denmark, the Yugoslav Banat, France (occupied zone) and the Channel Islands. As a general rule, these territories were invaded and occupied, and following this, there was direct intervention in the shape of either military or civilian officials. Hitler was usually keen to identify local administrators who could be trusted to work alongside his officials. In reality, the military/civilian distinction almost disappeared – as may be seen in the case of Denmark. Norway, Greece and Serbia were also administered by the Reich, but at specific junctures, puppet governments were installed.

The situation in Serbia is a good illustration. In the summer of 1941, Nedić was brought in as puppet leader, but the Germans had already created their own bureaucratic structure in the territory. There were three departments: military, administrative and local government. Phyllis Auty explains:

> All three sections had their troops, security organs, intelligence agencies and different methods of operating to quell opposition and get the country working obediently and industriously for the Germans. Their efforts frequently overlapped and conflicted as did those of the different intelligence and counter-intelligence services ... There were endless possibilities for Yugoslavs to have contacts or collaborate with occupying authorities, and for informers or spies to become multiple agents.[40]

According to one historian, the German army was always the predominant force in wartime Serbia.[41]

Norway exhibited all the characteristics of a puppet state. However, for much of the time, Quisling had to legislate for the existence of Terboven, Hitler's appointee as Commissar of the German Reich. The relationship between the two men was always tense; after all, it was a tussle between the man who wanted to be Hitler's chosen one and the man who actually was.

In Denmark too, local politicians had to contend with Reich officials. The Danes still had their own government and army but, as John Wuorinen says, the situation was fluid:

> The events of the months after the invasion suggested that Hitler's plans called, not for a full military occupation and a puppet government, but for the setting up of a 'model protectorate'. Although questions and problems relating to military matters were placed at once under the supervision and control of a German general, the king and government were otherwise to function as usual. Before long, however, the relatively liberal treatment of the Danes changed ... Meantime it was also becoming evident that the German promise not to interfere in the nation's internal affairs was worthless.[42]

Between 1940 and 1943, the Danish government worked in association with the Plenipotentiary of the German Reich; thereafter, there was a strict military clampdown.

Greece was put under military administration between 1941 and 1944, while Belgium experienced a reign of terror under General Alexander von Falkenhausen, the military governor, until national liberation was achieved in September 1944. Estonia, Latvia, Lithuania and Belorussia were lumped together in Reichskommissariat Ostland, a new administrative entity. Hitler's confidante, Alfred Rosenberg, said the aim was to create a 'German Protectorate' in the region, but ultimately 'Directorates' – or mini-puppet governments – were created to perform administrative tasks. The former Soviet territories were thus under 'German tutelage' and had little or no autonomy. As late as February 1945, the Latvians were trying to work with the Germans via the Latvian National Committee.[43]

Meanwhile, Ukraine was put under the direct control of Berlin. There was a military clampdown and a new civil administration was put in place. Local people were employed, but only at the lowest of levels. As Bohdan Krawchenko argues: 'If participation in civil administration under German occupation is taken as a measure of the level of collaboration, then in Soviet Ukraine collaboration was the lowest in occupied Europe, if only for the simple reason that the Germans did not allow it.'[44] This is another interesting slant on the issue: occasionally, states were subjugated *to such a massive extent* that collaboration was neither possible nor actually desired by Hitler.

Neutral powers

There were also European states that were deemed to be neutral: Sweden, Spain, Switzerland, Turkey, Portugal and Ireland. But on occasions, neutrality meant something slightly more sinister. Sweden gave Hitler transit rights.[45] Spain was officially neutral, but this did not stop elements in the Falange from being explicitly pro-Nazi in orientation. It has also been claimed that ordinary Spanish people fought for Hitler, worked for German industry and tried to spread Nazi ideals.[46] In later chapters we will return to the phenomenon of Hitler-friendly states masquerading as 'neutral' states.

In one sense it is useful to pigeon-hole states into categories ('puppet', 'allied' or 'satellite', 'administered', 'neutral'), but in another it is slightly misleading because, as we have already noted, the situation was fluid. Crampton says that in the Protectorate of Bohemia and Moravia, Slovakia and Croatia, a kind of 'dual power' existed, with German officials shadowing local politicians.[47] Furthermore, Pavelić in Croatia, Tiso in Slovakia and Pétain in Vichy France each held very differing views about what a 'puppet' regime should and should not be about.

'The idealists': collaborators on an intellectual plane

In what sense could intellectuals and idealists fall for Nazism? Surely, thinking people across the continent could not and would not be seduced by the allure of Hitlerism? In a few countries – like Albania, for instance – there was no such thing as 'native fascism'.[48] But this was the exception rather than the rule. Across most of Europe, the Nazis had their 'fan clubs', groups of unfulfilled political activists who saw in the cataclysm of 1939 and the emergence of Hitler a once-in-a-lifetime opportunity for both national and continent-wide renaissance. These people genuinely believed in the national-socialist vision and, in more practical terms, in the 'new Europe' that was taking shape under Hitler's tutelage. For them, collaboration was to be unconditional. The 'crime' they committed took place in the realm of ideas rather than action. They had fallen in love with the Reich, but sadly and unfortunately, it was passion of an unrequited kind. Ideological collaborators were open in their disavowal of their own country, and proud to be associated with Nazi Germany, however tenuous this attachment was in reality.

Zealots and Naziphiles

To understand fully the nature of 'collaborationism' – the name given to this openly ideological form of collaboration in France, but a term that will be used across the board in this book – one has to recognise the idealism and starry-eyed imagination of the collaborationists. Like a stalker intent on tracking a beautiful woman, they were able to convince themselves that they were involved in a genuine relationship. Their glorification of the Nazi system knew no bounds, but in truth they were kidding themselves if they believed that Hitler was interested in them, or even took them half-seriously. The fact is that the various bands of Naziphiles lived in their own fantasy worlds.

Some twenty-first-century observers might feel sorry for the collaborationists: of course they became a laughing-stock, but they were also genuine, if misguided, in their beliefs. Others might argue that collaborationism was, actually, the most unpleasant form of collaboration. After all, the ideological collaborators were not *coerced* into their pro-Nazi positions, but acted them out *of their own free will*. Either way, they were a bizarre collection of people.

Rex, the Belgian fascist movement, contained 'stooges'. The situation was also interesting in the Netherlands where the German occupiers had to deal with the NSB, a political movement that slavishly aped and imitated the Nazi Party in almost every respect. Werner Warmbrunn states: 'The majority of the population viewed the NSB as a party of traitors which collaborated with the German authorities for its own selfish ends.' In the Netherlands, the two most important intellectual collaborators were Meinoud Rost von Tonningen and Anton Mussert. Both were explicitly pro-German, but differed on some issues. Rost von Tonningen wanted to go the whole way ('complete integration of the Netherlands into the Greater German Reich and the introduction of the German language, culture and institutions'), while Mussert asserted his belief in an independent state.[49]

We have already mentioned the French reaction to collaborationism, and in many ways France was home to the most curious selection of Nazi sympathisers. They congregated in the *salons* of the capital, and came to be known as the 'Paris Nazis'. Jacques Doriot and Marcel Déat were 'left-wing fugitives'. The former was a Communist until 1934; the latter, leader of the 'umbrella' Rassemblement National Populaire (RNP), is commonly viewed as a 'neo-socialist'.[50] Robert Brasillach, Pierre Drieu la Rochelle and Louis-Ferdinand Céline were 'literary traitors'. During the war, Brasillach edited *Je Suis Partout*, a pro-Nazi periodical; Drieu took over the *Nouvelle Revue Française*, a high-brow literary journal that came under the influence of the Germans; and Céline was a novelist with a vitriolic hatred for Jews.[51]

There were other collaborationists who were slightly more pragmatic (if this isn't a contradiction in terms, given our initial definition of collaborationism as a 'voluntary', 'idealistic' form of collaboration). People like Fernand de Brinon, Jean Luchaire and Joseph Darnand were ambitious — and they were aiming to develop their careers in Paris or at Vichy.

There may well have been a variety of 'collaborationist fascisms',[52] but to a greater or lesser degree, these people shared the same beliefs. They all wished for, and actively sought, a German victory in the war; they all believed in 'European Revolution'; and they all looked upon the Vichy administration with a mixture of pity and dismay. In their view, the Pétain regime was 'conservative' and 'soft'.

Norway also had its lunatic fringe. Like Hitler, Quisling was also visceral in his hatred of the Soviet Union and in his formative years had penned *Russland Og Vi* (*Russia and Ourselves*), a virulent anti-Communist tract. He displayed an 'uncritical acceptance of Nazi doctrines', and in a short time 'the party of individualism and enterprise became a German puppet'.[53] This exhibited itself in many ways. Quisling adopted a fawning attitude to Hitler; he fervently hoped for a German victory in the war and a 'New Europe'; and in the way that he organised the NS, he mimicked the organisation of the Nazi party. Under Quisling, the NS comprised:

The Rikshird: The Hird, or Rikshird, was the Norwegian form of the German SA or Storm Troopers. Hird in Ancient Norse indicates a king's followers, thus 'National or state followers' would be a loose translation. The Hird or Rikshird was formed in 1933 for members of the Nasjonal Samling between the ages of 18 and 45. The total number of members before the German occupation of Norway was very small though, around 500. After occupation, membership increased, and when Quisling became the leader of Norway, membership really took off with numbers for the NS as a whole between 45,000 and 60,000 in 1943 ... In 1943, the entire Rikshird became a part of the official Norwegian Armed Forces along with the Foregarden, the Germanic SS Norge and parts of the Norwegian Police. The Rikshird was much like the German SA it was modelled after, a part-time organisation for most of its members ... The uniform of the Rikshird consisted of a dark blue tunic, dark blue ski pants or trousers, brown shirt, black tie, and blue ski cap.

As if this was not enough, Quisling went even further:

The Forergarden: The Forergarden was Quisling's personal bodyguard formation ... The service dress consisted of a grey-green tunic, ski trousers, and forage cap. Worn on the upper left arm was a VQ mono-

gram that stood for Vidkun Quisling, and a National Union eagle with sun cross ...

The Unghird: The Unghird was the Young Lads Hird, basically like the Hitlerjugend or Hitler Youth for the National Socialists in Germany. It served as the youth organisation for the National Union, and consisted of two main groups of youth ... The Unghird, along with the other Norwegian youth groups, the Unghirdmarinen, Guttehird, Gjentehird, and the Smahird, were all known collectively as the Nasjonal Samling Ungdomsfylking, or the National Union Youth Front. Membership in the National Union Youth Front was declared obligatory on March 1st, 1941, and all able-bodied and healthy youth between the ages of 10 and 18 were expected to join one of the NS youth organisations. All other youth organisations in Norway at the time were then declared illegal.

The Kvinnehird: The Kvinnehird was the female branch of the Hird. It was organised much like the male section of the Hird with different aged females grouped into separate sections ...

The Arbeids-tjensten: The Arbeids-tjensten was the Norwegian National Union party version of the German Reichsarbeitsdienst, or RAD, the German State Labour Service. The RAD was a nationwide German labour force organised along paramilitary lines and designed to be used on national and local labour tasks of civilian and military value.[54]

All in all it was a powerful and elaborate attempt at flattery. It served to alienate other far-right parties in Scandinavia. For example, via its leader, the Swedish fascist party (the SSS) commented: 'We have become ... disappointed with the national Norwegian unification party [the NS] which we thought was a brother party of the SSS, but which put German interests higher than those of their own birth nation.'[55] The fact of the matter, though, was that support for Quisling's fanatical ideology was minimal.[56]

In Slovenia, the Home Guardists assisted the Germans in their war on Communism – and paid the price at the liberation, when the new Communist authorities sought vengeance.[57] The Security Battalions in Greece, staffed by approximately 8,000 volunteer collaborationists, were of a similar ilk. They worked in tandem with the Nazi occupation forces and played a full part in the rounding up of resistance fighters and Jews.

In post-war France, collaborationists were punished severely compared to other types of collaborators – as if emphasising the country's absolute disapproval of their behaviour and its particular distaste for 'intellectual' crimes. By contrast, others view intellectual collaboration as possibly the least reprehensible form of 'betrayal'. The argument goes as follows: individuals believe what they believe; in the 1930s and 1940s, some people genuinely believed in the merits of Nazism; no one should be punished for their ideological affiliations. Furthermore, it should be noted that one of the major criticisms levelled against the collaborationists as a group was that they actually *did* very little, and were far too interested in 'posing' and 'gesticulating'. If this view holds water – and it has much to commend it – why did some post-war governments treat intellectual collaborators so harshly?

Partners in government?

Those who saw the need to ape and mimic did so exceedingly well. But across Europe, what is most evident is the lack of trust evident in the relationship between Berlin and local Naziphiles. Could these people in any sense be trusted in government? The answer was invariably no.

Granted, the Ustashe – founded in 1929 – was given the reins of power in Croatia and from humble origins (pre-war membership was just 12,000), it developed into a genuine mass movement.[58] But elsewhere, the story was different.

In France, the collaborationists were good value, and knew their lines off by heart, but they rarely inspired much confidence. In January 1944, when the game was almost up for Hitler, some French Nazis entered government, but on the whole they were over-zealous and unpredictable and could not be trusted. Likewise, in ruling Holland, the Germans preferred to deal with local administrators rather than the NSB. Essentially, Berlin felt that the party contained too many inexperienced mavericks.

On reflection, the Norwegian situation helps us to understand the tensions and rivalries that political collaboration brought in its wake. It was not just a clash of personalities – Quisling versus Terboven – but a conflict between two very different styles of government. Quisling, backed by the full force of the NS, wished to live out his fantasies as Hitler's proxy. He wanted to impose himself on the country, even without mass popular support, and impress the Führer with his passion, determination and ability. Terboven, on the other hand, was a German administrator, a realist who simply wanted to get the job done, with minimum fuss. It has been argued that 'Quisling and Terboven disliked one another a great deal, and each attempted to undermine the other's position and authority within Norway. Quisling attempted to undermine Terboven's attempt at forming a Norwegian branch of the Germanic SS, and Terboven attempted to undermine Quisling's National Union party and his overall control of Norway.'[59]

In Romania and Hungary, Hitler had little confidence in the local Nazis; hence his strategy of working with 'moderate' governments for most of the wartime period. The same was true in Belgium, where the Militärverwaltung (German military authority) worked along with local administrators. Els Witte, Jan Craeybeckx and Alain Meynen comment: 'The Militärverwaltung did not directly depend on the national socialist party ... The military authority even tried to keep radical, unpopular collaborators from Rex, DeVlag and the Flemish General SS away from these institutions in an attempt to keep cooperation as smooth as possible.'[60] That said, the Germans did employ two members of the Flemish National Federation (VNV) – Victor Leemans and Gerard Romsée – as civil servants.

Turning to the situation in Denmark, one line of thinking suggests that Hitler actively hoped for the local Nazis to seize power. For most of the time, however, the Führer was extremely circumspect in this regard and tried not to raise the hopes of the native party. Meanwhile, his attitude to other political groupings was extremely tough. He quickly outlawed the Danish Communist Party – a move that was a catalyst for creating a genuine resistance effort in the country.

Lest we exaggerate the importance of intellectual collaborators, it must be pointed out that throughout Europe they were few in number. The chief protagonists invariably lacked depth and, until desperation set in during the latter stages of the war, they were cold-shouldered rather unceremoniously by Berlin.

Military collaboration

At its most basic, occupation was a military phenomenon. After Germany invaded Norway, for example, the country had to endure the stationing of almost 350,000 German soldiers on its soil. For ordinary Norwegians this was bad enough. In recent years historians have investigated the background to the invasion, debating the extent to which the NS actually aided the Nazis in their military planning, and it is clear that Quisling *did* collaborate with the Germans over the logistics of invasion. (At its strictest, this is what the term 'quisling' actually means – collusion with the enemy *before* invasion, as well as after.)

As we have already discovered, Hitler was lukewarm about some aspects of collaboration. But he was not averse to exploiting occupied countries for military or economic gain. As the conflict progressed, and as the Eastern Front emerged as the key theatre of war, he knew that the occupied states, together with his allies, could provide him with invaluable personnel and resources.

When it comes to collaboration on a military plane, we must distinguish between two main types: that involving governments, and that involving individuals or groups.

Governments

Some states were shrewd and clever enough to avoid military collaboration. Denmark somehow managed to circumvent conscription 'for German service',[61] while King Boris of Bulgaria stood up to Hitler on a number of issues. Strictly speaking, though, Boris was an 'ally' rather than a 'collaborator', and for obvious reasons, collaborators were far more enthusiastic about providing for the Reich.

Quisling's regime in Norway was an important supplier. It sent 6,000 soldiers to the east: some served as part of the Norwegian Legion, others, in German uniform, as members of the SS. Always keen to ingratiate himself with the Führer, Quisling wished to create a system of compulsory mobilisation and was more than happy to describe his men as 'cannon fodder'.[62] It was as if, by committing men and resources to the war in the east, Quisling was at last consummating his relationship with Hitler. And he went further. In the way that he organised the NS, he created a 'supply line' to Berlin. Two organisations for trainee naval officers were set up in 1942: Hirdmarinen and Unghirdmarinen. Apparently, these groups sent recruits directly to the German Kriegsmarine.[63] Likewise, the Hirdens Flykorpset, founded in the same year, prepared Norwegians for service in the Luftwaffe.[64] Clearly,

Quisling hoped to endear himself to Hitler by styling his party as a kind of 'military school'.

In Croatia, Pavelić was just as eager to help, and in total sent 8,000 men to the Eastern Front.[65] For him, as for the Ustashe as a whole, anti-Communism was a powerful motivating factor in hooking up with Hitler initially, and in military-style collaboration thereafter. An NDH propaganda poster of 1943 asked: 'WHAT DO YOU PREFER, PEACEFUL WORK OR BOLSHEVIK VIOLENCE?'[66]

Meanwhile, to fall into line with the wishes of Hitler, German-administered Denmark established its own Frikorps, and Hungary and Romania – both allies – sent thousands of soldiers to fight, and die, on the Eastern Front.[67] The words of Antonescu, the Romanian leader, help us to understand how military collaboration came about. Here he describes his (third) meeting with Hitler in May 1941:

> At this meeting ... we had already definitely agreed upon our joint assault on the Soviet Union. Hitler stated that he had decided to attack the Soviet Union ... In connection with his war plans, Hitler asked me to place Romanian territory at his disposal for the concentration of German troops and in conjunction with this to take a direct part in carrying out the attack on the Soviet Union ... Hitler emphasised that Romania should not remain out of this war, as in order to get back Bessarabia and northern Bukovina, she had no other way but to fight on the side of Germany. He added to this that in return for our help in the war Romania could occupy and administer other Soviet territories up to the Dnieper. As Hitler's proposal to start jointly the war against USSR was in line with my aggressive intentions, I declared my readiness to participate in the assault on the Soviet Union, and undertook to prepare the required number of Romanian troops and at the time to increase the deliveries of oil and farm produce for the needs of Germany. After my return to Bucharest from Munich I began energetic preparations for the coming war.[68]

On another occasion, Antonescu explained that 'Romania entered into an alliance with the Axis not for the purpose of altering the Treaty of Versailles but in order to fight the Slavs'.[69] The conclusion must be that, for his part, Antonescu was motivated by a range of factors – some diplomatic, some ideological.

Individuals and groups

In post-war Sweden an organisation emerged to cater for those 'old comrades' who had volunteered to fight in Finland or as part of the Waffen-SS. Sveaborg was its name – and its existence suggests that even in 'neutral' states, the idea of fighting for Nazism had its appeal for ordinary people.[70]

Military collaboration appealed to the most fanatical individuals and groups. In Serbia, Nedić and the Germans were supported by three different military formations: the Zbor militia, led by Dimitrije Ljotic, a celebrated fascist; a White Russian unit; and the Chetniks of Kosta Pećanac. It is interesting that Pećanac was a veteran of World War One, and switched over to the German side as early as 1941.[71]

In France, it was Doriot's Parti Populaire Français (PPF) that was instrumental in the formation of the Legion of French Volunteers against Bolshevism (LVF), the unit that fought so enthusiastically on the Eastern Front. Individuals of a certain bent could also enrol in the Waffen-SS (Charlemagne Division), a special unit set up to appeal to French nationals who wanted to do their 'patriotic' bit for Germany.

In the east, Latvia, Estonia and Albania all boasted their own SS divisions. The Albanian unit was christened 'Skenderberg', and went wild in Kosovo, killing thousands of Serbs.[72] Ukraine boasted 'two 600-strong OUN [Organisation of Ukrainian Nationalists] units, "Nachtigall" and "Roland", recruited and drilled under the approving eye of German military intelligence. Nachtigall, clad in the field-grey of the Wehrmacht, marched into Galicia; Roland, in the uniform of the First World War Ukrainian Sich, into the southern steppe from Moldova.'[73]

The Soviet 'Hiwis' (*Hilfswillige*) were also an interesting phenomenon. They came from peasant stock and offered themselves, somewhat naïvely, as 'volunteer auxiliaries' to the Germans. Rings says they numbered about 500,000:

> *Their employment by the Wehrmacht as bootblacks, cooks, and drivers, stable boys, ammunition toters, and performers of a thousand menial tasks, enabled German auxiliaries to be released for other forms of war service ... Also recruited from this vast reservoir of 'Hiwis' were the Ukrainian and White Russian volunteers who served in engineer units and SS task forces, as concentration camp guards and auxiliary policemen under German command.*

The same author suggests that by the end of the war, a million Soviet citizens were collaborating in one way or another (some of the military collaborators ended up in the Channel Islands).[74]

Even the Grand Mufti of Jerusalem, Haj Amin al-Husseini, did his bit. He supplied intelligence to the Axis powers, established an Arab legion, and also created a Muslim SS unit in Bosnia (a region of Yugoslavia with a strong Islamic tradition).[75]

In the west, the pattern was similar. Right-wing Dutch idealists gravitated towards the Netherlands Volunteer Legion and served in the SS. Across the border in Belgium, Hitler had enthusiastic helpers both north and south of the linguistic divide. In Flanders, Gustave de Clercq, on behalf of the Flemish National Federation (VNV), offered assistance to Germany ahead of the invasion of the USSR, and in due course supplied personnel to the Flanders Legion of Volunteers and the Waffen-SS. There was just as much enthusiasm in the French-speaking part of the country, with Degrelle's Rex movement at the forefront of mobilisation efforts. Overall, approximately 20,000 Belgians went to fight for Hitler.[76]

Throughout Nazi-occupied Europe, it was mainly the fear and hatred of Communism that motivated individuals to fight for Hitler. To many, World War Two was viewed purely in ideological terms, and more people than one might expect were willing to sacrifice themselves. Of course, some will have been coerced into fighting, but most of those who went did so of their own accord. (In France the number of people who were actually 'barred' from joining up with volunteer forces is staggering, which goes to show that it was not just a popular cause, but also an extremely professional one.)[77]

We also need to take account of the figures who were sponsoring the whole notion of combat. Quisling, De Clercq, Degrelle, Doriot: these individuals were all hugely charismatic and influential. They talked in terms of a 'crusade for life and death', and in a period of confusion and dislocation, many ordinary people were seduced. Burrin, assessing the membership of the LVF, writes:

These volunteers included men of conviction ('I am proud to fight in German uniform alongside our German comrades under the Reich') as well as plenty of hotheads ... In the autumn of 1941, the Germans reckoned 30 to 40 per cent of these volunteers to be idealists, the rest probably adventurers or jobless.[78]

This conclusion could probably be applied to the tens of thousands of people who volunteered for military service across Europe.

But, the fact of the matter is that military collaboration – in terms of personnel and *matériel* – did not change the course of the war. On the whole, those who took up arms in the name of Nazism did so with enthusiasm and zeal, but they failed to save Hitler from defeat on the battlefield.

So what has this chapter proved? Primarily, that the infrastructure of Nazi-occupied Europe was a hotch-potch of new states and systems. Hitler was nothing if not pragmatic. With Germany's traditional allies in Eastern Europe, he was happy to sit back and monitor developments – until he sensed that they weren't pulling their full weight. And in Hungary and Romania he activated his own policy of 'regime change' towards the end of the war, installing a mix of German officials and pro-German 'natives'.

In other contexts, Hitler was content simply to 'administer', to impose Nazi officials and to collaborate (in the literal sense of the term, as much as anything) with local office-holders. This was convenient for the Nazis, but somewhat predictably, it caused problems for some of their partners in the occupied states. With another group of countries, the Reich preferred to hand over total power (or this is the impression they gave). These states were known as puppets because Hitler had them on a string.

Collaboration in the area of government, by opportunists and wheeler-dealers, was one thing; collaboration on the battlefield, and on an intellectual plane, was another. Here, there were zealots, people willing to sacrifice themselves before the altar of Nazism, idealists rather than realists.

In many ways, therefore, Nazi-occupied Europe resembled a laboratory. There was no uniform 'system'; there were as many nuanced varieties of 'collaboration' as there were European states. Indeed, if we use the term 'collaboration' too often, it begins to lose its meaning. In some instances, the word just isn't appropriate.

So, Hitler was the scientist, constantly manoeuvring and experimenting. And in the wake of political collaboration of various sorts came collaboration of other hues.

Notes and references

1 www.presidentgov.by.

2 P. Burrin, *Living with Defeat: France under the German Occupation* (London, Hodder Headline, 1996), p.101.

3 D.G. Williamson, *The Third Reich* (Harlow, Longman, 1995), pp.67–74. See also S.J. Lee, *European Dictatorships* (London, Routledge, 2000).

4 T. Judah, *The Serbs* (London, Yale University Press, 2000), p.117. He is talking about Yugoslavia, but the point could be made across the board.

5 R.J. Crampton, *Eastern Europe in the Twentieth Century* (London, Routledge, 1994), p.180.

6 See Crampton, p.179.

7 A. Reid, *Borderland: A Journey Through the History of Ukraine* (London, Phoenix, 2001), p.158; B. Krawchenko, *Social Change and National Consciousness in Twentieth Century Ukraine* (London, Macmillan, 1987), p.162.

8 Judah, p.127 – one could roll this term out across Europe.

9 C. Rogel, 'In the Beginning: The Slovenes from the Seventh century to 1945', pp.3–22, in J. Benderly and E. Kraft (eds), *Independent Slovenia: Origins, Movements, Prospects* (London, Macmillan, 1997).

10 P.M. Hayes, *Quisling* (London, David & Charles, 1971), pp.275, 283 and 307.

11 R. Griffin, *Fascism* (Oxford, OUP, 1995), p.208.

12 Hayes, p.285.

13 Taken from Associated Press reports.

14 Crampton, p.193.

15 Crampton, pp.193–4. It did happen when Mgr Tiso left power, albeit temporarily.

16 *Central European Review*, Vol.2, No.11 (20 March 2000).

17 Lee, p.294.

18 Hoensch, J.K., quoted in Lee, p.294.

19 Lee, p.290 – my italics.

20 Lee, p.291.

21 See J. Campbell and P. Sherrard, *Modern Greece* (Oxford, Clarendon, 1964).

22 D. Eudes, *The Kapetanios, Partisans and Civil War in Greece, 1943–1949* (New York, Monthly Review Press, 1972), p.176.

23 Lee, pp.276 and 278.

24 M. Vickery, *The Albanians: A Modern History* (London, Tauris, 1995), Chapter 7.

25 Crampton, p.204.

26 M. Tanner, *Croatia: A Nation Forged in War* (London, Yale University Press, 2001), p.151.

27 Judah, p.116.

28 Tanner, p.141.

29 N. Malcolm, *Bosnia: A Short History* (London, Macmillan, 1996), p.175; Tanner, p.160.

30 Tanner, p.125.

31 Speech, 23 May 1941.

32 Speech, 12 August 1941.

33 Burrin, Chapter 11.

34 See E. Mühle, *Germany and the European East in the Twentieth Century* (Oxford, Berg, 2003), and also L.L. Watts, *Allies of the Third Reich: Hungary, Finland and Romania in World War II* (Iasi, Center for Romanian Studies, 2002).

35 See Lee, p.228.

36 Williamson, p.69.

37 Crampton, p.204.

38 Crampton, p.209.

39 Lee, p.280.

40 P. Auty, *Tito: A Biography* (London, Pelican, 1974), p.218.

41 Crampton, p.180.

42 J.H. Wuorinen, *Scandinavia* (Englewood Cliffs, NJ, Prentice-Hall, 1965), p.75.

43 J. Hiden and P. Salmon, *The Baltic Nations and Europe: Estonia, Latvia and Lithuania* (Harlow, Longman, 1995), pp.116–19.

44 Krawchenko, p.163.

45 Wuorinen, p.78.

46 See W.H. Bowen, *Spaniards and Nazi Germany* (Columbia and London: University of Missouri Press, 2000).

47 Crampton, pp.181 and 184.

48 Vickery, p.145.

49 W. Warmbrunn, *The Dutch under German Occupation, 1940–1945* (Stanford, Stanford University Press, 1963), pp.84–92.

50 See J.F. McMillan, *Twentieth Century France: Politics and Society 1898–1991* (London, Edward Arnold, 1992), pp.142–4.

51 A. Werth, *France 1940–1955* (London, Robert Hale, 1957).

52 See A. Chebel d'Appollonia, 'Collaborationist Fascism', in E. Arnold (ed.), *The Development of the Radical Right in France: From Boulanger to Le Pen* (London, Macmillan, 2000).

53 Hayes, pp.313 and 316.

54 www.feldgrau.com/a-norway.html.

55 Quoted in L. Berggren, 'Swedish Fascism – Why Bother?', *Journal of Contemporary History*, Vol.37, No.3 (July 2002).

56 Wuorinen, p.77.

57 Rogel, p.19.

58 Malcolm, p.175.

59 See www.feldgrau.com/a-norway.html.

60 E. Witte, J. Craeybeckx and A. Meynen, *Political History of Belgium: From 1830 Onwards* (Brussels, VUB University Press, 2000), p.160.

61 Wuorinen, p.75.

62 See http://odin.dep.no/odin/engelsk/norway/history/032005-990466/ and http://odin.dep.no/odin/engelsk/norway/history/032005-990467/Index-dok000-b-n-a.html.

63 www.feldgrau.com/a-norway.html.

64 www.feldgrau.com/a-norway.html.

65 Tanner, p.153. See B. Ciglic and D. Slavic, *Croatian Aces of World War 2* (London, Osprey, 2002).

66 Reprinted in Tanner.

67 See D. Bérnad and J. Weal, *Romanian Aces of World War 2* (London, Osprey, 2003) and G. Punka and S. Boshniakov, *Hungarian and Bulgarian Aces of World War 2* (London, Osprey, 2002).

68 www.nizkor.org/hweb/imt/tgmwc/tgmwc-06/tgmwc-06-54-07.html.

69 www.nizkor.org/hweb/imt/tgmwc/tgmwc-06/tgmwc-06-54-07.html.

70 See Berggren.

71 Judah, p.117; Auty, p.217.

72 Vickery, p.152.

73 Reid, p.159.

74 W. Rings, *Life with the Enemy: Collaboration and Resistance in Hitler's*

Europe, 1939–1945 (London, Doubleday, 1982), p.83; R. Mayne, *Channel Islands Occupied* (Norwich, Jarrold, 1978), p.44.

75 R.S. Wistrich, *Anti-Semitism: The Longest Hatred* (London, Mandarin, 1992), pp.245–6.

76 Witte, Craeybeckx and Meynen, p.151.

77 Burrin, p.435.

78 Burrin, pp.433–4.

CHAPTER 5

• • • • • • • • • • • • • • •

Sex and sinners:
collaboration and society

I'm only a poor café owner! I was not cut out for this sort of thing ...!

Rene, *'Allo, 'Allo*[1]

In 1994, Louis de Bernières' novel, *Captain Corelli's Mandolin*, was published, and seven years later it was adapted for the cinema. It is the story of a young Greek woman, Pelagia, who falls in love with an Italian army officer, Antonio Corelli, who is billeted with the girl's family on the island of Cephallonia after Italy attacks Greece in 1940 and occupies the country. She is attracted by his charm, good looks and musical talent; he is taken by her astonishing beauty.

The love is so strong that Pelagia ignores the fact that she already has a boyfriend (Mandras, who has gone off to fight in the war) and that Corelli is a representative of Mussolini's Fascist regime, and thus an 'enemy'. Predictably, there is a happy ending. Love conquers all and the 'forbidden' relationship blossoms.

Important themes come out of the story: Corelli ingratiates himself with the island community, even though he is 'nominally an invader'; Pelagia's father, a doctor, would rather she date the impressive Italian than the local no-hoper, Mandras; and the nationality of the two lovers seems to be irrelevant as their relationship develops and an 'emotional connection' is made.

There is an added twist to the tale in that the island's Greek mayor is unhappy about surrendering to the Italians, whom he regards as 'second rate'. He will bow only to German orders (and in time a small German force does come ashore to create a situation whereby Cephallonia is being occupied by both Axis powers). As one online reviewer pointed out: 'This would seem to create an atmosphere in which ... Greek women would be loath to find themselves in circumstances where they could fall in love with an Italian.'

It is interesting to see how the Greeks, Italians and Germans relate to each other. The natives obviously resent interference from outside, but they do eventually reach an accommodation of sorts with the Italians. Meantime, Mussolini's men (portrayed as 'big-hearted romantics') and the Germans (depicted as much more professional in their behaviour) are not getting on very well, and significant military skirmishes ensue between the supposed allies.

Pelagia has fallen for an 'invader', but the islanders do not want her to be seen as a 'traitor'. Another girl is seen kissing a German; other locals join the revelry to help camouflage the relationship between the doctor's daughter and the mandolin-playing Italian. Another reviewer comments: 'In the movie's best scene, Pelagia is about to stomp away from Corelli – after all, he's the enemy – when the Italian whips out his instrument and strums away. She's transfixed.'

The love story that dominates *Captain Corelli's Mandolin* raises a number of issues. Is Pelagia guilty of a certain kind of collaboration? Do others – her family and friends – actually aid and abet her in her 'dubious behaviour'? Is there any difference between a woman who falls in love with an enemy soldier and a woman who, as a prostitute, has sex with an enemy official?

These are all important questions, but the nub of the matter is surely this: whatever the fraught local circumstances, the relationship between Pelagia and Corelli is relatively 'safe'. It is set on a beautiful island, the love is real and unconfined, and he is Italian rather than German (much more 'acceptable' given the two countries' respective reputations).

Contrast this kind of relationship with that which developed between Parisian women and German soldiers stationed in occupied France. These liaisons – which mainly took the form of prostitution and one-night stands – have been viewed as 'dirty' and 'immoral' by many onlookers, including the post-war authorities in France who publicly shamed the women involved at the Liberation. But what, fundamentally, is the difference between the two situations?

The answer is that one has been dramatised, romanticised and sanitised, while the other has been blackened and condemned. The fact that the former involved an Italian and 'true love' (rather than Germans and 'expediency') is crucial. It could be argued that both scenarios involve 'collaboration'.

Of course, in many other contexts, there were instances of 'improper' behaviour. In France, medical professionals established a working relationship with Berlin. In Belgium, some civil servants colluded with the German administration. In the Netherlands, the Calvinist newspaper *De Standaard* collaborated with the Nazi authorities, or so it has been claimed. In Finland, Alvar Aalto, a leading architect, is said to have had strong connections with the Reich. And there is also evidence to suggest that the Vatican turned a blind eye to what the Nazis and their proxy regimes around Europe were doing, particularly in the context of anti-Jewish measures.

These illustrations set the scene neatly for our discussion of collaboration and society. In effect, what these examples show is that all pockets of society were affected by the experience of invasion and occupation. As we will discover, all these issues blew up to varying degrees in the post-war years. The stain of collaboration – whether real or imaginary – lurked, and still lurks.

In the specific context of this chapter, 'society' equates to all matters that are neither political nor economic (*see* Chapters 4 and 6), nor related directly to the Jews (*see* Chapter 7). The remit of this chapter is extensive. It will consider everyday relations, workplace ethics, religion and culture. What dilemmas did ordinary people face, and how did they resolve them?

Everyday relations: ordinary people, extraordinary times
Dangerous liaisons

The experience of occupation affected society, and societies, at the most basic of levels. It brought an 'external' factor into the equation. Before, there had been the usual interplay between individuals and groups; now there was a new variable in the equation – the occupiers. In *Captain Corelli's Mandolin*, the first set of invaders were Italian; in France, the occupiers were German.

The relationships that developed between French women and German men during the wartime period have become the subject of much debate. Why did the women do as they did? Were the relationships genuine, or did the women have more Machiavellian motives for becoming involved? What kind of 'crime' were the women committing?

Looking back, there was something almost primeval about *les collabos horizontales*, the 'loose women' whose men had gone off to war and who chose to form relationships of various kinds with German soldiers. At one extreme, there was prostitution (some French women were even transported to the Channel Islands 'for the use of German officers and others');[2] at the other, there were full-blown love affairs (the kind of relationship that is glamourised in *Captain Corelli's Mandolin*). In between, there were all manner of casual platonic or sexual encounters. Philippe Burrin says that most of the *mesdemoiselles* implicated in Franco-German affairs were 'from modest backgrounds ... maids, laundresses, waitresses, nurses or office workers' and often worked for the occupying forces.[3] It has been estimated that at the end of the war between 10,000 and 20,000 women were shamed for their actions.[4]

But what motivated these people? One view is that the women were doing nothing that was unnatural – the 'needs must' argument. Even so, Ian Ousby claims that, whereas 'official' justice came down heavily on economic and intellectual collaboration, 'unofficial' justice – the justice of the 'mob' – identified 'sexual collaborators' as the lowest of the low.[5] Some women defended themselves, claiming that they were free to do as they pleased with their own bodies,[6] but for those who viewed Franco-German liaisons as the most despicable of crimes, revenge was sweet: at the liberation the women involved were shaved and led unceremoniously through the streets in full view of the populace. Ousby refers to the 'spectacle of women forcibly paraded through the streets naked or half-naked, often carrying their babies, and sometimes with swastikas branded on their bare scalps or between their breasts'. He goes on:

[The] ceremonies took place throughout the country in August and September [1944], usually in the atmosphere of a savage carnival and

sometimes as the organised prelude to the victims' imprisonment, or
worse. In most parts of the country people simply used the verb tondre
(to shave) in describing them, but in the Midi they used plumer: *to*
pluck, as one plucks a chicken. In Paris they spoke of la coiffure de '44:
the hairstyle of '44.[7]

But, lest we think otherwise, 'horizontal collaboration' was not a
phenomenon restricted to France – on the contrary, in fact. Norway had
its fair share of 'German whores', but here there is also the stench of government culpability. The claim is that Vidkun Quisling's wartime administration actively supported German plans to turn Norway into a glorified
'stud farm'.[8] Heinrich Himmler's idea – articulated in 1935 and christened *Lebensborn* – was to mix Aryan and Viking genes and to create a
'super-race'. Thus, German soldiers were actively encouraged to sleep
with Norwegian women, and Himmler even established nine dedicated
Lebensborn homes to help facilitate this radical process of social engineering.

If Germany had won the war, the Aryan-Viking children would have
had a special place reserved for them in the Reich. As it was, the Allied
victory meant they would have a horrible, tortured upbringing in liberated Scandinavia. The Norwegian women who bore children by German
soldiers were labelled 'whores' and, like their counterparts in France,
they were shaved and shamed when their crimes came to light. Some
were also sent abroad to do hard labour.

The Week magazine stated that after the war, 'In the tradition of Nazi
science, Norwegian government psychologists concluded that the
women who had fraternised with Germans were "asocial psychopaths of
limited talent, some of them seriously backward", and that 80% of their
children must be mentally retarded'.[9] The women's offspring experienced even worse things. They were classified as 'sub-human', as 'rats',
and secretly transported abroad, where this was actually feasible. *The
Week* went on:

> *The verdict 'father was a German' was indictment enough to send*
> *children to mental hospitals, where many were tortured and raped ...*
> *Some were allegedly used as guinea pigs in drugs trials of LSD,*
> *mescaline and other substances, initiated by the Norwegian military,*
> *Oslo University and the CIA. Many others ended up in children's homes,*

where they received no education to speak of and were released as
bewildered adults.[10]

Randi Hagen Spydevold, lawyer to the *Lebensborn* children, also asserts
that, in their adult lives, many of them have turned to crime because of
their abnormal background.[11] The claim is that both the children and
their mothers have been scarred for life by the insidious behaviour of
Norway's wartime government.

Occupiers and occupied

'Horizontal collaboration' may be one of the most interesting and controversial of historical topics, but in the context of this chapter, it is only the
tip of the iceberg.

Inhabitants of the Channel Islands – the only part of the UK to be
occupied by German forces – are always proud to proclaim that they 'collaborated' to the minimum extent possible. This is a genuine claim, and
one that this study does not in any way wish to dispute. But how could
residents of Guernsey and Jersey *not* collaborate, to some extent, in a
technical sense, when the Reichsmark was introduced as currency,
important information posters were affixed to public places, and around
2,700 buildings in Jersey alone were occupied?[12] The answer of course is
that they couldn't.

In their studies of the Netherlands under occupation, Werner
Warmbrunn and Gerhard Hirschfeld give the impression that, on the part
of ordinary Dutch citizens, compromise was not an option, and actually
became less and less likely as the occupation progressed and resistance,
in the shape of industrial disputes, took hold.[13] Mark Mazower, writing
about the Greek experience, puts forward a similar view, arguing that
even Berlin's infamous labour draft did not implicate as many workers as
could have been the case.[14]

One of the most authoritative studies of the French experience, by
Richard Cobb, is entitled *French and Germans: Germans and French*.
Likewise, Burrin, another historian of wartime France, entitles Chapter
13 of his study, 'The French and the Germans'.[15] These are simple, almost
tautologous, titles, but at the same time they are hugely profound,
because at bottom, occupation brought a totally new dynamic to society,
and brought about new, and not entirely easy, relationships.

'Everyday collaboration' took various forms, but at its crudest, it was a matter of intelligence. In the same way that inhabitants of occupied states could be carpeted for disobeying German orders, they could profit from passing on important information. This happened across Europe, but in Jersey, 'informing' on locals became a veritable industry.[16] This was collaboration at its primeval worst. Those who informed on others were cosying up to the occupier in the most amoral and manipulative of ways.

The reality of 'everyday collaboration' is also illuminated by the character of René in the BBC TV series, 'Allo, 'Allo. René, an unassuming middle-aged man, owns a café in northern France. The reality of the occupation means that René's establishment is visited on a daily basis (and almost simultaneously!) by representatives of the occupying force *and* activists on the resistance side. Thus, at one and the same time, René is open to criticism on account of the fact that he is doing business with the Germans *and* also aiding and abetting those wishing to put a stop to the occupation. It is in this sense that René faces a range of dilemmas. In short, how does he carry it all off? How does he do enough to show that he believes in the ultimate aims of the resistance, while also keeping on the right side of the Germans? And put in terms that are even starker: how does he survive intact as an ordinary Frenchman, and make a decent living, during the wartime period? These kinds of questions would have faced every individual in every occupied country. In this sense, René stands as Everyman. His situation was that of Occupied Europe in microcosm.

Let us now switch to reality. Simone de Beauvoir, the celebrated French feminist writer, has attracted comment on account of some of her actions during the Nazi occupation. Like René, she was caught in the crossfire of occupation. Her memoirs give the impression that she was a bystander during the wartime years. Her anti-Nazi, anti-Vichy statements were powerful and recur throughout her autobiography, *The Prime of Life*. Moreover, she comes across as someone who had invested much intellectual energy in the resistance cause, however impotent she was in terms of action. But this did not prevent one of her biographers, Deirdrie Bair, from raising the issue of collaboration:

> One afternoon in mid-January [1941] she walked by the Café de Flore on
> the way back from the Bibliothèque Nationale and was so tired that she

decided to stop for a cup of coffee. She had been in the Flore only once or twice since the occupation began, but was uncomfortable because the German propaganda staff had all but taken it over, and (as rumour had it) all the intelligence officers and their spies and flunkies met there as well . . . She quickly noted that two tables in particular were almost touching the stove, and decided that from now on she would hurry over to the Flore as early as possible in the morning, claiming the table closest to the stove as her own. There she would write until it was time to go to the Bibliothèque each afternoon. Thus, from the desire to keep warm and write without interruption, both rumour and reality about Beauvoir were born.[17]

As with René, it is significant that de Beauvoir's 'dangerous liaisons' took place in the fairly mundane setting of a café. It is difficult for us to judge her culpability. Drinking coffee and keeping warm in a place regularly frequented by German soldiers – was this *really* a crime? All we can say is that there is, and there was, a very thin line separating 'acceptable' from 'non-acceptable' behaviour, and this is one of the many fascinations of collaboration as a historical subject. Bair says that 'rumour and innu-endo' haunted de Beauvoir and Sartre for the rest of their lives.[18]

In Chapter 8 we will assess the legacy of collaboration. Here, already, we get a glimpse of what that legacy was all about. It is quite right to say that de Beauvoir is one of France's most famous writers and philos-ophers; but this has not stopped some commentators from gossiping. It is unfortunate, particularly if she was wholly innocent, but in the post-war period her name has become tainted. When you are branded a 'collabora-tor' or an 'alleged collaborator', the mud invariably sticks. This is the power of the word. In 1982 de Beauvoir tried to defend herself:

People who were not there cannot understand how all-pervasive the Germans were. They were everywhere. *It was very difficult to find any place where they had not congregated. There may have been one or two little* zincs *[bars] on the outskirts, but I had never gone to those places, they were difficult to get to even if one could find them, and why would I put myself to so much trouble when I was tired and hungry most of the time? No, I continued to live my life as I had always lived it, and this meant in the Dôme, the Rotonde and, yes, the Flore. Who can fault me for wanting to be warm while I worked? Germans were there, yes, and after Sartre came back and we had our plays put on, we had to go through the censorship, so we became acquainted with many Germans, but that doesn't mean that we enjoyed their company or that we had anything more than the most routine sort of dealing with them. We did what we had to do to live, and that was all.[19]*

So de Beauvoir makes a convincing case. When she says, 'People who were not there cannot understand how all-pervasive the Germans were', it probably behoves us to listen. It is very easy for us to make generalised judgements from afar – all too easy in fact. Lest we forget, de Beauvoir 'the collaborator' was also the person who, in a famous phrase, described the occupation as 'hellish'.

Where does that leave us?

Workplace ethics: do I or don't I?

If the reality of occupation created conundrums of a certain kind for ordinary people – 'Do I sleep with that Nazi?', 'Do I visit that café frequented by German soldiers?' – it also forced unpleasant dilemmas on those going about their daily work.

Medical professionals had to decide: do I assist the occupiers? Doctors and nurses were always going to be key people because they had skills and specialist knowledge. Would they save lives or put lives in danger? Burrin says that in France there was an interchange of ideas and personnel:

Medicine seems to have been a discipline particularly tempted by contacts . . . At any rate, a number of leading lights in the medical world manifested no hostility. Underlying their behaviour, one senses, was a combination of Pétainism, professional ambition, institutional defensiveness, and professional links established with German colleagues before the war.[20]

It could be argued perhaps that if collaboration was justifiable in any sector of society, it was medicine. If cooperation helped to save lives or expand the frontiers of medical science, it was legitimate, was it not? Some French professionals obviously thought it was. Professor Rist, a world expert in tuberculosis, travelled to Germany for a conference in

November 1941, and Emmanuel Leclainché, ex-president of the Académie de Médicine, worked with the Germans on an administrative and bureaucratic level.[21]

In recognising and working with the Nazi authorities, medical experts in France were doing no more than emulating their counterparts inside the Reich. But in reality, Hitler was more interested in 'science' than 'medicine' *per se*. He saw amazing possibilities in racial experimentation, social engineering and the policy of euthanasia, not least the creation of a 'master race'. In consequence, he came to rely quite heavily on medical practitioners.

Recent research has demonstrated that some doctors, nurses, psychiatric specialists and eugenicists in 1930s Germany actually worked quite closely with the Hitler regime. This was a form of collaboration – just as German businessmen making profits out of the regime was collaboration, and just as the German military and religious establishments sucking up to the Führer was collaboration. In 1999, the Director of the Braun Holocaust Institute expressed his disgust at the phenomenon of 'medical' collaboration:

> It is astonishing that physicians joined the Nazi Party in greater
> numbers than any other professional group. Six percent of the medical
> profession, nearly 3,000 physicians, joined the National Socialist
> Physicians League ... It is even harder to believe that German doctors
> advocated and implemented the sterilisation and killing of hundreds of
> thousands of men, women and children, and participated in despicable
> 'medical experiments' on helpless victims.[22]

Civil servants had to ask themselves: do I enable the state bureaucracy to function effectively? The Bailiff of Jersey – the chief administrator on the island – was said to have had 'no alternative but to comply with the [surrender] instructions that were given [by the Germans]'.[23] But was this strictly the case?

All we can say for sure is that administrators and bureaucrats had to navigate a tricky road. They had to do enough to placate the occupiers (through a policy of 'neutral' or 'reasonable' collaboration) and those opposed to the occupation (by engaging in the odd spoiling tactic, for example). They would also have to fend off accusations that they were being 'over-helpful' to their superiors (and were thus guilty of something more cynical than acting in the 'national interest'). This was exactly the scenario that ensued in Belgium: 'Several secretaries-general resigned. Others stuck to a containment strategy, a "policy of the lesser evil" and held on to their position to prevent SS or military protégés from taking over.'[24]

To the north, the Netherlands was on the receiving end of a new civilian administration. Within a week of military victory, Hitler had placed a fellow Austrian, Arthur Seyss-Inquart, in charge. Henceforth, the country was run as if it were an incorporated province of the Third Reich. Warmbrunn talks about a 'nazification' of the state.[25] Throughout the occupation, Seyss-Inquart governed in association with a quartet of Commissioners-General (all of whom were German) and, in the provinces, a plethora of 'Representatives of the High Commissioner' (Germans also). However, 'For practical reasons Seyss-Inquart decided to utilise the existing governmental structure of the Netherlands to the fullest possible extent. He knew that it was virtually impossible to replace existing Dutch agencies and that the Dutch Nazi movement did not include enough technically qualified members to take over administrative jobs.'[26] In doing so, the High Commissioner put his trust in a number of high-profile Dutch administrators, known as Secretaries-General. So, in this sense, the Netherlands retained a native bureaucracy, even if it did not retain a native government. This enabled it to maintain some semblance of autonomy.

In a sense, the Germans had no option but to place their faith in civil servants who were already *in situ*. They wanted mastery of a continent, and they were not going to achieve this by always sending in their own people, ignorant as they would be of local issues and procedures. So, they put their trust in existing administrators and institutions.[27]

The German authorities wanted to believe that the 'local administrators' would be malleable and on the whole, they were not disappointed. Warmbrunn says that the attitude of the Secretaries-General in Holland 'was characterised by expediency'.[28] It must also be said that across the occupied states, any civil servant who opted to cooperate with the Germans was playing with fire. He or she was never going to be popular with ordinary people, and could run the risk of being ostracised, however sensible and worthy his or her original motives were.

For policemen the question was: do I enforce 'German' order? This was a terrible quandary to be faced with because it was, quite literally, a matter of life and death. In some states, the police fell into line pretty quickly. It is claimed that in Ukraine and Ostland, local police units helped in the round-up of Jews, and that in Jersey and Guernsey, 'soldiers and local police' assisted the occupation authorities in the deportation of adult males to Germany, to snuff out the possibility of these people supporting a British invasion of the islands.[29]

In the French Milice, there was very little soul-searching. This police organisation was set up in 1943 and worked in tandem with the occupiers to root out resisters and resistance units. Led by Joseph Darnand, the Milice attracted almost 50,000 volunteers. These people could be classed as 'agents' of the Reich. Their collaboration was a product of ideology and the passionate desire for 'order', and as a result, they were detested by the mass of ordinary French people.[30] It is interesting and not insignificant that one of France's most notorious war criminals had police connections. René Bousquet, whose case was reopened in 1990, was head of police under Vichy.

Religion: cosying up to the Devil

Why did senior clerics and religious organisations collaborate? There is no simple answer to this conundrum. But it is true that a variety of religious institutions and organisations have been tainted by their actions during the wartime period. In Chapter 1, we noted that the Grand Mufti of Jerusalem found common ground with Hitler on the issue of the Jews, that the Church in Germany is accused of not doing enough to resist the Nazi dictatorship and that the Jewish Councils have been condemned on account of their 'accommodating' attitude towards the round-up of Jews across Europe. This was not full-blown collaboration; rather, a kind of fateful acquiescence in the face of an unbearable situation and insurmountable problems.

It is also claimed that the Jehovah's Witnesses have a case to answer. As a minority sect, they suffered terrible persecution during the Nazi period, but one scurrilous website puts the other side of the story: 'While rank-and-file Jehovah's Witnesses were executed by Hitler, Watchtower leaders supported Hitler and the Nazi regime.' Then, under the heading,

'WATCHTOWER LEADERS' COLLABORATION WITH NAZIS COVERED UP', it went on:

> The WatchTower Society chooses to cover up many things associated
> with the Nazi era – the appeasing letter to Hitler, the hymns written to
> the tune of Deutschland ueber Alles and the Anti-Semitic tract
> Declaration of Facts. The following case is somewhat different, in that
> the cover-up is of an individual Watchtower employee, rather than the
> corporation as a whole. The man's name is Erich Frost, the chief
> Watchtower representative in Germany during the war years.[31]

Thus, accusations and allegations are made against the Jehovah's Witnesses: the manipulation, the pro-Führer idolatry, the racialism.

However, it is the attitude and actions of the Catholic Church that have provoked most concern. Let us consider Croatia and France. Both are Catholic countries, and both were ruled by puppet regimes during the war.

The Church was undemonstrative in its opposition to the Independent State of Croatia (NDH) in the first year of its rule (1941–2). The actions and attitudes of one of its leaders, Archbishop Alojzije Stepinac, have come in for particular attention. After the Ustashe had established itself in power, the Church was positive, welcoming and, on occasions, 'hysterical' in its support of the new regime.[32] On 28 April 1941, Stepinac sent the following (rather cryptic) circular to fellow priests:

> The times are such that it is no longer the tongue which speaks but the
> blood with its mysterious links with the country, in which we have seen
> the light of God ... Do we need to say that the blood flows more quickly
> in our veins, that the hearts in our breasts beat faster: ... no honest
> person can resent this, for love of one's own people has been written by
> God's laws. Who can reproach us if we also, as spiritual pastors, add
> our contribution to the pride and rejoicing of the people ... it is easy to
> see God's hand at work here.

Four years later, another Croatian cleric looked back on the emergence of the Ustashe:

> The creation of the NDH was greeted by the enormous majority of Croats
> with indescribable delight. I doubt you could have found 1 per cent of

Croats who did not approve of it to the bottom of their souls. Pavelić
[the leader of the NDH] was the hero of the day, the new and only
programme, the realiser of ancient desires, the hope and guarantee of
future days, the avenger of a tortured past ... an almost mystical being,
a minor demi-god, the greatest Croat of all time.[33]

Of course, the attitude of the Church started to cool as the horrors of
Ustashe rule came to light, but even so, individuals like Stepinac
applauded the fact that Pavelić was trying to restore order and morality.
The ban on swearing, for instance, went down particularly well with the
Archbishop.[34]

The same kind of story is evident in France. During the war, the
Catholic Church was close to the Vichy government. Pétain invested it
with huge moral authority, and it is no coincidence that the value system
of the new regime overlapped to a considerable degree with that of the
religious authorities.

Then, after the war, elements within the Church took it upon themselves to protect collaborators and war criminals. The case of Paul
Touvier is illuminating. He worked for the Milice, the brutal French
police, in Lyons, and took on the role of assistant to Klaus Barbie (the
Nazi official who was condemned to death in 1987 for his record during
the war). When France was liberated, Touvier fled, but in 1946 and 1947,
he was sentenced to death in absentia for his crimes. After a 45-year
search, he was arrested in Nice in 1989.

The heart of the matter is that for four decades and more, Touvier had
been sheltered by priests. The roll of shame? In the immediate aftermath
of war, he was taken in by the church of Sainte Clotilde in Paris; in the
late 1960s, the campaign to win him a presidential pardon was led by
Monsignor Duquaire, secretary to the Archbishop of Lyons, Cardinal
Gerlier; in the 1970s, he was harboured by André Poisson, prior at the
abbey of La Grande Chartres; in the 1980s, he was said to be being kept
at monasteries throughout northern France; in 1989, he started to receive
a monthly allowance from a Catholic charity, Secours Catholique; and
when he was eventually arrested, he was found to be living at the Priory
of St Joseph in Nice, a traditionalist outpost of the Church connected to
the Order of the Chevaliers of Notre Dame.[35]

The story of Church involvement was bad enough. What was even worse was the controversy and scandal that erupted when Touvier was finally caught. It was disclosed that the monasteries implicated in the saga had opened their doors to the man in the name of 'charity', and it was claimed that the fall-out of the Touvier case 'could even reach the Vatican itself'. Most shocking of all, a national opinion poll revealed that 37 per cent of ordinary people felt it was 'normal' for a religious order to protect Touvier. What did this say about the state of post-war France and the legacy of collaboration? *The Independent* summed things up neatly:

> *A report on the role of the Catholic clergy in protecting a French war criminal for more than 40 years after the Second World War has produced damning evidence of clerical defiance of the state and collusion with a Nazi sympathiser ... At worst, of course, the priests involved are suspected of anti-Semitism and sympathy for the rule of collaborationist Vichy France.*[36]

Clearly, no one was saying that the Church *as an institution* was protecting Touvier, but serious questions were now being asked of individual priests and orders. One headline read: 'HOW FRENCH PRIESTS SAVED A NAZI KILLER'. To say the least, it was a piece of publicity that the Catholic authorities could have done without.

Of course, many priests and clerics played a heroic role in the resistance, and saved many lives, especially Jewish ones. But there was a small minority who let themselves down and became embroiled in the spider's web that was collaboration. Why did saints become sinners? We can only speculate as to the reasons. Naïvety? Ideology? Spite? A belief in charity? The mistaken conviction that somehow they were immune from 'the law of the land'? Whatever the exact truth, it is clear that elements within the Church did untold damage to their reputation through their wartime behaviour.

Culture: the media and the arts

Implicit in the Nazis' totalitarian ideology was the belief that sources of opposition and protest should be outlawed. This principle was to be applied inside Germany (note the Editors Law of October 1933) and also throughout the 'Greater German Empire'. But how did newspapers and other publications react?

In the Channel Islands, all news emanated from the Germans. Newspaper publishers could either not publish or publish what the occupiers wanted to read. Richard Mayne says: 'One edition of about 10,000 copies of the *Jersey Evening Post* was scrapped because the German Censor objected to the wording of an advertisement he had noticed only when the whole issue had been printed.'[37] The journalists and printers who worked under this regime did so because they had to. This was not 'collaboration', but rather cooperation under duress – a very different phenomenon.

As a consequence of such censorship, an underground press began to emerge across Europe. This process is seen best in the Netherlands.[38] But in some publications around Europe, censorship and/or suspension was not required because editors began to toe the line.

The Dutch Calvinist newspaper, *De Standaard*, is particularly interesting. In 1995, the Progressive Calvinism League issued the following statement:

> *Abraham Kuyper in his prime, in the latter part of the nineteenth century, founded a daily newspaper and gave it the name,* De Standaard, *which corresponds to the English standard in the sense of a battle flag, or ensign or regimental colours.* De Standaard *was the Calvinist daily standard fluttering at the head of the Calvinist religious forces in the Netherlands.* De Standaard *is not published anymore. It had a policy during World War II which was its undoing. After occupation of the Netherlands by Hitler* De Standaard *followed a policy of 'not resisting the lawful government'. What was that 'lawful government'* (wettige overheid)? *Hitler's occupational army! ... When the regular Dutch government was restored, it prohibited the continuation of the publication of* De Standaard *on the ground of its dubious conduct during World War II. We consider that to be a disgraceful ending for a once-famous Dutch Calvinist daily newspaper, founded by a devout and well-intentioned man ... We do not consider our Dutch Calvinist brethren to have been quislings – by intent.*[39]

This passage is significant for two reasons. First, the idea of 'non-resistance' is introduced. It is possible to equate this notion to 'submission on the grounds of superior force', one of the variants of collaboration we outlined in Chapter 1. Here we are talking about acquiescence, about accepting as 'legitimate' the government *in situ*. This should be contrasted with the attitude of resistance groups who actively disputed the legitimacy of governments (like, for instance, General Charles de Gaulle's Free French movement, which poured scorn on the administration of Marshal Philippe Pétain). Second, the League argues that not all collaboration was the result of 'treachery'. Whatever the rights and wrongs of *De Standaard* in this case, it is clear that this line of reasoning does have some validity. As we have already seen in this chapter and in others, many individuals and groups engaged in collaboration *not* because they wanted to betray their own country, but because they wanted to survive and they saw no alternative.

The League then went on to explore the philosophical and theological issues surrounding the actions of *De Standaard*: 'Behind their tragic non-resistance policy, which in effect became collaboration with Hitler, was a pious, erroneous idea. That idea was that the powers that be must be obeyed because they are "ordained of God". Hitler was not to be resisted because he was ordained of God.'[40] While the rights and wrongs of the newspaper's wartime behaviour are open to question, it is interesting that they are still being debated today. The fact is that every publication in occupied Europe had to grapple with the same ethical issues.

For someone like Robert Brasillach, though, there were *no* ethical issues. He was probably the most famous pro-Nazi journalist in occupied Europe, never mind France. He started his career on the *L'Action Française*, but soon moved on to *Je Suis Partout*. Both dailies were on the far right, but the difference in mentality and outlook was immense. The former championed conservatism, monarchism, the politics of reaction; the latter was much more radical, and stood for hardline fascism and anti-Semitism. He was 'fervent and willing, even perversely eager, to die for his beliefs when Liberation came'.[41] In 1945, Brasillach was shot. His crime? Betraying his country and being such a loud and effective mouthpiece for the Germans.

Just like the media, the arts world became a battleground. Many painters and sculptors articulated their political views through their work. Sometimes they did so in explicit fashion, but more often than not they did it in subtle, covert terms. There were as many different forms of resistance as there were resisters, and in the arts this was particularly the case. On the 'other side of the fence' things were different. Should important figures in the arts world maintain contact with the Reich? Could you detect a collaborator in his or her work? And what motivated those who bought into the world of 'official' German culture?

The case of Aalvar Aalto, the famed Finnish architect, is a curious one. In literary circles there is now a big debate about Aalto's behaviour during the war. The fact that Finland was a co-belligerent of Germany, rather than an ally, is immaterial. Aalto was an individual, a Finnish national, and he and his supporters had to account for his actions. While Martin Filler, architecture critic of *The New Republic*, argues that Aalto has a case to answer, Michael Trencher, Director of the Alvar Aalto Study Centre, and Goran Schildt maintain that he is innocent of all charges. Filler has written:

> *Some people find certain things funny and others do not. I for one still fail to see the humour in Alvar Aalto's wartime trip to Nazi Germany. Aalto might indeed have been induced to pay an official visit to the Third Reich in 1943, but was he in fact compelled, at the end of what can only have been an appalling journey, to rise and pay homage to Adolf Hitler? There is irony, but no amusement, in the coincidence that the architect's encomium was delivered at Wannsee, where, at the infamous conference just a year earlier, the mechanics of the Final Solution had been set in motion ... I understand the institutional stake that [Trencher], as director of an Aalto study centre, has in trying to minimise what even the architect's most authoritative biographer characterises as 'collaboration'.*

Meanwhile, Trencher has stated:

> *Set within an otherwise comprehensive, insightful, and well-balanced article on Alvar Aalto, Martin Filler's remarks concerning Aalto's wartime relations with fascist Germany ... stand out as disturbing glosses that leave erroneous impressions on the uninformed reader. The paragraph in question in Filler's article is principally based on the chapter entitled 'Finland's Continuation War' from Goran Schildt's book,* Alvar Aalto: The Mature Years *(Rizzoli) ... Schildt writes, 'Aalto's loathing of Hitler and abhorrence of all Nazi propaganda were at least equal to Maire Gullichsen's ...' Further, Mr Filler's comment, 'Aalto was all too willing to collaborate with the fascists', is a distorted and subjec-*

tive abridgement of Schildt's highly qualified, 'For all his antipathy to
Nazism, Aalto could not avoid some collaboration with the German
comrades in arms' (p.67).[42]

It is interesting, and perhaps also pertinent, that the academic community should be so divided on the issue of Aalto's wartime behaviour.
Whatever the rights and wrongs of the situation, it is clear that different
writers hold different views about what is, and what is not, collaboration.
Every nuance, every gesture, has its meaning. This is important, and
helps us in our quest to understand the essence of collaboration as a historical phenomenon.

This kind of debate has also been played out in Italy where the writer
Ignazio Silone has come under intense scrutiny. Italy was an ally of the
Reich, but this is neither here nor there when the behaviour of an individual writer is concerned. Consider the words of Michael P. McDonald:
'Given the dismal state of literary criticism, perhaps it was inevitable that
the allegations of fascist collaboration would awaken interest in Silone as
a "transgressive" writer, which in fact occurred. A case in point was an
article in the February 2001 issue of *La Rivista dei Libri* (the Italian version of the *New York Review of Books*) by Giulio Ferroni.' McDonald goes
on to describe what Ferroni found when he started to re-read Silone's
novels:

> *He ... fastened on an episode in* Bread and Wine *in which a character*
> *by the name of Luigi Murica confessed to having been an informer ...*
> *For critics such as Ferroni, Silone suddenly seemed much more interest-*
> *ing now that the heretofore bright boundaries between the 'good' and*
> *'evil' in his books had been rendered clouded and equivocal by the*
> *'proof' of his own collaboration. [Silone] had suddenly become 'sexy' to*
> *literary critics.*

The accusations made against Silone are of considerable interest.
McDonald is slightly sarcastic about their validity and weightiness, but
the fact that they surfaced decades after the war had ended seems to con-
firm that the issue of collaboration will not just go away and die. Clearly,
the political allegiances of key individuals are *still* an issue. The language
used is also significant. Labelling Silone a 'transgressive' writer is akin to
calling him 'sinful', 'flawed' or in some way 'deviant'. This may or may

not be extremely harsh on him. What we can say for sure is that the witch-hunt against collaborators and suspected collaborators goes on.

In a sense, Aalto and Silone should be bracketed alongside de Beauvoir. There was little explicit about their collaboration, if indeed there was any genuine collaboration at all. Nonetheless, all three have been accused of crossing the fine line that divided principled anti-Nazism from cosy co-existence and acceptance of Nazi rule. The irony is that Aalto, an architect, and de Beauvoir, a writer, have attracted suspicions not on account of their work, as such, but because of their actions and behaviour during the wartime period.

This cannot be said of another group of people – the French Nazis (also known as the 'literary fascists' or 'fascist intellectuals'), who were based in Paris for the duration of the war. Every country had their pro-Hitler factions, but the French clique was particularly intriguing, not least because they were in the main authors and novelists.

Throughout the 1930s, a 'hard' right had been developing around Brasillach, Pierre Drieu la Rochelle, Louis-Ferdinand Céline, Fernand de Brinon and Jean Luchaire. After defeat in 1940 this faction coalesced in the capital. Most of the key names became associated with specific pro-German publications: Drieu la Rochelle with *Nouvelle Revue Française* (NRF); Céline and Brasillach with *Je Suis Partout*; Luchaire with *Les Nouveaux Temps*. (It is relevant to point out that Luchaire was put in charge of the Paris press association, and, as editor of *Nouveaux Temps*, earned 100,000 francs per month, and lived a life of great comfort, thanks to German patronage.)[43] We should also note the existence of *Gringoire* and *Candide* – both hardline right-wing weeklies. Ousby says that the Paris media 'was often German-funded and German-inspired and always German-censored'.[44]

As was mentioned in Chapter 4, these people were heart-and-soul collaborators, rabid polemicists who sought to ape and glorify Nazism and the Nazi ideal. Drieu, writing in 1941, condemned the France of the inter-war period:

France was destroyed by the rationalism to which her genius had been reduced. Today, rationalism is dead and buried. We can only rejoice at its demise ... France had lost body and soul ... The France of the determined militants of the Extreme-Right and the Extreme-Left was not

strong enough to overcome the France of the prattling conservatives,
who shamelessly continued to call themselves moderates, radicals or
socialists.

And on the specific issue of culture, he argued:

> *The France that had read Sorel, Barrès, Maurras, Péguy, Bernanos,*
> *Céline, Giono, Malraux, Petitjean was not strong enough to overcome the*
> *France that had read Anatole France, Duhamel, Giraudoux, Mauriac,*
> *Maurois ... Literature had its academies for spineless writers, its hun-*
> *dred thousand Prizes, and its dull reviews (including the* Nouvelle
> Revue Française, *which aged more rapidly than the* Revue des Deux
> Mondes *or the* Revue de Paris *during the preceding century, and which*
> *stood somewhere between the fringe of surrealism and the pedantry of*
> *the war horses of rationalism).*[45]

Thus, it was quite poignant that Drieu should have been handed the edi-
torship of *Nouvelle Revue Française*, a prestigious literary journal, once
the Germans had installed themselves in Paris and were calling the shots.

Although the Germans introduced a 'code of conduct', established the
notion of 'legalised publication', and released what became known as the
'Otto List' (an A–Z of 'banned authors'), their attitude towards the arts
was less totalitarian than one may have imagined.[46] To a large extent,
they believed in 'self-regulation' and 'self-censorship', and trusted publishers to inform them of any works that had the potential to cause
'offence' to the population at large. 'Liberty under surveillance' is the
phrase that has been used to describe the situation for French writers and
their colleagues in the arts world.[47]

This state of affairs put the onus squarely on France's cultural elite.
Key figures in the literary world were forced to grapple with moral dilemmas, and as Burrin states, 'The publishing world can hardly be proud of
its behaviour under the occupation'. Publishers such as Gallimard and
Flammarion maintained a working relationship with the Germans, as did
many people in the translation industry.[48]

In a sense, the stance of Drieu la Rochelle, Céline, Brasillach, de
Brinon and Luchaire was straightforward. They were 'believers [in
Nazism] before the fact of the Occupation, not converts after it'.[49] For
them, 'collaboration' was a natural position to take, and the political

values associated with collaboration – or, more accurately, collaborationism – can be seen, to a not inconsiderable degree, in their wartime literary output.[50]

The reaction of other writers to the reality of occupation was more complex. De Beauvoir – no stranger to unpleasant allegations herself – pointed to one key controversy in her memoirs: 'Drieu's first number of the NRF came out in December ... why had [André] Gide consented to publish extracts from his diary in it? I met Jean Wahl at the Dôme, and found him just as flabbergasted by this as I was. It afforded me some relief to be able to share my indignation with someone outside my immediate circle of friends.'[51] Gide was not the only 'mainstream' author to be condemned for collaboration. A cloud also hangs over the behaviour of François Mauriac, Georges Duhamel, Louis Aragon and Antoine de Saint-Exupéry.[52]

Vercors, the French writer, said famously that 'writers had two choices: collaboration or silence'.[53] This implied that publishing anything against the backdrop of occupation was akin to treason. By this definition, many French authors had a case to answer. In other artistic fields, the issues were just the same. There was very little censorship in the theatre, but, to some, the very fact of putting on a production seemed to imply some kind of covert collaboration.[54]

If Chapter 4 focused on 'high' collaboration – working with the Germans in politics and government – Chapter 5 has explored the phenomenon that was 'low' collaboration. This was all about ordinary people, the quandaries of everyday life, and the dilemmas that faced men and women in the cultural sphere.

Much 'social' collaboration was unavoidable and, as a result, fairly inconsequential. It is difficult not to sympathise with René, the café proprietor in 'Allo, 'Allo, who only wants to earn a living; with Pelagia, the Greek woman who falls in love with an enemy soldier in Captain Corelli's Mandolin; with de Beauvoir, as she traipses round Paris looking for warmth and a decent cup of coffee, and ends up in the Flore, an establishment that has become the favourite haunt of German soldiers. These were innocent people looking to survive.

But it is a different matter altogether when you go out of your way to ingratiate yourself with the Nazis. Aalto, the Finnish architect, caused a storm with his visit to Germany in the middle of the war; Archbishop Stepinac could do little but drool and fawn over Dr Ante Pavelić, the 'Croatian Hitler', when he arrived in power; and the right-wing intellectuals who dominated the world of Franco-German culture in occupied Paris did so out of loathing for liberal-democratic politics and their own country.

Collaboration is a 'grey zone', but a definite sense of mendacity and callousness separated the actions of the second group of people from those of the first. In the economic arena, the same distinction could be made.

Notes and references

1 René quoted in A. Hunt, *'Allo, 'Allo* (London, Grandreams, 1989).

2 R.C.F. Maugham, *Jersey under the Jackboot* (London, W.H. Allen & Co., 1946).

3 P. Burrin, *Living with Defeat: France under the German Occupation* (London, Hodder Headline, 1996), p.206.

4 Burrin, p.207.

5 I. Ousby, *Occupation: The Ordeal of France 1940–1944* (London, John Murray, 1998), p.307. See also F. Virgili, *Shorn Women: Gender and Punishment in Liberation France* (Oxford, Berg, 2002).

6 Burrin, p.207.

7 Ousby, p.306.

8 *The Observer*, 30 June 2002.

9 *The Week*, no.368, 27 July 2002.

10 *The Week*, no.368, 27 July 2002.

11 *The Observer*, 30 June 2002.

12 R. Mayne, *Channel Islands Occupied* (Norwich, Jarrold, 1978), p.17.

13 W. Warmbrunn, *The Dutch under German Occupation, 1940–1945* (Stanford, Stanford University Press, 1963), pp. 112 and 118; G. Hirshfeld, *Nazi Rule and Dutch Collaboration: The Netherlands under German Occupation, 1940–1945* (Oxford, Berg, 1988).

14 M. Mazower, *Inside Hitler's Greece: the Experience of Occupation, 1941–44* (Yale, Yale University Press, 1993).

15 R. Cobb, *French and Germans, Germans and French: A Personal*

Interpretation of France under Two Occupations, 1914–1918/1940–1944 (Hanover, NH, University Press of New England, 1983).

16 Maugham, p.48.

17 D. Bair, *Simone de Beauvoir: A Biography* (London, Vintage, 1991), pp.241–2.

18 Bair, pp.295–6.

19 Taken from Bair, p.242.

20 Burrin, p.355.

21 Burrin, p.355.

22 See www.adl.org/braun/dim_13_1_morality.asp (19 February 1999).

23 Mayne, p.13.

24 E. Witte, J. Craeybeckx and A. Meynen, *Political History of Belgium: From 1830 Onwards* (Brussels, VUB University Press, 2000), p.160.

25 Warmbrunn, p.27.

26 Warmbrunn, pp.34–5.

27 M. Burleigh, *The Third Reich: A New History* (London, Macmillan, 2000), p.418.

28 Warmbrunn, pp.266 and 274–5.

29 B. Krawchenko, *Social Change and National Consciousness in Twentieth-Century Ukraine* (Oxford, Macmillan, 1987), p.163; J. Hiden and P. Salmon, *The Baltic Nations and Europe: Estonia, Latvia and Lithuania* (Harlow, Longman, 1995), p.118; Mayne, p.40.

30 R. Price, *A Concise History of France* (Cambridge, CUP, 1993), p.261; J.F. McMillan, *Twentieth Century France* (London, Edward Arnold, 1992), p.143.

31 See www.bible.ca/jw-collaboration.htm, visited 28 August 2003.

32 M. Tanner, *Croatia: A Nation Forged in War* (London, Yale University Press, 2001), p.145.

33 Both quoted in Tanner, p.145.

34 R.D. Kaplan, *Balkan Ghosts: A Journey Through History* (New York, Vintage, 1996), pp.11 and 19.

35 See *The Independent*, 25 May and 31 May 1989, 24 March 1990 and 10 January 1992; *Sunday Times*, 28 May 1989.

36 *The Independent*, 10 January 1992.

37 Mayne, p.19.

38 Warmbrunn, Chapter 11.

39 Progressive Calvinism League, 1995 – www.visi.com/~contra_m/pc/1955/1–11daily.html.

40 Progressive Calvinism League, 1995 – www.visi.com/~contra_m/pc/1955/1–11daily.html.

41 Ousby, p.144.

42 This controversy was played out in the *New York Review of Books* in 2002. See www.nybooks.com/articles/15554.

43 A. Werth, *France 1940–1955* (London, Robert Hale, 1957), p.131.

44 Ousby, p.140.

45 Quoted in S.M. Osgood, *The Fall of France, 1940: Causes and Responsibilities* (Boston, D.C. Heath, 1965), pp.50–1.

46 G. Hirschfeld and P. Marsh (eds), *Collaboration in France. Politics and Culture during the Nazi Occupation 1940–1944* (Oxford, Berg, 1989), Chapter 10.

47 Burrin, p.335.

48 Burrin, p.326 and Chapter 21 in general.

49 Ousby, p.139.

50 For example, Céline – see Hirschfeld and Marsh, p.197.

51 S. de Beauvoir, *The Prime of Life* (London, Penguin, 1965), p.472.

52 Burrin, Chapter 21.

53 Ousby, p.152. 'Vercors' is the pen-name for Jean Bruller.

54 Hirschfeld and Marsh – see the chapter on the theatre.

CHAPTER 6

. . . .

Greed, profit and exploitation: economic collaboration

Business is business.

Head of the German Central Bank under the Nazis[1]

Just as, in the political sphere, native political leaders signed agreements with the Nazis and in the social sphere women went to bed with German soldiers, so in the economic sphere, significant relationships also developed. And on both sides, the same themes were present: accommodation and unscrupulousness. This is an important early point to make, for on the face of it economic collaboration sounds like an arrangement weighted wholly in the Germans' favour. This is not strictly true. In time, both sides came to manipulate the 'working relationship' in their favour and, in this way, economic collaboration had the potential to benefit everyone involved. It is in this sense that there was something strangely harmonious about economic collaboration in some contexts.[2]

But what was economic collaboration? In reality, the relationship between victor and vanquished took a variety of forms. At its most harsh, it was about direct, forcible control – the subjection and subjugation of indigenous economies to the will of Hitler. In practice this meant ruthless exploitation of 'puppet state' by 'master state'.[3] At its most 'easygoing', economic collaboration meant indirect control on the part of Berlin and some, at least notional, independence for the junior partner. In the Netherlands, for example, Gerhard Hirschfeld says that the minister of economics had some leeway to act, but not a lot. In between, a situation existed whereby occupied and occupiers worked in parallel, 'alongside' each other.[4] In effect, this was part-collaboration, part-accommodation.

Whether it was on the level of governments, industrial organisations or individual people, economic collaboration may strike the onlooker as a fairly 'neutral' or 'technical' phenomenon, lacking the 'glamour' of other types of relationship (Rab Bennett describes it as 'bread and butter collaboration').[5] But we should not be misled. It may well have revolved primarily around quotas, indices and output data, but economic collaboration was, nevertheless, as controversial as any other form of collaboration.[6]

Here it is worth pausing to consider the various 'levels' of economic collaboration. The most visible form took place at governmental level. After 1939, many countries in Europe were either allies of Germany or recently Nazified 'puppet' states. In consequence, there were opportunities aplenty for new economic arrangements to emerge. Captains of industry – in Germany and in the occupied states – also saw possibilities in collaboration. For these people and their organisations, there were contracts to be gained and profits to be made. In addition, ordinary people – individuals who would not have considered themselves to be economic agents – found themselves increasingly entangled in the web of economic collaboration.

Occupation, collaboration and economic collaboration

In many cases collaboration of an economic kind followed on directly from political agreements and arrangements. The relationship was almost cause and effect in nature. Very rarely did economic collaboration take place without preliminaries of a political kind having already taken place. That said, it is Werner Rings who argues that the relationship between political collaboration and economic collaboration evolved and that, at times, the latter actually outflanked the former.[7]

The relationship between collaboration in the economic sphere and collaboration in the societal sphere was also close, but in a different sense. The labels, of course, are artificial. When Simone de Beauvoir, the French writer, entered a café frequented by German soldiers, the question is not simply whether she was guilty of collaboration or passive collaboration, but whether she was committing an economic or social 'crime'. Perhaps it doesn't really matter. But what it does prove is that there was significant overlap between economic and social arenas.

Before we go on, we must be very clear about the relationship between occupation and collaboration. In more precise terms, we must be able to distinguish economic collaboration and its effects from the economic effects of occupation (two different things). In theory, a state can occupy a country without there developing formal or informal networks of collaboration, but of course this is quite rare. What usually happens is that occupation is followed by collaboration (in a variety of spheres). Thus, as we explore the main contours of economic collaboration, we must not let ourselves be side-tracked by the economic implications of occupation.

Nonetheless, the economic implications of occupation were many and various, and it is worth examining these for a moment before we analyse the phenomenon of economic collaboration. Occupation changed economic relationships. Right across Europe, there was a policy of plunder. Paul Hayes talks about Norway:

> *The Germans lost interest in the promotion of good relations with the Norwegian people and became preoccupied with the task of extracting economic benefit from the occupation. Norway was robbed of large quantities of industrial and agricultural products, as no adequate return for forced sales and levies was made by the Germans. Norwegian hydroelectric power was exploited for the purpose of pursuing atomic research. The Norwegians were increasingly regarded as expendable pawns, both in terms of labour and cannon fodder.[8]*

So, collaboration or no collaboration, occupied states were at the mercy of the Germans.

We also need to be aware of the vocabulary at play. When Hitler's officials in Berlin or his henchmen in the 'Nazified' states, or indeed historians of the period, talk about 'accommodation' or 'cooperation' in the economic context, they are referring to a particular type of relationship, one that is quite distinct from, and much more subtle than, 'full-blown' collaboration. This is a general point – and one that has been made before

– but it is particularly relevant in the economic arena. (In the case of the Netherlands, there is the notion of Germany 'sub-contracting' work to the Dutch, and of German 'advisers' watching over the Dutch economy – more interesting language.)[9]

Finally, it should be made clear that this chapter deals with instances of collaboration on both micro and macro levels, and on many levels in between. Thus it deals with the actions of individual people (for instance, trading on the black market, dealing in German goods) and also the actions of governmental authorities (for example, the Vichy regime in France establishing a system of 'labour transfers' in accordance with Nazi economic demands). The fact that we will be dealing with so many different instances of economic collaboration in action adds to our initial contention – that collaboration and, by extension, economic collaboration, is a rich and stimulating topic.

Origins: opportunism and mutual interest

Assessing the main impetus behind economic collaboration is not easy. In different countries, and in different phases of the war, there were different factors propelling occupier and occupied into economic cooperation. Gerhard Hirschfeld says it was more pragmatism than ideology, but everyone who engaged in economic collaboration did so on the basis of their own personal aims and motivations.[10] How and why did economic collaboration appeal to Hitler and his partners across the continent?

'The centre'

For the 'centre' – Berlin and the Nazi authorities – the policy of economic collaboration had substantive benefits. It offered Hitler access to raw materials, new markets and significant profits. In general terms, it helped the Führer oil his war machine. Some countries – Slovakia, for example – became a showcase for the new Nazi order. It is tempting to say that Germany planned for, and got, collaboration in the economic sphere.

In the 1930s, Hitler's inner circle became increasingly conscious of the economic imperative at the heart of *Lebensraum* (the quest for 'living space' outside of Germany's inter-war borders). In short, more 'space' meant more potential for economic growth. There was also another possibility: if *Lebensraum* was achieved, German citizens could be 're-settled' in Russian lands – again, with obvious economic benefits for the Reich. According to Stephen Lee, Hitler believed that around 100 million Germans could be re-settled in the USSR.[11]

Even more explicit was Germany's attitude to economic issues once it had begun to occupy other states after 1939. When France fell in 1940, and an armistice was signed with Marshal Pétain, Hitler was shrewd in his geopolitical thinking. His forces occupied the north and the coastal regions in the west – the zones with significant economic utility – and left the rural, isolated south in the hands of Pétain. Here there was an element of 'divide and rule' in Hitler's thinking, but also an appreciation of economic realities.

In time, the philosophy of *Lebensraum* and the imperative of economic exploitation was to lead to collaboration in the economic sphere. Germany's aim was the 'total economic and financial integration' of vanquished states into the war economy and ultimately the 'New European Order'.[12] 'Integration' would enable Berlin to exploit partner states for raw materials and markets, and would also allow it to tap into a gigantic labour pool, vital if Germany was to win the war.

This perhaps was the key, the primary reason why Hitler, initially quite sceptical about the value of economic collaboration, eventually came to embrace the notion so wholeheartedly. In the Netherlands, the relationship between collaboration and the economic exigencies of war was even more explicit. Gerhard Hirschfeld argues that material benefit – often military in nature – was the crucial motivating factor for the Germans.[13]

But it was not the only rationale. Germany also knew that keeping workers busy in the occupied states, treating them well and offering them some token independence, would bring political rewards. The 'harmony' associated with economic collaboration was no chimera. It did exist and, to a large extent, it was purposefully engineered by the Germans.[14]

However, this emphasis on Germany and German requirements does not tell the whole story.

'The periphery'

For those on the 'periphery' – local collaborators in the states under German tutelage – there was kudos to be had and status to be enhanced. For the more unscrupulous wheeler-dealers in the satellite states, there was also money to be made out of the ordeal of occupation and collaboration. According to Rings, some occupied peoples 'flung themselves' at the occupier. The statistics are stark. By 1943, the Netherlands was sending 83.4 per cent of its exports to Germany; at one point in the war, Belgium was diverting 80 per cent of its coal production to Germany; and Denmark was actually exceeding the export quotas that had been laid down by Berlin.

In addition, some statesmen aimed to screw the situation for as much as they could. In Norway, Vidkun Quisling was on the receiving end of a special financial subsidy from Hitler, and in France, Pierre Laval trod the path of personal advancement and convinced himself that, come the dawn of Hitler's 'New European Order', he would be in pole position to take over the reins of power from Pétain in Paris.

Why was there such a positive response to German economic demands? In the main, it was a question of 'needs must'. In the case of the Netherlands, it has been argued that the state of the pre-war economy was so weak and precarious that any new arrangement, especially one that involved collaboration with a dynamic outside power, would be popular and would attract the necessary backing.[15]

The authorities in some occupied countries felt that in order to 'avoid chaos' and maintain the 'welfare of the country', collaboration in the economic arena was vitally necessary. This is a point that Gerhard Hirschfeld makes in relation to the Netherlands.[16] In other contexts, the motives were less altruistic: the desire for profit and the belief that cooperating with the Germans would somehow win a 'better deal' in the future. In this sense, self-interest was a huge factor.

Two further issues are of interest and significance. Was collaboration voluntary or involuntary? And when economic collaboration occurred, who did Germany prefer to deal with, and who did native collaborators prefer to deal with?

In some cases it is difficult to deduce whether collaboration was voluntary or involuntary. All we can say for sure is this: there was a world of difference between the businessman who purposefully traded with the Reich for profit and the small shopkeeper who had to do business with anyone and everyone simply to make a living. This was a fundamental distinction, and one that the post-war authorities often meditated upon when they had to grapple with the issue of who to punish and who not to punish. As regards the dreaded 'labour transfers' (non-German workers going to Germany to work for Hitler), Ousby argues that in France Laval was 'forced' in to them.[17]

Moving on to the issue of 'partners', it is not always clear who preferred to deal with whom. Gerhard Hirschfeld argues that in the Netherlands the Germans did not particularly trust the politicians of the Dutch National Socialist Movement (NSB), much preferring to work with civil servants, especially where they boasted experience and expertise in economic matters.[18]

Economic collaboration in action

Economic collaboration – or the economic ramifications of collaboration – took a variety of forms. Occupation and collaboration had changed the rules of the game. There were now new kinds of economy emerging across the continent. Rationing was common, barter was re-introduced as a means of doing business, and the black market was rife.

'Black markets' tend to emerge in crisis situations, when goods and services that are outlawed, or rationed, or put under firm control, continue to be bought and sold. Black-market transactions do not take place in the 'open', but rather in the 'shadows' where no-one can monitor them. Wartime situations often give rise to black-market operations; and obviously, in the context of World War Two, there would be many instances of transactions taking place between ordinary people and illegal traders or go-betweens or representatives of the occupying force. Most of these 'liaisons' would be forming 'outside' the normal economic system, meaning that a black market was in operation. In effect, the logic of the situation was that those individuals who were making contact with the occupiers were guilty of 'collaborating'.

In France, the powers that be in the meat industry were terribly concerned about 'illicit trading'. In February 1942, Dr Dalimier of the Public Hygiene Council stated:

> It is with great regret that we report a situation of under-nourishment has considerably increased over the past year. The amount allowed by the rationing card is now only half of the minimum vital level for all categories ... In the food free-for-all that is now besieging us, everyone thinks about nothing else but getting enough to eat, in other words, the

fight for survival. Any means is considered valid. The more the regular market remains empty, the greater the activity of the black market. Whole series of undercover business is infiltrating everything. According to its financial situation, each social category tries to fend for itself. The wealthy still maintain gastronomic menus in great quantity, middle class people are able to obtain the necessary supplements and the poor eat irregularly whenever they find the opportunity. This is to our shame – black market dealings are criminal, contrary to justice, immoral and they let some make huge profits; but at the same time they have become essential to a hunger-ridden population.[19]

This passage shows how black marketeering was viewed as a scourge. In Belgium, some businesses didn't care about the ethics of the situation. As Els Witte, Jan Craeybeckx and Alain Meynen comment: 'Companies knew well enough that art. 115 of the penal code outlawed selling goods to the enemy ... To get around art. 115, the concept of "emergency situation" became more prevalent.'[20]

But lest we forget, black markets did not *have to* involve 'collaboration'. They emerged spontaneously in Britain and Finland, and a myriad of other countries, where there was no occupation force in sight. Black markets could also *help* the resistance effort. On occasions, Polish Jews were able to buy arms on the black market. So, it would be wrong simply to equate the black market with collaboration, but that said, often they did go hand in hand.

Apart from the black market, what else did economic collaboration bring in its wake? In general terms, we can talk about new institutions and arrangements, and also collaborating companies and countries. How did economic collaboration work in practice?

New institutions and arrangements

New political relationships gave rise to new economic institutions. Even in Sweden – a neutral country – there emerged the Swedish German Chamber of Commerce, a meeting place for native businessmen and Nazi officials. Meanwhile, in the Netherlands, a network of bodies was established to administer the 'new economy'. The relationships at play can be gleaned from the diagram below:

Reichskommissar (High Commissioner): Arthur Seyss-Inquart

↓

Generalkommissar for Finance and Economy (Commissioner-General for Finance and Economy): Hans Fischböck

↓

Secretary-General (Economic Affairs): Hans Max Hirschfeld

While Seyss-Inquart and Fischböck were Nazi officials (both men had actually spent their formative political years in Austria), Hans Max Hirschfeld was a German-born Dutchman who had gained his first experience of government in 1931 when he became Minister of Economics in the government of the Netherlands.

In his study of the Dutch under occupation, Gerhard Hirschfeld argues that the main concern of German officials (Seyss-Inquart and Fischböck) was ' "supervision" of "enemy" wealth in the Netherlands', while the remit of the Dutch (Hans Max Hirschfeld) related to 'Dutch Mins. Of Finance, Transport (inc. Public Works), Economics, Social Affairs, Post'.[21] In this sense, the Germans were interested in strategy and the 'big picture'; the Dutch were allocated the practical tasks.

In the Netherlands, a multitude of new bodies emerged in the economic sector:

- Zentralauftragstelle/Zast (Central Contract Office): Created in September 1940 to plan supplies in public and private spheres.
- Geschäftsgruppe Soziale Verwaltung (GSV): German labour supervisory body.
- Reichsarbeitsdienst (Reich Labour Service): Head – Konstantin Hierl.
- Rijksarbeidsbureau (State Employment Office): Created May 1941 – concerned with labour-related matters.
- Rijsksdienst der Werkloosheidsverzekering en Arbeidsbemiddeling (Central Service for Unemployment Insurance and Employment): Had a crucial part to play in who went to Germany for labour service.
- Rüstungsinspektion Niederlande (Netherlands Armaments Inspectorate): Established May 1940 and responsible for oiling Nazi war machine. Head: Rear Admiral G. Reimer (previously Lt. Col. Dr Freiherr von Schrötter).

- Trade and Industry Department for the Generalkommissariat for Economics and Finance: Responsible for the procurement of raw materials for non-military usage.[22]

It is also highly significant that Fischböck, the Generalkommissar for Finance and Economy, achieved a currency merger between Germany and the Netherlands, a development that, in Werner Warmbrunn's words, enabled 'the Reich to drain Dutch resources more effectively'.[23] More than any other development perhaps, this symbolised the 'integration' of the two economies and the emergence of a new type of economic infrastructure.

More specifically, there were 'worker transfers' to Nazi Germany. Of course, the Germans had always used prisoners of war as forced labour. Hitler was invariably short of manpower, and these people fitted the bill.[24] But in the middle period of the war, a new system was devised. Hitler identified 'an invaluable pool of labour' in the vanquished states that could aid his economic programme and oil his war machine.[25] He would ferry workers in and set them to work on various high-urgency projects.

Thousands of workers left Norway, Poland and the Netherlands for Germany. In France, the scheme whereby nationals were sent to Germany to work was christened the Obligatory Labour Service (STO). 'Obligatory' was the key word. It was about compulsion and force, and even though some French workers did volunteer to cross the border (occasionally it could be quite lucrative), this was not a commonplace.

The STO was set up in February 1943. The date is significant. The war was into its fourth year, a key phase of the conflict was approaching, and consequently the German economy was in need of additional fuel. Hitler's forces had moved into the unoccupied zone in 1942, and to all intents and purposes France was now a colony of the Reich rather than a puppet state.

In Laval, Hitler found a willing partner. Pétain's right-hand man knew all about barter. That was his game. He had spent most of the occupation in negotiations with Otto Abetz, the German ambassador in France, about the Jews. In Laval's view, 'foreign Jews' were very different from 'French Jews', and he was happy to sacrifice large numbers of the former in a last-ditch effort to save some of the latter.

The same philosophy was evident in Laval's attitude to 'labour trans-fers'. He was on a tightrope. He wanted to keep Hitler happy, but at the same time he wished to grant as many exemptions as were necessary to dispel the notion that he was going 'over the top'. In the end, almost 800,000 Frenchmen were exported to the Reich, just under 4 per cent of the working population. The Germans gained in economic terms, but the irony is that in political terms, the forces of the internal resistance bene-fited considerably. They recruited well in 1943–4 because so many French workers snubbed their obligations to the Reich, preferring instead to risk their lives in the Maquis or some other resistance organisation. In time, 'STO runaway' would become a new socio-economic category.

Now is an ideal time to touch on one of the major debates regarding econ-omic collaboration: in what sense was it a question of class?[26] The myth-making that dominated the post-war years has it that collaboration was a 'devious' capitalist plot; and the corollary of this is that the European working classes were at the vanguard of resistance. As with almost all myths, the situation is far more complex than the myth would have us suppose. But to what extent was it a case of pro-Nazi employers versus anti-Nazi employees?

The accepted view is that the middle classes saw collaboration as an opportunity for profit and self-aggrandisement. Take this post-war testi-mony of Richard Fiebig, head of Zast, the Central Contract Office in the Netherlands: 'In the war there was the chance to modernise one's own industry, extend firms, gain modern technical procedures at no cost, develop [one's] own ideas further, keep people in employment and, not least, make reasonable profits which enabled the national budget to fulfil its duties through taxation.'[27] The message here is clear: occupation and collaboration presented opportunities that the hard-nosed businessman would have been foolish to disregard. And there is much evidence to sug-gest that, in the Netherlands especially, there was keen interest in procur-ing Wehrmacht orders.[28]

The same situation is evident in France. Rings argues that here, the top business people who collaborated with the Germans did so, 'not only for profit's sake but also in keeping with their political views'.[29] This is an interesting opinion, and one that is corroborated to a large extent by the American ambassador in London: 'This group (the French industrialists who collaborated) should be regarded not as Frenchmen, any more than their corresponding members in Germany should be regarded as Germans, for the interests of both groups are so intermingled as to be indistinguishable; their whole interest is focused upon furtherance of their industrial and financial stakes.'[30] Thus, we must recognise that profits were made out of the occupation, and in many ways these profits helped pay the costs of occupation.

By contrast, the working classes have generally been seen as a progressive force, a bulwark against Nazism and collaboration. As we know, workers and unions were on the receiving end of many of Nazism's most aggressive and authoritarian policy measures. It was natural, therefore, for many working people to take up the battle against Hitler. There were strikes and sabotage against the German authorities, and in France, after the Nazi-Soviet Pact was consigned to the dustbin – thus freeing up Communist parties around Europe to express themselves – the left, and particularly the far left, was able to pose as the authentic resistance to Hitler's occupation.

Nonetheless, historians like Bennett have pointed to the reality of working-class collaboration.[31] In occupied areas, workers were looked after fairly well and usually assured of a job. Gerhard Hirschfeld says that in the Netherlands, workers liked to be kept busy, did a good job for their 'masters', and desisted from 'spoiling' tactics lest their livelihood was taken away from them.[32] For those workers who went to Germany to work as part of 'labour transfer' schemes, collaboration wasn't an option but a requirement. Of course, some escaped the net, but whether willingly or not, a significant proportion of the European workforce ended up 'collaborating' in a technical sense.

Overall the image is of a class who, ideologically speaking, were opposed to the Nazis, but who, in practical terms, collaborated with the Germans in a variety of ways. But as with the Catholic Church, generalisations are hazardous: the European working class was anything but a uniform, homogenous whole, and it would not be overstating the case to say that for every worker there was a different attitude to collaboration and resistance. But, *on the whole*, it would be fair to say that some employers sought to exploit the circumstances of the war – collaborating where necessary – while employees often suffered, and were thus more likely to resist. Perhaps the real truth is that, as in other spheres, individuals did was what necessary to survive. They *might* form relationships with the occupier; they *might* make a principled stand against the Germans; but more often than not, individuals were forced to navigate the 'grey' between the 'black' and the 'white'. In effect, they were pragmatic and responded to circumstances on their merits. This was as true in the economic sphere as it was in others – if not more so in fact.

Collaborating companies and countries

It is clear from post-war revelations that a range of high-profile corporations have been accused of helping to finance the Nazi regime. Two American companies in particular have come in for criticism and condemnation: General Motors (GM) and Ford. The accusation levelled at GM is that it maintained economic supplies to the Nazi regime via its German subsidiaries. Company official John Mueller responded to the claims in 1998: 'GM categorically denies that it aided the Nazis in World War II. The stale allegations ... were reviewed and refuted by GM 25 years ago in hearings before Congress when more individuals with first-hand knowledge of the facts were available.'[33]

The charges laid at the door of Ford are not dissimilar. In 2000, a Reuters report stated:

> *Ford Motor Co., which has not joined scores of other companies in a $5.1 billion reparations agreement for factory slave laborers in Nazi Germany during the Second World War, collaborated more extensively with the Third Reich than previously thought,* The Nation *weekly news magazine reported. It cited documents from lawsuits and wartime US government and Army files at the National Archives in a report published in its January 24 edition released this week. The Nation reported that Ford profited from making military trucks for Hitler's army and that its cooperation continued until at least August 1942, eight months after the United States entered the war ... The article, written by Ken Silverstein, said that the US company controlled the majority share even after the Nazis seized it in 1942. It said that Ford also did business with the Germans in France following the Nazi occupation of 1940. Ford began producing military vehicles before the war and by 1941 had stopped making passenger vehicles and was building military trucks, the report said. It said that as of 1942, about a third of the 350,000 trucks*

used by the German Army were Ford-made ... Hitler was an admirer of
Ford Motor Company founder Henry Ford, whose pamphlet, The
International Jew: The World's Foremost Problem *and his anti-Jewish*
opinions brought him to the attention of Hitler in the early 1920s. Henry
Ford accepted from Hitler the Grand Cross of the German Eagle, the
highest honor the Nazis could bestow upon a foreigner.[34]

These were serious allegations. Ford, one of the most famous brands in
the world, was under pressure. Of course, business is business, but didn't
the people at the top of the company have any qualms about trading with
the Reich? Did the organisation have an ethical code of any sort? In the
same year that the Reuters report appeared, a campaigning website made
the following announcement:

If you oppose Nazism, Hitler, as well as anything and everything the
Third Reich stood for, then DON'T buy a Ford ... According to research,
as of 1942 at LEAST one-third of all vehicles used by the Nazis were
made by Ford Motor Company. Ford Motor Company had actually
begun producing military vehicles for the Nazis BEFORE World War II
broke out, and by 1941 was producing nothing BUT military vehicles –
expressly for the Nazi military – at their German plant.[35]

In response to these allegations, Ford said that it 'lost all contact with and
control over [its German plant, Ford Werke, at Cologne] during the war
years, had no role in employing foreign labour and did not benefit from
wartime operations ... Ford did not do business in Germany during the
war.'[36] This all sounded a bit limp, but half a century on from when the
business was alleged to have taken place, the furore was manageable. Ford
decided on a policy of damage limitation, and lived to fight another day.

The company's French operation has also come under the spotlight. A
post-war US government report stated that up until 1942:

(1) the business of the Ford subsidiaries in France substantially
increased; (2) their production was solely for the benefit of the Germans
and the countries under its occupation; (3) the Germans have 'shown
clearly their wish to protect the Ford interests' because of the attitude of
strict neutrality maintained by Henry Ford ...; and (4) the increased
activity of the French Ford subsidiaries on behalf of the Germans
received the commendation of the Ford family in America.[37]

Was it expecting too much of a giant multinational company to tone down its links with the Reich during the war? Or is it in fact impossible for anyone to legislate out of existence specific kinds of business dealing? These are crucial questions.

Suspicions have also spread to financial institutions. It is alleged, for example, that the Union Banking Corporation – an organisation with alleged links to the Bush family – helped facilitate Hitler's rise to power.[38] The behaviour of two other high-profile American banks – Chase and Morgan & Co. – has also come under scrutiny. The Treasury Department in Washington was especially interested in the action of the banks' French subsidiaries. The following inter-office communication reveals the gravity of the government's concerns:

> *Date: December 20, 1944*
> *To: Secretary Morgenthau*
> *From: Mr Saxon*
>
> *Examination of the records of the Chase Bank, Paris, and of Morgan and Company, France, have [sic] progressed only far enough to permit tentative conclusions and the revelation of a few interesting facts:*
>
> *CHASE BANK, PARIS*
>
> *a. Niederman, of Swiss nationality, manager of Chase, Paris, was unquestionably a collaborator;*
>
> *b. The Chase Head Office in New York was informed of Niederman's collaborationist policy but took no steps to remove him. Indeed there is ample evidence to show that the Head Office in New York viewed Niederman's good relations with the Germans as an excellent means of preserving, unimpaired, the position of the Chase Bank in France;*
>
> *c. The German authorities were anxious to keep the Chase open and indeed took exceptional measures to provide sources of revenue;*
>
> *d. The German authorities desired 'to be friends' with the important American banks because they expected that these banks would be useful after the war as an instrument of German policy in the United States;*
>
> *e. The Chase, Paris, showed itself most anxious to please the German authorities in every possible way. For example, the Chase zealously*

maintained the account of the German Embassy in Paris, 'as every little thing helps' (to maintain the excellent relations between Chase and the German authorities);

. . .

Mr Jefferson Caffery, US Ambassador to France, has been kept informed of the progress of this investigation and at all times gave me full support and encouragement, in principle and in fact. Indeed, it was Mr Caffery himself who asked me how the Ford and General Motors subsidiaries in France had acted during the occupation, and expressed the desire that we should look into these companies after the bank investigation was completed.

RECOMMENDATION
I recommend that this investigation, which, for unavoidable reasons, has progressed slowly up to this time, should now be pressed urgently and that additional needed personnel be sent to Paris as soon as possible.[39]

Here again, was it not the case that collaboration in the arena of high finance occurred because both parties had an interest in it? And that a war situation was not going to halt it? This is certainly the way it looks from afar. (It is not just the dealings of American companies that have provoked interest. Commentators have also taken to task the Republican Party and the Central Intelligence Agency (CIA) for their alleged Nazi links).[40]

In France, the French pharmaceutical giant, L'Oréal, has attracted notoriety on account of its post-war chief, Jacques Correze, a former Nazi collaborator. In 1991, it was revealed that he had links with the French extreme right in the guise of the Cagoule – a sinister movement of the 1930s – and the Legion of French Volunteers against Bolshevism (LVF), the military unit founded by Jacques Doriot which went out to fight for Hitler on the Eastern Front.[41] Not exactly great for business half a century later.

Since 1945, individuals and groups in Sweden, Switzerland, Turkey and Portugal – four avowedly neutral states – have also been accused of collaborating. Sweden has attracted the most attention. Not only has the wartime Swedish government been accused of supplying iron ore to the Nazis in unseemly amounts,[42] but one of the most famous banks in the country – Enskilda, owned by the well-known Wallenberg family – has come under the microscope. In 1997 the *Boston Globe* reported:

> *For decades, criticism of Sweden for the pro-Nazi tilt of its wartime government has been tempered ... But a darker chapter is being written now about the Wallenberg family and its extensive business empire ... For instance, documents from World War II contain evidence that Jacob and Marcus Wallenberg, Raoul's cousins, used their Enskilda Bank to help the Nazis dispose of assets seized from Dutch Jews who died in the Holocaust.*[43]

As one wartime US government official put it, the Wallenbergs were engaged in 'collaboration and connivance in facilitating major German capital operations in Sweden'.[44]

Also in the dock alongside Sweden and the Wallenbergs are Switzerland (did Credit Suisse and Union Bank channel money to the Nazis?),[45] Turkey (did it supply raw materials to Germany?)[46] and Portugal (did this country store gold for Hitler?).[47] The degree to which these states cooperated with the Nazi regime is open to dispute, but what is not is the level of opprobrium that has been poured on the 'neutral' states in general terms. One writer has talked about neutral countries as a 'conduit for capital flow';[48] a second has claimed that, 'with the exception of Argentina, each of the wartime neutrals made a substantial contribution to the economic foundations of the Nazi war effort'.[49]

Even the Red Cross and the Vatican have been tainted by accusations. It is claimed that the Red Cross smuggled Nazi assets into 'safe' countries and that the Vatican profited in various ways from its connections with the Nazi regime.[50]

Economics and the Holocaust

Chapter 7 will focus on collaboration and the Holocaust, but here we will raise an important question: to what extent was there an economic dimension to the policy of genocide directed against the Jews by Hitler and his agents?

Hitler took advantage of the wartime situation to 'cleanse' Jewish companies in the occupied states. On one level, this meant Jewish enterprises being 'taken over' by the Germans, and sometimes, for tactical reasons, ending up in the hands of Swiss or Swedish business people.[51] On another level, the whole process was pretty crude. Hirschfeld says that in the Amsterdam diamond industry, 'compulsory registration for all firms which were wholly or partially Jewish-owned was introduced ... the "phase of Aryanisation" had begun'.[52] The same writer points out that this process provoked significant resistance among the Dutch.[53]

In Norway, the crusade against the Jews took a variety of forms. Hayes sums up Quisling's attitude thus: 'Norway was ... being increasingly undermined and perverted by international Jewry, economically, cultur-ally and in the area of foreign policy.'[54] As a result, Quisling had no qualms about singling out the Jews for special treatment. In 1941, all Norwegian Jews were affected by new legislation stating that Jews could not own Norwegian land, and all Jews resident in the city of Trondheim lost their homes.[55] As a consequence of this, the Nazis and their accom-plices made a huge profit.

In some occupied countries, native workers were implicated in the deportation of Jews to Germany. Bennett is clear on this:

> Railway workers played a prominent part in deportations, and were implicated at every stage. They provided a well-oiled bureaucracy for the smooth-running of trains: from the sidings worker cleaning out wagons and affixing destination labels, to the signalman and the engine driver who took the train to the border of Germany. It is important to stress that it was Dutch, Belgian, French train drivers, and not Germans, who took responsibility for the trains within their own borders.[56]

The same author leaves us with some unambiguous statistics: 76,000 Jews left France in 85 special trains between March 1942 and August 1944; and in the Netherlands, 112,000 Jews left for Germany in 98 trains, while 30,000 rail workers looked on and did nothing.[57]

On the level of finance, Jews suffered at the time and have suffered since. It was revealed in May 1998 that some Jews were 'double victims': they had experienced the Holocaust and then, *also*, lost their life savings in Swiss banks.[58]

Other revelations indicate that parts of American big business aided, abetted and approved of the Nazis' anti-Jewish crusade. Edwin Black's recent book, *IBM and the Holocaust*, paints a damning picture of IBM, and accuses the company of facilitating, in a technical sense, the various censuses that enabled the Nazis to identify who was, and who was not, a Jew – the necessary prelude to genocide. The opening words to Black's study are powerful:

> *This book will be profoundly uncomfortable to read. It was profoundly uncomfortable to write. It tells the story of IBM's conscious involvement – directly and through its subsidiaries – in the Holocaust, as well as its involvement in the Nazi war machine that murdered millions of others throughout Europe. Mankind barely noticed when the concept of massively organised information quietly emerged to become a means of social control, a weapon of war, and a roadmap for group destruction. The unique igniting event was the most fateful day of the last century, January 30, 1933, the day Adolf Hitler came to power. Hitler and his hatred of the Jews was the ironic driving force behind this intellectual turning point. But his quest was greatly enhanced and energised by the ingenuity and craving for profit of a single American company and its legendary, autocratic chairman. That company was International Business Machines, and its chairman was Thomas J. Watson. Der Führer's obsession with Jewish destruction was hardly original. There had been czars and tyrants before him. But for the first time in history, an anti-Semite had automation on his side. Hitler didn't do it alone. He had help.[59]*

In his review of Black's book, Peter Reydt makes the same point. He argues that across Europe,

> *the Nazi war machine relied upon IBM technology. It helped to organise the allocation of military equipment and personnel just as efficiently as it assisted in identifying Jews and facilitated their transportation to the death camps by train. Although it is true that even without the collaboration of IBM, Hitler fascism would still have carried through its policy of genocide, it is equally true that without it, the Nazis could not have proceeded with such ruthless efficiency.[60]*

Overall, the accumulated evidence is damning. However, in an effort to maintain some kind of balance, we should acknowledge the fact that some arch-collaborators (e.g. the Wallenbergs in Sweden) went behind the Germans' backs in an effort to save some Jewish lives. But in the greater scheme of things, this was a relatively minor gesture.

The legacy of economic collaboration was mixed. In Greece, the occupying forces did very little for the host country and almost half a million Greeks died through either famine or illness. In Denmark, wages were kept down to the German level, unemployment increased and there was a drop in real-income levels across the country. Hitler ransacked Denmark in many sectors, most notably agriculture; and this contributed to a situation whereby sabotage and industrial disputes were common. To some, this was known as 'occupation fatigue'. Nevertheless, as recent research has demonstrated, the Danes *themselves* believed they got off lightly. The country surrendered early and engaged in a 'cooperative arrangement' in an attempt to stave off 'far worse consequences'. According to Phil Giltner, the consequence of this policy was that there was very little post-war 'fallout' concerning Denmark's role *vis-à-vis* Nazi Germany.[61]

For some people and some countries, occupation and collaboration were wholly positive experiences. This may seem paradoxical, perverse, or a contradiction in terms, but it is a reality. For Germany, obviously, the benefits were clear. The plunder outlined above meant that the country's economy experienced a gigantic boom.

Across Europe there were isolated instances of positive economic news, as in Slovakia. Hans Elard Ludin was appointed Nazi commissioner in Slovakia in 1942 and he masterminded a gradual takeover of the country. The main focus was the armaments industry, and it is clear that in this particular sector German involvement gave rise to a considerable economic upturn.[62]

Danish exports were now diverted via Germany, and one estimate has it that the country's export surplus with the Hitler regime reached three billion kroner. This enhanced the Danes' domestic purchasing power. Germany also commenced a variety of expensive military construction projects in partnership with the Danish central bank, Nationalbanken. Throughout Europe, occupation brought spasmodic wage rises and the promise of full employment.

In terms of consequence and legacy, economic collaboration was hugely significant. In the short term it provoked a strong reaction and in many ways proved to be counter-productive. In Denmark there were strikes and sabotage. In France, STO runaways joined up with the Maquis resistance forces.

In the longer term it brought punishment. Across Europe there was widespread debate in the immediate post-war period about how collaborators should be punished. Who had committed the worse offence – a pro-Nazi intellectual or a black marketeer who had thrived on the reality of occupation and collaboration? Likewise, how should the new authorities treat employers who collaborated and employees who collaborated? In exactly the same manner or not? The answer to these questions, and others like them, varied from country to country.

We must remember that collaboration – especially in the economic sphere – was always a two-way relationship. Hitler wanted it, and benefited from it, but some local collaborators also came out of it well, at least until they were punished for their lack of scruple after 1945. There is no doubt that economic collaboration altered the nature and character of national economies and that relationships changed substantively. This could be foreseen. What couldn't be predicted was the swiftness of the post-war economic recovery – especially in Norway and France.

If we are searching for a shorthand explanation of economic collaboration, we should resist the temptation to get too esoteric. In basic terms it was about greed, profit and exploitation – on both sides of the fence.

Notes and references

1 The comment was made during the Nuremberg Trials.

2 G. Hirschfeld, *Nazi Rule and Dutch Collaboration: The Netherlands under German Occupation, 1940–1945* (Oxford, Berg, 1988), p.184.

3 W. Warmbrunn, *The Dutch under German Occupation, 1940–1945* (Stanford, Stanford University Press, 1963), pp.69–70.

4 Hirschfeld, pp.203–6.

5 R. Bennett, *Under the Shadow of the Swastika: The Moral Dilemmas of Resistance and Collaboration in Hitler's Europe* (New York, New York University Press, 1999), p.44.

6 W. Rings, *Life with the Enemy: Collaboration and Resistance in Hitler's Europe, 1939–1945* (London, Doubleday, 1982).

7 See Rings.

8 See P.M. Hayes, *Quisling* (London, David & Charles, 1971).

9 Hirschfeld, p.202.

10 G. Hirschfeld and P. Marsh (eds), *Collaboration in France. Politics and Culture during the Nazi Occupation 1940–1944* (Oxford, Berg, 1989), pp.8–9.

11 S.J. Lee, *European Dictatorships* (London, Routledge, 2000), p.229.

12 Rings, p.78.

13 Hirschfeld, p.185.

14 See Rings, pp.75–6.

15 Hirschfeld, pp.194–6.

16 Hirschfeld, pp.205–9.

17 I. Ousby, *Occupation: The Ordeal of France 1940–1944* (London, John Murray, 1998), pp.251–2.

18 Hirschfeld, p.28.

19 www.mhr-viandes.com/en/docu/docu/d0000664.htm.

20 E. Witte, J. Craeybeckx and A. Meynen, *Political History of Belgium: From 1830 Onwards* (Brussels, VUB University Press, 2000), p.161.

21 Hirschfeld, p.21.

22 Collated from Warmbrunn and Hirschfeld.

23 Warmbrunn, p.33.

24 Lee, p.229.

25 Bennett, p.44.

26 See Rings.

27 Hirschfeld, p.193.

28 Hirschfeld, p.191.

29 Rings, p.85.

30 Quoted in Rings, p.85.

31 Bennett, p.51.

32 Hirschfeld, p.191.

33 www.CNN.com, 30 November 1998.

34 Reuters, 1 October 2000.

35 www.freeworldalliance.com, 1 October 2000.

36 Reuters, 1 October 2000.

37 http://reformed-theology.org/html/books/wall_street/chapter_11.htm.

38 See 'Nazis and Bush family history: Government investigated Bush family's financing of Hitler', www.onlinejournal.com/Archive/Bush/Binion122100/binion122100.html.

39 http://reformed-theology.org/html/books/wall_street/chapter_11.htm.

40 See 'Nazis and Bush family history: Government investigated Bush family's financing of Hitler', www.onlinejournal.com/Archive/Bush/Binion122100/binion122100.html.

41 www.farinc.org/newsletter/v8_n3-4_94/gleanings.html. See also *The European*, 10–12 May 1991.

42 See M. Fritz, 'Swedish Iron Ore and German Steel 1939–40', *Scandinavian Economic History Review*, 21, No.2, pp.133–44 (1985) and G. Aalders and C. Wiebes, *The Art of Cloaking Ownership* (Ann Arbor, University of Michigan Press, 1996).

43 *Boston Globe*, 3 May 1997.

44 *Boston Globe*, 3 May 1997.

45 www.copi.com/articles/nazibank.html.

46 www.geocities.com/discover_turkey/NAZIGermany.htm.

47 *Boston Globe*, 3 May 1997.

48 www.copi.com/articles/nazibank.html.

49 www.geocities.com/discover_turkey/NAZIGermany.htm.

50 www.copi.com/articles/nazibank.html.

51 www.copi.com/articles/nazibank.html.

52 Hirschfeld, p.230.

53 Hirschfeld, p.207.

54 Hayes, p.222.

55 Hayes, pp. 223–4.

56 Bennett, p.49.

57 Bennett, pp.50–1.

58 www.wsws.org, 30 May 1998.

59 E. Black, *IBM and the Holocaust: The Strategic Alliance Between Nazi Germany and America's Most Powerful Corporation* (New York, Random House, 2001), p.7.

60 www.wsws.org.

61 P. Giltner, 'The Success of Collaboration: Denmark's Self-Assessment of its Economic Position after Five Years of Nazi Occupation', *Journal of Contemporary History*, Vol.36, No.3 (July 2001).

62 www.slovakia.org/history-ww2.htm.

CHAPTER 7

· · · · · · · · · · · · · · · ·

Agents of the Holocaust

One of professionalism's fiercest enemies had been the thick-necked patrician Karel Lotsy, trainer of the national team prior to World War II ... Lotsy was renowned for his thunderous and pompous half-time speeches at important football matches on themes such as duty and patriotism; and in 1979 it was revealed by journalists Frits Barend and Henk van Dorp that during the war Lotsy had collaborated with the Nazis and excluded Jews from Dutch football even before the Germans demanded it.

David Winner[1]

Without doubt, the most horrific aspect of the wartime period was the Holocaust. Ever since assuming power in 1933, Hitler had advertised his dislike of the Jews. The Holocaust was genocide on a massive scale, a shameful episode, not least because in the puppet states, among his friends in Eastern Europe and in German-administered territories the Führer discovered willing accomplices.

In most cases, the guilt of Hitler's agents is not in question. However, in some contexts, we do have to be careful. Occasionally, they would argue that anti-Jewish measures were imposed on them by Berlin; that they had no choice but to act as 'middlemen'; that, actually, they did everything in their powers to minimise the violence. Most of the time, these arguments were entirely bogus.

We must remember that anti-Semitism was not new. Of course, the scale of Hitler's vendetta against the Jews was unprecedented, but each country in Europe had its own history of persecution, its own indigenous tradition. At times during the wartime period, these two 'currents' seemed to merge and become almost indistinguishable.

It is difficult to generalise about the specific matter of collaboration and the Holocaust. Some pro-Nazi states were enthusiastic in their support of Hitler and his aims; some weren't, and were either coerced into action or avoided it altogether; some even had their own anti-Semitic agendas to fulfil. Part of the problem is that there were so many variables: the relationship between Berlin and the particular state involved; the size of the local Jewish population; and the ideological bent, and logistical efficiency, of Hitler's agents and allies.

In the first part of this chapter, we will outline the facts as we know them. Our focus will not be the Holocaust, but rather collaboration and the Holocaust. How were the Jews actually treated by the puppet states, by the allies of Germany and by the territories administered by the Reich? In the second part, we will consider the broader significance of these policies, and assess how this impacts on our understanding of collaboration as a historical issue.

What happened?

Richard Crampton argues that there were three definite phases to the war on the Jews: ghettoisation, culling and extermination.[2] He is writing about Eastern Europe, but his conclusions have global application. Hitler certainly had a plan. In no sense was the Final Solution either spontaneous or *ad hoc*. It was a long-term strategy, and we should bear this in mind as we weigh up the issues in this section.

Eastern Europe and the Balkans

On 21 September 1939, Reinhard Heydrich, leader of the SS, declared that all Jews in Poland – a state that had been incorporated into the Reich – were to be imprisoned in ghettos. This announcement heralded six years of anti-Jewish persecution in Eastern Europe – some of it organised by Nazi officials, some of it executed by Hitler's proxies in the region.

Bulgaria was a German satellite, and ended up as a German puppet under Prince Cyril. In the early years of the war, the Jews were discriminated against and forced to wear the yellow star, but King Boris, Cyril's predecessor, did manage to stave off mass deportations. Thus, rather than collaborating with the enemy, the Bulgarian authorities managed to resist. The same cannot be said of the regimes in Romania and Hungary.

There was a strong tradition of anti-Semitism in Romania. Throughout the 1930s, in government and opposition, the far right had exhibited a poisonous hatred of the Jews. During the wartime period, under Antonescu and the Iron Guard, Romania fell into line fairly easily with Nazi strictures. A range of anti-Semitic decrees were passed, targeting Jewish businessmen in particular, and in January 1941, the fanatics of the Iron Guard killed 120 Jews in cold blood.

Antonescu's government was especially vindictive towards Jews living in recently conquered territory. It is estimated that several hundred thousand Jews from Bukovina, Bessarabia, Transnistria and Odessa were killed in these territories. In the early part of the war, Romania's Jews suffered on account of their alleged links with the USSR, but in the latter stages of the conflict, many survived because they were viewed as talented in the economic sphere, and because Antonescu became slightly receptive to mercy pleas. When Romania and the Soviets eventually signed an armistice, on 12 September 1944, it was announced that all anti-Jewish legislation would immediately be reversed.

The history of wartime Hungary can be split into two periods. Up until March 1944, the country was ruled by Admiral Miklós Horthy. He instituted a range of anti-Semitic measures. Jews were not allowed to own property or to join the armed forces, and were generally treated as cannon fodder in both economic and military spheres. In 1941, the Third Jewish Law prohibited intermarriage between Jews and Christians.

In many ways, the anti-Semitic legislation enacted by Horthy and his various prime ministers mimicked the Nuremberg Laws passed by the Reich. The SS and the Office for Aliens' Control helped to enforce the decrees (and engaged in their own spontaneous vendettas whenever they felt like it), but throughout, Hungarian troops assisted in operations. However extreme, Horthy's policies did not impress Hitler, who in 1943 condemned Hungary's position on the Jews as 'irresolute and ineffective'.

In March 1944, Hitler appointed a Reich Plenipotentiary; in October, Ferenc Szálasi and the fascist Arrow Cross party were installed as puppet leaders and given full rein. Crampton talks about 'the Nazis and their Hungarian sympathisers'.[3] On 31 March, Jews were forced to wear the yellow star, and thereafter plans were put in place to deport the Jewish population to concentration camps in Germany. The Arrow Cross worked in tandem with the Reich's representative, Adolf Eichmann, and they pursued the Final Solution with relish. Estimates suggest that around 565,000 Hungarian Jews met their deaths between 1941 and 1945.

Both the Horthy and Arrow Cross regimes were guilty of collaboration. Horthy was in no way a Nazi, and on occasions held back from the most extreme measures, but in the early part of the war he appeared determined to impress Hitler with his ability to deliver on the Jewish issue. The Arrow Cross had always worshipped the Reich. Like many other fanatical pro-Nazi groups, they had trouble convincing Hitler that they were trust-worthy – until, that is, he lost confidence in the 'moderate' Horthy.[4]

In Slovakia, Jozef Tiso's puppet regime followed Hitler's lead on the Jewish question. On 10 September 1941, the Slovakian Diet passed the Jewish Code, which allowed for the expropriation of property and the mass deportation of Jews. Between March and August 1942, almost 60,000 Slovakian Jews were transported to concentration camps. In May 1944, the Diet legislated against the policy of deportation, but by September Hitler had occupied Slovakia and the SS had been given free rein to round up many of the Jews who had survived the early years of the conflict.

The scenario was slightly different in south-east Europe. Albania was occupied by the Nazis in 1943, and even though its Jews were carefully monitored, most managed to escape. Here, credit has to go to ordinary people and the National Liberation Councils established in towns and villages across the country.

In Greece, the Jewish population suffered almost as soon as Hitler's forces completed their occupation. One of the worst affected cities was Thessaloniki. It was famous for its age-old Jewish community, but around 50,000 of its population were sent to Auschwitz to be gassed. The issue of the Jews provoked great conflict in Greek society. On the one side, there were the Security Battalions, who worked hand in glove with the Nazis; on the other, ELAS and the forces of resistance. One estimate has it that 87 per cent of Greek Jews perished during the war.

To the north, in Croatia, the campaign against the Jews began almost as soon as the Ustashe had installed themselves in power. In the summer of 1941, Jews were forced to wear the yellow star and were banned from

trading with non-Jews. Then the round-ups began. Marcus Tanner estimates that 80 per cent of Croatian and Bosnian Jews were killed – either
on home soil or in German concentration camps.[5]

The Soviet Union

Soon after invading the Soviet Union in 1941, Germany occupied
Belorussia and Ukraine. On 1 July 1942, groups of Belorussian Jews were
killed at Minsk, Lida and Slonim; on 29 October, 16,000 Jews were killed
in Pinsk. Throughout 1942, there was some armed resistance – at
Nieswiez, Mir and Lathava ghettos – but ultimately Belorussian Jews
were slaughtered in their thousands.

'Reichskommissariat Ukraine', as it came to be known, witnessed a
massive anti-Jewish hate campaign. At the vanguard of this were the
Einsatzgruppen (Hitler's special action groups), but it was aided by SS
units and the *Ordnungspolizei* (the order police). Jews were massacred in
Vynnytsya (34,000), Kiev (34,000), Uman (24,000), Odessa (19,000),
Rivno (17,000), Dalnik (16,000), Simferopol (15,000), Kerch (5,000), Lviv
(2,000) and elsewhere.[6] Anna Reid argues that Ukrainian volunteers were
very much involved in the anti-Jewish persecution that took place
between 1941 and 1943. She says that at Uman, 'SS soldiers and
Ukrainian militiamen marched down the lines with automatic pistols'.[7]

It is significant that 'Ukrainian militiamen' are mentioned in this passage. Across Europe, Hitler came to rely on local officials; they had
specialist knowledge and, for a variety of reasons, some were keen to
impress the occupiers with their zeal and efficiency.

Martin Dean's book, *Collaboration in the Holocaust: Crimes of the
Local Police in Belorussia and Ukraine, 1941–44*, suggests that 'the local
police were the foot-soldiers of the Holocaust in the East'.[8] Dean definitely subscribes to the view that Hitler had his 'willing executioners',
and says that in the occupied regions of the Soviet Union, the 'second
wave' of killings in 1942 dwarfed the initial cull in 1941. He concludes
that, in supplementing the work of the *Einsatzgruppen*, the local police
played a crucial role in expanding the genocide in the areas concerned.
Although some historians have poured cold water on Dean's claims –
arguing that the police in the East were neither 'willing' nor 'executioners' – it is clear that the Holocaust took on its own momentum in both
Belorussia and Ukraine.

To the north, in the Baltic states, the scale of the persecution was frightening. It is estimated that in total 300,000 Jews lived in Lithuania, Latvia and Estonia, but that only a third survived the war. On 15 August 1941, Hinrich Lohse, the Reich Commissar in Ostland (the name given to the Baltics plus Belorussia), announced that local Jews were not allowed to walk on the pavement, use public transport or visit cinemas, theatres or other public places. The majority of Jews lived in Lithuania, but the other two states were not neglected. In November 1941, for instance, 30,000 Jews in Riga, the capital city of Latvia, were rounded up and shot.

But what part did the native populations play in the Holocaust? One view is this: 'Some local Nazi sympathisers helped in the massacre of Baltic Jews and the extent of collaboration remains a touchy issue, especially in Lithuania, a pre-war centre of Jewish culture and scholar-ship.'[9] This would appear to be a balanced assessment, and one that prob-ably holds for the rest of Europe as well.

Western Europe and Scandinavia

Towards the end of 1940, the German administration in the Channel Islands issued a 12-point programme against the Jews. The practical measures covered a range of security and economic matters, but there is no suggestion that the local population aided and abetted the Germans in any way.[10]

A third of Belgium's Jewish population perished during the wartime years. In rounding up the Jews, the German military authority worked in tandem with the existing civil service, but it is claimed that the Belgian police were not involved.[11] The occupiers were supported and encour-aged in their anti-Jewish programme by the Rex movement, led by Léon Degrelle. According to Roger Griffin, this party had evolved from 'a proto-fascism to fully-fledged Belgian fascism' over the course of the late 1930s and early 1940s.[12] The least that one can say is that its vociferous anti-Semitism and powerful idolatry of the Nazi value system did not hinder the authorities' round-up of Belgian Jews. In many ways, it was almost the archetypal collaborationist movement.

Across the border in the Netherlands, the situation was slightly differ-ent. Among the Secretaries-General – the high-ranking civil servants with whom Hitler had decided to work and through whom to govern (Hans Max Hirschfeld and colleagues Frederiks and Vewey were in office for most of the occupation) – there was the feeling that they had been put in an impossible position with regard to Jewish policy. They were in post while a range of decrees were implemented:

- November 1940: All Jews dismissed from the civil service.
- Autumn 1941: Unemployed Jews placed in labour camps (and ultimately to be moved to concentration camps).
- 2 October 1941: Non-Jews prohibited from working in Jewish residences.
- March 1942: Jews forbidden from having sexual contact with non-Jews; interracial marriages outlawed; Jews banned from owning cars and telephones.
- May 1942: Jews forced to wear the yellow star and badges stamped 'Jood'.
- June 1942: Jews put under curfew and prohibited from engaging in certain recreational activities (e.g. swimming and fishing); 1,000 Jews per week sent to concentration camps.

According to estimates, 107,000 Dutch Jews were deported to Germany overall, and only 5,200 (4.8 per cent) survived. In all, only a quarter of Dutch Jews escaped with their lives.

In France, Vichy's anti-Semitic campaign started early. On 3 October 1940, the Statute of Jews was passed. French Jews were deprived of their civil rights and excluded from certain professions (teaching, the media, the civil service), while foreign Jews were rounded up and sent into exile.

As if to signal its intent, Vichy established the Commissariat-General for Jewish Affairs. In June 1941, this body declared that the Jewish community in the unoccupied zone was to be 'audited' and their property 'Aryanised'. In the same year, with Pierre Laval at the forefront of wheeler-dealing with Hitler, and the Milice (the French police) willing assistants, the deportations began in earnest. In 1942, more than 40,000 Jews were sent to Germany, and during the period 1940–5, in total almost 80,000 met their deaths, with only a few thousand surviving. Significantly, in 1942, Jews in the occupied zone had been forced to wear the yellow star.

The Quisling regime in Norway worked hand in hand with the occupiers. Police units from both countries contributed to the anti-Jewish crackdown. In May 1940, Jews had goods confiscated and wealth liquidated, and had to have their identity papers marked with a special stamp. Two and a half years later, Norwegian Jews had all their property, including jewellery and stores of gold and silver, sequestrated. Usually, it was Nazi Party officials who benefited from the seizures.

The Norwegian authorities were spurred on by the German invasion of the Soviet Union in June 1941. The deportations started in the autumn of 1942. On 26 October, around 1,000 Jews (more than half the total number in Norway) were arrested, and there were further round-ups in the early months of 1943. The Jewish communities in Trondheim and Oslo suffered in particular. Ever eager, Vidkun Quisling hired a special ship – the *Donau* – to transport 'the unwanted' to the Auschwitz-Birkenau extermination camp. Some Jews managed to flee to neutral Sweden, but most perished either on home soil or in German camps.

In Denmark, the Nazis were unable to enforce the Holocaust. The occupying forces established martial law and then tried to arrest a large group of Danish Jews on 2 October 1943, but were met with an effective display of non-violent resistance. Some Jews were transferred to Theresienstadt (a concentration camp near Prague), a large proportion of whom survived. Many of those left in Denmark managed to flee to neutral Sweden, an amazing escape that inspired the film *Miracle at Midnight* (starring Mia Farrow and Sam Waterston).

Somehow, Sweden, a neutral state, and Finland, a co-belligerent, managed to avoid the ravages of the Final Solution. Finland was particularly fortunate. The story goes that Johann Wilhelm Rangell, the Finnish prime minister, met Reichsführer-SS Heinrich Himmler in June 1942. Himmler reportedly quizzed Rangell about the Jewish population in Finland. In the words of Rangell:

> *Himmler asked: 'How is the situation with the Jews in Finland?' I said to him that in Finland there are roughly a couple of thousand Jews, decent families and individuals whose sons are fighting in our army like the rest of the Finns and who are respected citizens as all the rest. I concluded my statement with the words, 'Wir haben keine Judenfrage' (We have no Jewish question), and I said it with such a clarity that the discussion of the matter ended then and there. The Jewish question was not discussed with Himmler at any other time.[13]*

Finnish Jews were lucky, but they were the exception to the rule.

Issues and themes

This then is the story of the collaborators and the Jews. In Eastern Europe and the Balkans through to the Soviet Union and Western Europe and Scandinavia, the Nazis and their lackeys were responsible for the death of approximately six million Jews. This is a horrifying statistic. What we are interested in particularly is the relationship between the Führer and his henchmen. In what sense did they work together on the Final Solution? What does this prove? What light does it shed on the nature of collaboration? And what wider issues does it raise?

Blame and guilt

Hitler's agents had blood on their hands. At best, they were coerced into aiding plans for genocide; at worst, they were willing and enthusiastic helpers. We must therefore spread the blame and the guilt around.

In Hungary, there is no doubt that Adolf Eichmann, Hitler's representative, received considerable assistance from native elements. When Eichmann was put on trial, this fact became obvious:

> Q. It says here that ten thousand [Jews] have already been handed over to the Germans, six to seven thousand are to be delivered into the hands of the Germans, and the remaining six to seven thousand were shot to death by members of the Hungarian Arrow Cross, and the others perished as a result of the hardships and exhaustion. If this is the case, these people were shot by the Arrow Cross?
>
> Presiding Judge: He said: 'By the Hungarians.' I don't know whether this was translated.
>
> Dr. Servatius: I understood the witness to say that the Hungarians merely escorted them, and that he did not say in his evidence that the Hungarians were the ones who shot them.
>
> . . .
>
> Witness Breszlauer: I said: I was not present. As far as I know, these people were shot by the Hungarians who escorted them. I said specifically that I was not present, but as far as I was aware, and according to information which reached me, as far as I was aware, they were shot by the Hungarians who accompanied them.

Q. What treatment did those Jews who were called up for work, or who were mobilised for work, receive as long as they were in German hands?
A. There were Jews there who worked for the German army. They dug, they prepared trenches. There the treatment was much better.
Q. And so this corresponds with what you said in your report, to the effect that the Jews who worked in the interior provinces of the country were treated fairly and were given good food – is that not right?
A. Yes – those who worked with the regular German army.
Presiding Judge: Dr. Servatius, on which page of the report does this appear?
Dr. Servatius: On page seven, in the middle of the page.
Witness, you conclude your report (on page 11) with the sentence: 'The present objective of the Hungarian Government is, undoubtedly, the complete extermination of the Jews.' Is this statement correct?
Witness Breszlauer: I was referring to the Szalasi government. As far as I was aware, this was their objective.
Dr. Servatius: I have no further questions to this witness.
State Attorney Bach: As far as you were aware then, and as far as you know today, under whose influence did the Szalasi government operate?
Witness Breszlauer: Under German influence.[14]

James F. McMillan argues that, in France, the Vichy authorities actually *exceeded* what was required of them by the Germans.[15] Maître Trémolet de Villers, defence lawyer to Paul Touvier in the war crimes trial of 1994, appeared to agree. He argued that the massacre of Jews at Rillieux-la-Pape in June 1944 was 'a French act, and had nothing to do with German orders'.[16] In this sense, were not France's wartime leaders guilty, not of 'over-collaborating', but rather of acting independently and unilaterally, and resuscitating an age-old tradition of 'home-grown' anti-Semitism?

In two other puppet states, Norway and Slovakia, Hitler received significant support from the governmental authorities. In Ostland, too, ordinary people played their part:

From the beginning to the end of the war, many collaborated actively in the killing of Jews. The Einsatzgruppen *were more successful than in other parts of the occupied Soviet Union in provoking pogroms among*

the local inhabitants, especially in Lithuania. Here one of the leaders of
the anti-Soviet partisan movement was persuaded to turn his forces
against the Jews; within a few days 5,000 had been killed.[17]

The Grand Mufti of Jerusalem, Haj Amin al-Husseini, also has a case to
answer. In the 1930s, his anti-Zionist ideology dovetailed neatly with
Hitler's anti-Semitic beliefs. The result was a *de facto* alliance.[18] Himmler
referred to the 'common struggle' that linked 'National-Socialist Greater
Germany and the freedom-loving Moslems of the whole world'.[19] The
Grand Mufti met with Hitler on 21 November 1941 and the two men
agreed to continue the war on the Jews. Haj Amin was insistent that
European Jews should not be allowed to 'escape' to Palestine. This was
made plain by his letter of 25 July 1944 to Hitler's foreign minister,
Ribbentrop: 'I ask your Excellency to do all that is necessary to prohibit
the emigration of Jews to Palestine, and in this way your Excellency
would give a new practical example of the policy of the naturally allied
and friendly Germany towards the Arab Nation.'[20]

This coming together was interesting and founded on logic and
common interest. Haj Amin was anti-Zionist, Hitler was anti-Semitic (he
could just about bear working with an Arab). According to Robert
Wistrich, the attitude of the Grand Mufti towards the Jews was bound to
have terrible consequences:

> It was indispensable, Haj Amin insisted, that they be sent to countries
> 'where they would find themselves under active control, for example, in
> Poland, in order thereby to protect oneself from their menace and avoid
> the consequent damage'. It is reasonable to assume that Haj Amin, who
> was in contact with Himmler and Eichmann, knew precisely what
> 'active control' meant in Poland in the summer of 1943, namely the
> extermination of the Jews.[21]

Whatever the guilt of Hitler's allies and agents – and it is huge and incontrovertible – it must be acknowledged that, on occasions, they did use
their position to minimise Jewish suffering. Horthy in Hungary prevaricated to such an extent that Hitler was forced to occupy the country in
1944 to get his own way. With King Boris in Bulgaria, the Reich had a
serious problem. He not only kept out of Hitler's way during the war, but
somehow managed to protect his country's Jewish population. Michael

Bar-Zohar says this rescue was 'far more dramatic than Schindler's endeavour and more heroic than the Danish experience'. Likewise, Christo Boyadjieff states: 'The rescue of the Bulgarian Jews represents a rare event in the history of the civilised world.'[22]

Elsewhere, the indicators are mixed. Tiso, the Slovakian leader, has an odd reputation. To some, he is a traitor who sent thousands of Jews to their deaths; to others, he is a man who should actually be applauded for managing to shake off Nazi directives and save a significant proportion of Jews, particularly in the latter stages of the war. Even in France, where the Vichy regime did all it could to aid the Nazis, there was some evidence of procrastination. In 1942, Marshal Philippe Pétain said that he would *not* compel Jews living in the south to wear the yellow star.[23] There is also the saga of Laval – the man who resorted to exchange and barter to save a proportion of French Jews.

Exchange and barter

Arch-collaborators had no morality, just as Hitler and his closest confidantes had no morality. The Jews became pawns for puppet leaders, just as they had already become a subject for petty barter in the Reich itself. For unscrupulous Nazis or Naziphiles, Jews were not Jews. There were an array of subsets and sub-divisions: integrated, non-integrated, rich, poor, worthy, non-worthy.

One of the most important distinctions was between 'native' and 'foreign' Jews. Price states: 'Apologists for Vichy have pointed out that "only" 26 per cent of the 300,000 foreign Jews resident in France, and only some 6,000 of the 150,000 French Jews, were deported, and certainly efforts were made to protect French citizens.'[24] Laval in particular was very conscious of this distinction and he seemed to thrive on the opportunities for amoral conduct that the issue presented.[25]

There was also the concept of 'exemptions'. In Croatia, the Ustashe's campaign against the Jews had not impressed Hitler – it was far too lenient – but even so, it had sent many Jews to their deaths. All the while, the NDH had harboured Jews at the top of its organisation.[26] Was this the ultimate in hypocrisy? Meanwhile, the Vichy regime declared that Jews who had distinguished themselves in French military colours, or who belonged to 'famous' or 'assimilated' families, would not be subject to the main thrust of anti-Semitic legislation and persecution.[27] More than almost anything else, the notion of 'exempted Jews' exemplified the horrible cynicism at the core of collaboration.

It has been argued that in some states, local collaborators endeavoured to 'impress' the Germans by being particularly efficient and enthusiastic in the way that they dealt with the Jews; thereby improving their chances of garnering a 'better deal' from the Reich authorities. Larkin says that the Vichy administration in France was guilty of just such a crime.[28]

The flip-side of all this Machiavellian plotting was that Hitler came to view the efficiency with which other states dealt with their Jewish population as a barometer of their overall effectiveness and as an indicator of their goodwill towards the Reich. The fact that the Führer moved away from 'pragmatic' leaders towards 'ideological' collaborators in the latter stages of the war suggests that he felt let down by the ineffectiveness of traditional politicians. Hungary is a case in point. Horthy was jettisoned, to be replaced ultimately by Szálasi, a fanatical Nazi who was more than happy to mimic the Reich in its campaign of hate against the Jews.

Motivation and encouragement

Why did individuals, groups and governments across Europe involve themselves – sometimes willingly, sometimes unwillingly – in the war against the Jews? In many ways, the factors that we discussed in Chapter 3, those that provoked collaboration in a general sense, are relevant and pertinent here. However, involving oneself in genocide was a totally different matter from involving oneself in economic collaboration, or patronising a café frequented by Germans, or engaging in a sexual relationship with a German soldier. So, what additional factors help to explain the aiding and abetting of the Holocaust?

First and foremost, there was tradition. Anti-Semitism was nothing new in Europe. More or less every country had its own anti-Semitic tradition, its own reasons for disliking and mistrusting the Jews, however bogus. In the 1930s, almost every state in Eastern Europe witnessed an upsurge in anti-Semitic sentiment.[29] And Katy Miller-Korpi argues an interesting line in relation to the Baltics:

> In Lithuania in particular, and Latvia and Estonia to some extent, there was ... an already existing foundation of anti-Semitism. The Germans were able to use these feelings in certain segments of the local

population to incite them into collaboration with their anti-Jewish policies. One of the significant aspects of the Holocaust in the Baltics is the fact that the Germans were able to solicit executioners from the local population.[30]

Likewise in France. Laval did not have a reputation as an anti-Semite, but when Vichy announced the creation of the Commissariat-General for Jewish Affairs in March 1941, it did so in the full knowledge that there would be right-wing zealots queuing up to officiate. Xavier Vallat, Louis Darquier de Pellepoix and Charles Mercier du Paty de Clam – successive leaders of the organisation – were notorious anti-Semites. Thus, when the war began, and the Holocaust became a reality, some people and some states took very little persuading to become involved.

Of course, some collaborators complicit in the Holocaust were inspired by long-held ideological convictions. But there were other factors. Perverted ambition, the love of bloodshed, the need for enemies and scapegoats: they all played their part. It is also a fact that across Europe the Nazis were lobbied into going further by a variety of organisations and groups. In Belgium, Rex became more and more anti-Semitic as the 1930s wore on. It was the same story in the Netherlands where the Dutch National Socialist Movement (NSB) not only espoused anti-Semitic ideas, but put theory into practice by storming Jewish-run shops and engaging in further direct-action tactics.

There were other pressures too. In Ukraine, the anti-Jewish crusade was propelled by 'locals' and sometimes even by 'partisans'.[31] Religious authorities across Europe were also complicit in the Holocaust. In Croatia and France, for instance, the Catholic authorities seemed to turn a blind eye to the anti-Semitic measures enacted by the puppet regimes headed by Dr Ante Pavelić and Pétain respectively.

In Croatia the Catholic Church, as personified by Alojzije Stepinac, the Archbishop of Zagreb, became more and more critical of the NDH as time went on, but this should not hide the fact that in the early months of Ustashe rule, there appeared to be substantive common ground.[32] Meanwhile, in France, Catholic anti-Semitism had a long and unpleasant history. Ever since the Dreyfus Affair in the 1890s – when Captain Alfred Dreyfus, a Jew in the French army, had been accused of spying by the forces of the right, including the Church – the Catholic authorities had made known their anti-Jewish prejudice. The consensus seems to be that between 1940 and 1944, while many individual priests did all they could to save Jewish lives, the Church as an institution, and certain elements within it, did very little to dispel the notion that it supported the Vichy regime and its anti-Semitic agenda.

In 1941, when Germany invaded the Soviet Union, the war against the Jews almost fused with the war against Communism. This meant even more recruits for Hitler's genocidal policies.

Dilemmas for civil servants and the Jewish Councils

The issue of the Jews and the question of how to respond to Nazi edicts created huge dilemmas. These were particularly poisonous for those individuals who found themselves as intermediaries, or who opted to play such a role. Here we are talking primarily about civil servants and those who staffed the Jewish Councils.

The Dutch situation is especially illuminating. Germany imposed a Reich Commissar on the country, Arthur Seyss-Inquart, and he was told to rule in tandem with the existing civil service. For the dignity and integrity of the nation, it was imperative that the most senior civil servants, the Secretaries-General, fulfilled their roles as best they could. At the same time, it was clear that the Reich Commissar was putting invidious tasks their way. Anderson writes:

> When Seyss-Inquart took over in May [1940] he immediately abolished the Dutch Parliament and all trappings of Dutch democracy. He did see, however, a certain advantage in retaining the services of the Secretaries-General. In November 1940 Seyss-Inquart demanded that the Secretaries-General issue a decree dismissing all Jews in the Dutch civil service. Among the Secretaries-General there was little enthusiasm for such an action, but there was also the thinking among them that if the Germans were now the rulers of Holland then they, the Secretaries-General, had the obligation to essentially do as the Nazis wanted.[33]

We can empathise with the Secretaries-General – no-one should be placed in such moral quandaries – or we can be hardline in our verdict. Werner Warmbrunn takes the latter approach: 'They (did not) fully understand the deleterious effect on national morale of their apparent acquiescence in German measures, from the economic spoliation of the country to the persecution of the Jews and the forced deportation of men of working age.'[34]

Just like civil servants, the Jewish Councils (*Judenraete*) faced terrible dilemmas. They had been set up in municipalities across occupied Europe. In the process of enacting anti-Jewish legislation and organising the logistics of deportation and terror, the Nazis wanted to be able to work with senior figures in the Jewish community.[35] Obviously, where possible, the leaders of the Councils tried to hinder the Germans and obstruct their efforts. But for most of the time, they had to think the unthinkable. The Jewish view is this:

> On the one hand, many viewed these councils as a form of collaboration with the enemy. Others saw these councils as a necessary evil, which would permit Jewish leadership a forum to negotiate for better treatment ... Some Jews who had no prior history of leadership agreed to serve, hoping that it would improve their chances of survival. Many who served in the Judenrat were arrested, taken to labour camps, or hanged.[36]

It was the ultimate no-win situation. In some places, it was necessary 'to sacrifice some to save others'.[37]

The issue for Council officials was stark. Should they refuse to carry out orders and risk the possibility of being killed themselves? Or should they go along with the Nazis and see what concessions they could gain? The latter course of action tempted some, but the danger was that these people would be branded 'traitors' and 'collaborators' by individuals within their own community. Yad Vashem elaborates:

> The chairman of the Warsaw Judenrat, Adam Czerniakow, committed suicide rather than give into Nazi demands ... In Lodz, the chairman of the Judenrat, Mordechai Haim Rumkowski, chose to continue obeying Nazi demands. Hoping to save at least part of the ghetto population, primarily workers who he believed had a better chance of being spared, he provided lists of Jews for the Nazis and even pleaded with mothers to give up their small children.[38]

Not surprisingly perhaps, the Jewish Councils have attracted serious criticism. Two eminent historians, Raul Hilberg and Hannah Arendt, have both attacked the bodies for their 'passivity' and 'complicity' in the

Holocaust. Another historian, Rab Bennett, has come to a more balanced judgement, stressing the fact that the Councils did not 'collaborate' out of any unscrupulous motive, but because they were clinging on to the hope that they could engage in a damage-limitation exercise of some sort. He says:

> They tried to serve Jewish interests, but they were instigated by the
> Germans and inevitably became their unwitting tools ... The choices
> facing the Councils would have taxed and defeated the wisdom of
> Solomon, or the world's greatest minds working with the luxury of time
> and in conditions of comfort and plenty ... We must confront the
> question: what would I have done in their place?[39]

Perpetrators and victims

The anti-Semitic vendetta launched by the Nazis created some strange situations. Hitler relied on soldiers from different states and utilised them in different theatres of war. For instance, in October 1941, a unit of Romanian troops was involved in the massacre of 35,000 Ukrainian Jews at Odessa and Dalnik.[40] Nationality had become a warped concept. Here were ordinary Romanians killing Soviet nationals in the middle of nowhere in the name of Nazi Germany. It was perverse, but states like Romania found it hard to rebuff Hitler when he came looking for henchmen.

By contrast, in some areas, collaborators 'broadened out' the range and scope of the Holocaust to include other nationalities and minorities. In Croatia, the Ustashe picked on the Jews, like all other puppet regimes, but the main victims were the Serbs, who swore loyalty to the Orthodox Church rather than Roman Catholicism; and because of this they were regarded as dangerous near-neighbours. Overall, the Ustashe murdered perhaps 500,000 Serbs. Some met their deaths in pogroms, some were tortured, some were killed in cold blood. It was genocide on an enormous scale.[41] The most infamous massacres took place at Jasenovac: 'No-one knows exactly how many died there, but today the name Jasenovac has the same meaning for Serbs as that of Auschwitz has for Jews.'[42]

But there was more to Ustashe policy than just murder. Acts of slaughter were normally prefaced by 'conversion ceremonies', in which individual Serbs would be forcibly 're-modelled' as Catholics. As death awaited, this was the ultimate indignity. Hitler did not like the Serbs himself, but even he was surprised by the ferocity and barbarity of the Croats' campaign of cruelty against them.[43] Ferociously anti-Jew and anti-Serb, the Ustashe had few allies; hence its overtures towards the Muslim population in Bosnia.[44] Even the Church started to moderate its support for the NDH when the massacre at Jasenovac became public knowledge. How could Catholic leaders possibly justify, or even rationalise, mass genocide?

Freemasons and Gypsies also suffered at the hands of the Nazis and their proxies across Europe. Freemasons were heavily scapegoated in Croatia and France. Laval denied that he was involved in Vichy policy, but he knew that the campaign against them had been intense:

> The anti-masonic laws barred those who had been members of these secret societies from public office; their names had to be published in the Journal Officiel, thereby exposing them to persecution. All public officials had to sign a statement indicating whether or not they had ever belonged to the secret societies. False statements were punished with heavy penalties and the names of those guilty of making false statements were published in the Journal Officiel.[45]

Gypsies were treated harshly in Croatia. Like Jews and Serbs, they were deemed to be 'undesirables', and were deported en masse to concentration camps.[46] Armenian and Greek traders were picked on in Romania, as Antonescu attempted to lessen the influence of all non-indigenous businessmen. And it goes without saying that Socialists and Communists were singled out right across Nazi-occupied Europe. Political enemies and racial enemies were treated just the same.

Hitler's lackeys helped him to consolidate the programme of persecution against the Jews, to intensify it and to widen its scope. There were isolated examples of puppets and allies disobeying the Führer on anti-Jewish policy, but for the most part, his agents were keen and efficient.

The Holocaust, and the part that collaborators played in it, has had a massive post-war legacy. Understandably, Jews in post-war Europe have felt uneasy and insecure. How could governments and politicians have allowed it to happen? Would they, the Jews who had survived, be protected in the future? What guarantees were there? These were big questions, and it ill-behoved any regime in liberated Europe to ignore or neglect them. Political leaders acknowledged the guilt of the continent and memorials to the dead were erected. Holocaust Studies entered the school curriculum and Holocaust Remembrance Day was added to the calendar. But the trauma lived on.

The individual states that collaborated with Hitler in the Final Solution were forced to examine their consciences and come to terms with what was done in their names during the wartime years. This has been a painful process, but a necessary one. As time has gone on, governments have grasped the nettle. In June 1998, the Norwegian government prepared a White Paper entitled, *Historical and Moral Settlement for the Treatment in Norway of the Economic Liquidation of the Jewish Minority during World War II*:

> *Main contents of the White Paper*
> *The Ministry of Justice hereby submits a White Paper to the Storting [the Norwegian parliament] on historical and moral settlement for the treatment in Norway of the economic liquidation of the Jewish minority during World War II. The economic liquidation of the group as a whole was unique, and the organised arrest, deportation and physical destruction of the Jews was genocide. Since the aim was to completely destroy the Jewish group in Norway, the economic and physical liquidation must be regarded as two parts of the same crime. The proposition is based among other things on the work of the Skarpnes Committee, which was published in Official Norwegian Report (NOU) 1997:22, 'Confiscation of Jewish Assets in Norway during World War II' ...*
>
> *In the White Paper the Ministry of Justice proposes that the historic and moral settlement is given economic expression by making collective and individual settlements. The collective settlement is proposed to consist of three parts. The first is the allocation of a sum to ensure the preservation of Jewish culture and the future of the Jewish community in Norway. Secondly, it is proposed to support efforts outside Norway to commemorate and develop the traditions and culture that the Nazis sought to eradicate. Finally, it is proposed to set up a resource centre on the Holocaust and on religious minorities' position and history in general. It is proposed that the individual compensation should take the form of an* ex gratia *payment to persons in Norway who were affected by*

the anti-Jewish measures during the war. This White Paper has been drawn up in close collaboration with representatives of the Jewish community in Norway.

The Ministry of Justice wishes by these means to make a worthy final settlement.[47]

A 'worthy final settlement'? The intention was laudable, but was this at all possible after the grave events of the wartime period?

Notes and references

1 D.Winner, *Brilliant Orange: The Neurotic Genius of Dutch Football* (London, Bloomsbury, 2001), p.5.

2 R.J. Crampton, *Eastern Europe in the Twentieth Century* (London, Routledge, 1994), p.185.

3 Crampton, p.189.

4 See R.L. Braham, *The Nazis' Last Victims: The Holocaust in Hungary* (Detroit, Wayne State University Press, 2003).

5 M. Tanner, *Croatia: A Nation Forged in War* (London, Yale University Press, 2001), p.149.

6 A. Reid, *Borderland: A Journey Through the History of Ukraine* (London, Phoenix, 2001).

7 Reid, p.154.

8 This is one of the publisher's main claims about the book. M. Dean, *Collaboration in the Holocaust: Crimes of the Local Police in Belorussia and Ukraine, 1941–44* (London, Macmillan, 1999).

9 See www.balticsworldwide.com/news/features/brothers_at_war.htm.

10 R.C.F. Maugham, *Jersey under the Jackboot* (London, W.H. Allen & Co., 1946), pp.37–8.

11 E. Witte, J. Craeybeckx and A. Meynen, *Political History of Belgium: From 1830 Onwards* (Brussels, VUB University Press, 2000), p.160.

12 R. Griffin, *Fascism* (Oxford, OUP, 1995), p.204.

13 www.thirdreichforum.com.

14 www.nizkor.org/hweb/people/e/eichmann-adolf/transcripts/Sessions/Session-061-05.html.

15 J.F. McMillan, *Twentieth Century France* (London, Edward Arnold, 1992), p.138.

16 R. Gildea, *France since 1945* (Oxford, OUP, 1996), p.75.

17 J. Hiden and P. Salmon, *The Baltic Nations and Europe: Estonia, Latvia and Lithuania* (Harlow, Longman, 1995), p.118.

18 Because Jerusalem was not occupied by the Germans, the Grand Mufti was an 'ally' of the Nazis, and not strictly a 'collaborator'.

19 Signed: Reichsfuehrer-SS Heinrich Himmler. *Source: The Arab Higher Committee – The Documentary Record, see* www.eretzyisroel.org.

20 Source: The *Arab Committee – The Documentary Record.*

21 R.S. Wistrich, *Anti-Semitism: The Longest Hatred* (London, Mandarin, 1992), p.246.

22 http://showideas.com/First/AD-1_beyond_Hitler's_grasp.htm; see also Free Bulgarian Center, *Saving the Bulgarian Jews in World War II* (5540 North Ocean Drive, 9B, Singer Island, USA, 1989).

23 M. Larkin, *France since the Popular Front* (Oxford, OUP, 1991), p.100.

24 R. Price, *A Concise History of France* (Cambridge, CUP, 1993), p.261.

25 Larkin, p.101.

26 Tanner, p.149.

27 Larkin, p.100; Price, p.260.

28 Larkin, p.100.

29 Crampton, pp.173–6.

30 Katy Miller-Korpi, 'The Holocaust in the Baltics', *SCAND* 344, May 1998.

31 Reid, p.157.

32 R.D. Kaplan, *Balkan Ghosts: A Journey Through History* (New York, Vintage, 1996), p.17.

33 Anthony Anderson – http://isd.usc.edu/~anthonya/holo.htm.

34 W. Warmbrunn, *The Dutch under German Occupation, 1940–1945* (Stanford, Stanford University Press, 1963), p.267.

35 See B.M. Rigg, *Hitler's Jewish Soldiers: The Untold Story of Nazi Racial Laws and Men of Jewish Descent in the German Military* (Topeka, University Press of Kansas, 2003).

36 www.jewishvirtuallibrary.org/jsource/Holocaust/judenrat.html.

37 R. Bennett, *Under the Shadow of the Swastika: The Moral Dilemmas of Resistance and Collaboration in Hitler's Europe* (New York, New York University Press, 1999), p.203.

38 Copyright © 2002 Yad Vashem The Holocaust Martyrs' and Heroes' Remembrance Authority.

39 Bennett, pp.185–215.

40 Reid, p.155.

41 Tanner, pp.151–2.

42 T. Judah, *The Serbs* (London, Yale University Press, 2000), p.129.

43 Judah, p.127.

44 Tanner, p.148.

45 P. Laval, *The Unpublished Diary of Pierre Laval* (London, Falcon, 1948), p.113.

46 Tanner, p.152.

47 http://odin.dep.no/jd/engelsk/publ/stprp/012005-030013/index-dok000-b-n-a.html.

CHAPTER 8

* * * * * * * * * * * * * *

The legacy of collaboration

Numbers are all that have ever counted in Zagreb. For instance, if you were to say that the Croatian Ustashe ('Insurrectionists') murdered 700,000 at Jasenovac, a World War II death camp located sixty-five miles south-east of Zagreb, you would be recognised as a Serbian nationalist who despises Croats ... But if you were to say that the Ustashe fascists murdered only 60,000 Serbs, you would be pegged as a Croat nationalist ... Nowhere in Europe is the legacy of Nazi war crimes so unresolved as in Croatia.

Robert D. Kaplan[1]

On 18 September 2002, CNN.com reported the sensational news:

PARIS, France – World War II Nazi collaborator Maurice Papon has been released from a French prison, just hours after a court ordered he should be freed on health grounds.

Papon, 92, was sentenced to 10 years imprisonment in 1998 for complicity in crimes against humanity by signing deportation orders which sent French Jews to concentration camps.

The appeals court ruled his poor health was 'incompatible with his remaining in detention' after a lower court had refused to free Papon on age and health grounds.

Justice minister Dominique Perben told France-Info radio: 'We believed that his continued imprisonment was necessary, taking into account the seriousness of the charges against him.'

Papon, a former police chief was imprisoned for 10 years in 1998 for his role in deporting Jews to Nazi death camps during World War II.

Papon, who went on to become budget minister after the war, was the highest ranking former French official sentenced for collaboration with the Nazis.

He led the Bordeaux area police during the Nazi occupation of France and signed orders that led to the deportation of 1,690 Jews from Bordeaux between 1942–44. Most of those deported went on to Auschwitz.

The court ignored the request of the public prosecutor that Papon be kept in La Sante prison, Paris, because releasing him could present 'trouble for public order,' Reuters reported.

CNN's Jim Bittermann said: 'The court said Papon was too ill to continue his sentence.

'He will remain under a kind of house arrest and will have to advise authorities of his movements following his release.'

His six-month trial reopened painful memories about France's wartime collaboration and sparked a national debate on jailing the elderly.

Papon's legal team has launched a number of attempts to get him freed.

The last request was filed earlier this year after a new clause in French law said inmates could be released if two independent doctors agreed the prisoner was either suffering from a fatal illness or that long-term health would be endangered by continued incarceration. Papon has had heart surgery.

When a French judge rejected the bid, Papon's lawyers appealed.

One of them, Francis Vuillemin, told The Associated Press: 'It is a crucial moment in his life. It is a great victory. He is totally free to come and go.'

Jewish groups have vehemently opposed Papon's liberation and French President Jacques Chirac has turned down three requests to pardon Papon since he was convicted in 1998.

Serge Klarsfeld, a Nazi hunter and historian who helped produce

much of the evidence used at Papon's trial, said the decision to free him
'gives a feeling of injustice.'

'We had fought so that he would stay in prison,' Klarsfeld told AP.
'What I hope is that this sick man doesn't turn out to be healthy.'[2]

The release of Papon seemed to say something very important about collaboration as a historical phenomenon. Fifty-seven years on from the end of the war, it was still headline-making news. What is more, it was a subject that continued to divide people and reopen old wounds. For the Jewish community in France, and throughout the world, Papon's re-emergence into the outside world was a body blow of gigantic proportions.

In the immediate aftermath of the Holocaust, Jews were angry, bitter, resentful, traumatised. They had suffered at the hands of the Nazis, and also at the hands of their proxies. Strange as it may seem, their plight has actually intensified during the post-war years. A variety of unsavoury financial scandals have seen some Holocaust survivors robbed of their savings, and the finger has been pointed at states like Sweden and Switzerland, which espoused neutrality during the war but which have since been accused of collaborating with the Nazis in the financial sector. Jews have also stood condemned. Did they themselves collaborate with Hitler through spy networks, the Jewish Police and the Jewish Councils?[3]

In Slovakia, the debate about Jozef Tiso's culpability has raged on. Hitler's poodle or a man brave enough to go against the orders of the Führer on the Jewish question? In the Middle East, Muftism has been charged with aiding and abetting Nazism.[4] In France, evidence has come to light in the post-war years regarding the guilt of Pétain and the Vichy regime.[5] And as the release of Papon has demonstrated, the legacy of collaboration is still alive in the first years of the twenty-first century.

The fall-out: short-term consequences

The post-war years were dominated by a number of themes: retribution, the demise and re-invention of the fascist right and the ascendancy of the democratic and non-democratic left. The fall-out from collaboration was enormous.

Retribution

*In Norway, as in most occupied countries, heated public debate followed
the liberation about what to do with the collaborators. The Communists
pushed hard for severe punishment for those who had aided the
Germans. Few Norwegians remembered, or cared to remember, that a
mere four years earlier, the Communists too had worked closely with the
German invaders.*[6]

The most immediate consequence of war and collaboration was retribution, but as the Norwegian scenario indicated, nothing was straightforward. After the German invasion of the Soviet Union in 1941, Norway's
Communists had executed the mother of all U-turns, just like their comrades in other states. At the liberation, they were in a position of strength,
so they would escape. But who *would* be punished? And how? There
were no clear answers to these questions. As soon as the war ended, the
debate began.

There was also a more fundamental and divisive matter: What type of
collaboration should be treated most severely? Political? Military?
Intellectual? Economic? 'Everyday' collaboration? This debate raged in
every country where collaboration, to one extent or another, had become
a reality. Alexander Werth said that in France, where ideas and intellect
were valued so highly, it was natural that ideological collaboration
should be punished so harshly.[7] François Mauriac argued the opposite
line: 'It is terrible to execute a thinking man, even if his thinking is
wrong.'[8] The issue of who should suffer, and how much, dominated the
immediate post-war years. In each country, there was a different set of
values and a different set of 'sliding scales' in operation.

There was an 'official' kind of justice, involving trials and purges, but
also an 'unofficial' justice, involving 'witch hunts' and spontaneous, *ad
hoc* vigilantism. In Belgium, there was 'popular repression ... lynching,
plunder and arson'.[9] In the Balkans, things were particularly anarchic.
Dominique Eudes talks about a 'settling of accounts' in Greece.[10] In
Czechoslovakia and Hungary, the state took on the ownership of property
belonging to ex-collaborators and fascists. Throughout the region, there
were court sessions, tribunals sponsored by the Allies and a period of
'lynch justice'.[11] Revenge was meted out to Ustashe activists in Croatia. If
former officials of the Independent State of Croatia (NDH) were not able

to flee the region after the war – and some did end up in South America – they had to run the gauntlet of Communist violence, and many were executed. More subtly, Catholics in post-war Yugoslavia were made to pay for the crimes of the Catholic-inspired Ustashe. Many in fact were persecuted for their religious and political affiliations.

As regards 'official' justice, the evidence is fascinating. In Norway, around 50,000 people were punished on account of their treasonous behaviour. According to statistics, more than half were either fined or suffered loss of civic rights, while more than a third were given a prison term. And for the record, 37 Norwegians were executed. Quisling was the most famous victim. He was charged with treason and found guilty. Hans Fredrik Dahl tells of his last movements:

> He was led to an open wooden enclosure which had been built up against the tower wall, and under the glaring pencil rays of the searchlights was blindfolded ... His arms were tied. He asked Bergh [his lawyer] to send his greetings to his wife. As the firing squad was taking up position he proclaimed his innocence for the last time. At 2.40 in the morning the volley was fired. The police coroner declared Quisling dead.[12]

In Belgium, the immediate post-war period was dominated by a surge in anti-rightist and anti-collaborationist patriotism. Flemings and Walloons fell out over which community collaborated the most, and which got a raw deal when repression started to occur.[13] In the country as a whole, hundreds of thousands of dossiers were prepared, tens of thousands of court cases heard, and in total 242 individuals paid for their crimes with their lives. To cope with all of this, a multitude of new courts were set up, and the authorities made a special appeal to unemployed law graduates in a last-ditch attempt to staff them all!

It is estimated that around 40,000 people were jailed for their wartime misdemeanours in France, 50,000 were banned from voting and 1,600 were executed.[14] The women who had slept with German soldiers had their heads shaved and were paraded through the streets of Paris as punishment. The High Court of Liberation Justice was set up to deal with 'high functionaries', but it impressed no one with its 'cursory' approach.[15] Granted, Pétain was sentenced to life imprisonment on the Île de Yeu, and Laval was shot by firing squad, whatever his protestations.[16] But in June

1949, the Court seemed to shirk its responsibilities when it found René Bousquet, an ex-Vichy police minister, guilty of collaboration, but gave him only a suspended sentence (his punishment was *dégradation nationale* – the loss of political and civil rights – for five years). When in 1967 the French authorities issued a general amnesty, it looked as if everyone just wanted to quietly forget about the wartime period.

In some places the major 'suspects' took their own lives before the state authorities could intervene: Rost van Tonningen in the Netherlands and Pierre Drieu la Rochelle in France, to name but two. (Interestingly, Laval tried to poison himself with cyanide before he was executed, but failed.)

Staying in France, the case of Robert Brasillach is extremely interesting. He was shot dead by firing squad in 1945, but till the bitter end, François Mauriac and other French *notables* campaigned against his execution. Mauriac's diary entry for 22 January 1945 read as follows:

> *When I got home last night, I was obliged to work out the details of a project that had been thrust on me during the day: an attempt to obtain Robert Brasillach's reprieve by drafting a petition, which would be signed by a number of intellectuals and then handed to General de Gaulle . . . And this is what I wrote between midnight and 2.00:*

> *'Monsieur le Président,*
> *The undersigned intellectuals, all, in different capacities, members of the French Resistance, and unanimous in condemning the evil political line pursued by Robert Brasillach, both before the Occupation and later in the very presence of the enemy, are nonetheless agreed in their belief that the carrying out of the sentence just passed on him would have serious repercussions on a wide body of public opinion both in France and abroad . . .'*[17]

For a man who was a loyal Gaullist, and who had come out of the occupation period on the 'winning side', this was a remarkably high-minded position to take. The war was not yet over – officially at least – but even so, Mauriac was favouring conciliation over vengeance. In no way was he condoning the ideological position taken by Brasillach, but he was saying that the post-war period would be difficult to navigate if martyrs were created left, right and centre. And it could be argued that there was more than a grain of truth in what he said.

Even in Belgium, where there was no puppet government, the post-war authorities were unsympathetic. Gerard Romsée and G. Schuind – two high-ranking civil servants – were given 'severe' sentences. That said, almost simultaneously, Article 115 of the penal code was toned down to facilitate 'a more clement assessment of possible economic crimes during the war'.[18] And then there was King Leopold, who was released by Allied forces in 1945, but who, between this date and 1951, when he announced his abdication, had to fend off accusations that he surrendered too easily in 1940, that he had collaborated with the Nazis thereafter and that, deep down, he actually had 'fascist sympathies'. The issue of the monarch's wartime behaviour split the country down the middle: the left pointed the finger; the right attempted to defend the man. In the end, the king handed over the reins of power to his eldest son, Baudouin, and had rid of the whole destabilising saga.

In the Balkans, the most significant 'show trial' was that of Dragoljub-Draža Mihailović, leader of the nationalist-royalist Chetniks. He was asked to defend his actions in 1946 after being captured by the new Yugoslav authorities. Phyllis Auty writes:

> Mihailović . . . after the war became a fugitive in the mountains on the borders of Bosnia and Serbia. Tito was determined that he should be captured alive and brought to public trial so that the facts about his wartime collaboration and pro-Serbian policies could be made known to the world and the whole Chetnik movement could be discredited.[19]

As it turned out, Mihailović used his month-long trial to deny his role in mass killings, but to admit to collaboration. He used the argument that many collaborators used: events took on a momentum of their own. At his trial he stated, famously: 'Destiny was merciless towards me when it threw me into the most difficult whirlwinds. I wanted much. I began much, but the whirlwind, the world whirlwind, carried me and my work away.'[20] Mihailović was executed on 17 July 1947 along with a group of fellow Chetniks, although, interestingly, he did receive a posthumous award from the American administration.[21]

A year earlier in neighbouring Croatia, it was the 'show trial' of Archbishop Alojzije Stepinac that hit the headlines. The Communist authorities in post-war Yugoslavia accused the cleric of supporting the NDH and assisting in the organised persecution of Serbs and Jews.[22]

Today, in modern-day Croatia, significant sections of the population view Stepinac as a war criminal, but this does not hide the fact that some individuals on the right and in the Church look upon him as a martyr.[23]

Right and left

Paul Wilkinson says that for any politician wishing to advance his career in post-war France, 'a record of collaboration was the mark of Cain'.[24] It was a stain – not just on a person's judgement, but on his or her morality.

In France, as elsewhere, the right was damaged. But not irrevocably. On the 'lunatic' fringe, organisations like the Association pour Défendre la Mémoire du Maréchal Pétain (Association for the Defence of Marshal Pétain) and the Societé des Amis de Robert Brasillach (Society of Friends of Robert Brasillach) emerged, and publications like *Rivarol* and *Défense de l'Occident* still attempted to glorify collaboration. Wilkinson goes on:

> *The puzzle about the fascism since the War is that it has survived at all. Even in the defeated fascist states, the climate after 1945 was overwhelmingly hostile to the extreme right. Fascism carried the stink of humiliating defeat and destruction, and the memory of the colossal crimes committed by the Nazis was still fresh in the minds of millions who had suffered at their hands. There was no great Nazi comeback, not even any political conspiracy by former Nazi leaders. They were too busy trying to evade capture and prosecution for war crimes, or trying to find a safe haven where they could get rich 'in retirement' ... The people involved in leading the new European fascist movements, when they began to creep out of hiding, were by and large those who had been small fry in war-time, middle-range officials and local party organisers.[25]*

As is suggested here, the right experienced a dramatic decline, suffered electoral wipe-out and only really found its feet again in the mid-1950s, if not later.

But when political collaborators started to emerge out of hiding, doors did open to them. The Mouvement National Royaliste (MNR) and Mouvement Social Belge (MSB) provided a home for ex-Belgian collaborators. Flanders had its own far-right movements for former collaborators: Vlaamse Concentratie (VC), a shortlived party founded in 1949, and Volksunie (VU), a nationalist group formed in 1954. Meantime, Degrelle, the most famous of ideological collaborators, was a significant presence within European neo-fascism in the immediate post-war period.

Across the border in the Netherlands, Stichting Oud Politicke Delinquenten (SOPD) was the first major far-right grouping to emerge after the end of the war. It actually tried to make political capital out of the collaboration issue, and evolved into the National European Socialist Movement (NESB) in 1953. However, we should not exaggerate the situation. Some collaborators had shown their faces after a grossly humiliating episode, but that was about it.

The corollary of this was the emergence of the left in the post-war period. This can be viewed on two levels. In the context of domestic political combat, the forces of the left now held all the aces. In aligning themselves with the forces of resistance, they had 'backed the right horse' (although obviously, they had no real choice in the matter; it wasn't as if the left was ever going to contemplate collaboration). Thus, in the immediate post-war years, they achieved impressive electoral success, and exploited the right's association with collaboration and collaborators to the full. In Norway, the popular vote of the Communists increased from 4,376 in 1936 to 177,000 (almost 12 per cent) in 1945. They also won two posts in cabinet.[26] In Belgium, in the elections of 1946, the Communists almost trebled the number of parliamentary seats they held, and they also gained four ministerial jobs.[27]

Across Eastern Europe, the left, as represented by the USSR, moved in by force. All the states that had been in alliance with Hitler, and others, became Soviet satellites almost overnight. One system of domination and subjugation had been replaced by another. Many countries paid the price for their geographical location and relationship with Hitler (both before the war and during it).

The process of 'Sovietisation' dominated the period 1944–6. Enver Hoxha established a Communist-led Popular Front government in Albania; the National Democratic Front – led by Socialists and Communists – came to power in Romania; the far left won an election victory in the newly-reorganised Czechoslovakia; ex-Comintern official Georgi Dimitrov headed up the Fatherland Front in Bulgaria; Communists eventually seized control in Hungary under Mátyás Rákosi; the Government of National Unity came to power in Poland and immediately offered Stalin extra territory; and Tito launched a policy of mass nationalisation in the newly reconstituted Yugoslavia. Meanwhile, in Ukraine there was pride and joy:

> The persistence and the heroism which the Ukrainian people, together with the other peoples of the Soviet Union, have shown and are showing in their fight against the German-fascist invaders are well known, as is the steadfastness with which they have defended their land, their big cities – Kiev, Odessa, Kharkov – and other towns and villages of the Ukraine. Their guerrilla movement undermining the strength of the enemy and disrupting his communications in the rear is also well known. The sacrifices which they have made in their fight against the common enemy are also well known. Suffice it to say that during their last invasion of the Ukraine, German hordes inflicted damage on the Ukrainian people amounting to several billion dollars, exterminated several million peaceful citizens and drove more than three million people into German slavery.[28]

Throughout Eastern Europe and the USSR, ex-fascists and ex-collaborators had to dodge the bullets as a period of anti-rightist terror gathered pace. If you were suspected of collaboration but willing to throw in your lot with the new Communist regime, you could possibly survive. But if you weren't – like Stepinac in Croatia, who flatly refused to recognise the new 'godless' authorities – you were dead and buried, almost literally.[29] It was the revenge of Stalin.

The shame: long-term significance

Until 1939, 'collaboration' had a dictionary meaning (e.g. 'working in association with'), and that was that; after the world had witnessed the reality of collaboration with Hitler, the word took on a new, more sinister meaning. Today, it denotes a 'tainted' form of political relationship and, as we have noted, it is now utilised in a variety of modern contexts.

Obviously, before 1939, there had been situations in which political authorities of differing hues had worked together and 'collaborated'. This was generally accepted as *realpolitik* in action, as an intrinsic part of the political process. It was looked down upon, but it was not vilified. Between 1939 and 1945, a new, very peculiar type of collaboration emerged. Collaboration with the Nazis was not just collaboration with *anybody*, but collaboration with evil, with totalitarianism, with genocide. In the decades following the end of the war, the word took on a whole new meaning. Collaboration was a stain on European history. This was just one of several significant long-term legacies.

War trials

Where possible, the post-war authorities dealt swiftly and severely with collaborators. But for various reasons, some big names escaped the net. This was especially the case in Croatia and France.

In 1986, Andrija Artukovic, minister of the interior under the Ustashe, was forced to stand trial after being extradited from the USA. Kaplan takes up the story:

> *Artukovic's presence on his native soil had stirred old memories, and the Communist authorities had responded only with a poorly managed, Stalinist-style show trial . . . Artukovic, a sick old man, had been found guilty and sentenced to death, but he died in custody . . . The site of his grave was not revealed: the Communists in Belgrade, most of whom were Serbs, feared Croats would turn it into a shrine.*[30]

In the former Yugoslavia, it is not just that the legacy of collaboration has been profound, but that it has been highly politicised.

In the same decade as Artukovic met his death, the ghost of collaboration came back to haunt France on a grand scale. René Bousquet, Paul Touvier and Maurice Papon were the men who hit the headlines. Bousquet was the chief of police under Vichy. He escaped serious punishment in the immediate post-war years and went on to make his name as an international banker. But in the 1970s and 1980s, when Antoine Veil and Serge Klarsfeld – two of France's most famous and effective Nazi-hunters – set to work, the case was reopened.[31] This is the view of Anne-Elisabeth Moutet, a journalist caught up in the Bousquet saga in November 1990:

> *Last Monday, the Paris Appellate Court cleared the way for the trial of René Bousquet, former head of the French police under the Vichy regime, and the man who gave the orders to round up, and deliver to the SS, 60,000 Jews in the years 1942–1943 . . . Nazi reports constantly refer to Bousquet as one of their most efficient allies. Even before the*

Germans had made an official request he offered to arrest Jewish children under 16, as well as parents of children under five, in non-occupied France. It was Bousquet who signed the orders for the round-up of 13,152 Jews in Paris on July 16 and 17, 1942 by the French police.[32]

By the early 1990s, the media was full of Bousquet-related stories. There was legal hiccup after legal hiccup, but at last, in 1993, it looked as if the ex-Vichy official might have to stand trial. However, the final twist was yet to come. On 8 June 1993, ahead of his trial commencing, Bousquet was assassinated in Paris, and thus cheated justice for good.

One crucial question is raised by the Bousquet saga. Why were the post-war authorities in France so lethargic in their efforts to bring the man to account? An important clue came in remarks made by Georges Keijman, a lawyer and government minister during the Mitterrand era. He said: 'We must be conscious of the fact that, as well as pursuing the necessary battle against people forgetting, it is also important to preserve civil peace.'[33] France's leaders wanted a quiet life – even if the truth had to be sacrificed in the process.

It is also significant that Bousquet was a personal friend of François Mitterrand, president of France between 1981 and 1995. Was there a cover-up? And the fact that Bousquet was gunned down only days before his case came to trial – did this suggest that somebody, somewhere, was worried about what might come out in court?

The case of Paul Touvier – 'France's last and most wanted war criminal'[34] – is similar, but different. He was an official of the Milice, the collaborationist police, in Lyons, and committed a series of murders in 1943 and 1944. He was condemned to death for his actions in 1946 and 1947, but by this time he was already on the run. For four decades and more, Touvier managed to escape the law. He was helped by a general amnesty in 1967 and a presidential pardon in 1971, but in May 1989 the authorities finally got their man. He was located in a Catholic priory in Nice, and arrested. Unlike the Bousquet case, this one did find its way to court. It was heard at Versailles in March–April 1994, seven years after Nazi official Klaus Barbie, Touvier's boss in Lyons, had been found guilty of crimes against humanity and sentenced to life imprisonment. On both counts, Touvier met the same fate.

Like the Bousquet case, the Touvier saga raised an array of issues. How could a convicted war criminal escape justice for 45 years? Why did the Church shelter him for so long? What motivated some Catholics and Gaullists to campaign for a presidential pardon? How could such a man be tried *in absentia*, amnestied, pardoned and then put on trial again as he approached his eightieth year? When Touvier appeared in court in 1994, were the authorities interested in making an ideological point or examining the evidence (if in fact there was any left to study after a half-century wait)?[35]

The effect of the Touvier conviction was huge. Robert Gildea says: 'The following weekend, Jewish students demonstrated outside the Paris home of Maurice Papon, who had been accused of crimes against humanity in 1983 and 1992.'[36] At the beginning of this chapter, we outlined the circumstances surrounding Papon's release from prison in September 2002. What we must do now is consider his sentencing four years earlier.

The bare facts are these: Papon was convicted of signing the arrest warrants that sent around 1,650 French Jews to their deaths, while he served as secretary-general of the prefecture of Bordeaux between 1942 and 1944. Douglas Johnson, writing during the trial of Papon in November 1997, knew that the legal spectacle was awakening old demons:

> The haunted courtroom is there to stay. Whatever happens to the man in the dock, the ghosts are not ready to disappear. In Bordeaux, Maurice Papon, an official of the Vichy government during the years 1942 to 1944, is charged with crimes against humanity. He has already absented himself from the court on grounds of ill health. It is rumoured his health is such that he might be removed permanently, or his trial might continue its labourious progress into January of next year. But whatever happens to him, and to the allegation that he sent hundreds of Jews to the death camps in response to Vichy orders and German policies, the ghosts are there.[37]

Johnson was right. As with the Touvier trial, it was a spectacle that France had to endure. Justice had a price: of course, a guilty man would be put behind bars (at least temporarily), but there was also the worry that the trial would give rise to painful memories and poisonous opinions. Robert Faurisson, a 'historical revisionist' who has spent most of his career trying to minimise the scale and gravity of the Holocaust, was quick out of the blocks. He said that Papon had displayed 'great courage' during the six-month trial. Other revisionists put their point of view. Memories came flooding back: of Vichy, collaboration, the left-right split that has haunted France for generations, the fate of the Jews.

The judicial sagas involving Bousquet, Touvier and Papon leave us with plenty to ponder. The legacy of collaboration is alive and in no danger of dying. One response has been to search collaboration out and deal with it vigorously, even forty or fifty years on. But another strategy has been to push it under the carpet and hope that it goes away. For most of the post-war period, France has alternated between the two reactions. The end result has been confusion.

Memory and history

In Eastern Europe, the new Communist regimes went out of their way to blacken the memory of collaboration and those who collaborated. This was about propaganda and the 're-writing' of history, rather than retribution *per se*.

The post-war Communist leaders of Yugoslavia were particularly adept at this. For these people, the surrender of the Yugoslavian royal family to the Germans in April 1941 was a case of 'treason' and 'quisling' behaviour. This was just one example of their highly simplistic reading of wartime history. There were others: all Chetniks were 'collaborators' and, likewise, all church leaders in Croatia were 'collaborators'.[38] The Communists' policy was clear: locate the evidence and then exaggerate it for political effect.

The man who took over the reins of the newly-independent Croatia in the 1990s, President Franjo Tudjman, engaged in his own spot of revisionist history. In *Wasteland: The Historical Realities*, he argued that at Jasenovac, the most notorious of all concentration camps set up by the NDH, only 35,000 people died. More objective estimates put the figure at around 300,000 or 400,000.[39]

Some countries went into a state of denial with regard to their wartime past. In post-war France, those in authority made a conscious effort to play down memories of collaboration, if not totally eradicate them. This was a definite tactic, for if memories could be erased, and recriminations halted, a 'new France' would have a chance to emerge. De

Gaulle, in particular, was associated with this exercise in myth-making. He gave the impression that France was a 'nation of resisters' rather than a 'nation of collaborators'. But it was impossible to hold this position forever. In 1971, the film *The Sorrow and the Pity* was released – a watershed moment because this documentary vividly depicted France as a 'nation of collaborators'. Not to put too fine a point on it, de Gaulle and his nation-building ideas had been snubbed.

By the 1980s, the 'state of denial' years were almost over. In 1981, Mitterrand became president, and even though he was reluctant to go too far too soon, his governments were instrumental in opening up the wartime period to closer scrutiny. (The irony of the situation was that time would eventually prove that *he himself* had a murky wartime past.) High-profile war-crime trials followed, as did more controversial cinematic productions, including *Pétain*, the story of the Vichy regime and its leader, *Au Revoir les Enfants*, a film that explored the relationship between the Catholic Church and the Jews, *The Eye of Vichy*, a documentary based on Vichy newsreels, and *Lacombe Lucien*, a study of resistance and collaboration and the political attitudes of one young man.[40] In terms of literature, a range of path-breaking studies emerged, including *Pétain's Crime*, Paul Webster's disturbing enquiry into the reality of French complicity in the Holocaust.[41]

It is not just the French left that has seen the sense in coming to terms with the past. The Gaullist, Patrick Devedjian, declared: 'Liberation will come only by admission and forgiveness, not by denial.'[42] And in 1995, Jacques Chirac, the new Gaullist president, said that responsibility for Vichy and the deportation of the Jews lay with the whole French nation. For followers of General Charles de Gaulle, the man who incarnated resistance to Vichy, these were big, magnanimous statements to make.

Back in 1971, another Gaullist president, Georges Pompidou, had caused a stir with his comments about the wartime years. He wondered out loud whether continuous soul-searching and navel-gazing was an appropriate national pastime:

> For more than 30 years our country has suffered one national crisis after another ... I myself was denounced to the Gestapo by the Vichy government and have since survived two assassination attempts. So I think I have the right to ask, are we going to keep our national wounds

bleeding for ever? Hasn't the time come to let the curtain fall and forget those days when the French loved each other so little that they tried to kill each other?[43]

Pompidou's words were controversial, but they contained a fundamental truth. For good or for bad, France was 'obsessed' by its own wartime experience. Whether it was denying it, acknowledging it or merely meditating on it, it was omnipresent.

This theme has been developed by Henri Rousso, who has argued that France's national psyche has been profoundly affected by the memory of collaboration. He talks about 'neurosis' and a complex, almost undefinable, affliction called 'the Vichy Syndrome'. His study of 'history and memory' in the post-war period begins with the following words:

The idea for this book began with a discovery that could have been surprising only to the naïve young scholar that I was. In the late 1970s I began research on the history of the Vichy regime, obviously still a subject of heated controversy. Nevertheless, in all innocence I thought sufficient time had elapsed to allow me to wield my scalpel. But the corpse was still warm.[44]

Rousso's work is both fascinating and stimulating. It goes a long way to helping us understand the 'psycho-history' of France in the post-war period. But maybe every country in Europe needs its Rousso, a historian who can untie knots in historical truth. Croatia certainly could.

The power of memory has conditioned the post-war history of Croatia to an enormous degree. Let us take one example, albeit a famous one. In 1952, the Vatican made Archbishop Stepinac of Zagreb a cardinal. He was the man who in the early years of Ustashe rule had given his blessing to Pavelić and the NDH. The Pope's decision was a concerted move, designed to honour a man who had been 'misunderstood' by his enemies. In 1960, Stepinac died and he was treated to what Marcus Tanner has described as a 'state funeral', much to the dismay of Tito. Not just this, but the cleric was buried 'with all the honours due to a prince of the Church'.[45] It was as if, 15 years after the end of the war, the religious authorities in Yugoslavia were making a point: Stepinac was a hero, not a villain, and his 'collaboration' had to be understood and placed in its appropriate context.

But the memory of Stepinac lives on. While the former Yugoslavia existed as a federal entity, Belgrade would not allow the Pope to visit Zagreb, precisely because the Pontiff was keen to visit the priest's tomb in the city's cathedral.[46] According to Robert D. Kaplan, 'Stepinac's ghost serves as the elemental symbol of the Serb-Croat dispute, around which every other ethnic hatred in this now-fragmented, the largest and most definitive of Balkan nations, is arranged. The greater the volume of blood shed in the Yugoslav civil war of the 1990s, the more relevant the story of Stepinac's story became.'[47] Croatia is certainly not the only country unable to forget its history, but in Split, Osijek, Zagreb and elsewhere, memories do linger, rather poisonously.

Kaplan argues that whereas some countries – like Ukraine – were happy to offer broad-based apologies for what they did or didn't do during the war, especially with regard to the Jews, Croatia issued only denials. And why was this so? Kaplan is in no doubt: it was because the Yugoslavian civil war in the 1990s had postponed a meaningful self-examination.[48] This is interesting. Today, while it is still consolidating itself as a new nation, it has too much to lose by admitting, officially, to its 'fascist' past. Maybe some time in the future, some time in the current century, Croatia will feel confident enough to confront its demons.

What is clear is that the process of conflict resolution in today's world is not helped by memories of collaboration. Memories of the Ustashe do not help peace makers in the Balkans, just as accounts of Arab-Nazi friendship in the 1930s and 1940s do not aid the search for a solution in the Israeli-Palestinian dispute.[49]

Neo-fascist nostalgia

Many neo-fascist movements of the present era have sought to rehabilitate key collaborators of the wartime period. At times, modern groupings have sought to glorify and honour the collaborators in question; at other times, they have merely indulged in gentle nostalgia.

In Slovakia, the modern far right has upheld the memory of Jozef Tiso, the leader of the wartime puppet regime. Tiso was a cleric, and was ultimately hanged on charges of treason. Over the course of the last decade there has been a huge resurgence in pro-Tiso nostalgia in the new, independent Slovakia, with elements on the far right keen to commemorate poignant historical events, such as the initial establishment of Slovakia as an independent state (1939) and the cleric's death (1947).

In the early months of 2000 a massive furore surrounded the decision of Zalina city council to establish a memorial to Tiso. The council, dominated by members of the hardline Slovak National Party (SNS), wanted to attach a plaque to the Catholic House in Zalina – the place where, in the opinion of far-right activists, the first Slovakian nation was born in 1939. Ján Slota, the SNS leader, argued that Tiso was 'a historical personality who deserved this gesture'.[50] Those on the far right believe that Tiso was as much a hero as a traitor.

Press reports in 2001 revealed that the fifty-fourth anniversary of Tiso's death had been marked by a candlelit vigil, with a group of 'skinheads' and 'elderly people' in attendance. Apparently, these individuals viewed Tiso's execution as a case of 'judicial murder' and now regard the site of his death as a 'Slovak Golgotha'.[51] Organisations such as the Society of Dr Jozef Tiso are committed to keeping the memory of Tiso alive.

However, most Slovaks view Tiso as a Quisling-esque turncoat who brought shame to his country by heading an administration that was so closely allied with the Reich. A number of Jewish and anti-fascist movements have been active in their condemnation of Tiso. Take, for example, the words of B'nai B'rith International: 'Any tribute to Tiso is outrageous ... Tiso and his regime must be remembered – not as heroes but as criminals. Attempts to rehabilitate their memory by appeals to nationalism, anti-communism or other causes dishonour those ideals, distort history, and undermine Slovakia's attempt to build democracy, rule of law and honourable civic life.'[52] Rudolf Schuster, the Slovak president, echoed this line of thinking: 'Regardless of the share of his participation, he made these crimes possible.'[53] The US embassy in Bratislava also entered the debate, saying that it agreed with the claim that Tiso had been responsible for 60,000 wartime deaths.[54]

But some ordinary Slovakians remember Tiso as an effective leader, an honourable man who should not be condemned for his wartime role. The Catholic Church also has an interest in giving Tiso, a priest, the benefit of the doubt; in 2000 a spokesperson said that the Church had 'nothing against' the Zalina plaque. All this goes to prove that wartime collaborators still have their constituency, even in the twenty-first century. One Jewish leader argued that the demand for a Tiso memorial was 'an attempt to rehabilitate fascism'.[55] Clearly, in modern Slovakia, the memory of Tiso still divides people.

Throughout the former Yugoslavia, the memory of the Nazi period and, in particular, the alliance between Hitler and the Croatian Ustashe, still motivates political hatred. Many have argued that contemporary tensions between Catholic and Orthodox, Croat and Serb, Serb and Muslim and Croat and Communist all stem from the period, and have 'infected' the former Yugoslavia in a negative, almost fatal, manner. During the 1990s, Serb activists viewed President Tudjman of Croatia as the 'new Pavelić' and it became routine for Serbs to brand Croats as 'Nazis in disguise'.

But it is not just the Croats who have a past. Recent reports from the former Yugoslavia suggest that there has been an upsurge in pro-Chetnik nostalgia. Brian Hall paints a vivid picture:

> The Chetniks hawked their wares on Prince Mihajlo Street, the pedestrian zone along the spine of Belgrade's ridge. From foldout tables they sold Orthodox crosses ... Chetnik caps, and posters of the World War II Chetnik vojvoda, or leader, Draza Mihajlovic ... New music groups, or washed-out ones angling for a comeback, had recorded old Chetnik songs, just as their counterparts – or were they the same groups? – had done with Croatian songs in Zagreb. The members of one posed on the cassette cover brandishing machine guns in some Slavonian village, presumably of mixed ethnicity – a teenage boy's heavy-metal fantasy come to gruesome life.[56]

So, in the 1990s, modern-day Chetniks were honouring their past, just as modern-day Croatia was when it decided to deck out its post-1991 football team in the red-and-white 'squares' of the old NDH flag. Istvan Deák has argued that 'recent struggles [in Yugoslavia] would have been inconceivable without the memory of the civil war that divided the country during World War II', and he is not wrong.[57]

In France, Jacques Chirac, the Gaullist politician, has exploited the political ancestry of Jean-Marie Le Pen, leader of the far-right Front National (FN). During the presidential elections of 2002, *The Guardian* reported that Chirac had 'accused the far right of being the ideological heirs of those who betrayed France to the Nazis in 1940. "It was the

leaders of the extreme right who betrayed the French by allying themselves with the forces of evil and our nation's enemies," he said.'

The FN has indeed spoken warmly of Pétain and Vichy, albeit in a
slightly cryptic manner. Le Pen took the Vichy triptych, 'Work, Family,
Country', as his own slogan for the 2002 election (in which he polled so
well, and actually made it through to the second round). Normally, it
would be tantamount to electoral suicide for any political formation to
attach themselves too closely to the memory of the Pétain regime, but Le
Pen's secret is simple: he has made sufficient coded references to Vichy
to satisfy those on the hard right, while at the same time doing enough to
convince those in the mainstream that he has no truck with the excesses
of the Pétain-Laval administration.

Le Pen also revealed his true sympathies at the height of the Touvier
affair. In 1989, Touvier, a 'most wanted' war criminal, had been captured after 45 years in hiding. The leader of the FN was quoted as
saying: 'The police must have plenty of time on their hands if they can
hunt down such a feeble old man.'[58] Indeed, in associating itself with
the 'fundamentalist' Catholic right, once personified by Archbishop
Marcel Lefebvre, Le Pen's party openly sides with the same kind of traditionalist elements in the Church that gave shelter to Touvier in the
post-war years and continue to oppose a multi-ethnic French society
today.[59]

Even President Mitterrand, in a highly controversial gesture, took
flowers to Pétain's grave on the Île de Yeu. Obviously, cynics would argue
that this action said more about Mitterrand's personal sympathies, and
his wartime activities, than anything else. But, a more rounded view
would interpret it as a highly symbolic event: the 'new' France trying to
understand, and come to terms with, the 'old' France. In this sense, it
could be argued that the flowers were symbolic of a new mood of maturity in present-day France.

Revelations and exposés

The constant stream of revelations about the wartime period, and the
phenomenon of collaboration in particular, shows no sign of abating.
Already, in the course of Chapters 1–7, we have referred to several high-
profile exposés involving the Wallenbergs, IBM, GM, Ford, L'Oréal and
the Vatican.

We can add others. In 1989, the secret diaries of Archbishop Stepinac of Zagreb were found, leading to fresh allegations and counter-allegations about the cleric's wartime role in Ustashe-ruled Croatia.[60] In Norway, social-democrat politician Haakon Lie published a book called *Who Can We Trust?* about the role of the Norwegian Communists during the period of the Nazi-Soviet Pact. In France, there was a mass of new information. In 1989, the *Sunday Times* suggested that Paul Touvier, recently arrested for his part in wartime atrocities, would have a 'trunkful of secrets about those who collaborated with the Germans. When he comes to trial, all the documents relating to his time with the militia may be exposed.' In 1990, the French magazine *L'Express* published the harrowing details of how the Vichy authorities transported more than 2,000 children to Auschwitz. And in 1991, Reuters stated: 'A list of Paris Jews, said to have been used in the arrest of tens of thousands of French citizens during the Second World War, has been found in the archives of the Ministry for War Veterans. The list, compiled in 1940 under Nazi occupation, could provide vital evidence against suspected Nazi war criminals, said the Nazi-hunter Serge Klarsfield.'[61]

There has also been controversy in Norway, where the 12,000 or so *Tyskerbarna* (literally 'German Bastards' – the name given to the children produced by Norwegian women and Nazi soldiers during the occupation) have demanded compensation from the government for their plight. The issue came to a head in the late 1990s when secret Nazi files were discovered, and then in 2001 and 2002 when families began to pursue their damages claims. But the matter had been placed in the public spotlight as far back as 1990, when one *Tyskerbarna*, Harriet von Nickel, published her autobiography, *German Child*. Under the headline, 'NORWAY'S NAZI CHILDREN', *The Week* explained:

[Von Nickel] recounted how, as a two-year-old living with foster parents, she had been chained up with the dog in the yard; how as a six-year-old she had been thrown in the river by a man from her village, who said he wanted to see if 'the witch will drown or float'. At the age of nine, drunken villagers near Trondheim branded her forehead with a swastika made of bent nails, and threatened to rape her.

The magazine went on:

One [lobby group], representing 122 'children', has pursued claims for millions of dollars in damages in the courts ... A local Norwegian court threw the case out although the judge did suggest that it could be a matter for Parliament. And on New Year's Eve [2001], Norway's PM seemed to acknowledge the government's responsibility by apologising publicly for the first time for 'the harassment and injustice done' to the war children. The case is now going to the country's Supreme Court on appeal, but the victims and their families are also preparing to take it to the European Court of Human Rights.[62]

It is clear that the campaigners are seeking to discredit and expose the Norwegian state for its complicity and negligence in the case of the *Tyskerbarna*.

The most famous 'German bastard' was Anni-Frid Lyngstad, the dark-haired girl in the Swedish pop group Abba. In June 2002, *The Observer* stated:

After her birth in November 1945 – the result of a liaison between her mother, Synni, and a German sergeant, Alfred Haase – the infant's mother and grandmother were branded as traitors ... The depression [Anna-Frid] subsequently suffered was attributed by friends to the delayed encounter with her long-lost father ... The somewhat morose Anni-Frid, who withdrew for years in Greta Garbo style, is nevertheless viewed as something of a role model by her fellow Tyskerbarnas.[63]

Knowing Me, Knowing You sang Anni-Frid and Abba in the 1970s, but because of collaboration of an illicit kind in the final year of the war, she grew up without a father. The psychological scars came later.

'Touvier represents a problem which France has not yet resolved ... Everybody knows what happened during the war but they don't want to face it. It's too painful, so it's taken 50 years to get this far.' So said Philippe, a 27-year-old Parisian, quoted by *The Observer* newspaper in March 1994 as it reported on the spectacle of the 'show trial' of the former Lyons-based police collaborator.

Some societies attempted to rewrite history in the post-war period. They wanted to believe that no-one collaborated and that everyone resisted. If this myth could be made to stick, it could be very useful indeed. Searching questions about the wartime period would be kept to a minimum, key individuals could survive with their reputations intact, and European society could feel very pleased with itself.

But what goes around comes around, and it was difficult, if not impossible, for post-war European society to erase the memory of collaboration. The truth will out, and it did in Paris in 1994.

In the decades following the end of the war, the world has had to get used to unpleasant revelations ... and even more unpleasant revelations. Historians and journalists are good at what they do, and the truth about collaboration could not be hidden for all time. Books have been published and films have been produced; trials have been held and documents have come to light; and politicians, mainly of the left, have seen to it that state secrets do not remain so forever.

Perhaps the legacy of collaboration is as significant as the story of collaboration.

Notes and references

1 R.D. Kaplan, *Balkan Ghosts: A Journey Through History* (New York, Vintage, 1996), pp.5–6.

2 Taken from www.CNN.com.

3 Copyright 2002 – Polish American Congress. All Rights Reserved.

4 R.S. Wistrich, *Anti-Semitism: The Longest Hatred* (London, Mandarin, 1992), pp.244–7.

5 See, for example, *L'Express*, 3 June 1990.

6 www.geocities.com/CapitolHill/2808/norway.html.

7 A. Werth, *France 1940–1955* (London, Robert Hale, 1957).

8 F. Mauriac, *The Other De Gaulle* (London, Angus and Robertson, 1973), p.75.

9 E. Witte, J. Craeybeckx and A. Meynen, *Political History of Belgium: From 1830 Onwards* (Brussels, VUB University Press, 2000), p.175.

10 See D. Eudes, *The Kapetanios, Partisans and Civil War in Greece, 1943–1949* (New York, Monthly Review Press, 1972), p.176.

11 www.columbia.edu/~id1/832new.htm.

12 H.F. Dahl, *Quisling: A Study in Treachery* (Cambridge, CUP, 2000), p.415.

13 Witte, Craeybeckx and Meynen, pp.174–7.

14 www.black-schaffer.com/info/classes/hist53/paxton_chapter_14.html.

15 *Independent on Sunday*, 24 March 1991.

16 See P. Laval, *The Unpublished Diary of Pierre Laval* (London, Falcon, 1948).

17 Mauriac, p.74.

18 Witte, Craeybeckx and Meynen, p.161.

19 P. Auty, *Tito: A Biography* (London, Pelican, 1974), p.312.

20 Quoted in T. Judah, *The Serbs* (London, Yale University Press, 2000), p.117.

21 D. Owen, *Balkan Odyssey* (London, Indigo, 1996), p.10.

22 Kaplan, p.23.

23 Kaplan, pp.14 and 21.

24 P. Wilkinson, *The New Fascists* (London, Pan, 1983), p.58.

25 Wilkinson, p.66.

26 www.geocities.com/CapitolHill/2808/norway.html.

27 Witte, Craeybeckx and Meynen, p.178.

28 Declaration of the Government of the Ukrainian Soviet Socialist Republic, 10 April 1945.

29 See Kaplan, p.23.

30 Kaplan, pp.12–13.

31 See P. Burrin, *Living with Defeat: France under the German Occupation* (London, Hodder Headline, 1996), pp.154 and 156.

32 *Sunday Correspondent*, 25 November 1990.

33 *Sunday Telegraph*, 25 November 1990.

34 *Sunday Times*, 28 May 1989.

35 See R.Gildea, *France since 1945* (Oxford, OUP, 1996), pp.72–5; see also *The Independent*, 24 March 1990.

36 Gildea, p.75.

37 Douglas Johnson, *Hamilton Spectator*, 10 November 1997.

38 B. Hall, *The Impossible Country: A Journey Through the Last Days of Yugoslavia* (London, Penguin, 1994), p.64; N. Malcolm, *Bosnia: A Short History* (London, Macmillan, 1996), pp.194 and 206.

39 Hall, p.41.

40 *The Guardian*, 6 May 1993. *The Eye of Vichy* was produced as 'revenge' on Vichy after the Bousquet/Touvier sagas.

41 *The Observer*, 10 June 1990; *The Guardian*, 19–20 May 1990.

42 Gildea, p.74.

43 *The Independent*, 31 May 1989.

44 H. Rousso, *The Vichy Syndrome: History and Memory in France since 1944* (London, Harvard University Press, 1994), p.1.

45 M. Tanner, *Croatia: A Nation Forged in War* (London, Yale University Press, 2001), pp.186–7.

46 Kaplan, pp.11–12.

47 Kaplan, p.15.

48 Kaplan, p.21.

49 www.eretzyisroel.org/~jkatz/nazis.html.

50 *Central European Review* – www.ce-review.org/00/11/kopanic11.html.

51 CTK, 18 April 2001.

52 Budapest JTA.

53 *Central European News,* Vol.2, no.8, 28 February 2000.

54 www.ce-review.org/00/11/kopanic11.html.

55 www.ce-review.org/00/11/kopanic11.html.

56 Hall, p.108.

57 www.columbia.edu/~id1/832new.htm.

58 *The Independent*, 25 May 1989.

59 See *The Independent*, 10 January 1992.

60 Kaplan, p.13.

61 *Sunday Times*, 28 May 1989; *The Independent*, 13 November 1991; *Sunday Correspondent*, 3 June 1990.

62 *The Week*, 27 July 2002, p.11.

63 *The Observer*, 30 June 2002.

Evaluation

.

BRUSSELS – Veterans of World War II marched past the royal family in Belgium's national day parade ... with black ribbons attached to their standards to protest a recent decision by the Flemish Parliament to grant allowances to needy persons punished for collaboration with the Nazis. Defence Minister Jean-Paul Poncelet said the decision was 'unacceptable'. The Parliament agreed to make the payments to an estimated 200 people who had been rehabilitated after being convicted of collaborating with the Nazis during their occupation of Belgium. Although the payments of up to 20,000 francs ($550) are symbolic, the decision, which was supported by a majority in the Parliament, including the radical nationalist Vlaams Blok party, caused a political stir.

International Herald Tribune[1]

Collaboration is one of the few historical phenomena to give birth to a noun.

quis·ling (kwzlng) n. A traitor who serves as the puppet of the enemy occupying his or her country. [After Vidkun Quisling (1887–1945), head of Norway's government during the Nazi occupation (1940–1945).][2]

Quisling n: someone who collaborates with an enemy occupying force [syn: collaborator, collaborationist][3]

According to the *Concise Oxford Dictionary*, there is also 'quisle' (to be a quisling) and 'quislingite'.

The fact that the actions of Vidkun Quisling have given rise to (at least) three new words in the English language says less about the man himself – he was one of many European politicians who willingly 'sold out' to Hitler – than about the gravity of the collaboration issue as a whole. Collaboration was a dirty, horrible business, and clearly, in the post-war period, new words were needed to describe the types of behaviour that it denoted, not least because there were so many variants of collaboration and because the line between collaboration and non-collaboration was so fine.

Looking back on the reality of occupation and collaboration in France, just before he was executed for his excessive ideological closeness to the Nazis, Frenchman Robert Brasillach stated rather memorably: 'We French fascists slept with Germany. We had quarrels, but the memory remains sweet.' When the dubious behaviour of certain Norwegian and French women and Pelagia in *Captain Corelli's Mandolin* is taken into account – 'horizontal collaboration' in various forms – it becomes rather tempting to view collaboration through the prism of sexual metaphor.

Were collaborators committing the equivalent of 'adultery' when they signed up to help the Nazis? Was it a 'one-night stand', an 'illicit affair' or 'forbidden love'? Was the relationship 'fully consummated' or was it passion of an 'unrequited' kind?

What we know for certain is that when the Wehrmacht traipsed its way through Western Europe, Scandinavia, the Balkans, Eastern Europe and the western territories of the Soviet Union, it did not leave the people and politicians of these regions with much choice. Occupation almost inevitably meant collaboration in some shape or form.

The best way to view collaboration is from two very distinct poles. From the perspective of Berlin, collaboration in the political sphere was a tool. Whether it imposed direct rule, installed a military or civilian administration, established puppet governments or dealt with states as *bona fide* allies, Berlin was dabbling in the art of the possible. Every single relationship Hitler built up had its teething troubles, and sometimes its major flaws. But, if he was to construct a 'New Europe' and establish German hegemony across the continent, he needed his agents, his 'willing executioners'.

From the perspective of the occupied states, collaboration was an inevitability. In the arenas of politics, society and economics, it was almost impossible to avoid doing something that somebody, somewhere would interpret as being 'dubious'. For ordinary people, living under occupation was about calculations and choices, about making them, sticking to them, and living with the consequences of them. Think about Simone de Beauvoir. Keeping warm and drinking coffee in a café that was sometimes frequented by German soldiers. Was this *really* collaboration? Or not? Was there such a thing as guiltless collaboration?

There were as many different types of collaboration as there were collaborators. But in essence the world is inhabited by 'realists' and 'idealists', and one could probably slip most collaborators into one or other of these categories. The realists knew that the Nazis were *in situ* and could not be budged. Why not accept them, deal with them, work with them – and see what happened? Surely this course of action was preferable to the alternatives: going into exile, resisting and getting caught, the dreaded scenario of your country being 'deleted' from the map of Europe? By contrast, the idealists convinced themselves that they were not being disloyal because they were being faithful to the only things that mattered: their conscience and their political belief. Why should they worry?

The problem for realists and idealists alike was the concept of 'total war'. When millions of young, courageous men and women were sacrificing themselves on the battlefield in the name of freedom and democracy, it was not funny or clever for some of their compatriots to be wheeling and dealing with Nazi officials, aping Hitlerite ideology or bedding German soldiers.

But were all collaborators equally abominable in their morals and character traits, and thus equally culpable? This question divided postwar politicians, just as it divides historians and commentators today.

Was somebody who traded with the Germans 'worse' than somebody who slept with Germans? Was somebody who mimicked Nazi attitudes and behaviour 'worse' than somebody who negotiated with Nazi officials? Was somebody who collaborated with representatives of the German regime 'worse' than somebody who collaborated with representatives of the Italian regime?

These are big questions, and there are no easy answers, if there are actually any answers at all. The best that can be said is this: some types of collaboration were based on expediency and survival; others were linked to ambition and greed. This helps us to distinguish between the café owner who serves a posse of German troops because he needs to make a living, and the black marketeer who trades with the Nazis because he knows he can make a killing; between the woman who falls in love with a German soldier and the prostitute who sells her body to the high-est bidder among the occupying forces; between the civil servant who knows that authority has to be obeyed and the politician or propagandist who is yearning for career advancement in the 'new Nazi Europe'. The distinction is between those who did what they had to do and those who did more than they should have done because they were being propelled by ambition and the thought of personal gain. Perhaps the latter is the real, authentic collaboration.

In the former category, there were people of conscience and good intention; in the latter, there were individuals of flawed personality, dubious morality and questionable ethics.

That said, a very fine line divided the two sets of people, the 'good' collaborators and the 'bad' collaborators. And this, of course, has been one of the major themes in the book. A puppet leader like Mgr Tiso would seem to inhabit the 'grey zone' between acceptability and unacceptabil-ity. He was a cleric, so one would assume that his intentions were good. He worked with Hitler even though he was a patriot, and is still regarded as such by some sections of modern Slovak society. He was happy to engage in economic and diplomatic collaboration, but he resented and resisted attempts to 'Nazify' his beloved country. He worked with the Nazis on the Jewish issue, but he is also credited with saving the lives of thousands of Jews, especially in the latter stages of the war.

If one can divorce oneself from the sheer horror of what collaboration was responsible for in practice – a very big 'if' – it is easy to be entranced by the kaleidoscopic nature of the phenomenon. To the student of his-tory, Hitler's Europe is a fascinating *mélange* of political arrangements. It was as if the Führer was working in a laboratory, and was determined to conduct a giant experiment into how Europe could be sub-divided and governed in conjunction with both proxy rulers and lackeys.

The variety of political systems that Hitler put in place was enormous. There were civil administrations, military administrations and puppet states. Germany also had its allies and satellites, its allies that became puppets, and its civil and military administrations that, given another set of circumstances, might well have become satellites or puppets. In Eastern Europe, he was willing to work with existing rulers – until they disappointed him or let him down; in Western Europe (specifically, Belgium and Holland), he put his trust in existing civil servants. It was a fluid, flexible and ever-changing system. Not everyone he worked with was a 'collaborator' in the strictest sense.

There was something strange and disturbing about collaboration. Spain was neutral, but some Spaniards volunteered to aid the Hitler machine. Sweden and Switzerland were neutral, too, but even so, this did not immunise them from accusations and innuendo aplenty in the post-war period. Their crime? 'Dodgy' financial dealings with the Reich. Romania sent thousands and thousands of men to fight and die on the Eastern Front, and some to massacre Jews in Ukraine. Frenchmen imbued with the Nazi credo also perished trying to slay the Bolshevik dragon. And what had their military unit been christened? The SS (Charlemagne) Division. Nomenclature such as this almost defied the laws of political gravity. How could citizens of France take up arms in the name of a foreign, totalitarian ideology and fight under the banner of Charlemagne, the eighth- and ninth-century French king? Some military and ideological collaborators were so inebriated with love of Nazism that they lost all sense of time and space. Like Dr Ante Pavelić, Vidkun Quisling and others – who still claimed to be 'patriots' after selling out to Hitler – these people had warped values.

If Appeasement was 'pre-collaboration' by another name, the painful legacy was 'post-collaboration'. We must also look at what we might call 'under-collaboration' and 'over-collaboration'.

'Under-collaboration' – the purposeful disregard of Nazi demands by officials in the satellite and puppet states – did go on. King Boris of Bulgaria, Tiso in Slovakia, Admiral Miklós Horthy in Hungary: all three leaders disappointed Hitler in the way that they went about governing their countries, particularly their lack of 'efficiency' in dealing with the Jews.

But as frequent, if not more so, was 'over-collaboration', the zealous desire to actually go *beyond* what the Nazis wanted to be carried out in the occupied states. In France, Pétain and Laval had grave charges to answer, and while he is still alive, Papon too has to face his public. In Croatia, the Ustashe embarrassed even Hitler with the ferocity of their assault on the local Serb population. The policy of 'ethnic cleansing' is not, of course, new. It does not simply relate to the horrific goings-on in the former Yugoslavia in the 1990s, but rather, it has a long and sorry history. When Serbs and others label modern-day Croat politicians as

'*Ustasha*', they do so with memories of the 1940s in mind. In this way, it could be argued that the legacy of collaboration is as interesting and significant as the amoral politicking of the years 1939–45.

Overall, we must conclude that as a historical theme, collaboration is of major significance. On one level, it was, and still is, a particularly difficult historical concept to grasp. A very fine line delineates what *was* collaboration from what *was not* collaboration, and as we have discovered, this is not the only point of major contention. On another level, the idea not only enveloped most of Europe during the war, but contributed to one of the darkest periods in world history. Even today, the issue is still controversial, still contentious, still liable to inflame opinions on all sides of the political spectrum.

Someone famously said that alliances are always temporary. Collaboration proves the point.

Notes and references

1   By Barry James: www.iht.com/IHT/BJ/98/bj072298.html.

2   *The American Heritage ® Dictionary of the English Language*, Fourth Edition. Copyright © 2000 by Houghton Mifflin Company, Published by Houghton Mifflin Company. All rights reserved (New York, Houghton Mifflin, 2000).

3   WordNet ® 1.6, © 1997 Princeton University.

Bibliography

Books

R. Aplin, *A Dictionary of Contemporary France* (London, Hodder & Stoughton, 1993).

E. Arnold (ed.), *The Development of the Radical Right in France: From Boulanger to Le Pen* (London, Macmillan, 2000).

P. Auty, *Tito: A Biography* (London, Pelican, 1974).

D. Bair, *Simone de Beauvoir: A Biography* (London, Vintage, 1991).

D.P. Barrett and L.N. Shyu (eds.), *Chinese Collaboration with Japan 1932–1945: The Limits of Accommodation* (Stanford, Stanford University Press, 2000).

S. de Beauvoir, *The Prime of Life* (London, Penguin, 1965).

J. Benderly and E. Kraft (eds), *Independent Slovenia: Origins, Movements, Prospects* (London, Macmillan Press, 1997).

R. Bennett, *Under the Shadow of the Swastika: The Moral Dilemmas of Resistance and Collaboration in Hitler's Europe* (New York, New York University Press, 1999).

E. Black, *IBM and the Holocaust: The Strategic Alliance Between Nazi Germany and America's Most Powerful Corporation* (New York, Random House, 2001).

M. Burleigh, *The Third Reich: A New History* (London, Macmillan, 2000).

P. Burrin, *Living with Defeat: France under the German Occupation* (London, Hodder Headline, 1996).

J. Campbell and P. Sherrard, *Modern Greece* (Oxford, Clarendon, 1964).

L. Cheles, R. Ferguson and M. Vaughan (eds), *Neo-Fascism in Europe* (Harlow, Longman, 1991).

R. Cobb, *French and Germans, Germans and French: A Personal Interpretation of France under Two Occupations, 1914–1918/1940–1944* (Hanover NH, University Press of New England, 1983).

R.J. Crampton, *Eastern Europe in the Twentieth Century* (London, Routledge, 1994).

H.F. Dahl, *Quisling: A Study in Treachery* (Cambridge, CUP, 2000).

D. Eudes, *The Kapetanios, Partisans and Civil War in Greece, 1943–1949* (New York, Monthly Review Press, 1972).

France during the German Occupation, 1940–44, Vol.II (Stanford, Cal., The Hoover Institution, *c.*1947).

R. Gildea, *France since 1945* (Oxford, OUP, 1996).

D. Gilmour, *Lebanon: The Fractured Country* (London, Sphere, 1987).

M. Glenny, *The Fall of Yugoslavia: The Third Balkan War* (London, Penguin, 1992).

R. Griffin, *The Nature of Fascism* (London, Routledge, 1994).

R. Griffin, *Fascism* (Oxford, OUP, 1995).

P. Hainsworth (ed.), *The Extreme Right in Europe and the USA* (London, Pinter, 1994).

B. Hall, *The Impossible Country: A Journey Through the Last Days of Yugoslavia* (London, Penguin, 1994).

P.M. Hayes, *Quisling* (London, David & Charles, 1971).

J. Hiden and P. Salmon, *The Baltic Nations and Europe: Estonia, Latvia and Lithuania* (Harlow, Longman, 1995).

K. Hildebrand, *The Third Reich* (London, Allen & Unwin, 1985).

G. Hirschfeld, *Nazi Rule and Dutch Collaboration: The Netherlands under German Occupation, 1940–1945* (Oxford, Berg, 1988).

G. Hirschfeld and P. Marsh (eds), *Collaboration in France. Politics and Culture during the Nazi Occupation 1940-1944* (Oxford, Berg, 1989).

A. Hunt, *'Allo, 'Allo* (London, Grandreams, 1989).

T. Judah, *The Serbs* (London, Yale University Press, 2000).

T. Judah, *Kosovo: War and Revenge* (London, Yale University Press, 2000).

R.D. Kaplan, *Balkan Ghosts: A Journey Through History* (New York, Vintage, 1996).

H. Kinder and W. Hilgemann, *The Penguin Atlas of World History: Volume II – From the French Revolution to the Present* (London, Penguin, 1985).

B. Krawchenko, *Social Change and National Consciousness in Twentieth-Century Ukraine* (Oxford, Macmillan, 1987).

M. Larkin, *France since the Popular Front* (Oxford, OUP, 1991).

P. Laval, *The Unpublished Diary of Pierre Laval* (London, Falcon, 1948).

S.J. Lee, *Aspects of European History 1789–1980* (London, Routledge, 1991).

S.J. Lee, *European Dictatorships* (London, Routledge, 2000).

K. Maier, *This House has Fallen: Nigeria in Crisis* (London, Penguin, 2000).

N. Malcolm, *Bosnia: A Short History* (London, Macmillan, 1996).

R.C.F. Maugham, *Jersey under the Jackboot* (London, W.H. Allen, 1946).

F. Mauriac, *The Other De Gaulle* (London, Angus and Robertson, 1973).

R. Mayne, *Channel Islands Occupied* (Norwich, Jarrold, 1978).

M. Mazower, *Inside Hitler's Greece: the Experience of Occupation, 1941–44*
(Yale, Yale University Press, 1993).

J.F. McMillan, *Twentieth Century France: Politics and Society 1898–1991*
(London, Edward Arnold, 1992).

S.M. Osgood, *The Fall of France, 1940: Causes and Responsibilities* (Boston,
D.C. Heath, 1965).

I. Ousby, *Occupation: The Ordeal of France 1940–1944* (London, John Murray,
1998).

D. Owen, *Balkan Odyssey* (London, Indigo, 1996).

A. Palmer, *Dictionary of Twentieth-Century History* (London, Penguin, 1999).

S.K. Pavlowitch, *The Improbable Survivor: Yugoslavia and its Problems
1918–1988* (London, Hurst, 1988).

R. Paxton, *Vichy France: Old Guard and New Order 1940–1944* (New York,
Columbia University Press, 1982).

R. Price, *A Concise History of France* (Cambridge, CUP, 1993).

A. Reid, *Borderland: A Journey Through the History of Ukraine* (London,
Phoenix, 2001).

W. Rings, *Life with the Enemy: Collaboration and Resistance in Hitler's Europe,
1939–1945* (London, Doubleday, 1982).

H. Rousso, *The Vichy Syndrome: History and Memory in France since 1944*
(London, Harvard University Press, 1994).

J.F. Sweets, *Choices in Vichy France* (New York, OUP, 1994).

M. Tanner, *Croatia: A Nation Forged in War* (London, Yale University Press,
2001).

M. Vickery, *The Albanians* (London, Tauris, 1995).

C. Ward, *Stalin's Russia* (London, Edward Arnold, 1999).

W. Warmbrunn, *The Dutch under German Occupation, 1940–1945* (Stanford,
Stanford University Press, 1963).

P. Webster, *Pétain's Crime* (London, Papermac 1994).

A. Werth, *France 1940–1955* (London, Robert Hale, 1957).

P. Wilkinson, *The New Fascists* (London, Pan, 1983).

D.G. Williamson, *The Third Reich* (Harlow, Longman, 1995).

D. Winner, *Brilliant Orange: The Neurotic Genius of Dutch Football* (London, Bloomsbury, 2001).

R.S. Wistrich, *Anti-Semitism: The Longest Hatred* (London, Mandarin, 1992).

E. Witte, J. Craeybeckx and A. Meynen, *Political History of Belgium: From 1830 Onwards* (Brussels, VUB University Press, 2000).

J.H. Wuorinen, *Scandinavia* (Englewood Cliffs, NJ, Prentice-Hall, 1965).

Journal articles

L. Berggren, 'Swedish Fascism – Why Bother?', *Journal of Contemporary History*, Vol.37, No.3 (July 2002).

Central European Review, Vol.2, No.11 (20 March 2000).

P. Giltner, 'The Success of Collaboration: Denmark's Self-Assessment of its Economic Position after Five Years of Nazi Occupation', *Journal of Contemporary History*, Vol.36, No.3 (July 2001).

A. Roadnight, 'Sleeping with the Enemy: British, Japanese Troops and the Netherlands East Indies 1945–1946', *History*, Vol.87, No.286 (April 2002).

Shofar: An Interdisciplinary Journal of Jewish Studies, Vol.19, No.3 (2001).

Other sources

Daily Mail
The European
L'Express
The Guardian
The Independent
Independent on Sunday
The Observer
The Spectator
Sunday Correspondent
Sunday Telegraph
Sunday Times
The Week
Internet sites given in notes

Index

DANGEROUS LIAISONS

'pro-German reputation' 56
puppet regime 13, 40, 59, 74, 80–1, 88
retribution 176–7
Serbs 167–8
Ustashe 6, 11, 19, 20, 34, 40, 56, 74,
    80–1, 92, 115–16, 154, 162, 164,
    167–8, 176–7
Croix de Feu 33
Cyril, Prince of Bulgaria 79, 85
Czechoslovakia
    German invasion 36, 40, 41
    German occupation 74
    Munich agreement 35, 57
    post-war 181
    Protectorate of Bohemia and Moravia
        25, 36, 41, 74, 87
    retribution 176
    Soviet liberation 45
    Treaty of Locarno 32
    see also Slovakia
Czerniakow, Adam 166

Dahl, H.F. 177
Daily Mail 3
Daily Mirror 62
Daladier, Edouard 37
Dalimier, Dr 134–5
Danish Nationalist Socialist Workers'
    Party (DNSAP) 33
D'Annunzio, Gabriele 32
Darányi, Count Kálmán 34
Darlan, Admiral 54, 62–3, 81–2
Darnand, Joseph 89, 114
Darquier de Pellepoix, Louis 164
De Beauvoir, Simone 19, 26, 52, 109–11,
    122, 124, 130, 200
De Bernières, Louis 103
De Brinon, Fernand 89, 122, 123
De Clercq, Gustave 97
De Gaulle, Charles 11, 14, 38, 45, 46–7,
    186–7
De Marchant et d'Ansembourg, Graaf 46
De Saint-Exupéry, Antoine 124
De Standaard 26, 105, 118–19
Deák, Istvan 22, 191
Dean, M. 155
Déat, Marcel 23, 47, 89
Défense de l'Occident 180
Degrelle, Léon 23, 33, 47, 97, 156, 180–1
Denmark
    collaboration with Nazis 13, 20
    conditional collaboration 25
    Danish Nationalist Socialist Workers'
        Party (DNSAP) 33
    economic collaboration 133, 147
    German invasion 38

German occupation 38–9, 74, 85, 86,
    93
    inevitability of collaboration 52
    Jewish population 158
    liberation 39
    military collaboration 94, 95
    non-aggression pact with Germany 38
    resistance 39, 93
    tactical collaboration 25
Devedjian, Patrick 187
Dimitrov, Georgi 181
DNSAP (Danish Nationalist Socialist
    Workers' Party) 33
Doriot, Jacques 23, 33, 89, 97, 143
Dreyfus, Alfred 164
Drieu la Rochelle, Pierre 46, 65–6, 89,
    122–3, 124, 178
Duhamel, Georges 124
Duquaire, Monsignor 116
Durcansky, Ferdinand 79
Dutch National Socialist Movement (NSB)
    33, 36, 56, 77, 89, 92, 134, 164

EAM (Greek Liberation Front) 41
economic collaboration 128–48
    accommodation 130–1
    black markets 134–5
    'the centre' 131–2
    and class 138–40
    companies and countries 140–4
    cooperation 130–1
    and the Holocaust 144–6, 175
    institutions 135–8
    levels 129
    and occupation 130
    'the periphery' 132–4
    and political collaboration 129
    and social collaboration 129–30
    see also labour transfers
EDES (Greek Democratic National Army)
    41
Eichmann, Adolf 46, 154, 159, 161
ELAS (Greek People's Liberation Army)
    41
Enskilda Bank 144
Estonia 44–5, 63, 74, 87, 96, 156, 163–4
ethnic cleansing 1, 202–3
Eudes, D. 176
eugenics 107, 112
evaluation 198–203
'everyday collaboration' 108–11
Eye of Vichy, The 187

Falkenhausen, General Alexander von 37
fascism
    beginnings 32–4

· 210 ·